バイオ医薬品ハンドブック

Biologicsの
製造から品質管理まで 第4版

編集　日本PDA製薬学会 バイオウイルス委員会

じほう

序文

　バイオ医薬品の市場は，抗体医薬品などを中心に大方の予想通り伸びており，世界の医薬品市場では売上トップ10の中でバイオ医薬品が6，7品目を占めるまでになっており，2022年にはバイオ医薬品が医薬品全体の4割に迫るとの予測もある。また，再生医療等製品も上市が進んでおり，遺伝子治療，細胞治療など新しいモダリティの製品を含め，今後ますます幅広く使用され患者に恩恵を与えることが期待される。

　本ハンドブックはそれらのバイオ医薬品等に求められる品質，安全性，製造工程の恒常性，安定生産について日本PDA製薬学会バイオウイルス委員会で研鑽した内容を中心にまとめたものである。執筆，編集も委員会メンバーが担当し，従来の低分子合成薬での製造・品質管理では対応できない分野についての解説を心掛けた。2012年1月25日に初版を発刊してから，バイオ医薬品等に関する技術進歩や関係規制の変更に伴い，2016年の第2版，2018年の第3版に続き，今回再度改訂を行うこととした。

　バイオウイルス委員会は執筆者一覧にあるように，産官学から多様な経験豊かなメンバーから構成されている。毎月定期的に活動しており，委員会開催も2020年8月で175回目となった。委員会での研鑽内容は日本PDA製薬学会の年会やシンポジウム，雑誌などで発表しているが，本書の執筆・改訂も大きな活動の柱となっている。また，執筆したメンバーには第3版から継続した24名に新しく8名が加わり，計32名がそれぞれの専門分野を活かし分担している。なお，初版の執筆に携わった約30名のメンバーのうち8名は現在も委員会で活躍している。

　今回の改訂では，近年上市品目が増加している核酸医薬についても新たに取り上げたほか，バイオ医薬品，再生医療等製品に関する製造・品質管理技術や関係規制についても最新の内容に修正した。今回の改訂版が関係する分野に携わる方々の製造・品質管理の理解の整理，品質保証の向上など実際の業務の一助になれれば幸いである。一方，近年は特に新規モダリティの治療用製品の開発はますます進んできており，技術革新も目覚ましいスピードで進歩しているため，これらに必ずしも十分に対応できていない箇所があるかもしれない。これら新しい技術についての対応は，今後の改訂版における課題としたい。

　最後に本改訂版の発刊にあたり，多忙な中，打ち合わせ，執筆，編集を担当頂いた菅原編集幹事をはじめ委員の皆さん，また，発刊にご尽力いただいた株式会社じほう・橋都様に心から感謝いたします。

2020年11月

日本PDA製薬学会 バイオウイルス委員会
委員長　菅谷真二

編　集

日本PDA製薬学会 バイオウイルス委員会
　委員長：菅谷 真二
　編集委員：小田 昌宏，川俣 治，菅谷 真二，新見 伸吾，菅原 敬信（幹事）

執　筆（あいうえお順）

氏名	所属	担当章
粟津 洋寿 (Hirotoshi Awatsu)	日本ポール株式会社 (Nihon Pall Ltd.)	第5, 14章
李 仁義 (Lee In eui)	神戸大学大学院科学技術イノベーション研究科 (Kobe University Graduate School of Science, Technology and Innovation)	第2章
飯嶋 正也 (Masaya Iijima)	第一三共バイオテック株式会社 (Daiichi Sankyo Biotech Co., Ltd.)	第11章
伊藤 隆夫 (Takao Ito)	メルク株式会社 (Merck Ltd.)	第4, 5章
井上 雅晴 (Masaharu Inouye)	独立行政法人 医薬品医療機器総合機構 (Pharmaceuticals and Medical Devices Agency)	第3, 8, 14章
井上 隆昌 (Takamasa Inoue)	一般社団法人 日本血液製剤機構 (Japan Blood Products Organization)	第8, 10章
上村 泰央 (Yasuo Uemura)	株式会社ジーンベイ (GeneBay, Inc.)	第9章
大槻 久美子 (Kumiko Otsuki)	大日本住友製薬株式会社 (Sumitomo Dainippon Pharma Co., Ltd.)	第2章
岡田 真樹 (Masaki Okada)	ライフサイエンティア株式会社 (Life Scientia Ltd.)	第4章
岡野 清 (Kiyoshi Okano)	株式会社 鎌倉テクノサイエンス (Kamakura Techno-Science, Inc.)	第6, 7, 15章
岡村 元義 (Motoyoshi Okamura)	株式会社ファーマトリエ (Pharmatelier Inc.)	第4章
尾山 和信 (Kazunobu Oyama)	慶應義塾大学病院 臨床研究推進センター (Keio University Hospital Clinical and Translational Research Center)	第3, 14章
小川 伸哉 (Shinya Ogawa)	東洋紡株式会社 (Toyobo Co., Ltd.)	第6, 15章
小田 昌宏 (Masahiro Oda)	日本ポール株式会社 (Nihon Pall Ltd.)	第5章
河野 栄樹 (Hideki Kawano)	メルク株式会社 (Merck Ltd.)	第5章

川俣 治	東京医科歯科大学	第9, 14章
(Osamu Kawamata	Tokyo Medical and Dental University)	
菅谷 真二	東和薬品株式会社	第1章
(Shinji Sugaya	Towa Pharmaceutical Co., Ltd.)	
菅原 敬信	熊本大学大学院医学教育部小児科学分野	第3, 11, 14, 15, 16章
(Keishin Sugawara	Kumamoto University Graduate School of Medical Sciences)	
田中 祥徳	株式会社東レリサーチセンター	第7, 15章
(Yoshinori Tanaka	Toray Research Center, Inc.)	
辻 伸次	武田薬品工業株式会社	第4, 12章
(Shinji Tsuji	Takeda Pharmaceutical Company Limited)	
時枝 養之	KMバイオロジクス株式会社	第4, 14章
(Yoshiyuki Tokieda	KM Biologics Co., Ltd.)	
新見 伸吾	日本化薬株式会社	第7, 13章
(Shingo Niimi	Nippon Kayaku Co., Ltd.)	
針金谷 尚人	日本ポール株式会社	第4, 5, 14章
(Naohito Hariganeya	Nihon Pall Ltd.)	
平澤 竜太郎	独立行政法人 医薬品医療機器総合機構	第3, 9, 14章
(Ryutaro Hirasawa	Pharmaceuticals and Medical Devices Agency)	
本郷 智子	旭化成メディカル株式会社	第8章
(Tomoko Hongo-Hirasaki	Asahi Kasei Medical Co., Ltd.)	
丸山 裕一	デンカ株式会社	第11, 14章
(Yuichi Maruyama	Denka Co., Ltd.)	
村井 活史	一般社団法人 日本血液製剤機構	第8, 10章
(Katsushi Murai	Japan Blood Products Organization)	
森 ゆうこ	ViSpot株式会社, 神戸大学大学院	第8章
(Yuko Kato-Mori	ViSpot Inc., Kobe University Graduate School of Science, Technology and Innovation)	
山本 耕一	協和キリン株式会社	第4, 12章
(Koichi Yamamoto	Kyowa Kirin Co., Ltd.)	
山本 秀樹	株式会社ダブルヘリックスインターナショナル	第4, 5, 12章
(Hideki Yamamoto	Double Helix Internatoinal, Inc.)	
吉成 河法吏	医療法人聖友会	第14章
(Kaoru Yoshinari	Healthcare Corporation Seiyuukai)	
渡辺 直人	旭化成メディカル株式会社	第8章
(Naoto Watanabe	Asahi Kasei Medical Co., Ltd.)	

目次

第1章　ハンドブック概要 …………………………………………………… 1
  1.　用語解説 …………………………………………………………………… 1
  2.　改訂のポイント …………………………………………………………… 2

第2章　バイオ医薬品のCMC申請（CTD品質パート）………………… 7
  はじめに ………………………………………………………………………… 7
  1.　バイオ医薬品のCMC承認申請 ………………………………………… 7
  2.　バイオ医薬品の開発段階に応じたCMC戦略 ………………………… 11
  3.　バイオ医薬品の申請資料CTD品質（Q）パートの記載内容 ……… 14
  おわりに ………………………………………………………………………… 16

第3章　細胞基材の品質・安全性確保 ……………………………………… 17
  はじめに ………………………………………………………………………… 17
  1.　細胞基材の選択 …………………………………………………………… 17
  2.　セルバンクの管理 ………………………………………………………… 25
  3.　トピックス ………………………………………………………………… 34
  おわりに ………………………………………………………………………… 39

第4章　バイオ医薬品の製造 ………………………………………………… 43
  概論 ……………………………………………………………………………… 43
Ⅰ　バイオ医薬品の製造方法と管理 …………………………………………… 43
  はじめに ………………………………………………………………………… 43
  1.　製造方法概論 ……………………………………………………………… 44
  2.　製造管理概論 ……………………………………………………………… 47
  3.　製造環境管理概論 ………………………………………………………… 47
  4.　各製造プロセス …………………………………………………………… 50
  5.　Quality by Design ……………………………………………………… 56
  おわりに ………………………………………………………………………… 58
Ⅱ　連続生産技術-バイオ医薬品における現状と課題 ……………………… 59
  はじめに ………………………………………………………………………… 59
  1.　医薬品の連続生産 ………………………………………………………… 60
  2.　バイオ医薬品の連続生産技術 …………………………………………… 61
  3.　バイオ医薬品連続生産の製造コスト …………………………………… 66
  4.　考慮すべき点 ……………………………………………………………… 70
  おわりに ………………………………………………………………………… 78
Ⅲ　CDMO/CRO ………………………………………………………………… 80
  1.　バイオ医薬品開発におけるアウトソーシングの動向 ………………… 80

2． バイオ医薬のアウトソーシングの課題と今後 ················· 98

第5章　シングルユース技術 ································ 101
　　はじめに ·································· 101
　　1． シングルユース技術の概要と関連する製品 ················· 102
　　2． シングルユース技術の導入戦略と実現性評価 ················ 112
　　3． シングルユース技術の導入におけるリスク評価 ··············· 113
　　4． バリデーション試験とExtractables/Leachables（抽出物／溶出物）評価 ··· 118
　　おわりに ·································· 121

第6章　バイオ医薬品の品質管理 ·························· 125
　　はじめに ·································· 125
　　1． バイオ医薬品と合成医薬品との違い ···················· 125
　　2． タンパク質分子の不均一性 ························ 127
　　3． バイオ医薬品の品質管理 ························· 128
　　おわりに ·································· 135

第7章　バイオ医薬品の特性解析 ·························· 137
　　はじめに ·································· 137
Ⅰ　バイオ医薬品の特性解析 ··························· 137
　　はじめに ·································· 137
　　1． バイオ医薬品の特性解析の概要 ····················· 138
　　2． 抗体医薬品の特徴 ··························· 140
　　3． 抗体医薬品の特性解析 ·························· 141
　　4． 抗体薬物複合体の特性解析 ························ 156
　　5． その他の特性解析 ···························· 157
　　おわりに ·································· 158
Ⅱ　抗体医薬品の翻訳後修飾 ··························· 160
　　はじめに ·································· 160
　　1． N末端ピログルタミン酸の形成 ······················ 160
　　2． シグナルペプチドの不完全な切断 ····················· 160
　　3． C末端リシンの欠損 ··························· 161
　　4． C末端プロリンのアミド化 ························ 161
　　5． MetおよびTrp残基の酸化 ······················· 162
　　6． Asn残基の脱アミド化およびAsp残基の異性化 ··············· 164
　　7． 抗体医薬品の製造工程で起こる鎖間ジスルフィド結合の還元 ········· 166
　　おわりに ·································· 166

第8章　生物薬品のウイルス安全性 ························· 171
　　はじめに ·································· 171
　　1． ウイルス除去・不活化 ·························· 172

2．ウイルスクリアランス試験 …………………………………… 175
　3．バイオ医薬品におけるウイルス汚染事例 …………………… 184
　おわりに ……………………………………………………………… 193

第9章　ウイルス・マイコプラズマ否定試験 …………………………… 199
　はじめに ……………………………………………………………… 199
　1．ウイルス否定試験（検出試験） ……………………………… 199
　2．マイコプラズマ否定試験 ……………………………………… 210
　3．次世代シーケンシングによるウイルス・マイコプラズマ検出 … 216
　おわりに ……………………………………………………………… 228

第10章　血液製剤と血漿分画製剤 ……………………………………… 233
　Ⅰ　輸血用血液製剤 …………………………………………………… 233
　　はじめに …………………………………………………………… 233
　　1．輸血の歴史 …………………………………………………… 233
　　2．輸血用血液製剤ができるまで ……………………………… 234
　　3．輸血用血液製剤の感染症対策 ……………………………… 236
　　おわりに …………………………………………………………… 237
　Ⅱ　血漿分画製剤 ……………………………………………………… 238
　　はじめに …………………………………………………………… 238
　　1．血漿分画製剤の歴史 ………………………………………… 238
　　2．血漿分画製剤の感染事例 …………………………………… 240
　　3．血漿分画製剤の種類と製造工程 …………………………… 241
　　4．血漿分画製剤の品質管理試験 ……………………………… 244
　　5．血漿分画製剤のウイルス安全性 …………………………… 245
　　6．新興再興感染症について …………………………………… 247
　　おわりに …………………………………………………………… 248
　Ⅲ　組換え血液製剤 …………………………………………………… 248
　　はじめに …………………………………………………………… 248
　　1．血友病と血液凝固系 ………………………………………… 248
　　2．第Ⅷ因子 ……………………………………………………… 252
　　3．第Ⅸ因子 ……………………………………………………… 253
　　4．VWF …………………………………………………………… 254
　　5．活性化第Ⅶ因子 ……………………………………………… 255
　　6．組換え血液製剤の課題と対策 ……………………………… 256
　　おわりに …………………………………………………………… 257

第11章　ワクチン ………………………………………………………… 261
　はじめに ……………………………………………………………… 261
　1．ワクチンの歴史 ………………………………………………… 262
　2．ワクチンの製造と品質管理 …………………………………… 266

3. ワクチンの開発事例 ………………………………………………… 275
　　4. パンデミックインフルエンザ ………………………………………… 284
　　5. 動物ワクチン ………………………………………………………… 290
　おわりに ……………………………………………………………………… 295

第 12 章　抗体医薬　"Antibody Drug"
　はじめに ……………………………………………………………………… 299
　　1. 抗体医薬 ……………………………………………………………… 300
　　2. 抗体医薬の品質管理 ………………………………………………… 306
　　3. 抗体医薬の課題 ……………………………………………………… 307
　　4. 抗体薬物複合体製剤 ………………………………………………… 308
　　5. Fc 領域融合タンパク質製剤 ………………………………………… 313
　　6. バイスペシフィック抗体製剤 ………………………………………… 317
　おわりに ……………………………………………………………………… 319

第 13 章　バイオシミラー
　はじめに ……………………………………………………………………… 323
　　1. バイオシミラーとは ………………………………………………… 323
　　2. バイオシミラーの開発 ……………………………………………… 324
　　3. 薬局レベルにおける先発の製剤からバイオシミラーへの変更 …… 324
　　4. 医師による先発の製剤からバイオシミラーへの変更 ……………… 326
　　5. 普及の現状，施策など ……………………………………………… 326
　おわりに ……………………………………………………………………… 330

第 14 章　再生医療等製品
　はじめに ……………………………………………………………………… 335
Ⅰ 再生医療等製品 …………………………………………………………… 335
　　1. 日本における再生医療の歴史と現状 ……………………………… 335
Ⅱ 細胞加工製品 ……………………………………………………………… 347
　　1. 細胞加工製品の特徴を踏まえた品質管理の考え方 ……………… 347
　　2. ベリフィケーションの考え方とその運用 ………………………… 350
　　3. 細胞加工製品の特徴を踏まえた Potency Assay の考え方 ……… 352
　　4. 再生医療等製品の無菌製造法に関する指針 ……………………… 355
　　5. 承認された細胞加工製品での品質確保のアプローチ …………… 358
　　6. 細胞加工製品の品質管理戦略 ……………………………………… 379
Ⅲ 遺伝子治療用製品等 ……………………………………………………… 382
　　1. 遺伝子治療用製品等の紹介 ………………………………………… 382
　　2. 遺伝子治療用製品等の品質および安全性の確保について ……… 396
　　3. 改正通知の構成 ……………………………………………………… 398
　　4. ウイルスベクターの製造方法 ……………………………………… 400
　　5. 遺伝子治療用製品の品質管理手法 ………………………………… 411

Ⅳ 規制制度 ……………………………………………………………………………… 420
  1. 遺伝子組換え生物等の使用等の規制による生物の多様性の確保に関する法律
     （カルタヘナ法）の概要 ……………………………………………………… 420
  2. 遺伝子治療の長期追跡調査 …………………………………………………… 428
  3. TSE/BSE に関する規制 ……………………………………………………… 430
  おわりに ……………………………………………………………………………… 431

第15章　核酸医薬 ………………………………………………………………… 439
  はじめに ……………………………………………………………………………… 439
  1. 核酸医薬の作用メカニズム …………………………………………………… 439
  2. 核酸医薬の品質試験 …………………………………………………………… 447
  おわりに ……………………………………………………………………………… 455

第16章　トピックス ―ウイルスの人工合成― ……………………………… 457
  はじめに ……………………………………………………………………………… 457
  1. ウイルスの人工合成 …………………………………………………………… 457
  2. ポリオウイルス ………………………………………………………………… 463
  3. ΦX174 バクテリオファージ ………………………………………………… 464
  4. コロナウイルス ………………………………………………………………… 465
  おわりに ……………………………………………………………………………… 466

■ 日本 PDA 製薬学会バイオウイルス委員会実績一覧 ………………………… 469
■ 略語表 ……………………………………………………………………………… 479
■ 索引 ………………………………………………………………………………… 482

第 1 章
ハンドブック概要

1. 用語解説

　バイオ医薬品の市場は，抗体医薬品などを中心に世界的な売り上げが伸びている。また，細胞治療，遺伝子治療など新しいモダリティの実用化が進み，上市された再生医療等製品の品目も年々増えてきており，市場に占める割合は今後ますます増加すると思われる。

　本書では，これらの医薬品等に求められる品質や安全性や製造工程の恒常性，安定生産について解説する。また，本書では，バイオ医薬品，ワクチン，血液製剤，再生医療等製品などを主な対象としているが，これら生物に由来する製品やバイオテクノロジーにより製造される製品などを表現する用語にはさまざまなものがある。厳密な定義がない用語もあるが，本書ではおおむね以下のような意味で使用しているため，参考にしていただければ幸いである。

- 生物薬品（H12.7.14　医薬審第873号）：
  バイオテクノロジー応用医薬品／生物起源由来医薬品
- バイオ医薬品：
  従来は「遺伝子組換え，細胞融合，細胞培養などのバイオテクノロジーを応用して製造されたタンパク質医薬品」の意味で用いられていたが，最近では「有効成分がタンパク質由来（成長ホルモン，インスリン，抗体など），生物由来の物質（細胞，ウイルス，バクテリア）により産生される医薬品」（製薬協ホームページ）の意でも用いられる。
- 生物学的製剤（生物学的製剤基準）：
  生物学的製剤基準で定められた主にワクチンや血液製剤
- 血液製剤（厚労省ホームページ）：
  人の血液又はそれから得られた物を有効成分とする医薬品であり，輸血用血液成分と血漿分画製剤からなる。
- ワクチン（製薬協ホームページ）：
  予め病原性をなくす又は，弱めた病原体を体内に入れ免疫をつくることで病気を予防する医薬品。
- 生物由来製品（医薬品医療機器法第2条10）：
  人その他生物（植物除く）の細胞，組織に由来する原料又は材料を用いて製造される医薬品・医薬部外品・化粧品又は医療機器のうち，保健衛生上特別の注意を要するものとして厚生労働大臣が指定するもの
- 特定生物由来製品（医薬品医療機器法第2条11）：
  生物由来製品のうち，販売などした後で，保健衛生上の危害の発生又は拡大を防止するた

めの措置を講じる必要のあるものとして厚生労働大臣が指定するもの。
生物由来製品のうち，主に人の血液や組織に由来する原料を用いた製品
- 日局生物薬品（第十七改正日局参考情報）：
哺乳類等の生体組織や体液（尿，血液）に由来するものが含まれる。ヒト又は動物細胞由来のタンパク質性医薬品（組換え医薬品，細胞培養医薬品などのバイオ医薬品）も含まれる。
- 再生医療等製品（医薬品医療機器法第2条9）：
  ① 次に掲げる医療又は獣医療に使用されることを目的とされる物のうち，人又は動物の細胞に培養その他の加工を施したもの。
     イ 人又は動物の身体の構造又は機能の再建，修復又は形成
     ロ 人又は動物の疾病の治療又は予防
  ② 人又は動物の疾病の治療に使用されることが目的とされる物のうち，人又は動物の細胞に導入され，これらの体内で発現する遺伝子を含有させたもの
- 遺伝子治療製品等（遺伝子治療等品質安全性確保指針）：
再生医療等製品のうち遺伝子治療用製品及び遺伝子導入細胞からなるヒト細胞加工製品をいう。
- 遺伝子治療用製品（遺伝子治療等品質安全性確保指針）：
疾病の治療や予防を目的として遺伝子又は遺伝子を導入した細胞を人の体内に投与する医薬品。
- 細胞加工製品（再生医療等安全法第1条）：
ヒト又は動物に培養その他の加工を施したもの
- ウイルス製剤：
規制上の定義はない。欧米で承認された遺伝子治療薬はいずれもウイルス製剤であるが，安全性を高めた非ウイルスベクターを用いた遺伝子治療薬も開発されている。
- バイオ後続品（バイオ後続品の品質・安全性・有効性確保指針　H21.3.4）：
既に国内で販売承認を与えられたバイオテクノロジー応用医薬品と同等／同質の医薬品，バイオシミラーと同義
- 抗体医薬品（国衛研生物薬品部ホームページ）：
疾病関連分子に特異的に結合する抗体を遺伝子組換え技術等を応用して作製した医薬品
- 核酸医薬品（国衛研ホームページ）：
核酸あるいは修飾核酸が十数～数十塩基結合したオリゴ核酸で構成されタンパク質に翻訳されることなく直接生体へ作用するもので化学合成により製造される医薬品。

2. 改訂のポイント

今回の改訂では，核酸医薬など新分野医薬品および技術進歩を追加し，関係規制の変更も最新の内容に修正した。改訂のポイントは以下の通りである。

(1) CMC申請

CMC(Chemistry, Manufacturing and Control：化学，製造および品質管理)の承認申請の解説を最初の章として追加した。治験薬，新薬および市販後のCMC承認申請，バイオ医薬品の開発段階に応じたCMC申請戦略，CTD申請資料の品質(Q)パートの記載内容を紹介する。（**第2章**）

(2) バイオ医薬品製造での技術革新

1) 細胞基材

バイオ医薬品の原薬製造は，構築されたセルバンクを培養して目的タンパク質を大量に生産させる上流工程と，培養終了液から目的タンパク質を分離精製する下流工程によって構成されている。生産の出発材料である細胞基材の選択とセルバンクの構築は特に重要である。分子標的薬として用いられるモノクローナル抗体は糖タンパク質であるため，動物細胞であるCHO細胞が多く選択されているが，①大量培養技術の確立，蓄積，②ウイルスなどの安全性に関する知見，③高発現遺伝子組換え体の構築技術の進展などが進んでおり，安全性の観点からも検討されている。植物や昆虫細胞など，新しい細胞基材の開発も進んでいる。（**第3章**）

2) 連続生産

バイオ医薬品の連続生産は低分子医薬品と同様に設備使用の柔軟性，開発スピード向上の観点で期待されている技術であり，実用化に向けて多くの検討が行われている。バッチ，管理された状態，バリデーションなどの考え方，連続生産を支える分析技術の適用，連続運転可能な連結工程の開発，シングルユース技術によるクローズドプロセスの構築などを取り上げ，最新の検討事例とともに紹介する。（**第4章**）

3) シングルユース技術

連続生産も含め，培養工程および精製工程においてシングルユースシステムを選択する例が増えている。従来型のステンレス製固定式設備に必要であった製造操作前後の定置洗浄や定置滅菌が不要であり，さらには設備の初期投資額の削減や洗浄性の評価を省けることが理由である。一方，プラスチックバッグなどから構成されるシングルユースシステムは，容量レンジの限界，溶出物評価の実施，作業者によるマニュアル操作の増加などが課題として認識されている。それらに対するさまざまな用途の製品や技術情報，日本PDA製薬学会をはじめとする複数の業界内組織からの最新情報を紹介する。（**第5章**）

4) CDMO/CRO

バイオ医薬品など最新の医薬品では，開発，上市後の製造設備を自社で保有せず，また経験ある要員も限られているため，専門の受託会社へ依頼するケースがある。受託会社の選択によっては，開発期間や場合によって開発の成否にも影響がでる可能性が否定できないため，保有する設備，技術，経験，要員など十分に調査し，意見交換した上で選択することが望ましい。また，CDMO/CRO情報を更新した。（**第4章**）

(3) バイオ医薬品の品質管理・特性分析

内容について大きな改訂はないが，タンパク質分子の不均一性の要因である翻訳後修飾についての解説を追加した。なお，抗体薬物複合体の特性解析については第3版第11章の抗体医薬から移動し整理したので注意いただきたい。（第6，7章）

(4) バイオ医薬品の生物汚染対策の現状

バイオ医薬品では動物由来の原材料を使う場合が多く，ウイルス，マイコプラズマ，細菌およびグラム陰性菌由来エンドトキシン，異常プリオンなどの生物汚染に対する安全性の担保は重要な項目であり，それらに対応する新たな技術を応用した準備を怠ることはできない。

ウイルスについての基本的対応はICH Q5Aで示されており，①原材料での試験選択，②製造工程での不活化，除去能評価，③適当な段階での否定試験がポイントである。

近年，次世代シーケンシング技術を利用したウイルス安全性評価の導入可能性について国際的な検討が進められているが，製品に混入する可能性があるすべてのウイルスを把握可能なウイルス検出試験は現時点ではまだないため，ウイルスが存在するワーストケースを想定したクリアランス試験は重要であり，それらの課題も解説する。最近では連続生産での対応，負担の大きな試験について過去の経験，ノウハウを活用し効率化する検討も進んでいる。また，欧州においては不活化剤Triton X-100が使用禁止になることへの対応が必要となっている。なお，基本となるICH Q5A(R2)への改訂作業が進んでおり，その動向については注意する必要がある。（第8，9章）

(5) 血液製剤

血液製剤と血漿分画製剤をまとめて記載した。新興感染症としてCOVID-19についてもその現状の対応に触れた。（第10章）

(6) ワクチン

ワクチン（予防接種）は，天然痘の根絶をはじめ，多くの感染症のコントロールに大きな成果をあげてきたが，わが国では，まれに起こるワクチンの副反応のみがクローズアップされ，ワクチンの有用性・重要性が軽視される時代もあった。ところが，高病原性トリインフルエンザ，SARSに始まり，2009年の新型インフルエンザによるパンデミックを経験したことで，予防医学，特にワクチンへの関心が高まっている。**第11章**では，ワクチンの歴史と現状，製造と品質管理，新しいワクチンの開発事例，ヒトの健康にも関係する動物ワクチンなどを紹介している。現在，新型コロナウイルス(SARS-CoV-2)によるパンデミックが猛威を振るっている。従来の技術に加えて，ウイルスベクターやDNA，RNAなどの最新技術を使ったワクチン開発が急ピッチで進められており，安全で有効なワクチンが全世界の人々にあまねく行きわたり，1日でも早く終息することを願っている。新型コロナウイルスの最新情報については，随時，ファームテクジャパン誌上での発表を予定している。

（7） 抗体医薬

バイオ医薬品を代表するものであり，世界で開発中の品目も多い。また，一般的な抗体だけでなく抗体薬物複合体，Fc領域融合タンパク質，バイスペシフィック抗体など多くが検討されており，それらの最新状況を追記した。（**第12章**）

（8） バイオシミラー

バイオ医薬品は化学合成医薬品に比べて一般的に薬価は高く，医療財政の圧迫要因となっている。そのため，先発の製剤と同等／同質の品質，有効性および安全性を有し，薬価が安いバイオシミラーは医療費の大きな削減効果が期待される。今回は，日・欧・米の薬局レベルにおける先発の製剤からバイオシミラーへの変更に関する用語と定義，決定の権限と現状など，バイオシミラーの普及の現状，課題，施策など，日本において2020年2月に改正された指針の主な見直し点について概説した。（**第13章**）

（9） 再生医療

今回の改訂に合わせ全体を見直した。第Ⅰ項では再生医療等製品に関わる国内の規制制度について，医薬品とは異なる点に焦点をあて解説した。また，開発をより効率的に進めるために整備されている各種相談制度についても取り上げた。

第Ⅱ項では，細胞加工製品の特性を考慮した品質管理の考え方，医薬品とは異なる事務連絡等について解説する。また，個別製品のケース・スタディについてもバイオウイルス委員会が調査・分析した結果を紹介する。

第Ⅲ項では，遺伝子治療用製品等について，昨今のウイルスベクターの製造技術の進展，新たに整備された国内ガイドラインの解説に加え，個別製品のケース・スタディについても紹介する。

第Ⅳ項では，再生医療等製品に関連する規制制度として，カルタヘナ法規制制度とその運用について解説する。また，遺伝子治療の長期追跡調査，TSE/BSEの制度についても取り上げた。（**第14章**）

（10）核酸医薬

第4版では，抗体医薬を中心とした組換え医薬品，血液製剤，ワクチン，再生医療等製品に加え，新しいモダリティである核酸医薬品を取り上げた。製法は化学合成でありBiologicsとは異なるが，作用メカニズムは"バイオ"そのものである。**第15章**では，上市された製品からいくつかを取り上げて，作用メカニズムおよび品質管理の考え方と具体例を解説した。今後，革新的な薬効をもった新薬が多数開発されることが期待される。

（11）トピックス

遺伝子治療に用いるウイルスベクターやSARS-CoV-2ワクチンの1つである組換えアデノウイルスなどは，人工的に作製したウイルスである。**第16章**では，これら「ウイルスを人工合成する」試みの経緯や事例を紹介する。

第 2 章
バイオ医薬品の CMC 申請
（CTD 品質パート）

はじめに

　医薬品の開発には，CMC（Chemistry, Manufacturing and Control：化学，製造および品質管理），非臨床および臨床分野がある。また，医薬品は，「創薬→非臨床(毒性試験用製剤)→臨床第Ⅰ段階(治験薬)→臨床第Ⅱ段階(治験薬)→臨床第Ⅲ段階(治験薬)→市販(新薬)」のライフサイクルがある。製造業者による治験薬や新薬は規制当局の承認審査を経て承認後に患者へ使用される。したがって，医薬品の適正な管理には，治験薬・市販前・後の製品の「申請資料」による品質・有効性・安全性の継続的なライフサイクルマネジメントが含まれる。

　医薬品の承認審査基準は，各国の規制によって若干異なるが，マーケットのグローバル化に伴い，承認審査における国際的な調和が継続的に実施されている。それに関連するガイドライン／ガイダンスも国際的に準備され，承認申請にも適用されている。また，探索から開発，その後の実製造や分析のための各種受託事業も広がっている。このような状況下で，CMC申請資料の作成から審査までの期間を短縮することはますます重要である。

　本章ではバイオ医薬品を，細胞培養，遺伝子組換え等のバイオテクノロジーを利用した医薬品と定義して，国内外の施設で製造されたバイオ医薬品(原薬や製剤)を，国内に導入し上市する際のCMC開発とCMC承認申請の概要と，これに関する参考情報について論じる。

1．バイオ医薬品のCMC承認申請

　バイオ医薬品の開発から市販までのライフサイクルには，「開発」・「製造」・「分析」・「申請／承認」の一連の過程が含まれる。製品の有効性，安全性および品質を管理するためには，開発後，「治験薬申請→審査(照会事項対応)→承認⇒市販薬の申請→審査(照会事項)→承認⇒市販後の変更申請→審査(照会事項)→承認」という「継続的なライフサイクルの管理」が必要である。また，各国の薬制上の承認事項が異なることによって，申請資料の内容も照会事項の内容が少しずつ異なる。したがって，この各段階の承認申請内容を戦略的に検討して実施しなければならない。

　国内のバイオ医薬品の承認審査は，図2-1に示す「医薬品の承認審査フローチャート」に従う[1]。申請資料の当局への提出，審査官の確定，CMC審査・照会事項の受付，回答の提出（GMP適合性調査対応・適合性書面調査対応），審査結果通知，審査報告書の内容確認，マスキングまでの一連の過程が含まれている。

　バイオ医薬品のCMC承認申請に関する参考情報を以下に述べる。

①国内CMC承認申請書と関連する情報の例は，審査制度，医薬品の承認情報，審査報告書，

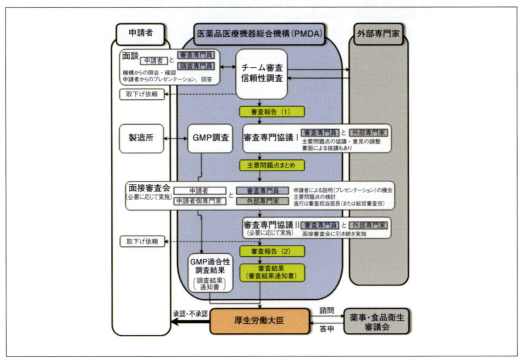

図2-1　国内承認審査（申請・審査等）業務のフローチャート（PMDAホームページより）[1]

添付文書，インタビューフォームなどである。
② バイオ医薬品に関する各当局から発信された情報
③ 各種ガイドライン：ICH品質（Q）ガイドライン[2]，WHOガイドライン[3]，PIC/S GMPガイドライン[4]

ほか，薬事関連のフォーラム，ワークショップに参加して情報を得る。

（1）臨床試験のための治験薬の申請

　臨床試験実施のためには，まず治験薬の承認申請が必要である。マーケットのグローバル化により国内だけでなく海外での開発品の国内申請が多々ある。国内での治験実施のためには，当局に対して治験実施計画書や治験薬概要書を届出る。一方，海外は，IND/IMPD（Investigational new drug application/Investigational medicinal product dossier）申請を行う。また，治験薬に対する変更管理を基に，当局に対して申請内容に対するアメンドメント申請（変更届出）を行う。この段階での記載内容は，非臨床や臨床に関する内容の比率が高いが，品質に関しても物理・化学および製剤学的特性，製剤学的データ（安全性や安定性など）も含まれる。

　開発段階では，主に構造や物性に関する内容など本質的には以降変更が生じない内容である。徐々に臨床試験の段階が上がると継続的にCMCの知見が重ねられることに伴い，CTDのセクションに合わせてより具体的に記載していく。

（2） 新薬の市販のための承認申請

　事前にCMC開発全体の計画をベースに申請計画を立案して申請資料を準備する。関係者の例を図2-2に示す。開発計画は申請計画に影響を及ぼすため，またマーケットのグローバル化のため，申請準備作業には，関係者間での緊密なコミュニケーションが必要である。

　CMC承認申請資料の構成は，日本での法的承認事項をまとめた承認申請資料モジュール1（M1）M1.2と，CTD/eCTD（Common Technical Document/electronic CTD：コモン・テクニカル・ドキュメント／電子化コモン・テクニカル・ドキュメント）様式のモジュール文書（M2），根拠資料としてモジュール文書（M3）である。

　最上位のM1.2はCTDではないが，製品の品質を法的に保証する内容を記載する。当局からの承認後，製造業者は，恒常的に記載内容を遵守する責任があると同時に，この承認事項に関する変更が生じる場合は，必ず当局へ変更申請を行う必要がある。したがって，M1.2の記載内容の方針を決めた上，CMCのM2およびM3の記載内容を確認する。承認事項の記載に関する方針が申請戦略である。

　次に，CMC開発の技術的な根拠となるのはM2（品質概括資料）である。内容は，原薬・製剤・その他から成る。このM2の根拠文書がM3（品質に関する技術文書）である。さらにM3の根拠資料としては，開発報告書をはじめ，試験成績書，バリデーション報告書，GMP上の標準試験手順書等がある。内容は，**表2-1**に示すように，大きく分けると，原薬および製剤に関する製造・特性・品質管理・安定性である。また，ICH Q12ガイドラインをベースに承認事項に関わるセクションを赤色の枠で示している。

　バイオ医薬品の申請資料中，分量が多い部分で，審査期間にも影響を及ぼす文書である。国内で重要な審査資料となるM2の申請資料は，M1の根拠として，製品に関する科学的な根拠を基にまとめる必要がある。M3または試験報告書等の記載内容をM2に重複して記載する必要はないと思われる。

　CMC関連の承認審査には，図2-1に示すように，CMC申請資料の審査に加えて，現場の

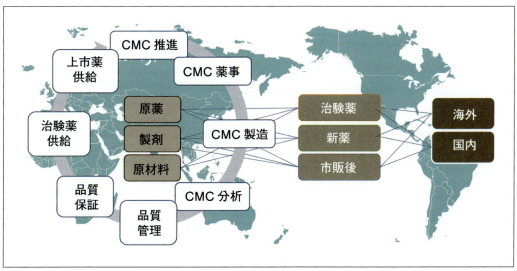

図2-2　国内外治験薬製造・販売計画・承認申請等に関与するメンバー（例）

表2-1　ICHガイドラインQ12の承認事項(EC：Established Conditions)に関連するCTDの品質パート
(EC：赤色)[5)]

CTD -Qパート(原薬)	CTD-Qパート(製剤)	CTD パート(その他)
S.1 一般情報	P.1 製剤及び処方	
	P.2 製剤開発の経緯	
S.2 製造	P.3 製造	A1 製造施設及び設備
S.2.1 製造業者	P.3.1 製造業者	
S.2.2 製造方法及びプロセス・コントロール	P.3.2 製造処方	
S.2.3 原材料の管理	P.3.3 製造工程及びプロセス・コントロール	
S.2.4 重要工程及び重要中間体の管理	P.3.4 重要工程及び重要中間体の管理	
S.2.5 プロセス・バリデーション／プロセス評価	P.3.5 プロセス・バリデーション／プロセス評価	
S.2.6 製造工程の開発の経緯		
S.3 特性		
S.3.1 構造その他の特性の解明		
S.3.2 不純物(プロセス由来)		A2 外来性感染性物質の安全性評価
S.4 原薬の管理	P.4 添加剤の管理	A3 新規添加剤
S.4.1 規格及び試験方法	P.4.1 規格及び試験方法	
S.4.2 試験方法(分析方法)	P.4.2 試験方法(分析方法)	
S.4.3 試験方法(分析方法)のバリデーション	P.4.3 試験方法(分析方法)のバリデーション	
S.4.4 ロット分析	P.4.4 規格及び試験方法の妥当性	
S.4.5 規格及び試験方法の妥当性	P.4.5 ヒト又は動物起源の添加剤	
	P.5 製剤の管理	
	P.5.1 規格及び試験方法	
	P.5.2 試験方法(分析方法)	
	P.5.3 試験方法(分析方法)のバリデーション	
	P.5.4 ロット分析	
	P.5.6 規格及び試験方法の妥当性	
S.5 標準品又は標準物質	P.6 標準品又は標準物質	
S.6 容器及び施栓系	P.7 容器及び施栓	
S.7 安定性	P.8 安定性	
S.7.1 安定性のまとめ及び結論	P.8.1 安定性のまとめ及び結論	
S.7.2 承認後の安定性試験計画の作成及び実施	P.8.2 承認後の安定性試験計画の作成及び実施	
S.7.3 安定性データ	P.8.3 安定性データ	

GMP査察が含まれている。承認後のCMC申請資料の内容はGMP管理内容と齟齬があってはならない。これは承認後の承認申請書の内容が維持できるように要求されている(通知[6, 7, 8)]参照)。

(3) 市販後の変更申請

　日本ではモジュール(M)1(M1.2)が承認事項である。海外では，エスタブリッシュトコンディション(EC：Established Conditions)が承認事項で，これはCTD M3での記載内容がベースである(表2-1参照)。

　申請上の変更管理は，各国の当局による承認事項をベースに，品質・有効性・安全性を基に，メジャー(国内の一部変更承認申請)，マイナー(国内の軽微変更届)，アクションなしの変更申請のカテゴリーに分ける。各国の薬制により，これら変更申請に必要なCTD申請資料を含むパッケージは異なる。

　また，国内外開発品の変更申請時は特に，変更管理上の判定内容・申請時期・承認時期を正確に把握した上で，変更申請実施とその変更申請の承認後の製品のリリース時期に影響がないように計画を立てる。

2. バイオ医薬品の開発段階に応じた CMC 戦略

CMC開発上の開発初期と開発後期の違いは，何を最重要視するかという点にある。一般に，開発初期においては，早期臨床試験の実施を目指しスピードを最重視するため多くの検討は省略した確立済みのプラットフォーム技術を適用することが多いのに対し，開発後期においては，早期承認取得に向けて製法の堅牢性と利益率を考慮しながら最短の承認申請ルートを探ることが重要視される。

（1） 開発初期における CMC 戦略

国内での臨床試験を前提とした場合，バイオ医薬品では一般の低分子医薬品と同様に治験実施計画書や治験薬概要書が必要であるが，CTDの提出は求められない。しかしながら，開発の経緯は将来の承認申請においてCTD M3の根拠資料となることから，適切に報告書を作成して保管する必要がある。低分子と異なる点は，特にバイオ医薬品は細胞を基材として産生することが多いため，開発初期に行う産生細胞株の樹立，マスターセルバンク（MCB）の製造，保管に関する開発経緯がわかる報告書を作成する必要があるところである。開発初期においても，承認申請時に求められるガイドライン／ガイダンス要件を熟知し，製法開発や品質設計を行うことが必要である。図2-3に製法開発時に参照するICHガイドラインの例を示す[2]。

①細胞株の構築

バイオ医薬品は，遺伝子組換え，細胞工学，培養，精製などの各技術を駆使して目的の医薬品を製造する。バイオ医薬品候補が絞られた段階で目的タンパク質の高い生産能と安定した高増殖能を示す細胞株を樹立させてセルバンクを製造することとなる。ICH Q5BやQ5Dガイドラインでは，目的タンパク質をコードする配列を含む発現ベクターの構築，細胞の起源，セル

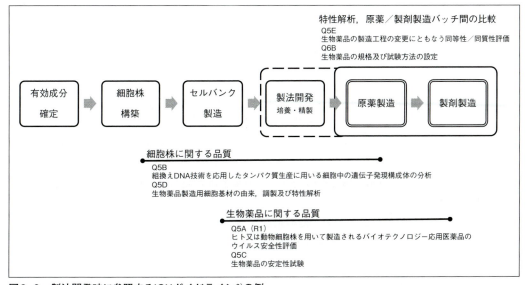

図2-3　製法開発時に参照するICHガイドライン[2]の例

バンク作製手法やセルバンクの安定性評価について述べられている。バイオ医薬品では特に宿主細胞やバンク化された細胞を変更するにはかなり多大な労力とリソースが必要となることから，開発初期であっても将来を見通して細胞株の構築を適切に進めることが前提となる（詳細は第3章を参照）。

②製法および試験法の開発

開発初期においては製法が実生産用としてブラッシュアップされていないものの，ヒトに投与されることを前提に品質設計が行われている。ICH Q6BやQ5Cガイドラインを参考に治験薬の構造，物性および品質について確認を進め，必要に応じて開発後期の製法へフィードバックをすることで設計していく。特に，ICH Q5A（R1）を参考に製造工程によるウイルス安全性の管理を，ICH Q3を参考に不純物に関する管理戦略を設計すること，ICH Q11を参考に暫定的な重要品質特性（pCQA：potential Critical Quality Attributes）を設定することで製造実績を積み上げる。また，有効性に直結する指標である力価については，主成分の作用機序に基づき創薬段階から継続的に評価系を開発して適切な品質試験を開発していくことが重要である（詳細は第4章等他章を参照）。

③次世代抗体医薬品としての抗体薬物複合体の開発

近年，抗体と低分子化合物をリンカーで結合させた抗体薬物複合体（ADC：Antibody Drug Conjugate）の医薬品開発が活発に行われている（詳細は第12章 第4項を参照）。このような医薬品の場合，製造工程に加えて不純物に関する品質管理ストラテジーも考える必要がある。組み合わせる化合物が既知の場合，既存の取得データや公開情報に基づき，十分な製造実績がない場合においても，他品目の情報や文献情報などを活用して，品質管理戦略を検討できるだろう。事前に製造業者が想定する品質管理戦略に基づき当局相談などを有効に活用することで，臨床開発スケジュール遅延などのリスクを低減化することができる。

（2） 開発後期におけるCMC戦略

開発後期に進むバイオ医薬品はある程度の臨床結果が得られることが期待され，速やかな承認を目指すことが求められることから短期間に各項目を確認する計画が策定される。開発後期は，開発初期では優先順位を高く設定していなかった項目，例えばコスト削減を目的とした高収率な製法開発や製造リードタイムを考慮した原料サプライチェーン，商用を見越した容器・施栓系の設定，確実な当局査察対応や商用製造が実施できる製造場所の選定などについて検討することとなる。

①申請戦略

承認申請の成功確度を高めるためには商用製造での適切なCQAを設定することが必須であり，そのためには商用で想定される製造場所および製造スケールでの製造実績データが欠かせない。進め方としては，ⓐ臨床試験におけるマイルストーンに応じて段階的に必要なデータを取得していく，あるいはⓑ最速の承認申請を目指し多数のタスクを並行して進めながらハ

イスピードでの開発を進める，など各製造業者のポリシーに沿った戦略を立案する必要がある。ⓐまたはⓑの戦略に共通して必要なこととしては，製法および品質評価において，現状と商用時のギャップ分析を行い承認申請上のリスクになる項目の洗い出しをすることである。ⓐの戦略を優先する場合は，各リスク項目の内容を精査して承認申請時までに解決すべき事項，承認時までに解決すべき事項などに分類し対応することが効率的である。加えて，承認時期や承認要件に際しては，不確実な事項が多くあると製造業者の事業にも影響を与えることから，経営戦略の観点からも承認申請を視野に入れたタイミングで早期に申請戦略を立てることが重要である。

②迅速開発の可能性

開発後期においては，過去に取得している製造ロットの製法・品質データを用いてロット間の比較や長期安定性データなどから，バイオ医薬品の特性解析と製法上のクリティカルパラメータを選定することが最重要タスクとなる。複数ロットの製造により実施した品質評価結果を通じて，開発初期に設定していた暫定的なCQAは更新する必要がある。さらに，製法変更やスケールアップ，製造場所の変更を実施する場合において，設定したCQAやICH Q5Eを参考に同等性／同質性の検証を行い，製法変更の適切性を当局に説明できるようにしなければならない。

製造業者が迅速申請の可能性を検討する場合は，CMCの主要なタスクを洗い出した上で各タスク達成に必要な期間を割り出し，工業化スケジュールを策定することが望ましい。また，製造業者が求める承認申請タイミングにCMC関連データの提出が律速となる場合は，当局と承認申請のためのCMCデータパッケージの確認や，承認後に追加データ提出をコミットするなどの交渉が有効になることもある。一方で，臨床試験の状況，将来の見込みは容易に変動しうることや，申請当局との相談にて製造業者が期待していたような回答が得られないこともあるため，製造業者の経営戦略上，製造スケジュールや製造スケールについてもフレキシビリティを持たせながらCMC開発を進めることも重要となる。

③GMP審査と市販後の対応

承認申請時は，当局のGMP適合性調査やGMP査察対応も必要となる。国内申請を予定しているが製造場所が海外の場合には，外国製造業者登録も必要である。海外の製造所の場合は，日本の当局のGMPに関する考え方などについて十分に承認申請担当の製造販売業者が説明し，GMP適合性調査に関する準備を事前に進めておく。また，初回承認後も各国への申請の展開や適応疾患の拡大に伴いさらなる製造場所の追加やスケールアップが必要となることもある。承認後も同等性／同質性の検証を行うことはもちろん必須であると同時に，製造実績を重ねることで製造上のリスクがより低減化できるようにリスクマネジメントの内容は継続的に精査されるべきである。バイオ医薬品において安定した品質の医薬品が供給できるよう，上市後においても継続的なライフサイクルマネジメントが求められている。

3. バイオ医薬品の申請資料 CTD 品質（Q）パートの記載内容

　国内では，バイオ医薬品CMC申請資料の様式は，他の医薬品と同様にICH（International Council for Harmonisation of Technical Requirements for Pharmaceuticals for Human Use（医薬品規制調和国際会議））ガイドライン（ICH M4）[6]に基づき，国際共通化の文書構造であるCTD（コモン・テクニカル・ドキュメント）様式／eCTD（電子化コモン・テクニカル・ドキュメント）様式で行うことになっている[7]。バイオ医薬品のCMC申請資料（CTD/eCTD）（コモン・テクニカル・ドキュメント）の構成を図2-4に示す。第1部から第5部の中，第2部（モジュール2：品質に関する概括資料）（M2）および第3部（モジュール3：品質に関する文書）（M3）である。申請内容は，品質のみならず，非臨床と臨床の開発内容を合わせた内容で構成される。

　CTD-Q（品質）に関する申請資料は，製造業者が，製品の有効性・安全性・品質の保証のための内容を，承認を得るために抜粋し当局へ提出される。そのためには，図2-4に示したピラミッド構造が丁寧に守られなければならない。M1の承認事項はM2を根拠とし，M2はM3を根拠として作成されなければならない。

　また，バイオ医薬品の申請資料CTD-Q（記載内容別）を表2-2に示す。承認申請時にCMC申請資料に記載すべき対象は，開発中の検討製品ではなく，市販され患者へ提供される製品である。主成分の一般情報（S1）と特性解析（S3），原薬および製剤の製造（S2，P3），製品および工程由来の不純物の評価結果と，その安全性の保証（S3，A2），原薬および製剤の管理戦略としての規格及び試験方法（S4，P5），工程内管理試験（S2，P3），標準物質に関する情報（S5，P6），容器及び施栓系による安全性・安定性に関する情報（S6，S7，P7，P8），原薬および

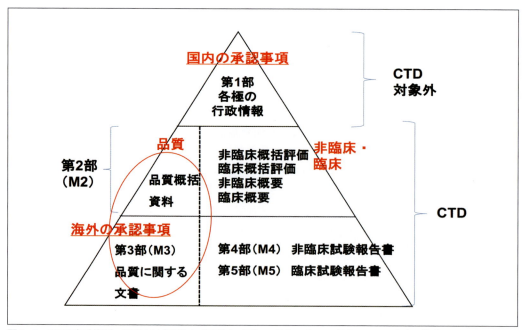

図2-4　CMC申請資料　ICH-M4（CTD/eCTD）（コモン・テクニカル・ドキュメント）[6]の構成

表2-2　バイオ医薬品の申請資料CTD品質(Q)パート(記載内容別)

記載内容別	CTD・Qパート		
	原薬	製剤	その他
組成・構造の特性解析	S.1 一般情報 S.3 特性 S.3.1 構造その他の特性の解明	P.1 製剤及び処方	
開発経緯	S.2.6 製造工程の開発の経緯	P.2 製剤開発の経緯	
製法	S.2 製造(S.2.1〜S.2.5) S.2.1 製造業者 S.2.2 製造方法及びプロセス・コントロール S.2.3 原材料の管理 S.2.4 重要工程及び重要中間体の管理 S.2.5 プロセス・バリデーション／プロセス評価	P.3 製造(P.3.1〜P.3.5) P.3.1 製造業者 P.3.2 製造処方 P.3.3 製造工程及びプロセス・コントロール P.3.4 重要工程及び重要中間体の管理 P.3.5 プロセス・バリデーション／プロセス評価	A.1 製造施設及び設備
不純物の種類とその安全性	S.3 特性 S.3.2 不純物 (プロセス由来)		A.2 外来性感染性物質の安全性評価
管理戦略 (原薬・製剤・添加剤)	S.4 原薬の管理 S.4.1 規格及び試験方法 S.4.2 試験方法 (分析方法) S.4.3 試験方法 (分析方法)のバリデーション S.4.4 ロット分析 S.4.5 規格及び試験方法の妥当性	P.4 添加剤の管理 P.4.1 規格及び試験方法 P.4.2 試験方法 (分析方法) P.4.3 試験方法 (分析方法)のバリデーション P.4.4 規格及び試験方法の妥当性 P.4.5 ヒト又は動物起源の添加剤 P.5 製剤の管理 P.5.1 規格及び試験方法 P.5.2 試験方法 (分析方法) P.5.3 試験方法 (分析方法)のバリデーション P.5.4 ロット分析 P.5.6 規格及び試験方法の妥当性	A.3 新規添加剤
標準品又は標準物質	S.5 標準品又は標準物質	P.6 標準品又は標準物質	
容器及び施栓系に関する情報	S.6 容器及び施栓系	P.7 容器及び施栓系	
安定性評価と有効期間	S.7 安定性 S.7.1 安定性のまとめ及び結論 S.7.2 承認後の安定性試験計画の作成及び実施 S.7.3 安定性データ	P.8 安定性 P.8.1 安定性のまとめ及び結論 P.8.2 承認後の安定性試験計画の作成及び実施 P.8.3 安定性データ	

製剤の安定性に関する情報(S7, P8)，製剤の組成や開発経緯に関する情報(P1, P2)等を含む。これらの内容は表2-2に示すように相互に関連性を持つ内容である。これらのセクション間の関連を理解し，申請資料への記載内容を計画し作成しなければならない。

おわりに

　バイオ医薬品CMC申請資料の記載内容は，科学的で，信頼性が高く，簡単明瞭さが重要である。バイオ医薬品の開発から市販前・後における治験薬や市販用製品の承認のためのCMC申請資料の作成には膨大な時間と労力が必要である。国内外の関係者間で，バイオ医薬品のCMC開発戦略を共有した上で，タイムラインを見ながら，同時に，国際的な薬制の動向や各国の承認審査制度も熟知し，これらの変化に対応できるCMC申請資料を作成する必要がある。CMC薬事担当は，薬制上の要求はもちろんだが，国内外の製品のライフサイクルマネジメントをベースにした開発戦略に沿った申請戦略をあらかじめ立てておくことが要求されている。

■参考文献

1) https://www.pmda.go.jp/review-services/index.html
2) ICHガイドライン品質Qパート：https://www.pmda.go.jp/int-activities/int-harmony/ich/0070.html
3) World Health Organization. Guidelines on procedures and data requirement for changes to approved biotherapeutic products Annex 3, WHO Technical Report Series No 1011, 2018
4) https://www.picscheme.org/en/publications?tri＝gmp
5) ICHガイドラインICH-Q12医薬品のライフサイクルマネジメント：https://www.pmda.go.jp/int-activities/int-harmony/ich/0041.html
6) ICHガイドラインICH-M4　CTD（コモン・テクニカル・ドキュメント）：https://www.pmda.go.jp/int-activities/int-harmony/ich/0035.html
7) 平成29年7月5日付け薬生薬審発 0705第1号厚生労働省医薬・生活衛生局医薬品審査管理課長通知「電子化コモン・テクニカル・ドキュメント（eCTD）による承認申請について」および別紙1　医薬品の承認申請のための国際共通化資料コモン・テクニカル・ドキュメント（CTD）の構成
8) 薬生薬審発0119第1号　平成28年1月19日「医薬品の製造販売承認書と製造実態の整合性に係る点検の実施について」
9) 薬生薬審発0601第3号／薬生監麻発0601第2号　平成28年6月1日「医薬品の製造販売承認書に則した製造等の徹底について」

第 3 章
細胞基材の品質・安全性確保

はじめに

　医薬品の品質・安全性確保とその恒常性を維持することは重要な命題であり，これまで多くの努力が積み重ねられてきた。特に動物細胞や微生物などの細胞を用いて，遺伝子導入／細胞の育種／培養といった変動要因の多いプロセスを経て生産され，またそれ自体が多様性に富み，複雑で変化しやすい性質を持つタンパク質性医薬品を開発・製造する場合においては，恒常性の維持は大変重要な意味を持つ。また動物細胞を用いる場合は，ウイルス等の感染性因子に対する評価と対策も必要となる。

　本章では，細胞基材の品質と安全性を確保するに当たっての留意事項，ならびに製造の出発原料であるセルバンクの作製と管理方法の具体例を，動物培養細胞と微生物（大腸菌，酵母菌），それぞれについて紹介する。トピックスとして，最近承認された組換え植物細胞由来およびトランスジェニックニワトリ由来の医薬品などについても触れる。

　細胞基材の品質と安全性を確保するための考え方や方法については，ICH Q5A[1]，Q5B[2]，Q5D[3]，日局参考情報[4]にまとめられており，われわれが方策を考える際の"拠り所"となってきた。これらのガイドラインが出された2002年以降もバイオ医薬品製造工程あるいは製品でのウイルスの汚染事例が起こっており，2013年に発出されたWHO Technical Report No.978 Annex 3[5]では，これらの事例から得られた教訓なども取り入れられている（詳細は第8章参照）。EMAからはさらに，これら汚染事例の多くで原因と推定されたウシ血清とトリプシンに関して，個別にガイドラインが発出されている[6,7]。また，製造用細胞基材，培地成分（例：ウシ血清など），培養関連基材（例：アルブミン，トリプシン，足場材料など）にヒト・動物由来のものを用いる場合は個々の原料等に対して生物由来原料基準（厚生労働省告示第37号，平成30年2月28日改定）への適合性の説明が求められる。

1．細胞基材の選択

　表3-1に日本で承認されている組換え医薬品・細胞培養医薬品を示した。細胞基材としては，分子量2万程度までの糖鎖を必要としないタンパク質では大腸菌や酵母菌が，分子量数万以上の糖タンパク質では培養細胞が用いられている。培養細胞としては，マウス由来のC127細胞，NS0細胞，SP2/0細胞，ハムスター由来のCHO細胞，BHK細胞，アフリカミドリザル由来のVero細胞，GL-37細胞，ヒト由来のNamalwa細胞，HEK293細胞，HT-1080細胞，イヌ由来のMDCK細胞，アヒル由来のEB66細胞，昆虫由来のHi-5細胞，トランスジェニックニワトリなどが用いられている。

表 3-1　日本で承認されている組換え医薬品・細胞培養医薬品

分類		一般名	商品名	承認年	＊	分子量	細胞基材	主な適応疾患
酵素	t-PA	アルテプラーゼ	アクチバシン注，グルトパ注	1991	○	約 64,000	CHO	虚血性脳血管障害，急性心筋梗塞
		モンテプラーゼ	クリアクター静注用	1998	○	約 68,000	BHK	急性心筋梗塞
	グルコセレブロシダーゼ	イミグルセラーゼ	セレザイム注	1998	○	約 60,000	CHO	ゴーシェ病
		ベラグルセラーゼ アルファ	ビプリブ点滴静注用	2014	○	約 63,000	HT-1080	ゴーシェ病
	αガラクトシダーゼ A	アガルシダーゼ アルファ	リプレガル点滴静注用	2006	○	約 102,000	HT-1080	ファブリー病
		アガルシダーゼ ベータ	ファブラザイム点滴静注用	2004	○	約 51,000	CHO	ファブリー病
		アガルシダーゼ ベータ後続1	アガルシダーゼ ベータ BS 点滴静注 5mg「JCR」	2018	○	約 103,000〜104,000	CHO	ファブリー病を効能・効果とするバイオ後続品
	α-L-イズロニダーゼ	ラロニダーゼ	アウドラザイム点滴静注用	2006	○	約 83,000	CHO	ムコ多糖症I型
	酸性α-グルコシダーゼ	アルグルコシダーゼ アルファ	マイオザイム点滴静注用	2007	○	約 110,000	CHO	ポンペ病（糖原病II型）
	イズロン酸2スルファターゼ	イデュルスルファーゼ	エラプレース点滴静注液	2007	○	約 76,000	HT-1080	ムコ多糖症II型
	N-アセチルガラクトサミン-4-スルファターゼ	ガルスルファーゼ	ナグラザイム点滴静注液	2008	○	約 66,000	CHO	ムコ多糖症IV型
	尿酸オキシダーゼ	ラスブリカーゼ	ラスリテック点滴静注用	2009		34,151.19	酵母（S. cerevisiae）	がん化学療法に伴う高尿酸血症
	DNA分解酵素	ドルナーゼ アルファ	プルモザイム吸入液	2012	○	約 37,000	CHO	囊胞性線維症における肺機能の改善
	アルカリホスファターゼ+Fc	アスホターゼ アルファ	ストレンジック皮下注	2015	○	約 180,000	CHO	低ホスファターゼ症
	ライソゾーム酸性リパーゼ	セベリパーゼ アルファ	カヌマ点滴静注液	2016	○	約 55 kDa	トランスジェニックニワトリ	ライソゾーム酸性リパーゼ欠損症
	アデノシンデアミナーゼ類縁体	エラペグアデマーゼ	レブコビ筋注	2019	○	約 115,000	大腸菌	アデノシンデアミナーゼ欠損症
	ヒトトリペプチジルペプチダーゼI酵素前駆体	セルリポナーゼ アルファ	ブリニューラ脳室内注射液	2019	○	約 66,000	CHO	セロイドリポフスチン症2型
血液凝固線溶系因子	血液凝固第VII因子（活性型）	エプタコグ アルファ（活性型）	注射用ノボセブン	2000	○	45,513.22（ポリペプチド部分）	BHK	第VIII因子又は第IX因子に対するインヒビターを保有する血友病
	抗血液凝固第IXa/X因子ヒト化二重特異性抗体	エミシズマブ	ヘムライブラ皮下注	2018	○	約 148,000	CHO	血液凝固第VIII因子に対するインヒビターを保有する先天性血液凝固第VIII因子欠乏患者における出血傾向の抑制
	血液凝固第VIII因子	オクトコグ アルファ	コージネイト FS バイオセット注	1993	○	300,000〜350,000	BHK	血液凝固第VIII因子欠乏患者における出血傾向の抑制
		オクトコグ ベータ	コバールトリイ静注用	2016	○	約 350,000	BHK	
		ルリオクトコグ アルファ	リコネイト→アドベイト注射用	1996	○	300,000〜350,000	BHK	
		ダモクトコグ アルファ ペゴル	ジビイ静注用	2018	○	約 234,000	BHK	
	血液凝固第VIII因子アナログ	ツロクトコグ アルファ	ノボエイト静注用	2014	○	約 176,000	CHO	
		ツロクトコグ アルファ ペゴル	アディノベイト静注用	2016	○	約 330,000	CHO	
			イスパロクト静注用	2019	○			
	血液凝固第VIII因子-Fc融合タンパク質	エフラロクトコグ アルファ	イロクテイト静注用	2014	○	約 225,000	HEK293	
	血液凝固第VIII因子類縁体	ロノクトコグ アルファ	エイフスチラ静注用	2017	○	約 170,000	CHO	
	血液凝固第IX因子	ノナコグ アルファ	ベネフィクス静注用	2009	○	約 55,000	CHO	血友病B（先天性血液凝固第IX因子欠乏症）患者における出血傾向の抑制
		ノナコグ ベータ ペゴル	レフィキシア静注用	2018	○	約 98,000	CHO	
		ノナコグ ガンマ	リクスビス静注用	2014	○	約 54,000	CHO	血液凝固第IX因子欠乏患者における出血傾向の抑制
	血液凝固第IX因子-Fc融合タンパク質	エフトレノコグ アルファ	オルプロリクス静注用	2014	○	約 109,000	HEK293	
	血液凝固第XIII因子	カトリデカコグ	ノボサーティーン静注用	2015	○	166,356.30	酵母（S. cerevisiae）	先天性血液凝固第XIII A サブユニット欠乏患者における出血傾向の抑制
	トロンボモデュリン	トロンボモデュリン アルファ	リコモジュリン点滴静注用	2008	○	約 64,000	CHO	汎発性血管内血液凝固症（DIC）
	アンチトロンビン	アンチトロンビン ガンマ	アコアラン静注用	2015	○	約 57,000	CHO	先天性アンチトロンビン欠乏に基づく血栓形成傾向とアンチトロンビン低下を伴う播種性血管内凝固因子症候群（DIC）
	von Willebrand 因子	ボニコグ アルファ	ボンベンディ静注用	2020	○	約 260,000	CHO	von Willebrand 病患者における出血傾向の抑制
	血液凝固第IX因子-アルブミン融合タンパク質	アルブトレペノナコグ アルファ	イデルビオン静注用	2016	○	約 125,000	CHO	血液凝固第IX因子欠乏患者における出血傾向の抑制

（次ページへ続く）

細胞基材の品質・安全性確保 第3章

分類		一般名	商品名	承認年	*	分子量	細胞基材	主な適応疾患
ホルモン	インスリン	インスリン ヒト	ヒューマリン注	1985	○	5,807.57	大腸菌	インスリン療法が適応となる糖尿病
			ノボリン注, ペンフィル注	1991	○	5,807.57	酵母（S. cerevisiae）	
	超速効型インスリンアナログ	インスリン リスプロ	ヒューマログ注	2001	○	5,807.57	大腸菌	
			ルムジェブ注	2020				
		インスリン リスプロ後続1	インスリン リスプロ BS 注 HU「サノフィ」	2020	○	5,807.57	大腸菌	
		インスリン アスパルト	ノボラピッド注	2001	○	5,825.54	酵母（S. cerevisiae）	
			フィアスプ注	2019				
	持効型インスリンアナログ	インスリン グラルギン	ランタス注	2003	○	6,062.89	大腸菌	
	持効型インスリンアナログ（後続品）	インスリン グラルギン［インスリングラルギン 後続1］	インスリン グラルギン BS 注「リリー」	2014	○	6,062.89	大腸菌	
	持効型インスリンアナログ+GLP-1受容体作動薬	インスリン グラルギン	ソリクア配合注	2020	○	6,062.89	大腸菌	
	持効型インスリンアナログ	インスリン デテミル	レベミル注	2007	○	5,916.82	酵母（S. cerevisiae）	
	超速効型インスリンアナログ	インスリン グルリジン	アピドラ注	2009	○	5,822.58	大腸菌	
	持効型溶解インスリンアナログ	インスリン デグルデク	トレシーバ注	2012	○	6,104.1	酵母（S. cerevisiae）	
	持効型溶解インスリンアナログ+超速効型インスリンアナログ	インスリン デグルデク+インスリン アスパルト	ライゾデグ配合注	2012	○		酵母（S. cerevisiae）	
	持効型溶解インスリンアナログ+ヒトGLP-1アナログ	インスリン デグルデク（遺伝子組換え）／リラグルチド（遺伝子組換え）	ゾルトファイ配合注フレックスタッチ	2019	○		酵母（S. cerevisiae）	
	成長ホルモン	ソマトロピン	ジェノトロピン	1988	○	22,125	大腸菌	低身長，成人成長ホルモン分泌不全症
			ノルディトロピン注	1988	○	22,125	大腸菌	
			ヒューマトロープ注射用	1989	○	22,124.76	大腸菌	
			サイゼン注	1992	○	約 22,125	C127（マウス由来）	成長ホルモン分泌不全性低身長症
			グロウジェクト注	1993	○	約 22,125	大腸菌	低身長，成人成長ホルモン分泌不全症
	成長ホルモン（後続品）		ソマトロピン BS 皮下注「サンド」	2009	○	22,125	大腸菌	低身長，成人成長ホルモン分泌不全症
	PEG 化成長ホルモンアナログ	ペグビソマント	ソマバート皮下注用	2007		約 47,000（ポリペプチド部分：21,997.52）	大腸菌	先端巨大症
	ソマトメジンC	メカセルミン	ソマゾン注射用	1994	○	7,648.69	大腸菌	インスリン受容体異常症，成長ホルモン欠損症
	ナトリウム利尿ペプチド	カルペリチド	ハンプ注用	1995	○	3,080.44		急性心不全
	グルカゴン	グルカゴン	注射用グルカゴン G・ノボ	1996	○	3,482.82	酵母（S. cerevisiae）	低血糖
			バクスミー点鼻粉末剤	2020		3,482.80	合成	低血糖時の救急処置
	卵胞刺激ホルモン	ホリトロピン アルファ	ゴナールエフ皮下注用	2006	○	約 31,000	CHO	精子形成の誘導，排卵誘発
	卵胞刺激ホルモン	フォリトロピン ベータ	フォリスチム注	2005	○	約 35,000～45,000	CHO	排卵誘発
	GLP-1 アナログ	リラグルチド	ビクトーザ皮下注	2010	○	3,751.20	酵母（S. cerevisiae）	2型糖尿病
	GLP-1 アナログ+Fc	デュラグルチド	トルリシティ皮下注 アテオス	2015	○	約 63,000	CHO	
	副甲状腺ホルモンアナログ	テリパラチド	フォルテオ皮下注	2010	○	4,117.72	大腸菌	骨粗鬆症
			テリパラチド BS 皮下注キット「モチダ」	2019	○	4,117.72	大腸菌	骨折の危険性の高い骨粗鬆症
	レプチン	メトレレプチン	メトレレプチン皮下注用	2013	○	16,155.44	大腸菌	脂肪委縮症
	ヒト絨毛性性腺刺激ホルモン	コリオゴナドトロピン アルファ	オビドレル皮下注	2016	○	約 70,000	CHO	脂肪委縮症
	GLP-1 アナログ	セマグルチド	オゼンピック皮下注	2018	○	4,113.58	酵母（S. cerevisiae）	2型糖尿病
			リベルサス錠	2020				
ワクチン	B型肝炎ワクチン	組換え沈降B型肝炎ワクチン（酵母由来）	ヘプタバックスⅡ	1988	○		酵母（S. cerevisiae）	B型肝炎の予防
			ビームゲン	1988	○		酵母（S. cerevisiae）	
	A型肝炎ワクチン	乾燥細胞培養不活化A型肝炎ワクチン	エイムゲン	1994	-		GL-37（アフリカミドリザル由来）	A型肝炎の予防

（次ページへ続く）

分類		一般名	商品名	承認年	＊	分子量	細胞基材	主な適応疾患
ワクチン	HPV 感染予防ワクチン	組換え沈降2価ヒトパピローマウイルス様粒子ワクチン（イラクサギンウワバ細胞由来）	サーバリックス	2009	○		Hi-5（昆虫細胞）	子宮頸癌の予防
		組換え沈降4価ヒトパピローマウイルス様粒子ワクチン（酵母由来）	ガーダシル水性懸濁筋注	2011	○	〜20,000 kDa（VLP）	酵母（S. cerevisiae）	
		組換え沈降9価ヒトパピローマウイルス様粒子ワクチン（酵母由来）	シルガード9水性懸濁注	2020	○	〜20,000 kDa（VLP）	酵母（S. cerevisiae）	子宮頸癌, 外陰上皮内腫瘍, 尖圭コンジローマの予防
	日本脳炎ワクチン	乾燥細胞培養日本脳炎ワクチン	ジェービックV	2009	-		Vero	日本脳炎の予防
			エンセバック	2011	-			
	ロタウイルスワクチン	経口弱毒生ヒトロタウイルスワクチン	ロタリックス	2011	-			ロタウイルスによる胃腸炎の予防
		5価経口弱毒生ロタウイルスワクチン	ロタテック	2012	-			
	インフルエンザワクチン	細胞培養インフルエンザワクチン（プロトタイプ）	細胞培養インフルエンザワクチン（プロトタイプ）「タケダ」	2013				パンデミックインフルエンザの予防
		細胞培養インフルエンザHAワクチン（H5N1株）	細胞培養インフルエンザワクチンH5N1「タケダ」	2013				新型インフルエンザ（H5N1）の予防
		乳濁細胞培養インフルエンザHAワクチン（H5N1株）	乳濁細胞培養インフルエンザHAワクチンH5N1筋注用「化血研」	2014			EB66	
		沈降細胞培養インフルエンザHAワクチン（H5N1株）	沈降細胞培養インフルエンザHAワクチンH5N1筋注30μg/mL「北里第一三共」	2014			MDCK	
		乳濁細胞培養インフルエンザワクチン（プロトタイプ）	乳濁細胞培養インフルエンザHAワクチン（プロトタイプ）筋注用「化血研」	2015			EB66	パンデミックインフルエンザの予防
	帯状疱疹ワクチン	乾燥組換え帯状疱疹ワクチン（チャイニーズハムスター卵巣細胞由来）	シングリックス筋注用	2018	○		CHO	帯状疱疹の予防
	狂犬病ワクチン	乾燥組織培養狂犬病ワクチン	ラビピュール筋注用	2019	-		ニワトリ胚初代培養細胞	狂犬病の予防及び発病阻止
インターフェロン類	インターフェロンα	インターフェロン アルファ（NAMALWA）	スミフェロン	1987	-	17,000〜30,000	ヒトリンパ芽球	腎癌, 多発性骨髄腫, B型肝炎, C型肝炎
		インターフェロン アルファ-2b	イントロンA注射用	1987	○	19,269	大腸菌	C型肝炎
		インターフェロン アルファ（BALL-1）	オーアイエフ	1988	-	13,000〜21,000	ヒトリンパ芽球	B型肝炎, C型肝炎, 慢性骨髄性白血病, 腎癌
	インターフェロンβ	インターフェロン ベータ	フエロン	1985	-	20,024.83（ポリペプチド部分）	ヒト正常二倍体線維芽細胞	B型肝炎, C型肝炎
			IFNβモチダ注射用	1988	-			皮膚悪性黒色腫, C型肝炎
		インターフェロン ベータ-1a	アボネックス筋注用	2006	○	約25,300	CHO	多発性硬化症の再発予防
		インターフェロン ベータ-1b	ベタフェロン皮下注	2000	○	19,877.57	大腸菌	多発性硬化症の再発予防及び進行抑制
	インターフェロンγ	インターフェロン ガンマ-1a	イムノマックス-γ注	1989	○	17,145.41	大腸菌	腎癌, 慢性肉芽腫症に伴う重症感染症
	PEG化インターフェロンα	ペグインターフェロン アルファ-2a	ペガシス皮下注	2003	○	約60,000（PEG部約40,000）	大腸菌	C型肝炎
		ペグインターフェロン アルファ-2b	ペグイントロン皮下注用	2004	○	約32,000（PEG部約12,000）	大腸菌	
エリスロポエチン類	エリスロポエチン	エポエチンアルファ	エスポー注射液	1990	○	約37,000〜42,000	CHO	透析施行中の腎性貧血, 未熟児貧血
	エリスロポエチン（後続品）	エポエチン カッパ［エポエチンアルファ後続1］	エポエチンアルファBS注「JCR」	2010	○	約28,000	CHO	透析施行中の腎性貧血
	エリスロポエチン	エポエチン ベータ	エポジン注	1990	○	約30,000	CHO	腎性貧血, 自己血貯血, 未熟児貧血
	エリスロポエチンアナログ	ダルベポエチン アルファ	ネスプ静注用	2007	○	約36,000	CHO	透析施行中の腎性貧血
		ダルベポエチン アルファ後続1	ダルベポエチンアルファBS注「JCR」	2019	○	約36,000	CHO	腎性貧血
		ダルベポエチン アルファ後続2	ダルベポエチンアルファBS注「三和」	2019	○	約36,000	CHO	
		ダルベポエチン アルファ後続3	ダルベポエチンアルファBS注射液「MYL」	2019	○	約37,000	CHO	
	PEG化エリスロポエチン	エポエチン ベータ ペゴル	ミルセラ注	2011	○	約60,000（PEG部約30,000）	CHO	腎性貧血

（次ページへ続く）

細胞基材の品質・安全性確保 第3章

分類		一般名	商品名	承認年	*	分子量	細胞基材	主な適応疾患
サイトカイン類	G-CSF	フィルグラスチム	グラン注射液	1991	○	18,798.88	大腸菌	造血幹細胞の末梢血への動員, 好中球増加促進, 好中球減少症
		フィルグラスチム［フィルグラスチム後続1］	フィルグラスチム BS 注「モチダ」, 同「F」	2012	○	18,798.61	大腸菌	
		フィルグラスチム［フィルグラスチム後続2］	フィルグラスチム BS 注「NK」, 同「テバ」	2013	○	18,798.61	大腸菌	
		フィルグラスチム［フィルグラスチム後続3］	フィルグラスチム BS 注「サンド」	2014	○	18,798.61	大腸菌	
		レノグラスチム	ノイトロジン注	1991		約 20,000	CHO	
	G-CSF 誘導体	ペグフィルグラスチム	ジーラスタ皮下注	2014		約 40,000 (PEG 部 20,000)	大腸菌	がん化学療法による発熱性好中球減少症の発症抑制
		ナルトグラスチム	ノイアップ注	1994		18,849.82	大腸菌	好中球増加促進, 好中球減少症
	インターロイキン-2	セルモロイキン	セロイク注射用	1992		15,415.82	大腸菌	血管肉腫
	m インターロイキン-2	テセロイキン	イムネース注	1992		15,547.01	大腸菌	血管肉腫, 腎癌
	bFGF	トラフェルミン	フィブラストスプレー	2001		17,122.42 および 17,051.35	大腸菌	褥瘡, 皮膚潰瘍（熱傷潰瘍, 下腿潰瘍）
			リグロス歯科用液キット	2016				歯周炎による歯槽骨の欠損
			リティンパ耳科用	2019				鼓膜穿孔
抗体	ヒト化抗 HER2 抗体	トラスツズマブ	ハーセプチン注射用	2001	○	148,000	CHO	HER2 過剰発現が確認された転移性乳癌
		トラスツズマブ後続1	トラスツズマブ BS 点滴静注用「NK」 トラスツズマブ BS 点滴静注用「CTH」	2018	○	約 148,000	CHO	HER2 過剰発現が確認された治癒切除不能な進行・再発の胃癌
		トラスツズマブ後続2	トラスツズマブ BS 点滴静注用「第一三共」	2018	○	約 148,000	CHO	HER2 過剰発現が確認された乳癌 HER2 過剰発現が確認された治癒切除不能な進行・再発の胃癌
		トラスツズマブ後続3	トラスツズマブ BS 点滴静注用「ファイザー」	2018	○	約 148,000	CHO	
		ペルツズマブ	パージェタ点滴静注	2013		約 148,000	CHO	HER2 陽性の手術不能又は再発乳癌
	エムタンシン修飾ヒト抗HER2抗体	トラスツズマブ エムタンシン	カドサイラ点滴静注用	2013		約 151,000	CHO	HER2 陽性転移・再発乳がん
	デルクステカン修飾ヒト抗HER2抗体	トラスツズマブ デルクステカン	エンハーツ点滴静注用	2020		約 157,000	CHO	化学療法歴のある HER2 陽性の手術不能又は再発乳癌
	キメラ型抗 CD20 抗体	リツキシマブ	リツキサン注	2001		144,510	CHO	CD20 陽性の B 細胞性非ホジキンリンパ腫
		リツキシマブ後続1	リツキシマブ BS 点滴静注「KHK」	2017		約 147,000	CHO	CD20 陽性の B 細胞性非ホジキンリンパ腫, 免疫抑制状態下の CD20 陽性の B 細胞性リンパ増殖性疾患, ヴェゲナ肉芽腫症, 顕微鏡的多発血管炎
		リツキシマブ後続2	リツキシマブ BS 点滴静注「ファイザー」	2019		約 147,000	CHO	CD20 陽性の B 細胞性非ホジキンリンパ腫, 免疫抑制状態下の CD20 陽性の B 細胞性リンパ増殖性疾患, 多発血管炎性肉芽腫症, 顕微鏡的多発血管炎
	ヒト抗 CD20 抗体	オファツムマブ	アーゼラ点滴静注液	2013		約 149,000	NS0	再発又は難治性の CD20 陽性の慢性リンパ性白血病
	ヒト化抗 CD20 抗体	オビヌツズマブ	ガザイバ点滴静注	2018		約 148,000 ～ 150,000	CHO	CD20 陽性の濾胞性リンパ腫
	MX-DTPA 修飾マウス抗CD20 抗体	イブリツモマブ チウキセタン	ゼヴァリン イットリウム (^{90}Y) 静注用セット	2008		148kDa	CHO	CD20 陽性の B 細胞性非ホジキンリンパ腫, CD20 陽性のマントルリンパ腫
		イブリツモマブ チウキセタン	ゼヴァリン インジウム (^{111}I) 静注用セット	2008		148kDa	CHO	イブリツモマブチウキセタンの集積部位の確認
	ヒト化抗 RS ウイルス抗体	パリビズマブ	シナジス筋注用	2002		約 147,700	NS0	RS ウイルス感染による重篤な下気道疾患の発症抑制
	キメラ型抗 TNF α抗体	インフリキシマブ	レミケード点滴静注用	2002		約 149,000	マウス骨髄腫細胞	関節リウマチ, ベーチェット病, 乾癬, 強直性脊椎炎, クローン病, 潰瘍性大腸炎
		インフリキシマブ後続1	インフリキシマブ BS 点滴静注用「NK」 インフリキシマブ BS 点滴静注用「CTH」	2014		約 149,000	マウス骨髄腫細胞 (SP2/0)	関節リウマチ, クローン病, 潰瘍性大腸炎
		インフリキシマブ後続2	インフリキシマブ BS 点滴静注用「日医工」 インフリキシマブ BS 点滴静注用「あゆみ」	2017		約 149,000	CHO	関節リウマチ, 乾癬, クローン病, 潰瘍性大腸炎
		インフリキシマブ後続3	インフリキシマブ BS 点滴静注用「ファイザー」	2018		約 149,000	CHO	関節リウマチ, 尋常性乾癬, 関節症性乾癬, 膿疱性乾癬, 乾癬性紅皮症, クローン病
	ヒト抗 TNF α抗体	アダリムマブ	ヒュミラ皮下注	2008	○	約 148,000	CHO	関節リウマチ, 尋常性乾癬, 関節症性乾癬, クローン病, 強直性脊椎炎
		ゴリムマブ	シンポニー皮下注	2011		149,802 ～ 151,064	SP2/0	関節リウマチ

(次ページへ続く)

分類	一般名	商品名	承認年	*	分子量	細胞基材	主な適応疾患
PEG化ヒト化抗TNFα抗体Fab	セルトリズマブ ペゴル	シムジア皮下注	2012	○	約90,000（PEG部約40,000）	大腸菌	関節リウマチ
キメラ型抗CD25抗体	バシリキシマブ	シムレクト静注用	2002	○	約147,000	SP2/0-Ag14.10	腎移植後の急性拒絶反応の抑制
ヒト化抗IL6R抗体	トシリズマブ	アクテムラ点滴静注用，アクテムラ皮下注	2005	○	約148,000	CHO	関節リウマチ，若年性突発性関節炎，キャッスルマン病
pH依存的結合性ヒト化抗IL-6R抗体	サトラリズマブ	エンスプリング皮下注	2020	○	約146,000	CHO	視神経脊髄炎スペクトラム障害（視神経脊髄炎を含む）の再発予防
カリケアマイシン修飾ヒト化抗CD33抗体	ゲムツズマブ オゾガマイシン	マイロターグ点滴静注用	2005	○	約153,000	NS0	CD33陽性の急性骨髄性白血病
ヒト化抗VEGF抗体	ベバシズマブ	アバスチン点滴静注用	2007	○	約149,000	CHO	進行・再発の結腸・直腸癌，進行・再発の非小細胞肺癌
ヒト化抗VEGF抗体	ベバシズマブ後続1	ベバシズマブBS点滴静注「ファイザー」	2019	○	約149,000	CHO	治癒切除不能な進行・再発の結腸・直腸癌
ヒト化抗VEGF抗体	ベバシズマブ後続2	ベバシズマブBS点滴静注「第一三共」	2019	○	約149,000	CHO	治癒切除不能な進行・再発の結腸・直腸癌
ヒト化抗VEGF抗体フラグメント	ラニビズマブ	ルセンティス硝子体内注射液	2009	○	約48,000	大腸菌	加齢黄斑変性症
ヒト化抗VEGF抗体フラグメント	ブロルシズマブ	ベオビュ硝子体内注射用キット	2020	○	約26,300	大腸菌	中心窩下脈絡膜新生血管を伴う加齢黄斑変性
キメラ型抗EGFR抗体	セツキシマブ	アービタックス注射液	2008	○	約151,800	SP2/0-Ag14	EGFR陽性の進行・再発の結腸・直腸癌
サロタロカン修飾キメラ型抗EGFR抗体	セツキシマブ	アキャルックス点滴静注	2020	○	約151,800	SP2/0-Ag14	光免疫療法剤，切除不能な局所進行または局所再発の頭頸部がん
ヒト抗EGFR抗体	パニツムマブ	ベクティビックス点滴静注	2010	○	約147,000	CHO	KRAS遺伝子野生型の進行・再発の結腸・直腸癌
ヒト型抗ヒトEGFR抗体	ネシツムマブ	ポートラーザ点滴静注液	2019	○	約148,000	NS0	切除不能な進行・再発の扁平上皮非小細胞肺癌
ヒト化抗IgE抗体	オマリズマブ	ゾレア皮下注用	2009	○	約149,000	CHO	気管支喘息（難治の患者に限る）
ヒト抗補体C5抗体	エクリズマブ	ソリリス点滴静注	2010	○	約145,235	NS0	発作性夜間ヘモグロビン尿症
ヒト化抗ヒト補体C5抗体	ラブリズマブ	ユルトミリス点滴静注	2019	○	約148,000	CHO	発作性夜間ヘモグロビン尿症
ヒト抗IL12/IL23-p40抗体	ウステキヌマブ	ステラーラ皮下注	2011	○	148,079～149,690	SP2/0	尋常性乾癬，関節症性乾癬
ヒト抗IL12/IL23-p40抗体	ウステキヌマブ	ステラーラ点滴静注	2017	○	148,079～149,690	SP2/0	中等症から重症の活動期クローン病の導入療法
ヒト抗IL-1β抗体	カナキヌマブ	イラリス皮下注用	2011	○	約148,000	SP2/0-Ag14	クリオピリン関連周期性症候群
ヒト抗RANKL抗体	デノスマブ	ランマーク皮下注，プラリア皮下注	2012	○	約150,000	CHO	多発性骨髄腫による骨病変及び固形癌骨転移による骨病変，骨粗鬆症
ヒト化抗CCR4抗体	モガムリズマブ	ポテリジオ点滴静注	2012	○	約149,000	CHO	再発又は難治性のCCR4陽性の成人T細胞白血病リンパ腫
ヒト化抗α4インテグリン抗体	ナタリズマブ	タイサブリ点滴静注	2014	○	約149,000	NS0	多発性硬化症の再発予防および身体的障害の進行抑制
ヒト抗PD-1抗体	ニボルマブ	オプジーボ点滴静注	2014	○	約145,000	CHO	根治切除不能な悪性黒色腫 根治切除不能又は転移性の腎細胞癌切除不能な進行・再発の非小細胞肺癌，他
ヒト型抗PD-1抗体	ペムブロリズマブ	キイトルーダ点滴静注	2016	○	約149,000	CHO	根治切除不能な悪性黒色腫
ヒト化抗CD52抗体	アレムツズマブ	マブキャンパス点滴静注	2014	○	約150,000	CHO	再発または難治性の慢性リンパ性白血病
ヒト抗IL-17A抗体	セクキヌマブ	コセンティクス皮下注	2014	○	約151,000	CHO	既存治療で効果不十分な尋常性乾癬，関節症性乾癬
ヒト化抗IL-17A抗体	イキセキマブ	トルツ皮下注	2016	○	約149,000	CHO	乾癬
ヒト型抗IL-17抗体	ブロダルマブ	ルミセフ皮下注	2016	○	約147,000	CHO	乾癬
MMAE修飾キメラ型抗CD30抗体	ブレンツキシマブ ベドチン	アドセトリス点滴静注用	2014	○	約153,000	CHO	再発又は難治性のCD30陽性ホジキンリンパ腫，未分化大細胞リンパ腫
ヒト抗VEGFR-2抗体	ラムシルマブ	サイラムザ注射液	2015	○	約147,000	NS0	治癒切除不能な進行・再発の胃がん
ヒト化抗CTLA-4抗体	イピリムマブ	ヤーボイ点滴静注液	2015	○	約148,000	CHO	根治切除不能な悪性黒色腫
ヒト抗PCSK9抗体	エボロクマブ	レパーサ皮下注	2016	○	約144,000	CHO	スタチン製剤が効かない脂質異常症
ヒト化抗IL-5抗体	メポリズマブ	ヌーカラ皮下注	2016	○	約149,000	CHO	気管支喘息（難治の患者に限る）
ヒト型抗PCSK9抗体	アリロクマブ	プラルエント皮下注	2016	○	約149,000	CHO	高コレステロール血症
抗ダビガトラン抗体Fab	イダルシズマブ	プリズバインド静注液	2016	○	47,782.03	CHO	ダビガトラン特異的中和剤
ヒト化抗SLAMF7抗体	エロツズマブ	エムプリシティ点滴静注用	2016	○	約148,000	NS0	再発又は難治性の多発性骨髄腫
ヒト抗IL-6受容体αサブユニット抗体	サリルマブ	ケブザラ皮下注	2017	○	144,130.02	CHO	既存治療で効果不十分な関節リウマチ
ヒト抗Clostridium difficileトキシンB抗体	ベズロトクスマブ	ジーンプラバ点滴静注	2017	○	約148,000	CHO	クロストリジウム・ディフィシル感染症の再発抑制
ヒト抗BlyS抗体	ベリムマブ	ベンリスタ点滴静注用	2017	○	約147,000	NS0	既存治療で効果不十分な全身性エリテマトーデス

（次ページへ続く）

細胞基材の品質・安全性確保 第3章

分類		一般名	商品名	承認年	＊	分子量	細胞基材	主な適応疾患
抗体	ヒト抗CD38抗体	ダラツムマブ	ダラザレックス点滴静注	2017	○	約148,000	CHO	再発又は難治性の多発性骨髄腫
	キメラ型抗CD38抗体	イサツキシマブ	サークリサ	2020	○	約148,000	CHO	
	ヒト抗PD-L1抗体	アベルマブ	バベンチオ点滴静注	2017	○	約147,000	CHO	根治切除不能なメルケル細胞癌
	ヒト化抗PD-L1抗体	アテゾリズマブ	テセントリク点滴静注	2018	○	144,610.56	CHO	切除不能な進行・再発の非小細胞肺癌、PD-L1陽性のホルモン受容体陰性かつHER2陰性の手術不能又は再発乳癌
	ヒト型抗ヒトPD-L1抗体	デュルバルマブ	イミフィンジ点滴静注	2018	○	約149,000	CHO	切除不能な局所進行の非小細胞肺癌における根治的化学放射線療法後の維持療法
	抗血液凝固第IXa／X因子ヒト化二重特異性抗体	エミシズマブ	ヘムライブラ皮下注	2018	○	約148,000	CHO	血液凝固第VIII因子に対するインヒビターを保有する先天性血液凝固第VIII因子欠乏患者における出血傾向の抑制
	ヒト抗IL-4R αサブユニット抗体	デュピルマブ	デュピクセント皮下注	2018	○	約152,000	CHO	既存治療で効果不十分なアトピー性皮膚炎
	ヒト化抗Il-5R αサブユニット抗体	ベンラリズマブ	ファセンラ皮下注	2018	○	約148,000	CHO	気管支喘息
	ヒト型抗ヒトIL-23p19抗体	グセルクマブ	トレムフィア皮下注	2018	○	約146,000	CHO	既存治療で効果不十分な尋常性乾癬、関節症性乾癬、膿疱性乾癬、乾癬性紅皮症
	ヒト化抗ヒトIL-23p19抗体	リサンキズマブ	スキリージ皮下注	2019	○	約149,000	CHO	既存治療で効果不十分な尋常性乾癬、関節症性乾癬、膿疱性乾癬、乾癬性紅皮症
		チルドラキズマブ	イルミア皮下注	2020	○	約147,000	CHO	既存治療で効果不十分な尋常性乾癬
	オゾガマイシン修飾ヒト化抗CD22抗体	イノツズマブ オゾガマイシン	ベスポンサ点滴静注用	2018	○	約159,000	CHO	再発又は難治性のCD22陽性の急性リンパ性白血病
	ヒト化抗ヒトα4β7インテグリン抗体	ベドリズマブ	エンタイビオ点滴静注用	2018	○	約150,000	CHO	中等症から重症の潰瘍性大腸炎の治療及び維持療法（既存治療で効果不十分な場合に限る）
	マウス抗CD3/CD19一本鎖抗体	ブリナツモマブ	ビーリンサイト点滴静注	2018	○	約54,000	CHO	再発又は難治性のB細胞性急性リンパ性白血病
	ヒト化抗スクレロスチン抗体	ロモソズマブ	イベニティ皮下注	2019	○	約149,000	CHO	骨折の危険性の高い骨粗鬆症
	ヒト型抗FGF23抗体	ブロスマブ	クリースビータ皮下注	2019	○	約147,000	CHO	FGF23関連低リン血症性くる病・骨軟化症
融合タンパク質	可溶性TNFR-Fc融合タンパク質	エタネルセプト	エンブレル皮下注用, 皮下注シリンジ	2005	○	約150,000	CHO	関節リウマチ，若年性特発性関節炎
		エタネルセプト後続1	エタネルセプトBS皮下注用「MA」	2018	○	約150,000	CHO	既存治療で効果不十分な、関節リウマチ（関節の構造的損傷の防止を含む）及び多関節に活動性を有する若年性特発性関節炎
		エタネルセプト後続2	エタネルセプトBS皮下注「TY」／エタネルセプトBS皮下注「日医工」	2019	○	約150,000	CHO	関節リウマチ（関節の構造的損傷の防止を含む）、多関節に活動性を有する若年性特発性関節炎
	CTLA4-Fc融合タンパク質（改変Fc）	アバタセプト	オレンシア点滴静注用, オレンシア皮下注	2010	○	約92,000	CHO	関節リウマチ
	Fc-TPORアゴニストペプチド融合タンパク質	ロミプロスチム	ロミプレート皮下注	2011		59,085（二量体）	大腸菌	慢性特発性血小板減少性紫斑病
	VEGFR-Fc融合タンパク質	アフリベルセプト	アイリーア硝子体内注射液	2012	○	約115,000	CHO	中心窩下脈絡膜新生血管を伴う加齢黄斑変性
	血液凝固第VIII因子-Fc融合タンパク質	エフラロクトコグ アルファ	イロクテイト静注用	2014	○	約225,000	HEK293	血液凝固第VIII因子欠乏患者における出血傾向の抑制
	血液凝固第IX因子-Fc融合タンパク質	エフトレノナコグ アルファ	オルプロリクス静注用	2014	○	約109,000	HEK293	血液凝固第IX因子欠乏患者における出血傾向の抑制
	アルカリホスファターゼ+Fc	アスホターゼアルファ	ストレンジック皮下注	2015	○	約180,000	CHO	低ホスファターゼ症
	血液凝固第IX因子-アルブミン融合タンパク質	アルブトレペノナコグ アルファ	イデルビオン静注用	2016	○	約125,000	CHO	血液凝固第IX因子欠乏患者における出血傾向の抑制
	VEGFR1第2Ig様C2ドメイン-VEGFR2第3Ig様C2ドメイン+Fc	アフリベルセプト ベータ	ザルトラップ点滴静注	2017	○	約115,000	CHO	治癒切除不能な進行・再発の結腸・直腸癌

＊：○は遺伝子組換え

国立医薬品食品衛生研究所生物薬品部HPより引用・改変（2020年9月時点）

（1） 細胞基材としてのCHO細胞

　CHO細胞は，Puckら[8]により1957年に樹立された。1980年にはDHFR（dihydrofolate reductase）欠損株が作出され，Methotrexate（MTX）による遺伝子増幅・高発現株作出のツールが揃った。そして1987年には動物細胞を用いた初めてのバイオ医薬品として，組換えCHO細胞由来の組織プラスミノーゲンアクチベータ（一般名：Alteplase）が米国で承認された。

　表3-1に示す208品目のうち，CHO細胞を用いた製品は47.6％（99/208）を占める。動物細胞に限れば68.8％（99/144），抗体医薬では72.7％（56/77）である。CHO細胞が多く用いられる理由として，①大量培養法が技術的に進展している，②ウイルス安全性に関する知見が集積している，③高発現株開発技術の進展がめざましいこと，④糖タンパク質においては，ヒトの細胞と類似した糖鎖が発現産物に付加されることなどがある。研究段階でいくらユニークな性質を持った細胞であっても，また実験室レベルで使い慣れた細胞であっても，工業レベルでの応用には生産性と安全性といった観点での検証が必要であり，これには莫大な時間と費用を要する。したがって細胞基材の変更にはリスクが伴うことになり，開発に長い時間を要する医薬品では実績のある細胞が選択されることも理由であろう。

　2011年にはCHO-K1細胞のゲノム配列が解析され[9]，2.45 Gbのゲノム上にコードされる24,383の遺伝子の中から，GlucNAcの分岐，フコシル化，シアリル化など糖鎖の合成・修飾に関わる遺伝子が特定された。糖鎖はバイオ医薬品の重要な品質特性（Critical quality attributes：CQA）に関わる代表的な翻訳後修飾の1つであり，遺伝子が特定されたことで，今後，遺伝子工学およびタンパク質工学的な手法によるCHO細胞の改良を通じた糖鎖の改変，発現産物のCQAの改変が可能となる。ゲノム配列の解析からは，CHO細胞には，HSV-1，HIV，HBV，狂犬病ウイルスなどの侵入に必要なレセプターの発現がないことも明らかになり，CHO細胞の組換え医薬品開発・生産のプラットフォームとしての適切性の1つが確認されたことになる。CHO細胞については，K1株以外にもさまざまな細胞株が作られており，今後，DG44株など他の株に関する知見の集積から各ゲノム領域の働きがより明確になり，プラットフォームとしての基盤整備がますます発展すると期待される。

（2） 新しい細胞基材

①昆虫細胞

　昆虫細胞はバイオ医薬品の細胞基材としては比較的古く，1960年代にGraceらにより*Antheraea eucalypti*（ヤママユガの一種）の卵巣から樹立されている。1970年代には*Spodoptera frugiperda*（和名：ツマジロクサヨトウ［蛾の一種］）の卵巣からSf21細胞が樹立され，1983年には同細胞とバキュロウイルスを用いた外来遺伝子の発現系が確立された[10]。現在，医薬品製造でよく利用されているSf9細胞は，Sf21細胞から単離されたものである。また，*Spodoptera frugiperda*からは無血清培地で培養可能な細胞（expressSF＋®）がProtein Sciences社によって確立されている。他にも，1980年代に*Trichoplusia ni*（イラクサギンウワバ）の卵巣からTn5（High Five）細胞が樹立されており，さらに最近ではカイコを用いたタンパク質発現系なども開発されている[11]。

　昆虫細胞については，タンパク質を大量発現可能という利便性の一方で，次世代シーケシ

ング技術の発展等（詳細は，第9章第3項「次世代シーケンシング技術」参照）に伴ってウイルスの検出事例も報告され，新規細胞基材に対するウイルス安全性についての議論が進展するきっかけにもなっている。これまでにTn5細胞でのAlphanodavirusの持続感染例[12]やSf9細胞でのRhabdovirusの検出例[13]が報告されている。前者については，近縁のNodamura virusで乳飲みマウスや同ハムスターに致死的感染を起こすことが報告されており，適切な評価が求められる。Sf9細胞で検出されたRhabdovirus（Sf-RV）については全塩基配列が解析され，分子系統学的には動物ラブドウイルスとも植物ラブドウイルスとも異なるグループに属することが報告されている[14]。Sf-RVについては，培養細胞を用いた感染性の検討が行われており，動物細胞（A204，A549，Raji，MRC-5，HeLa，Vero，MDBK）への感染性はないとされており[15]，海外ではexpressSF+®細胞で製造された製品（インフルエンザワクチンのFlublok®など）も承認されている。ヒトへの感染性の有無が明確ではないSf-RVの感染が確認された細胞を細胞基材に使用した製品，あるいはその潜在的なウイルスリスクを規制当局が受け入れるかについては，議論のあるところであろう。一方で，2016年にはRhabdovirusが感染していないSf-RVN（Sf-Rhabdovirus-negative）細胞株がGlycoBac社によって樹立され（樹立方法は非公開）[16]，ライセンス下で利用可能となっている（http://www.glycobac.com/sf-rvn-cells）。他方，2019年にSf-RVの存在を初めて報告したFDAのグループは，ATCCが分与しているSf9細胞はSf-RVに感染している細胞と感染していない細胞が混在した状態であり，そこからSf-RV非感染のSf9細胞を再クローニング可能であること，およびその方法を報告している[17]。

②その他の細胞基材

　2012年5月，ニンジン由来の組換え培養細胞で製造した製剤（Elelyso®）が米国で承認されている[18]。同年12月にはトランスジェニックニワトリで製造した製剤（Kanuma®）が米国[19]で，2016年3月にはわが国でも承認されている。タバコ由来の組換え培養細胞で製造したFabry病用酵素補充療法剤[20]，タバコで製造したインフルエンザワクチン[21]，コケ由来の組換え培養細胞で製造した製剤[22]の開発も進んでおり，今後，細胞基材はさらに多様化すると考えられる。これらの製剤については，4項「トピックス」で概説する。

　本章では触れないが，前述のWHO Technical Report No.978 Annex 3では，再生医療や遺伝子治療で用いられる幹細胞に関する記載がある。興味のある読者は，ぜひ原文をご確認いただきたい。

2. セルバンクの管理

(1) シードロット／セルバンクシステム

　ウイルスや細胞は，継代とともに形質が変化する。生ワクチン用の弱毒株などはその性質を利用して作出されるが，さらに継代を続けるとその特性が変化したり失われたりする。そこで変化の度合いを許容範囲に抑えて品質を管理するために考えだされた手法がシードロット／セルバンクシステムである。黄熱病ワクチンでいち早く取り入れられ，1943年の論文で"seed-lot system"の単語が登場する（ワクチンでは製造用の種ウイルスをシードと呼ぶこと

から「シードロットシステム」と呼ばれる)。「セルバンクシステム」はこの考え方を細胞に応用したものである。

セルバンクは製造の出発原料であり、その品質・安全性と恒常性の確保は医薬品の品質・安全性を確保するための前提条件となる。

(2) セルバンクの作製事例
①動物培養細胞
1) セルバンクの作製

まず、宿主細胞に対する遺伝子の導入方法にもさまざまな選択肢がある。発現させたいタンパク質をコードする遺伝子を、薬剤耐性遺伝子とともに適切なベクターに組み込み、宿主細胞に導入する。動物細胞にベクターを導入する手法にはさまざまな方法があるが、医薬品製造を目的とする場合には主に安全性と操作性の観点から、リポフェクション法やエレクトロポレーション法などの物理的化学的方法が多く用いられる。いずれにせよ、選択した生産細胞との相性があるので、導入効率、導入遺伝子の安定性、導入部位特異性の観点で、最も良い組み合わせを選択する必要がある。

ベクターとその導入方法が決定したら、宿主細胞に遺伝子を導入し、薬剤の存在下で培養するなどして組換え体のみを選択する。次いで薬剤の濃度を段階的に高めることで遺伝子の増幅を促し、得られたヘテロな細胞群から段階希釈法などによりクローニングを行う。得られたクローンは、産生量や継代安定性などを指標に絞り込む。次にファーメンタ培養での生産性や産物の品質、目的遺伝子の塩基配列など、医薬品原料としての適切性の観点からその特性を確認し、シードセルを樹立する。その後にシードセルを拡大培養してセルバンク化を行う。図3-1に動物細胞を用いたセルバンクの作製フローを示す。ワクチンの原料となるウイルス培養用のセルバンクを作製する場合においても、遺伝子組換え操作を除いて、同様の操作を行うことになる。これら一連の調製に関しては、細胞が感染性因子に曝露される可能性がある操作については特に、詳細に記録しておく必要がある。

セルバンクの作製や更新は、基本的にはGMP体制下で行うことが望ましい。ガイドライン／

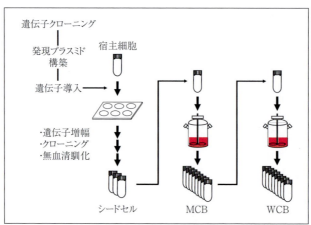

図3-1　セルバンクの作製例(動物培養細胞)

ガイダンスでの記載例としては，ICH Q7では，「適用範囲は，ワーキングセルバンクの維持管理から」，EU GMP Annex 2 (Manufacture of Biological active substances and Medicinal Products for Human Use (Revised June 2012)) Table 1では，「適用範囲は，Establishment & maintenance of MCB, WCB, MVS, WVS」，2013年に出されたWHO Technical Report No.978 Annex 3では，「GMP should be applied from the stage of cell banking onwards」とされている。またこれにより，作製や保管・出納記録の不備といった事態を避けることもできる。

動物細胞を用いたバイオ医薬品をFDA (CDER) へ申請する場合，セルバンクのclonalityに関する資料の提出を求められるので，留意が必要である[23,24]。

2）セルバンクの管理

セルバンクは通常，マスターセルバンク (MCB) とワーキングセルバンク (WCB) に分けて管理される。MCBとは，管理の大元になるセルバンクの意味であり，製造法から細胞特性解析と純度解析の結果について，製造承認申請書への詳細な記載が必要である。申請から上市，その後の製造を長期間恒常的に行い，均一な品質の製品を製造するため，①セルバンクはMCBとWCBの2段階で十分な本数を作製する，②不意のトラブルに備えて複数の場所で保存する，③保存中の劣化を防ぐために極低温で保存する，④管理体制を整備する，など厳しい管理が求められる。

動物細胞の場合，同一の発現プラスミドを用いて遺伝子導入を繰り返しても二度と同じシードセルを作り出すことはできない。宿主細胞そのものに若干のheterogeneityがあること，導入した遺伝子が組み込まれる染色体上の位置に規則性がないことなどにより，クローン間で栄養要求性や培養時の代謝パターン，産物に付加する糖鎖パターンなどが微妙に異なるためである。したがって，セルバンクの管理に最新の注意を払うことはもちろんのこと，シードセルを同様に保管しておくことが重要である。こうしておけば万一の場合，シードセルからMCBを更新できる。

MCBの純度試験では，微生物やマイコプラズマ，内在性および非内在性のウイルス汚染を徹底的に調べる必要がある。WCBの場合，MCBおよびCAL (Cells at the Limit) 細胞（医薬品製造のために *in vitro* 細胞齢の上限にまで培養された細胞）で調べられていれば非内在性ウイルスの試験は求められない[注1]。

> [注1] CAL細胞の試験は培養スケールが定まる開発の後期に実施する場合が多い。開発の初期に作製するWCBでは，外来性ウイルス試験についても実施する。

以下にセルバンクに対する具体的な試験項目と方法を記載する。

3）試験項目と試験方法

i）特性解析試験

特性解析試験は，①使用した宿主細胞の形質，②導入した遺伝子により新たに付与された形質（薬剤耐性など），③発現産物など，を担保するために行う。試験項目としては，アイソザイム分析（CHO細胞であれば，ハムスター由来の細胞であることを確認），薬剤耐性能の確認（MTXで遺伝子増幅した場合，MTX存在下での増殖能を確認），目的遺伝子の塩基配列解

析（MCBから調製したmRNAについてRT-PCRで解析），サザンブロットパターンの確認（MCBから調製した染色体DNAを複数の制限酵素で消化して行う），コピー数（サザンブロットパターンの解析やQ-PCR法で算出），ウェスタンブロット法による目的タンパク質の発現確認試験などがあげられる．CALについても同様の試験を実施し，製造条件を超える継代を行った後も，細胞の特性に変化がないことを確認する．

ii) 純度試験

　純度試験は，セルバンクに細菌や真菌，マイコプラズマ，外来性のウイルスなどが混入していないことを担保するために行う．CHO細胞を使用したバイオ医薬品を例に，**表3-2**にセルバンクの純度試験の項目を示した．

・外来性ウイルスの検出

ウイルスに対してはICH Q5Aに記載されているとおり，以下のような各種の試験に加えて，精製工程におけるウイルスクリアランス能の確認によって，タンパク質性医薬品のウイルス

表3-2　セルバンク（動物細胞）の純度試験の例

試験項目	手法		MCB	WCB	CAL	UPBH
同定試験	アイソザイム解析		○	○	○	
無菌性 （細菌・真菌）	微生物限度試験		○	○	○	○
	無菌試験		○	○	○	○
マイコプラズマ否定	培養法		○	○	○	○
	指標細胞を用いたDNA染色法		○	○	○	○
レトロウイルス否定	感染性試験（S^+L^-試験）		○		○	
	電子顕微鏡観察		○		○	
	逆転写酵素活性		○*		○*	
外来性ウイルス否定	in vitro試験	Vero細胞	○		○	○
		MRC-5細胞	○		○	○
		CHO細胞	○		○	○
		324K細胞	○		○	○
	in vivo試験	成熟マウス	○		○	
		乳飲みマウス	○		○	
		発育鶏卵	○		○	
	抗体産生試験	マウス（MAP）	○			
		ハムスター（HAP）	○			
		ラット（RAP）				
ウシウイルス否定試験	in vitro試験	BT細胞/Vero細胞	○		○	○**
ブタウイルス否定試験	in vitro試験	PPK細胞	○		○	○**

UPBH：Unprocessed bulk harvest, S^+L^-：sarcoma-positive leukemia-negative
*：内在性レトロウイルスを保持していることが既知のCHO細胞などでは不要
**：製造工程でウシ血清やブタ由来のトリプシンを使用する場合
UPBHの試験は，各製造ロットごとに実施する．

第3章 細胞基材の品質・安全性確保

安全性に対するリスクを可能な限り低減する。

・レトロウイルス試験

ICH Q5Aによれば，MCBとCALについては，逆転写酵素活性の試験，感受性細胞を用いた感染性試験と電子顕微鏡観察を含むレトロウイルス試験を行う必要がある。感染性が認められず，レトロウイルスまたはレトロウイルス様粒子が電子顕微鏡観察で認められない場合であっても，非感染性のレトロウイルスの有無について検討するため，逆転写酵素活性の試験を含む適切な試験を実施することが求められている。

・In vitro 試験

広範囲のヒトウイルスやある種の動物ウイルスを検出することができる感受性を有する各種指示細胞に対し，被検試料を接種することにより実施する試験である。本試験に使用する細胞の種類は試験対象となるセルバンクがどのような種由来であるかによって左右されるが，ヒトウイルスに感受性のあるヒトおよびヒト以外の霊長類に由来する細胞を含むべきである。どのような試験方法および被検試料で試験を実施するかは，細胞基材の由来やその調製過程から鑑みて，混入の可能性が考えられるウイルスの種類に応じて決定するべきである。細胞変性および血球凝集を判定法とするウイルス検査を実施することも必要である。

・In vivo 試験

被検試料を乳飲みマウス等に接種することにより，in vitro試験で増殖の確認ができないウイルスを検出するための試験である。

・抗体産生試験

げっ歯類由来の細胞株中に存在する可能性のある種特異的ウイルスについては，セルバンクのlysateあるいは培養液を特定の病原体フリー（Specific pathogen free：SPF）の動物に接種し，一定期間経過した後，被検動物血清中の抗体レベルあるいは酵素活性を測定[注2]することにより検出することができる。例としてマウス抗体産生（MAP）試験，ラット抗体産生（RAP）試験，ハムスター抗体産生（HAP）試験がある。抗体産生試験により検出が可能なウイルスについてはICH Q5A表3に記載されている。

> [注2] ICH Q5A 表3に記載されているウイルスの中で，乳酸脱水素酵素上昇ウイルス（Lactic dehydrogenase-elevating virus：LDHV）は，歴史的に乳酸脱水素酵素（Lactate dehydrogenase：LDH）の測定で検出されてきたが，近年では他のウイルス同様，被検動物血清中の抗体レベルやPCRで検出するケースもある。LDHVは，アルテリウイルス科に属するRNAウイルスであり，当初，腫瘍細胞を接種したマウスでLDHの値が急上昇することから，その原因因子として見出された。宿主域はマウスだけで，ラット，ハムスター，モルモット，ウサギおよびこれらに由来する細胞にも感染しない（実験動物中央研究所HPより）。

・マイコプラズマの検出

マイコプラズマは広く脊椎動物に寄生的に生息している一群の細菌である。ろ過滅菌グレードのフィルター（0.22μm）を通過することがあり，その微小さに加えて，細胞壁を有しないため形状に自由度があることも影響していると考えられる。研究室レベルでは，培養細胞への汚染事例も多数報告されているが，感染による細胞の形態変化が観察されないために気づかれないことも多い。マイコプラズマが感染した細胞では，細胞の増殖性や産生能が変化することもある。組換えCHO細胞にM. argininiを感染させた実験では，産生された抗体の品質が大きな影

響を受けている[25]。一方で検査を行えば検出は比較的容易であり（第9章参照），医薬品製造上で大きな問題となった事例はない。

②微生物（大腸菌，酵母菌）

遺伝子組換え生物等を国内で産業利用する場合，その拡散防止措置が適切であることの確認を事前に得る必要があり，原薬製造(開発中の治験薬製造を含む)に遺伝子組換え生物を用いる場合は製造開始前までに「確認」を得ておく必要がある（詳細は第14章「カルタヘナ法」の項参照）。

1） 発現系の特徴

大腸菌は酵母菌や動物細胞に比べて増殖速度が速く，シードセルを得るまでの期間が短い。また大量培養が容易で培地も安価である。一方で，糖鎖が付加されず，膜タンパク質など疎水性が強い産物は大腸菌にtoxicに作用し，発現が難しい（形質転換体が得られない）。さらに発現産物が菌体内で封入体(inclusion body：IB)[注3]を形成する場合が多く，正しい立体構造を再構築するためのリフォールディング操作[注4]が必要となる。ジスルフィド(S-S)結合が多い複雑なタンパク質の場合，リフォールディング工程でS-S結合が正しく形成されていない異性体が多く生成し，これらを分離するために精製工程が複雑となり収率も低くなる。このような理由からか，大腸菌を宿主とする系で製造される医薬品は，インスリン，成長ホルモン(hGH)，心房性ナトリウム利尿ペプチド，インスリン様成長因子-1(IGF-1)，インターフェロン，インターロイキン-2，顆粒球コロニー刺激因子など，比較的分子量の小さな産物が多い。報告された中では，改変型組織プラスミノーゲン活性化因子が最も大きく(354アミノ酸)，かつ最も複雑(9個のS-S結合)な産物である[26, 27]。

> [注3] IBを形成させるほうが都合の良い場合もある。産物が可溶性の場合（産物の等電点が中性から外れていた場合に可溶性となることが多い），菌体内で分解され発現がうまくいかないことがある。このような場合，大腸菌で高発現することが確認されている遺伝子の一部を目的遺伝子のN末側に融合することで，全体として等電点を中性付近にすると，IBが形成され高発現となる場合がある。インターフェロン遺伝子の一部と融合させて高発現に成功したIGF-1[28]などはこの例である。また，IBは菌体破砕の後，低速遠心で容易に集めることができ純度も高い。さらにIBを洗浄することで大腸菌自身が産生するエンドトキシンの多くを除去できる。
>
> [注4] リフォールディングの条件は，産物によって千差万別で一般的に語ることは難しい。タンパク質濃度，温度，反応時間，pH，酸化剤と還元剤の比率と濃度などがリフォールディング効率に影響することはわかっているが，多分に経験に負うところが多い。産物によっては2価金属イオンの添加が有効である場合もある。リフォールディングについては，優れた総説[29]があるので参照されたい。

ペリプラズム(periplasm)へ分泌発現させることで正しい立体構造を形成させることも可能であるが，特別な工夫が必要であり，また，すべての産物に適用できるわけではない。実用化された例としては，hGH，IGF-1，抗体医薬のLucentis®(一般名：renibezumab)がある。

酵母菌は大腸菌には劣るが動物細胞よりも増殖速度が速く，シードセルを得るまでの期間が短い。また大量培養が容易で，無機塩類と糖のみで増殖することから，アミノ酸を必要とする大腸菌よりも培地は安価である。さらに真核生物(eucaryote)である酵母菌が原核生物(procaryote)である大腸菌と大きく違う点は，細胞内に膜系が発達しており，分泌発現が可能

な点である．また，膜系を持つことで疎水性が強い膜タンパク質の発現も可能である．大腸菌においてもペリプラズム (periplasm) へ分泌発現させることは可能であるが，生産性や分泌発現できる産物の種類が多い点で酵母菌のほうが優れている．一方，酵母菌では高分子量のhigh-mannose型糖鎖が付加される場合がある．また，硬い細胞壁を持っていることから，菌体内に産物を発現させた場合，工業化に当たってはビーズミルやマントンゴーリンといった破砕用の特別な装置を用いる必要がある．

　遺伝子組換えの宿主として最初に開発された酵母菌は，パン酵母やビール酵母として知られる *Saccharomyces cerevisiae* であるが，その後，*Schizosaccharomyces pombe*，*Kluyveromyces lactis Pichia pastoris Hansenula polymorpha* などの系が開発され，*S. cerevisiae* よりも高い発現能を示すことが報告されている[30]．このうち，*P. pastoris* と *H. polymorpha* はいずれもメタノール資化性の酵母菌であり，メタノール代謝系の最初に位置するアルコールオキシダーゼ (AOX) プロモーターとの組み合わせで高発現を達成している[注5]．しかしながら，工業利用に当たってはいくつか考慮すべき点がある．まず大量のメタノールを取り扱うことになり，設備を費用のかかる防爆仕様とする必要がある．また，発現誘導はメタノールを徐々に添加する方法で行うが，高い生産性を達成しようとすると培養期間が長くなる (～2週間)．単位容量当たりの発現能は高いが，*S. cerevisiae* (培養期間は～5日間) に比べて，年間当たりの生産性で比べると必ずしも有利とは言えない．また，培養期間が長くなることで発現産物が分解や修飾を受けやすく，産物によっては質の面で不利となる場合がある．

　酵母菌を宿主とする系で製造される医薬品には，インスリン，ヒト血清アルブミン，B型肝炎ウイルス表面抗原などがある．

> [注5] *P. pastoris* をメタノールで生育させた場合，AOXの発現量は全可溶性タンパク質の30%以上にまで高まる．AOXプロモーターは，酵母菌用のプロモーターとして最も強力なものの1つである．

(3) セルバンクの作製と管理方法

①シードセルの作製

　図3-2および図3-3に，それぞれ大腸菌および酵母菌を宿主とする場合のセルバンクの作製例を示した．遺伝子クローニングの方法，発現プラスミドの構築法および大腸菌／酵母菌への遺伝子導入 (形質転換) 法などについては，成書[31]を参照されたい．

　大腸菌の場合は，遺伝子導入後，選択寒天培地上に現れたいくつかのコロニーについて小スケールの発現実験で増殖性と発現量を比較し，候補クローンを選択する．クローン間のバラツキは実験誤差の範囲程度で，それほど大きくはない．

　酵母菌の場合は，クローン間にバラツキがありクローニング操作が必要となる[32]．遺伝子導入後，選択寒天培地上に現れるコロニーの大きさが一様ではないことでクローンが均一でないことがわかる．コロニーを複数個選択して発現実験を行うと，増殖性も発現量もクローン間で差がある．増殖性と発現量のバランスがよいクローンを選び，この培養液を希釈して選択寒天培地に播種し，現れたコロニーについて発現実験を行う．これを繰り返して形質の安定したクローンを選択する．選択寒天培地上に現れるコロニーの大きさが一様になること

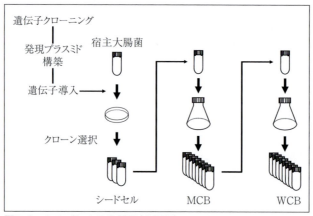

図3-2　セルバンクの作製例（大腸菌）

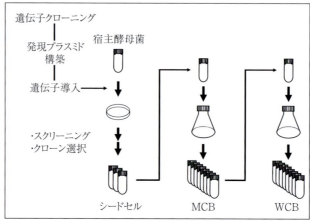

図3-3　セルバンクの作製例（酵母菌）

が目安となる。

　候補クローンを選択したら，大量培養を想定した継代安定性の確認を行う．例えば，1 mLのワーキングセル（$OD_{600}\,nm=6$）を用いて10,000 Lまで拡張し高密度培養（$OD_{600}\,nm=60$）を行う場合を想定すると，菌は10^8倍に増殖することになる．この場合，培養液を100倍希釈して播種・増殖させる小スケールの培養実験を連続して4回行えば（$10^2\times10^2\times10^2\times10^2=10^8$），$10^8$倍の増殖をシミュレーションしたことになる．

　発現系の構築やシードセルの作出は研究部門で行われることが多い．この段階は試行錯誤が必要で研究者の腕の見せ所ではあるが，作製記録は複雑となり，第三者によるチェックが行き届きにくい．遺伝子クローニングに使用した材料の入手先やクローニング用の試薬・機器，プラスミド構築途中の泳動写真や塩基配列を確認したデータ，遺伝子導入や組換え体を選択した際の記録，遺伝子増幅やクローニングの記録，シードセル候補を選択した際の発現量や継代安定性に関するデータなど申請に必要な資料については，開発部門が引き継ぐ時点で十分確認する必要がある．また，シードセルの作出過程で，動物由来成分が用いられていた場合は厄介なので，生物由来原料基準に沿った調査も必要である．シードセルについては，

MCBの更新時に備えて数十本程度作製し，保存しておく。

②セルバンクの作製と更新

　　MCBを作製する場合は，シードセルを培養後，対数増殖期の後期でハーベストし（定常期の細胞を用いると播種後の立ち上がりが悪い場合がある），凍結保護剤（最終濃度10%（v/v）程度のグリセリン）を加えた後，容器に分注し，凍結保存する。分注量は，大腸菌の場合，1〜数mL，酵母菌の場合は10 mL程度が多い。保管容器は凍結に耐える密閉容器であればよい。保管容器には，あらかじめ組換え体の名称，ロット番号，作製年月日，通し番号などを記しておくと，出納管理がやりやすい。分注作業が長時間に及ぶと菌にストレスをかける懸念があるので，1時間程度で分注できる数（〜300本程度）がセルバンクの作製本数の上限となる。WCBを作製する場合は，MCBの1〜数本を用いて，MCB作製時と同じ手順で培養し，分注・凍結保存を行う。セルバンクの作製作業が完了したら，数本を融解し（例えば，301本分注した場合，チューブNo. 1，101，201，301の4本），増殖性と発現能を確認する。

　　MCBやWCBを更新する場合も，原則として作製時と同じ手順で行う。

③保管条件と設備および管理体制

　　セルバンクの保管については，数十年という長期間の保管を前提に条件や設備，管理体制を考えなければならない。大腸菌や酵母菌についてはマイナス20℃での保管も可能であるが，長期間の保管を考えるとマイナス65℃以下の超低温フリーザーでの保管が望ましい。気相タイプの液体窒素タンクに保管する例もある。超低温フリーザーや液体窒素タンクなど，機器・設備の管理は故障が起こることを前提に考える。故障の未然防止には，日常点検と記録，定期的なメンテナンスが重要であり，異常時の警報・通報装置，停電時の予備電源の確保，万一の温度上昇時に液化炭酸ガスを噴射して冷却するシステムなども設置することが望ましい。これらに加えて，管理体制が重要であり，保管責任者や担当者を決め，人為的なミスを防止するため，設備・機器の施錠管理や管理手順を文書化する。さらに，天災や火災などによってセルバンクが失われる事態に備えて，分散保管も考慮する必要がある。

（4）　試験項目と試験方法

　　セルバンクについては，作製時と更新時に特性および純度試験を行って，その適格性を確認する必要がある。また，保存中の安定性を確認するための試験，実際の製造で大量培養を行った際の増殖性や発現能の確認も必要となる。**表3-3**および**表3-4**に，組換え大腸菌の場合の試験項目とタイミング，および試験方法と判定基準の例を示した。

①特性解析試験

　　特性試験では，適切な指標をもとに，表現型と遺伝子型を明らかにする。宿主細胞と比べて，組換え体では薬剤耐性が付与されたり（β-ラクタマーゼ遺伝子を持つ発現プラスミドを導入した大腸菌など），栄養要求性を失っていたり（ロイシン要求性の宿主にLEU遺伝子を持つ発現プラスミドを導入した酵母菌など）という形質の変化がある。これをアンピシリン添加

表3-3 セルバンク(大腸菌)の試験の例(タイミングと試験項目)

試験項目	MCB			WCB		大量培養時の試験
	作製時	更新時	保存中	作製時	更新時	
増殖性確認試験	○	○	○	○	○	○
発現産物確認試験	○	○	○	○	○	○
プラスミド保持率試験	○	○	○	○	○	—
薬剤耐性確認試験	○	○	—	○	○	—
制限酵素切断試験	○	○	—	—	—	—
塩基配列確認試験	○	○	—	—	—	—
異種微生物否定試験	○	○	—	○	○	○

寒天培地上で増殖することを確認する，ロイシンを含まない合成寒天培地上で増殖することを確認する，などの方法で示す．また，挿入遺伝子の塩基配列が発現プラスミド構築時と変わっていないこと，および挿入遺伝子以外の発現プラスミド部分に変化がないことを，挿入遺伝子部分の塩基配列を分析すること，および制限酵素による切断パターンを確認することで示す．

プラスミド保持率についても示す必要がある．セルバンクを希釈して非選択寒天培地に塗抹し，出現したコロニー100個を，非選択寒天培地(A)と選択寒天培地(B)に植継ぎ，出現したコロニー数よりプラスミド保持率を算出する(プラスミド保持率(%)＝B÷A×100)．また，当該遺伝子のコピー数についても記述する必要がある．

②**純度試験**

純度試験では，当該組換え体以外の異種微生物が混入していないことを確認する．試験方法としては，①グラム染色を行って，大腸菌(あるいは酵母菌)以外の菌が混入していないことを確認する，②セルバンクを希釈して寒天培地に播種し，出現したコロニーの中に異常なものがないことを確認する，などがある．

試験に供する数としては，Q5Dでは，全容器数の1%(ただし，2本以上)とされている．

3. トピックス

本項では，世界で初めて承認された組換え植物細胞由来およびトランスジェニックニワトリ由来の医薬品について概説する．

(1) Elelyso® (一般名：タリグルセラーゼ アルファ，taliglucerase alfa)[33〜38]

Elelyso®は，イスラエルのProtalix Biotherapeutics, Inc.が開発した酵素製剤であり，ゴーシェ病の酵素補充療法に用いる．2012年5月に米国で承認された[注6]．本剤は，ゴーシェ病の責任酵素であるグルコセレブロシダーゼ(glucocerebrosidase：GCD)遺伝子を組み込んだ組換えニンジン細胞で製造される．ゴーシェ病の酵素製剤としては，すでに組換えCHO細胞由来のCerezyme®(一般名：イミグルセラーゼ，imiglucerase)，組換えヒト細胞HT-1080由来の

表3-4 セルバンクの試験の例(試験方法と判定基準)

試験項目	試験方法と判定基準
増殖性確認試験	LB培地100 mLに,セルバンク0.1 mLを植菌し,37℃で振とう培養する。培養開始から○時間後のOD$_{600}$値が○以上であること。
発現産物確認試験	LB培地100 mLに,セルバンク0.1 mLを植菌し,37℃で振とう培養する。OD$_{600}$値が○になった時点で,発現誘導剤を添加し,さらに○時間培養する。培養終了後,培養液10 mLを遠心して得た菌体を用いて,①および②の試験を行う。 ① SDS-PAGE試験 ○%(w/v)ポリアクリルアミドゲルを用いて還元条件下で電気泳動を行い,電気泳動後のゲルをCBBで染色する。○kDa付近に,○○の主要バンドが確認されること。 ②ウエスタンブロット試験 電気泳動後,ゲル内のタンパク質をメンブレンに転写し,抗○○抗体を用いてウエスタンブロットを行う。○kDa付近に,抗○○抗体に反応する主要バンドが確認されること。
プラスミド保持率試験	セルバンクを希釈してLB寒天培地に塗沫し,37℃で培養する。出現したコロニー100個を,LB寒天培地(A)とアンピシリンを含むLB寒天培地(B)に植継ぎ,37℃で培養した後のコロニー数を数えて,プラスミド保持率を算出する。 プラスミド保持率(%) = B ÷ A ×100 プラスミド保持率が90%以上であること。
薬剤耐性確認試験	LB寒天培地(A)とアンピシリンを含むLB寒天培地(B)に,セルバンクおよび宿主大腸菌をストリークし,37℃で培養する。宿主大腸菌は培地Aのみで成育し,セルバンクはいずれの培地でも生育すること。
制限酵素切断試験	LB液体培地100 mLに,セルバンク0.1 mLを植菌し,37℃で振とう培養する。培養開始から○時間後の培養液から,市販のキットを用いてプラスミドDNAを抽出し,各種制限酵素(A, B, C)で消化する。消化物をアガロースゲルを用いて電気泳動後,臭化エチジウムで染色する。制限酵素Aでは○kbp,制限酵素Bでは○kbpと○kbp,制限酵素Cでは○kbpと○kbpのバンドが確認されること。
塩基配列確認試験	LB液体培地100 mLに,セルバンク0.1 mLを植菌し,37℃で振とう培養する。培養開始から○時間後の培養液から,市販のキットを用いてプラスミドDNAを抽出する。これを鋳型として,プライマーA(#####)とプライマーB(#####)を用いて,○○遺伝子の塩基配列を確認する。確認された塩基配列は,発現プラスミド構築時の塩基配列と一致すること。
異種微生物否定試験	アンピシリンを含まないLB液体培地100 mLに,セルバンク0.1 mLを植菌し,37℃で振とう培養する。培養開始から○時間後の培養液についてグラム染色を行い,顕微鏡下で観察する。大腸菌以外の微生物を認めないこと。 注)試験に供するセルバンクの数は,作製本数の1%(ただし,2本以上)とする。
増殖性確認試験(大量培養時)	大量培養時の培養液についてOD$_{600}$値を測定する。OD$_{600}$値が○以上であること。
発現産物確認試験(大量培養時)	大量培養時の培養液について,①および②の試験を行う。 ① SDS-PAGE試験 ○%(w/v)ポリアクリルアミドゲルを用いて還元条件下で電気泳動を行い,電気泳動後のゲルをCBBで染色する。○kDa付近に,○○の主要バンドが確認されること。 ②ウエスタンブロット試験 電気泳動後,ゲル内のタンパク質をメンブレンに転写し,抗○○抗体を用いてウエスタンブロットを行う。○kDa付近に,抗○○抗体に反応する主要バンドが確認されること。
異種微生物否定試験(大量培養時)	大量培養時の培養液についてグラム染色を行い,顕微鏡下で観察する。大腸菌以外の微生物を認めないこと。

表中の○はケースバイケースで設定する。また,判定基準には下線を引いてある。

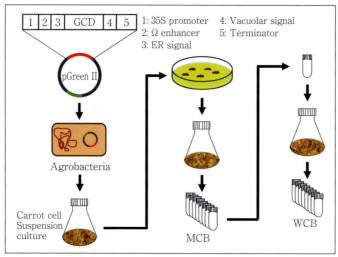

図3-4　Elelyso®発現細胞の構築（セルバンクの作製）

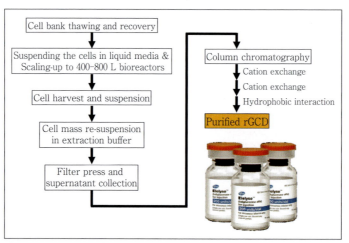

図3-5　Elelyso®の製造および精製フロー

Vpriv®（一般名：ベラグルセラーゼ　アルファ, velaglucerase alfa）があるが，これらの製剤では，糖鎖末端にマンノースを露出させるためにそれぞれ酵素処理（exoglycosidase）や培養時にmannosidase Iの阻害剤であるkifunensineを添加するなどして製造されている。その理由は，主な標的細胞であるマクロファージのライソゾーム内に，細胞表面のマンノース受容体を介してGCDを移送させ薬効を発揮させるためである[33]。Elelyso®では，遺伝子の上下流にER signalとVacuolar signalを配して（**図3-4**），翻訳後の産物がER（endoplasmic reticulam：小胞体）を経て液胞内に移送され留まることで末端がほぼ100%マンノースを有する糖鎖構造を実現している。

[注6] 欧州でも同年承認されたが，同じ適応のVpriv®が2010年にオーファン（希少疾病用医薬品）指定を受けたことから，Elelyso®の発売は2020年まで（10年間）認められていない。

図3-4にセルバンクの作製法を示した。まずpGreen IIにGCDの発現構成体を組み込み，こ

第3章 細胞基材の品質・安全性確保

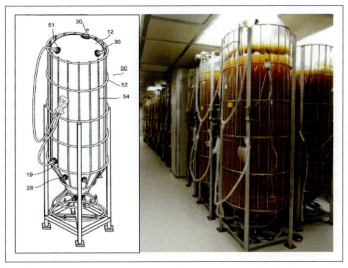

図3-6　Elelyso®の製造法（培養装置）
出典：Protalix Biotherapeutics 社 HP 公開資料および同社特許より引用

れをAgrobacteriaに導入する。次いで液体培養したニンジン細胞に組換えAgrobacteriaを感染させ、paromomycin存在下で培養してニンジン細胞の染色体にGCDの発現構成体を導入する。培養後の組換えニンジン細胞を寒天培地上に播種してカルスを形成させ、各々のカルスのGCD発現量を調べてシードクローンを選択する。最後にこれを培養してMCBおよびWCBを作製する。セルバンクは液体窒素の中で保存する。

図3-5に製造フローを示した。まずセルバンクを融解して細胞を固形培地の上で培養・起眠させ、順次スケールアップして最終的に図3-6に示す800L培養槽にまで拡張する。産物は前述の通り液胞中に蓄積されるので、培養液より細胞をろ過または遠心によって集め、界面活性剤とプロテアーゼ阻害剤などを含むバッファーを加えて溶解し、得られた抽出液より数段階のカラム工程を経て組換えGCDが精製される。

植物細胞は無機塩類と糖に加えて若干の植物ホルモンで増殖し、動物細胞のように高価な培地を必要としない。また植物由来のウイルスがヒト（細胞）に感染する可能性は小さいと考えられ、ウイルス安全性の面でも有利と考えられる。Elelyso®については、MCBでニンジンウイルスが調べられており[38]、結果は陰性であった。

(2) Kanuma®（一般名：セベリパーゼ　アルファ, sebelipase alfa）[39,40]

Kanuma®は、米国のSynageva BioPharma Corp.（2015年に米国のAlexion Pharmaceuticals Inc.が買収）が開発した酵素製剤であり、ライソゾーム酸性リパーゼ（lysosomal acid lipase：LAL）欠損症の治療に用いる（LAL欠損症の乳児期発症型はウォルマン病とも呼ばれる）。2015年8月に欧州、同年12月に米国、2016年3月に日本で承認された。本剤は、ヒトLAL遺伝子を導入したトランスジェニックニワトリの卵（卵白）より製造される。トランスジェニックニワトリの作出は、まず卵白アルブミンプロモーターの下流にLAL遺伝子を配置したレトロウイルスベクターを構築し、これを他の2つの発現ベクター（pCMV-gag-polおよびpCMV-VSV-G）

とともにニワトリ由来の細胞株に導入してウイルス粒子を産生させ（このウイルス粒子に増殖能はない），次いでこのウイルス粒子をニワトリ胚に感染させてオスのトランスジェニックニワトリ（G0）を得る。次にG0オスと通常のメスニワトリを交配して得たG1より，メスについては卵白中のLAL活性を測定し，活性の高かった個体についてはLAL遺伝子のコピー数と塩基配列，オスについては精液中のLAL遺伝子のコピー数と塩基配列を検査して，LAL遺伝子を1コピー持つG1ヘミ接合ニワトリを得る。G1より得たG2以降の卵が生産に使用された。遺伝的な安定性については，LAL遺伝子の挿入部位と塩基配列および酵素活性で評価されている。また，各世代のオスから採取された精子は液体窒素中に保存された。

Kanuma®の製造は，卵白を集めてプール後いったん凍結保存し，融解・pH調整および清澄化の後，第1段階のクロマトで吸着・溶出後，溶出液のpHを低下させて夾雑タンパクを沈殿・除去した後，さらにpHを低下させてウイルスの不活化を行う。次いでさらに2段階のクロマトを経て精製される。工程中にはウイルスろ過の工程も組み込まれている。同社の特許[41]では，クロマト工程は，疎水クロマト（Phenyl-HIC）→陽イオン交換クロマト（GigaCap-S）→疎水クロマト（Butyl-HIC）と記されている。

ウイルス安全性に関しては，まずニワトリはEP 5.2.2 "Chicken flocks free from specified pathogens for the production and quality control of vaccines" を遵守して飼育・管理され，サルモネラ ガリナルム，サルモネラ プロラム，マイコプラズマ ガリセプチカム，マイコプラズマ シノビエ，トリA型インフルエンザウイルス，ならびにトリ白血病ウイルスA, B, C, DおよびJ亜群について，毎月，血清学的な検査が行われる。卵白液と清澄化卵白液については，それぞれバイオバーデン，エンドトキシン，*in vitro*ウイルス試験（指標細胞：Vero細胞，MRC-5細胞，ニワトリ胚線維芽（CEF）細胞），ニワトリ胎児を用いた*in vivo*ウイルス試験，透過型電子顕微鏡観察と介卵感染性ウイルスに対するPCR試験（トリアデノウイルスグループⅠ，トリ脳脊髄炎ウイルス，トリオルトレオウイルス，トリ細網内皮症ウイルス，ニワトリ貧血ウイルス），およびバイオバーデン，エンドトキシン，マイコプラズマ試験，*in vitro*ウイルス試験とPCR試験（ウエストナイルウイルス，インフルエンザウイルスA型）が実施されている。精製工程については，6工程について5種のモデルウイルス（ブタパルボウイルス，レオウイルス3型，脳心筋炎ウイルス，ヒトA型インフルエンザウイルス，異種指向性マウス白血病ウイルス）を用いたウイルスクリアランス試験が実施されている。

(3) その他

・Protalix Biotherapeutics, Inc.は，タバコ由来の組換え培養細胞で製造した酵素製剤（PEG化 α-galactosidase A）をファブリー病の酵素補充療法剤として開発中（2020年5月27日，FDAへBLA申請）[20, 42]。

・カナダのMedicago Inc.（親会社は田辺三菱製薬）は，タバコで製造したインフルエンザワクチンを開発中（2019年10月1日，カナダ当局へ申請）[21]。同社の組換えインフルエンザワクチンは，HAタンパク質がVLP（virus-like particle）を形成しており[43]，良好な免疫原性を示している[44]。同社がYouTubeで公開している製造の様子も興味深い（https://youtu.be/wh8xfhtlXhs）。なお，同社は同じ技術を用いて新型コロナウイルス（SARS-CoV-2）ワクチ

ンを開発中。
- 米国のMapp Biopharmaceutical, Inc.は，タバコで製造した抗Ebola抗体(ZMapp®)を開発中(PhⅡ／Ⅲ段階)。同抗体は3種類の抗体の混合物[45]。
- アイスランドのORF Genetics Ltd.は，大麦(種子)で発現させた組換えサイトカイン(bFGF, KGF, IL-2, -3, -4, LIF, M-CSF, G-CSF, GM-CSF, GDNF, BMP-2, Flt 3-ligand, EGF, VEGF)を研究用として発売している。EGFについては，スキンケア商品(Bioeffectシリーズ)として，日本でも販売されている。

(4) ガイドラインなど

トランスジェニック植物および動物に関するガイドラインなどを記した。必要に応じて参照いただきたい。

- トランスジェニック動物／クローン動物を利用して製造した医薬品の品質・安全性評価. 早川堯夫, 豊島 聡, 山口照英, 川西 徹：Bull. Natl. Inst. Health Sci., 119: 1-26(2001)
- Guideline on the quality of biological active substances produced by stable transgene expression in higher plants. EMEA/CHMP/BWP/48316/2006 (http://www.ema.europa.eu/docs/en_GB/document_library/Scientific_guideline/2009/09/WC500003154.pdf)
- Guideline on quality of biological active substances produced by transgene expression in animals. EMA/CHMP/BWP/151897/2013 (http://www.ema.europa.eu/docs/en_GB/document_library/Scientific_guideline/2013/06/WC500144136.pdf)
- Guidance for Industry: Regulation of genetically engineered animals containing heritable recombinant DNA constructs. FDA 2015 (http://www.fda.gov/downloads/AnimalVeterinary/GuidanceComplianceEnforcement/GuidanceforIndustry/UCM113903.pdf)

おわりに

タンパク質性医薬品の恒常的生産と品質・安全性確保のためにはセルバンクの特性試験と純度試験が必須であり，合成低分子医薬品の製造工程と最も異なる点の1つである。もちろんタンパク質であろうと合成品であろうと考え方は同様であり，医薬品の製造工程に用いる原材料としての特性と安全性を調査，評価するという観点では両者に何ら違いはない。ただし生命の根源である細胞を医薬品原材料として用い，多様性をいかに制御するかといった難しさがあることは事実である。用いるセルバンクにはより詳細な解析が求められることにまず留意し，何をやるべきかを既出ガイドライン等を精読して準備することが重要である。特性・純度試験についてはもちろんのこと，シードセルの作出からセルバンクの作製・保管についても外部試験機関に委託が可能であるので，このような機関のアドバイスを受けることも有効である。外部試験機関については，第8章を参照いただきたい。

■参考文献

1) ヒト又は動物細胞株を用いて製造されるバイオテクノロジー応用医薬品のウイルス安全性評価について（医薬審第329号，平成12年2月22日，ICH Q5A）（原文：Viral safety evaluation of biotechnology products derived from cell lines of human or animal origin. Q5A（R1）, Step 4 dated 23 September 1999）
2) 組換えDNA技術を用いたたん白質生産に用いる細胞中の遺伝子発現構成体の分析について（医薬審第3号，平成10年1月6日，ICH Q5B）
3) 生物薬品（バイオテクノロジー応用医薬品／生物起源由来医薬品）製造用細胞基材の由来，調製及び特性解析について（医薬審第873号，平成12年7月14日，ICH Q5D）
4) 日局生物薬品のウイルス安全性確保の基本要件（第十四改正日本薬局方, 240-253, 平成14年12月27日）
5) Annex 3：Recommendations for the evaluation of animal cell cultures as substrates for the manufacture of biological medicinal products and for the characterization of cell banks. WHO Technical Report Series No.978（2013）
6) Guideline on the use of bovine serum in the manufacture of human biological medicinal products. EMA/CHMP/BWP/457920/2012 rev 1, 30 May 2013
7) Guideline on the use of porcine trypsin used in the manufacture of human biological medicinal products. EMA/CHMP/BWP/814397/2011, 20 Feb. 2014
8) Theodore T. Puck, Steven J. Cieciura, Arthur Robinson：Genetics of somatic mammalian cells. The Journal of Experimental Medicine, 108：945-956, 1958
9) Xun Xu, Harish Nagarajan, Nathan E Lewis, et al.：The genomic sequence of the Chinese hamster ovary (CHO)-K1 cell line. Nature Biotechnology, 29：735-741, 2011
10) Gale E. Smith, Max D. Summers, M.J. Fraser. Production of human beta interferon in insect cells infected with a baculovirus expression vector. Molecular and Cellular Biology, 3：2156-2165, 1983
11) Kohji Itoh, Isao Kobayashi, So-ichiro Nishioka, et al. Recent progress in development of transgenic silkworms overexpressing recombinant human proteins with therapeutic potential in silk glands. Drug Discoveries & Therapeutics, 10：34-39, 2016
12) Tian-Cheng Li, Paul D. Scotti, Tatsuo Miyamura, Naokazu Takeda：Latent infection of a new Alphanodavirus in an insect cell line. Journal of Virology, 81：10890-10896, 2007
13) Hailun Ma, Teresa A. Galvin, Dustin R. Glasner, et al. Identification of a novel Rhabdovirus in *Spodoptera frugiperda* cell lines. Journal of Virology, 88：6576-6585, 2014
14) Subhiksha Nandakumar, Hailun Ma, Arifa S. Khan. Whole-genome sequence of the *Spodoptera frugiperda* Sf9 insect cell line. Genome Announc. 5：e00829-17, 2017
15) Ajay B. Maghodia, Donald L. Jarvis. Infectivity of Sf-rhabdovirus variants in insect and mammalian cell lines. Virology, 512：234-245, 2017
16) Ajay B. Maghodia, Christoph Geisler, Donald L. Jarvis. Characterization of an Sf-rhabdovirus-negative *Spodoptera frugiperda* cell line as an alternative host for recombinant protein production in the baculovirus-insect cell system. Protein Expression and Purification, 122：45-55, 2016
17) Hailun Ma, Subhiksha Nandakumar, Eunhae H. Bae, Pei-Ju Chin, Arifa S. Khan. The *Spodoptera frugiperda* Sf9 cell line is a heterogeneous population of rhabdovirus-infected and virus-negative cells：Isolation and characterization of cell clones containing rhabdovirus X-gene variants and virus-negative cell clones. Virology 536：125-133, 2019
18) Jeffrey L. Fox：First plant-made biologic approved. Nature Biotechnology, 30：472, 2012
19) Cormac Sheridan：FDA approves 'farmaceutical' drug from transgenic chickens. Nature Biotechnology, 34：117-119, 2016
20) 2020年5月27日，ファブリー病治療薬Pegunigalsidase alfa（PRX-102）のBLAをFDAへ申請（https://thefly.com/news.php?symbol＝PLX）
21) 2019年10月1日，植物由来組換え4価インフルエンザワクチンをカナダ当局へ承認申請（https://www.medicago.com/en/newsroom/medicago-s-new-drug-submission-accepted-for-scientific-review-by-health-canada/）
22) Greenovation Biotech GmbH Press Release（Dec. 21, 2017）：Greenovation Biotech GmbH reports positive clinical data from the Phase 1 safety study for moss-aGal.（http://www.greenovation.com/press-releasesdetails/greenovation-biotech-gmbh-reports-positive-clinical-data-from-the-phase-1-safety-study-formoss-agal.html）
23) 菅原敬信. セルバンクの"clonality"について考える（第1回）. Pharm Tech Japan, 36：281-296（2020）
24) 菅原敬信. セルバンクの"clonality"について考える（第2回）. Pharm Tech Japan, 36：651-654（2020）
25) Erica J. Fratz-Berilla, Phillip Angart, Ryan J. Graham, et al. Impacts on product quality attributes of monoclonal antibodies produced in CHO cell bioreactor cultures during intentional mycoplasma contamination events. Biotechnology and Bioengineering, 117：2802-2815, 2020
26) Yoshimasa Saito, Yoshinori Ishii, Hitoshi Sasaki, et al.：Production and characterization of a novel tissue type plasminogen activator derivative in Escherichia coli. Biotechnology Progress, 10：472-479, 1994

27) 中島和幸，栃原真二，直塚久美子ら：新規組換えt-PA誘導体（FKK138）の構造および物理化学的性質. 黎明, 9：55-66, 2000
28) Yoshimasa Saito, Hisashi Yamada, Mineo Niwa and Ikuo Ueda：Production and isolation of recombinant somatomedin C. The Journal of Biochemistry, 101：123-134, 1987
29) Richard R. Burgess： Refolding solubilized inclusion body proteins. Methods in Enzymology, 463： 259-282, 2009
30) Production of Recombinant Proteins： Novel Microbial and Eukaryotic Expression Systems. ed；Gerd Gellissen, WILEY-VCH Verlag GmbH & Co. KGaA, Weinheim（2005）
31) Molecular cloning： A laboratory manual（3rd ed）. Joseph Sambrook, David W. Russell：Cold Spring Harbor Laboratory Press, Cold Spring Harbor, New York（2001）
32) 宮津嘉信，足達　聡，塩先巧一ら：組換えB型肝炎ワクチンの開発研究－シードロットシステムによるB型肝炎ワクチンの生産－. 基礎と臨床, 21：667-673, 1987
33) Yoram Tekoah, Avidor Shulman, Tali Kizhner, et al.：Large-scale production of pharmaceuticalproteins in plant cell culture - the protalix experience. Plant Biotechnology Journal, 13：1199-1208, 2015
34) Yoseph Shaaltiel, Daniel Bartfeld, Sharon Hashmueli, et al.： Production of glucocerebrosidase with terminalmannose glycans for enzyme replacement therapy of Gaucher's disease using a plant cell system. PlantBiotechnology Journal, 5：579-590, 2007
35) Yoseph Shaaltiel, Doar-Na Galil Elyon, Gideon Baum, et.al.： Human lysosomal proteins from plant cell culture. US7951557B2（2011）
36) Large scale disposable bioreactor. Yoseph Shaaltiel, Doar-Na HaMovil, Yair Kirshner,Doar-Na Bikat Beit HaKerem, Alon Shtainiz, Doar-Na Misgav, Yaron Naos, Doar-Na HaMovil, Yftach Shneor, Doar-Na Oshrat：US 2010/0112700A1（2010）
37) Gregory A. Grabowski, Myriam Golembo, Yoseph Shaaltiel： Taliglucerase alfa： An enzyme replacement therapy using plant cell expression technology. Molecular Genetics and Metabolism, 112：1-8, 2014
38) Assessment report： Elelyso. EMA/CHMP/399615/2012（http://www.ema.europa.eu/docs/en_GB/document_library/EPAR_-_Public_assessment_report/human/002250/WC500135112.pdf）
39) Assessment report： Kanuma. EMA/514387/2015（http://www.ema.europa.eu/docs/en_GB/document_library/EPAR_-_Public_assessment_report/human/004004/WC500192717.pdf）
40) 審議結果報告書：カヌマ点滴静注液20mg（平成28年3月3日，医薬・生活衛生局審査管理課）（http://www.pmda.go.jp/drugs/2016/P20160425001/870056000_22800AMX00381_A100_1.pdf）
41) USP：Lysosomal storage disease enzymes. US2013/0209436 A1
42) Ilya Ruderfer, Avidor Shulman, Tali Kizhner, Yaniv Azulay, Yakir Nataf, Yoram Tekoah, and Yoseph Shaaltiel. Development and Analytical Characterization of Pegunigalsidase Alfa, a Chemically Cross-Linked Plant Recombinant Human α-Galactosidase-A for Treatment of Fabry Disease. Bioconjugate Chemistry 29：1630-1639, 2018
43) Brianne J. Lindsay, Michal M. Bonar, Ian N. Costas-Cancelas, Kristin Hunt, Alexander I. Makarkov, Sabrina Chierzi, Connie M. Krawczyk, Nathalie Landry, Brian J. Ward, Isabelle Rouiller. Morphological characterization of a plant-made virus-like particle vaccine bearing influenza virus hemagglutinins by electron microscopy. Vaccine 36：2147-2154, 2018
44) Stéphane Pillet, Éric Aubin, Sonia Trépanier, Diane Bussière, Michèle Dargis, Jean-François Poulin, Bader Yassine-Diab, Brian J.Ward, Nathalie Landry. A plant-derived quadrivalent virus like particle influenza vaccine induces cross-reactive antibody and T cell response in healthy adults. Clinical Immunology 168：72-87, 2016
45) E. González-González, M.M. Alvarez, A.R. Márquez-Ipiña, G. Trujillo-de Santiago, L.M. Rodríguez-Martínez, N. Annabi, and A. Khademhosseini. Anti-Ebola therapies based on monoclonal antibodies：Current state and challenges ahead. Critical reviews in biotechnology 37：53-68, 2017

第 4 章

バイオ医薬品の製造

概論

　バイオ医薬品は，生きた細胞を利用して生産される医薬品であり，サイトカイン，ホルモン，酵素，抗体といったタンパク質のほか，細胞再生医療では細胞そのものが主成分となる。これらの製造方法は従来の化学合成により生産される低分子医薬品とは大きく異なっており，その特徴に合わせた製造工程と製造設備およびそれらの管理手法が必要となる。

　バイオ医薬品の製造において，最初のバイオ医薬品が1980年代に世の中に出てからこれまでの間，培養後に精製工程を経て主成分を分離するという基本的な方法は変わっていない。しかし，工程および製造設備について継続的な技術改良が行われるとともに，それらの管理方法も継続的に進化している。また，近年のバイオ医薬品を取り巻く環境の変化により，製造コストの低減化に加え多様化するバイオ医薬品をさらに効率的に製造することが必要になるなど，新たな課題が顕在化している。これらの課題解決に向け，新たに連続生産技術の適用についての検討が始まっており，バイオ医薬品の製造とその管理手法は今後も継続的に改良，改善がなされていくと考えられる。

　本章では，Ⅰ項「概論」として，バイオ医薬品の製造方法と工程および施設管理，Ⅱ項で「連続生産技術」について紹介する。加えて，バイオ医薬品の開発および供給において今後引き続き重要な役割が期待されるCDMO/CROについて，Ⅲ項で紹介する。なお，再生医療等製品については第14章を参照されたい。

Ⅰ バイオ医薬品の製造方法と管理

はじめに

　バイオ医薬品は一般的に，大腸菌や酵母，昆虫細胞，動物細胞など細胞を用い，培養および精製といった複数の工程を組み合わせて製造される。生物を用いた製造法であるがゆえに，最終産物は製造工程におけるさまざまな影響を受けやすく，製造工程でのわずかな変化によって最終産物が変化してしまうことも起こりうる。そのために製造管理によって製品の品質を安定に維持することが重要となる。

　1982年に世界で初めて承認されたバイオ医薬品は組換えヒトインスリンであり，第一世代のバイオ医薬品と呼ばれる。このように，体内で作られるタンパク質とほぼ同じアミノ酸を保持し，極微量しか生産されない生理活性物質（インターフェロン類，エリスロポエチン等）や遺伝子疾患等により，十分量分泌されないホルモン類（インスリン，成長ホルモン等）がこ

れに相当する。その後，タンパク質にアミノ酸置換や化学修飾を施し，安全性や有効性の確認された第二世代のバイオ医薬品が登場した。

2000年以降は抗体医薬や融合タンパク質等の開発が進み，現在まで約80品目が承認され，研究開発ステージには700を超える品目が存在している状態である。

バイオ医薬品は，従来の低分子医薬品では適応することのできなかった幅広い病気の治療薬として期待されており，そのニーズは年々増加傾向にある。

本章では，バイオ医薬品の代表ともいえる抗体医薬品を取り上げ，その製造方法について概説する。

1. 製造方法概論

抗体は分子量が約15万と，化学合成医薬品に比べ桁違いに大きい分子である（第12章「抗体医薬」を参照）。製造方法に関しても特殊であり，加えて各社の技術的背景等からさまざまな方法があみ出されてきたが，基本は以下のような工程から構成されている。

(1) 培養
・ワーキングセルバンク（WCB）の融解と播種
・拡大培養（2〜4段のスケールアップ培養）
・生産培養（バッチ培養，フェッドバッチ，Perfusion培養など）
・培養液の回収（遠心分離またはフィルターろ過分離など）

(2) 精製
・アフィニティークロマトグラフィー（Protein A）
・ウイルス不活化（低pH処理など）
・クロマトグラフィー（イオン交換，疎水クロマトグラフィーなど）
・ウイルスろ過
・濃縮およびバッファー交換
・ろ過滅菌

(3) 製剤
・添加物（安定化剤など）の添加
・調整（pHあるいは抗体濃度など）
・ろ過滅菌
・分注
・最終剤形化（凍結乾燥製剤，プレフィルドシリンジなど）

以上の工程の流れを基本に，考え方あるいは開発の経緯などによって各社の特徴が出てくる。例えば培養工程において，基本は同じであっても培養槽の形状，撹拌翼の形状や回転数，通気

方法などは各社まったく異なっているのが現状である。培養工程は目的物質をできるだけ多く産生させることでコストパフォーマンスを上げることが可能となるため，各社独自の工夫を凝らしたり，製造法の改良が重ねられている。

精製工程は不純物を除去し目的物質の純度を高めるものである。抗体医薬品の分離精製は，目的タンパク質から目的物質由来不純物，宿主由来のタンパク質やDNA，培地成分やクロマト担体から離脱したリガンドなどの工程由来不純物，混入汚染物質の除去のために，カラムクロマトグラフィーを中心とした精製工程が組まれる。抗体医薬品は投与量が多いため最終製品の純度を高くしなければならない。

図4-1に代表的な抗体医薬品製造フローを示す。

また，最近ではさらなるコスト削減や精緻な品質制御を目指し，連続生産およびProcess Analytical Technology（PAT）などの関連技術への注目が高まっている。本章，Ⅱ 連続生産技術－バイオ医薬品における現状と課題も参照されたい。

CHO細胞などを用いた分泌型細胞培養の場合，培養終了時の目的タンパク質（抗体）の純度は20％程度である（**図4-2**）。残り80％を占める不純物のうち主なものとしては，細胞，細胞破砕物（細胞断片やコロイド状物質を含む），宿主細胞由来のタンパク質（Host Cell Protein：HCP）およびDNAや抗体の重合体あるいは分解物，外来性の微生物由来汚染物質（エンドトキシン）などがあげられる。精製工程はこれら不純物を効率的に除去し，最終製品の安全性に影響を与えないレベルまで低減させることが目的となる。

許容される不純物の限度値に関しては，安全性を指標として，非臨床試験と臨床試験を通じて設定することになる。具体的には，開発段階の最終製品よりも純度の低い原薬を用いた非臨床試験で不純物の安全性を担保し，臨床試験では最終製品のより純度の高い原薬を用いることでヒトでの安全性を担保するとともに，限度値設定の根拠データを得る。申請の段階

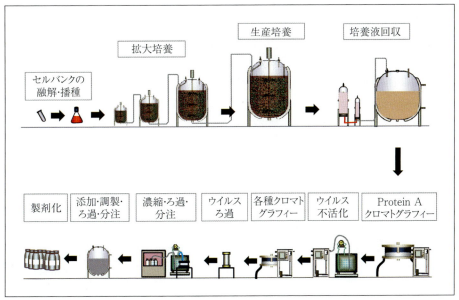

図4-1　抗体医薬品の製造フロー

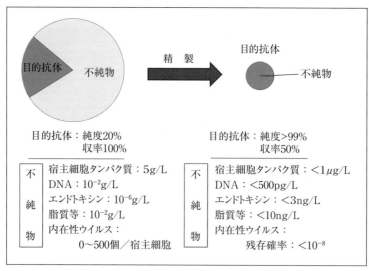
図 4-2　精製による目的抗体の収率と不純物の除去

で臨床試験の成績を精査し，抗 HCP 抗体，抗抗体医薬品抗体発現の有無・程度，副反応との関連性などを勘案し，許容される安全性と結論されれば，非臨床・臨床試験に用いたロットの不純物含量をもって限度値を設定することになる。

　原薬や製剤は保存試験を行って使用期限を設定することになるが，通常，保存中に分解物や重合体が増加することがある。開発の最初の段階で実施する非臨床試験であまりに純度の高い原薬を用いてしまうと，開発の途中で不純物の安全性の担保が理論上できない事態を招いてしまうことになりかねないため注意が必要である。例えば，モノマー含量 99％ の原薬を用いて非臨床試験を実施したとする。原薬や製剤の保存中に分解物と重合体が増加し，モノマー含量が 98％ に低下することが臨床試験の前に判明した場合，わずかに増加した分解物と重合体の安全性が担保できていない事態となり，臨床試験の開始を躊躇することになる。

　HCP はヒトにとって異種タンパクであり，また，抗体医薬品は投与量も比較的多い（25〜500 mg/ドーズ）ので，混入をより低減しておくことが望まれる。上市されている抗体医薬品では，含まれる HCP の量は抗体 1 mg 当たり ng のレベルと思われる。これまでに HCP に起因する有害事象の報告はないので安全上の懸念は小さくなりつつある。

　宿主細胞由来 DNA についても，安全上の懸念が小さいというデータが市販薬情報から得られつつあり，最終原薬中の許容限度は以前より緩い値がガイドライン[1]に示されてはいるが，すべての規制当局が認めているわけではないので注意が必要である。

　精製工程については不純物を除去する一方で，大量に生産した目的タンパク質を可能な限り収率を落とさない精製工程，条件を選定する必要がある。

　製剤工程では得られた抗体原薬を患者に投与できる剤形に作り上げる。抗体は比較的安定なタンパク質であるが，凝集体を形成しやすいので，Tween 80 などの界面活性剤，糖やアミノ酸などの安定化剤を加えることが多い。さらに臨床用途に応じた剤形（凍結乾燥製剤，プレフィルドシリンジなど）にして最終製剤となる。

2. 製造管理概論

　抗体医薬品を含むバイオ医薬品製造においては，GMPによる厳格な管理が求められている。微生物による汚染防止（細菌，マイコプラズマ，ウイルスなど），バイオハザード・バイオセーフティ，衛生管理，作業者教育訓練に加え，設備維持管理，原材料管理など多岐にわたり，一般的にはこの内容で1冊のテキスト本が発行されるほどである。しかし基本は，すべて関連法規およびGMPに適合しているかどうかである[1]。

　GMP上，最も重要なのが「汚染防止」である。

　また，高度な品質を保証するために各工程の機能を明確にし，多少の製造変動があっても高品質が保たれる方法や条件を選択することで，堅牢な製造を目指すことも重要である。

　これらは製法の開発検討，クオリフィケーション（IQ，OQ，PQ），プロセスバリデーション（PV）などの検証方法によって製造方法が確立されることが必要である。

　現在は，リスクに基づいたクオリティ・バイ・デザイン（QbD）を活用し，医薬品のライフサイクルを通じて品質を保証する動きになっている[2]。

3. 製造環境管理概論

　抗体医薬品を含むバイオ医薬品製造の製品品質確保において，最も重要なのが「汚染防止」である。汚染防止を実現するためのバイオ原薬製造における製造環境管理基準および施設のゾーニングについて以下に解説する。

　なお，バイオ医薬品の製剤工程の製造環境管理は，各極の規制当局が発出する無菌医薬品製造に関するガイドラインに基づくことが一般的であるため，該当文書を参照いただくこととし，本書では割愛する。

(1) バイオ原薬の製造環境管理における考慮すべき事項

　バイオ原薬の製造環境管理においては，①微生物管理と②ウイルスセグリゲーションを考慮する必要がある。

①微生物管理

　バイオ原薬の製品品質確保のため，上流工程（USP）では目的細胞のみの培養が必要で，下流工程（DSP）では低バイオバーデン管理が必要となる。

　なお，バイオ原薬の製造環境に関する規制要件やガイドラインとして，具体的な管理基準を示したものは発出されていない。また，無菌医薬品の無菌性保証とは目的が異なるため，無菌医薬品の環境管理基準の適用は過剰となる場合があり，多くのグローバル企業では，バイオ原薬製造の特性を踏まえた環境管理基準を設定している。

②ウイルスセグリゲーション

　バイオ原薬にウイルス汚染が発生した場合，臨床的使用において深刻な事態を招く可能性

がある。ウイルス汚染に関するこれらの製品の安全性は，適切なウイルス試験プログラムを適用すること，ならびに製造工程におけるウイルス不活化および除去（以下，ウイルスクリアランス）に関する評価を行うことによって合理的に保証することが望まれる[3]。

ウイルス汚染に対する製品の安全性保証に当たり，製造工程におけるウイルスクリアランスに加え，施設のゾーニングおよび空調システムについても考慮する必要がある。最終製品がウイルス汚染されていないことの保証のため，各極の規制当局は，ウイルスクリアランスの前／後で厳密な隔離（ウイルスセグリゲーション）をする考え方を推奨しており，物理的な分離を期待している。間仕切り壁による部屋の分離，製造設備の専用化による分離，エアロックによる人（作業者）・物（原料，資材等）の動線の分離，空調系統の区分による製造環境の分離が一般的である。

（2） バイオ原薬製造の特性を踏まえた環境管理基準

バイオ原薬製造の特性を踏まえた環境管理基準の一般的な例を紹介する。
- 種培養および分注工程においては，開放作業を伴うことより高度な微生物管理が求められる。したがって，浮遊微粒子の管理上限値をISO Class 5（作業時）とし，浮遊微粒子が作業区域外へ速やかに排出できる一方向気流の局所保護装置内で実施する。

  周辺環境となる作業室は採用する装置に従い，ISO Class 7（作業時）あるいは，ISO Class 8（作業時）とすることが一般的である。
- 培養工程においては，目的細胞のみの増殖のため高度な微生物管理が求められ，精製工程においては，低バイオバーデン管理を考慮する必要がある。

  どちらの工程も原料等の大半が液体で，クローズドシステムで取り扱う工程が多いことより，製造環境由来異物による交叉汚染対策として，作業室をISO Class 8（作業時）あるいは，CNC※とすることが一般的である。
- 培地およびバッファーの調製においては，開放操作を伴うことより，製造環境由来異物による交叉汚染対策として，作業室をISO Class 8（非作業時）あるいは，CNC※と規定することが一般的である。
- なお，製造環境の浮遊菌，付着菌ならびに落下菌の管理は，製造作業に要求される汚染管理の程度および当該作業の内容を勘案した微生物汚染のリスクアセスメントに基づき設定することが一般的である。

※CNC（Controlled Not Classified）：清浄度を規定しない管理区域。浮遊微粒子の働きが低ければ，ISO Class 8（非作業時）に相当する[4]。

（3） バイオ原薬製造施設のゾーニング

バイオ原薬の製造工程ごとに施設のゾーニングに対する要件の一般的な例を紹介する。

①種培養工程

種培養工程の局所保護装置には，バイオセーフティへの考慮が必要であることより，安全キャビネットあるいはアイソレータが採用される。作業室は高度な微生物管理が求められる

ため，他の作業室と間仕切り壁で区画することが一般的である。

②培養工程

　培養槽にて大量の培養液を到達細胞密度に達するまで長期間貯留するため，部屋の清掃・消毒管理の効率性および，万一の培養槽からの漏洩による汚染の範囲を最小限とすることを目的に，他の作業室と間仕切り壁で区画することが一般的である。
　なお，最近では工程の連続化により精製室と一体とするケースも見受けられる。

③精製工程

　精製工程では目的物質の純度を高めるため低バイオバーデン管理を必要とし，他の作業室と間仕切り壁で区画することが一般的である。
　なお，最近では工程の連続化により培養室と一体とするケースも見受けられる。
　ウイルスセグリゲーションの観点より，ウイルスクリアランス達成以降の精製工程は，間仕切り壁で区画した別の部屋で実施することが一般的である。

④培地調製工程

　培地原料は粉体が多く目的細胞以外の微生物にも増殖活性を有するため，秤量ブース等により飛散による環境微生物の増殖を防止し，培地調製室として間仕切り壁で区画するケースが一般的である。
　なお，最近では調製済培地を採用し，飛散対策を不要とするケースがある。

⑤バッファー調製工程

　バッファーの原料は粉体が多く異なる複数のバッファーを使用するため，秤量ブース等により飛散による交叉汚染を防止し，バッファー調製室として間仕切り壁で区画するケースが一般的である。
　なお，最近では調製済バッファーを採用し，飛散対策を不要とするケースがある。

⑥分注工程

　分注工程の局所保護装置は，バイオセーフティに関するリスクアセスメントに従い，安全キャビネットあるいは，クリーンベンチが採用される。作業室は高度な微生物管理が求められるため，他の作業室と間仕切り壁で区画することが一般的である。
　上記を踏まえたバイオ原薬製造施設のゾーニングの例を図4-3に示す。

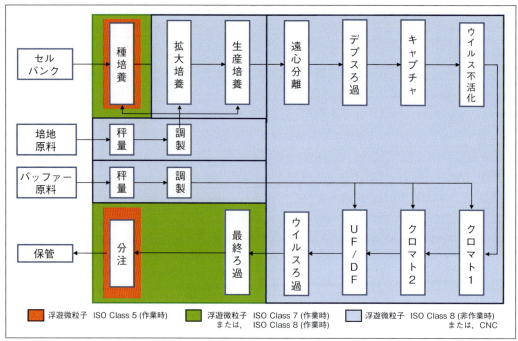

図4-3 バイオ原薬製造施設のゾーニング(例)

4．各製造プロセス

（1） 培養：動物細胞培養で医薬品を製造するポイント

　動物細胞の培養は，例えば播種時の細胞密度がその後の細胞増殖に影響を与えたり，到達細胞密度に達した後，全量を次のスケールの培養槽に移す際，細胞密度を10倍以上希釈すると増殖しづらくなるなど，大変デリケートな物質生産法である。特にその中の重要要因についていくつか取り上げてみる。

①生産性向上には細胞増殖の至適化が重要

　目的タンパク質をたくさん作る目的で，細胞数を増やして播種した場合，必ずしもその細胞数に比例して生産量が上がるわけではない。また逆に播種細胞数が少なすぎるとまったく増殖しないことがある。培養細胞の播種条件は，培養上清の産生量をELISAなどの定量法で測定しながら最適化していく必要がある。

②細胞生存率は品質に対して影響を及ぼす

　CHO細胞のように分泌型の培養生産の場合，目的タンパク質が細胞外に産生される。培養中に細胞生存率が何らかの原因で低下すると，死細胞数が増え，HCPなどの不純物が目的タンパク質を含む培養液中に大量に混入してくる。不純物の割合が高くなるため，後の精製工程への負担が増し，ときには最終品質にまで影響を及ぼすことがある。

③培養方法の違いは生産量に対して影響を及ぼす

　同じ産生細胞を用いても，培養方法の違いが目的タンパク質の品質に影響を及ぼすこともある。一般的に動物細胞培養では，培養槽に培地および細胞を加えて2,3日培養する「バッチ培養」が採用されてきたが，最近では収量の向上を目的に，培養の途中で濃縮した培地などを添加する「フェドバッチ培養」が用いられるようになっている。バッチ培養で数百mg/Lであった収量を数g/Lにまで向上させることができる。

・培養液の回収

　1990年代のバイオ医薬品の製造においては培養槽の細胞密度は10^5個/mL程度であった。また細胞の生存率も90％程度であり，カートリッジ型のデプスフィルターと，その後に用いるろ過滅菌フィルターによって効率的に細胞除去を行うことができた。しかし，その後技術の進歩とともに細胞密度も10^6個/mL後半から10^7個/mL程度へと高くなり，発現量を高めるために細胞生存率も低くなり，細胞除去は困難さを増してきた。

　現在では細胞除去に，
① 初段に連続遠心分離を用い，2段目にデプスフィルターを用いた後，ろ過滅菌フィルターによるろ過を行う方法
② 供給液をメンブレンの表面に沿って循環させながらろ過液を得るろ過方式のタンジェンシャルフロー（またはクロスフロー）フィルトレーション（Tangential Flow Filtration：TFF）を用いた後，ろ過滅菌フィルターによるろ過を行う方法
③ デプスフィルターによる2段処理工程の後に，ろ過滅菌フィルターによるろ過を行う方法

などが一般的となっている。これらの工程はバッチ処理量，開発ステージ，培養液の負荷（細胞密度，細胞生存率等）などによって決定されることが多い。開発の初期においてバッチ量が少ない場合には，1段目，2段目にデプスフィルターを用いることで高価で洗浄の煩雑な連続遠心機の導入を行うことなく，さらに，シングルユーステクノロジーのメリットを活かし，洗浄のバリデーションを簡略した速やかな開発を行うことができる。

　最大規模量産工程では製造コストが重視されるため，一般的にはTFF工程を用いる場合と，初段に連続遠心機，2段目によりタイトなデプスフィルターが用いられることが多い。

　両方とも最終的にろ過滅菌フィルターでろ過した後に培養液は次の精製工程へと進む。

　この細胞除去の工程において，細胞および破砕物の除去以外にも清澄化の際のHCPおよび宿主由来DNAの低減化が期待される。

(2) 精製

①アフィニティークロマトグラフィー

　細胞除去工程後のプロセス液には多くの不純物が含まれている。これらの不純物を効率的に除去したり，目的タンパク質を濃縮する方法としてアフィニティークロマトグラフィーがほとんどのモノクローナル抗体の精製工程で採用されている。このうち最も効果的な精製能力を発揮するProtein Aカラムは，架橋アガロース等の樹脂担体にProtein Aリガンドタンパク質が固定化されたもので，このタンパク質が抗体のFc部位に特異的に結合し，抗体のみが

カラムに保持され，不純物は系外へと放出される。その後，洗浄用のバッファーでカラム内に残存する不純物レベルをさらに低減することができる。この Protein A と抗体との結合は可逆的で，培養液の中性 pH 領域では結合し，pH4 以下の低 pH 領域においては遊離するため，その後の操作より pH の低いバッファーを用いることにより溶出を行う。この Protein A カラムは遺伝子組換えモノクローナル抗体の製造に欠かせない方法として多くの抗体医薬の精製に使われてきており，その能力を最大限に引き出すための検討が重ねられてきた[5]。

Protein A は黄色ブドウ球菌の細胞壁に存在するタンパク質で，医薬品製造用には精製純度を高めるために遺伝子組換え Protein A をリガンドにしたカラム担体としても売られているが，いずれにしても異種タンパク質であるので，このカラムを製造に採用した場合，Protein A そのものが遊離して最終製品に混入するリスクを考えなければならない[6]。

Protein A カラムから溶出されたモノクローナル抗体は高純度（約 98％以上）に精製され，この溶出操作によってタンパク質濃度は 10 mg/mL 程度まで濃縮される。精製能力の指標である Protein A の動的な結合容量（ダイナミックキャパシティ）が，1 カラム容量（CV）につき，30〜60 mg/mL と高く，また安定した精製能力を示すカラムクロマト工程であるが，カラム担体の価格が高いことが抗体医薬品の製造コストを上げる大きな要因となっている。

また，1 回の抗体製造バッチにおける培養量は 10,000 L 以上と巨大化し，さらに発現濃度が高くなったことにより，精製工程の負荷が増大している。このため培養 1 バッチ当たりのアフィニティーカラム処理のサイクル数を増やすことで，製造コストを抑える工夫がなされている。例えば培養バッチ 1 回の処理を 5 回に分けて精製することによって，1 回処理の場合のカラムの 1/5 のサイズにすることができ，高価なカラム担体や大型クロマトグラフィー装置の製造コストへの影響を削減することが可能となる。

② 低 pH 処理

低 pH 条件でのウイルス不活化処理は広く用いられている。多くのエンベロープ型ウイルスに対して高い不活化能（クリアランス指数（LRV），4 以上）を有する。抗体精製における本法のメリットは低 pH 溶出を行うアフィニティークロマトグラフィー（Protein A カラム）の後段に設定しやすいことである。また，対象特許の使用権許諾を有するような特別な添加剤を添加しないこともコスト面から大きなメリットである。一方で以下のような課題がある。

1）目的タンパク質（精製対象抗体）の低 pH に対する耐性が要求される。
2）エンベロープ型の比較的不活化しやすいウイルスを含め，pH 3.8 以下でないと不活化されない。
3）非エンベロープ型に対する不活化能力は低い。
4）ウイルス不活化以上の精製効果（他の不純物を除去するなど）は期待できない。

③ クロマトグラフィー

一般的にアフィニティークロマトグラフィー，低 pH 不活化の後にも複数のクロマトグラフィー工程が設定され，多くは 2〜3 工程である。これらの工程の意味・機能は，①アフィニティークロマトグラフィーで除去しきれない残存不純物の除去，②品質の均一性の確保，

表4-1 バイオ原薬の精製で用いられている工程例とその機能

工程	機能
アフィニティークロマトグラフィー	目的タンパク質の特異的吸着
低pH処理	ウイルス不活化(除去ではない)
陽イオン交換クロマトグラフィー	凝集体，宿主由来タンパク質(HCP)等の除去
陰イオン交換クロマトグラフィー	HCP，DNA，遊離Protein A，ウイルス等の除去
ウイルスろ過	ウイルスの除去(サイズ分離)
濃縮／バッファー交換	目的タンパク質の濃度調整，処方バッファーへの置換

③製剤工程に向けての目的物質の濃縮あるいはバッファー置換が主である。あらためてバイオ原薬の精製プロセスで用いられる工程とその機能を表4-1にまとめた。

　ここでは代表的な工程として，陽イオン交換クロマトグラフィー，陰イオン交換クロマトグラフィーを示したが，特定の不純物を除去する目的で疎水クロマトグラフィー，ハイドロキシアパタイトクロマトグラフィー，ミックスモードクロマトグラフィーなどが選択される場合がある。これらクロマトグラフィー工程における除去の対象不純物としては，抗体凝集体や分解物などの目的物質由来不純物およびHCP，DNA，アフィニティーカラムから漏出したProtein A，エンドトキシン等の製造工程由来不純物がある。これら除去対象と目的抗体との分子特性の差を利用して最適分離が可能な分離モード，およびその分離条件が検討されていく。

　なお，これら不純物のうちDNAについてはFDAやWHOにおいて基準が明確にされている。また，不純物の除去能に加え，その一貫性を合わせて堅牢な工程開発，設計が必要である。

④ウイルスろ過

　低pH処理や不活化剤の添加などによる不活化工程は，ウイルスの種類や薬液の性質および運転条件などの影響を受けやすいが，ウイルスフィルターはウイルスの大きさとフィルター孔径の関係によって分離除去が可能となるため，ウイルスの除去に対して頑健な工程である。

　現在，抗体医薬をはじめとするバイオ医薬品のほとんどの製造においてウイルスフィルターが採用されている。

　ウイルスフィルターには「ナノフィルター」という孔径を表す呼称もあったが，最近では日本PDA製薬学会を中心に呼称が統一され，「ウイルスフィルター」という名称で，主にラージウイルス除去フィルター（64〜82 nmのバクテリオファージPR772を＞6 log10以上除去）と，スモールウイルス除去フィルター（30〜33 nmのバクテリオファージPP7を＞4 log10以上除去）に大別されている[7]。

　抗体製造におけるウイルスろ過は図4-4に示すように，分子のサイズが8nm程度の抗体をほぼ100％透過させ，かつ粒子サイズがMVM（Minute Virus of Mice）のような最も小さな部類に属するウイルスを，$1/10^4$以下にまで捕捉除去させることができる。その能力を発揮させるために，フィルターの孔径分布を極めて均質に保つ必要があるというのが技術上のポイントである。

　ウイルスろ過工程において注意すべき点はこのように小さな孔径のフィルターであるた

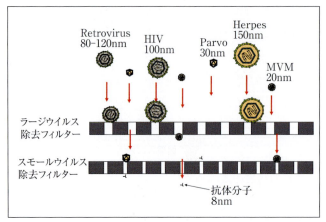

図4-4　ウイルスのサイズとウイルスフィルターのポアサイズ

め，抗体のオリゴマーや夾雑物などにより目詰まりを起こし，全量を処理できない可能性があることである。目詰まりなどを回避させるため，タンパク質純度を高めた精製工程の後段で，一連のクロマトグラフィー工程を経た後，または濃縮およびバッファー交換後に行われる。また最近ではプレフィルターをウイルスフィルターの前に加えることによりその性能を維持させる工夫もなされている。

　ろ過モードには，ろ過する液を15 nm膜面に対し垂直に流すノーマルフロー（またはデッドエンドフロー）フィルトレーション（NFF），およびろ過する液を膜面に平行に流すTFFがある。2つのろ過法にはそれぞれの利点があるが，除去したい対象不純物が少ない場合にろ過能力を発揮するNFFがウイルスフィルターでは用いられる。実際の運転に際し，加圧を一定にしたりポンプ送液流量を一定にしてウイルス除去および目的物の高回収率を目指した条件検討が行われる[8]。

　ろ過滅菌と同様に，ウイルスろ過工程ではろ過後にフィルターが完全に機能したことを確認する完全性試験を実施し，合格することが必要である。完全性試験方法には拡散流量試験や金コロイドなどを用いた粒子チャレンジ試験などの手法があり，試験方法および規格値はフィルターメーカーの推奨方法および規格値を準用することが求められる。完全性試験の理論および実施方法は，PDAテクニカルレポートNo.41, Virus Filtration[9]に記載されている。

⑤濃縮／バッファー交換

　クロマトグラフィーで目的とした純度まで精製された抗体は，一般的にはウイルスろ過後にこの濃縮およびバッファー交換工程で，製剤化に必要な濃度にまで濃縮され，同時に精製用のバッファーから投与用のバッファーへと置換される。限外ろ過膜を用いる濃縮には，TFFがよく用いられる手法であり，図4-5で示される装置構成および処理液の流れとなる。

　フィードタンク内の溶液をポンプで循環し，循環戻り側バルブをコントロールしながら限外ろ過モジュールに対して適切な圧力をかける。限外ろ過膜を透過した溶媒は透過液として回収され，濃縮された溶液は供給タンクへ戻る。この操作をフィードタンク内のタンパク質があらかじめ設定した濃度になるまで続ける。引き続きフィードタンク内に最終バッファー

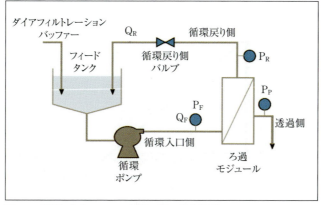

図 4-5　濃縮／バッファー交換工程の基本構成
Q_R：循環戻り側流量，Q_F：循環入口側流量，P_R：循環戻り側圧力，
P_F：循環入口側圧力，P_P：透過側圧力

を加え，十分にバッファーが置換されるまでこの操作を続ける。一般に完全（99.95〜99.99％程度）に最終バッファーに置き換わるまでには，最終濃縮液量の 8〜10 倍程度の最終バッファーが必要となる。濃縮工程において注意すべき点は，設定した濃度に濃縮しても凝集や沈殿を生じないことをあらかじめ確認しておくことである。

抗体分子量が約 15 万であるので，限外ろ過膜には分画分子量 1 万〜3 万の膜が用いられる。膜素材にはポリエーテルスルホン（PES）および再生セルロースの両方とも使用は可能であるが，洗浄の容易さや高濃度濃縮時の回収率が高いことから再生セルロースを選定することが多い。

限外ろ過装置の操作条件に関しては，タンパク質の安定かつ効率的な運転条件を設定するために，バッファーの選定やスケールダウンモデルでの条件検討をあらかじめ行っておく。図 4-5 は事前検討の一例で，ろ過量（ダイアフィルトレーション量）が多くなれば阻止される夾雑物の割合（%）が反比例して減っていくことを示している。

また最近では，高濃度投与やバルク保管スペースの有効利用のために抗体を高濃度に濃縮するケースが増えてきている。

（3）製剤

精製工程を終了したものが原薬となる。この段階で目的抗体の品質，ろ過工程におけるろ過量と夾雑物除去量の関係（図 4-6），有効性，安全性はほぼ決定されるが，さらに製剤化を経て最終製品にする。タンパク質医薬品は注射剤であるため，液剤，もしくは使用時に溶解液を用いて溶解する凍結乾燥製剤とする。タンパク質は低分子医薬品に比べて安定性が低いため，糖やアミノ酸などの安定化剤を加える場合が多い。また酸性（pH6 以下）またはアルカリ性（pH8 以上）の環境下でも不安定であり，溶液の示性値を pH7 付近の生理的条件にすることが原則である。また，注射剤であるので無菌にしなければならない。

このような品質要求に対応すべく，製剤工程では，①安定化剤の添加，② pH および濃度調整，③ろ過滅菌，および④分注，という工程で構成されている。凍結乾燥製剤ではこれに凍結乾燥

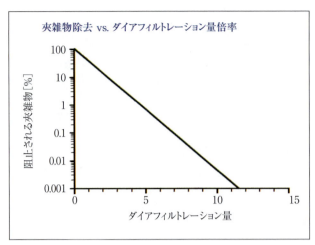

図4-6 ろ過工程におけるろ過量と夾雑物除去量の関係

工程が加わる。

　抗体医薬品は高濃度のタンパク質溶液にする必要があるが，多量体もしくは凝集体を生じやすい。そのため，アルギニンなどのアミノ酸が安定化剤として加えられる。また凍結乾燥製剤の場合，凍結乾燥粉末品（ケーキという）の形状安定化のためにマンニトールなどの糖類を添加する。液剤の場合，溶状の安定化のために界面活性剤を加えることもある。

　pHや濃度調整にはTFF膜を用いる。原理・方法は精製工程でのそれと同じである。実際の製造においては原薬の最終濃縮／バッファー交換工程で，pH7付近のバッファーに置換し，目的タンパク質を最終製剤よりも高濃度に濃縮するため，製剤化工程では，UF工程を加えずに単に希釈工程を経ることが多い。

　ろ過滅菌は，$0.2\mu m$のろ過フィルターを用い，クラス100のクリーン環境下で指定液量を自動充填装置で無菌分注する。液剤の場合はこの後，無菌打栓して最終製剤ができ上がるが，凍結乾燥製剤の場合，半打栓した後，無菌環境下で凍結乾燥を行い，凍結乾燥が終了した後に無菌打栓して最終製剤ができ上がる。

　モノクローナル抗体は，凝集体形成を回避できれば安定な分子であり，また抗体によっては凍結乾燥製剤を再溶解したときに凝集体（不溶性微粒子）を生じたりすることもあるので，液剤を最終剤形とする場合も多い。また抗体医薬品は投与液量が多いのでこれまでの承認例はないが，タンパク質製剤全体でみると投与時の操作性を考慮したプレフィルドシリンジ剤形も増えつつある。

5. Quality by Design

(1) Quality by Design 概要

　これまでの医薬品の品質保証は，出荷時の試験において承認された品質規格に適合しているかどうかを確認することを中心として組み立てられてきた。しかし近年では，ICH Q8において"Quality by Design（QbD）"という考え方が提唱され，製品の品質は，最終製品の試験の

みで保証すれば良いのではなく，製造プロセスを目的の品質のものが製造されるように設計し，適切な状態で稼働するようにコントロールすることによって，「品質を製品中に造り込む」ことで保証すべきであるという考え方へ変遷してきた。また，ICH Q8には"Design Space"という概念が登場する。これは開発段階において製剤の品質に影響を与える重要な特性について広くかつ深く検討し理解しておけば，何らかの変更が必要となったときにも，検討の範囲内であれば，変更による影響が予測できるため，行政側に製法変更を申請せずにフレキシブルに対応することができるという考え方である。

(2) A-Mab Case Study

こうしたQbDのバイオ医薬品への応用を進めるため，2008年Abbott, Amgen, Eli Lilly & Company, Genentech, GlaxoSmithKline, MedImmuneおよびPfizerの代表者が集まりCMC-Biotech Working Groupを結成し，A-Mab：a Case Study in Bioprocess Developmentとして成果が公開された[10]。A-Mab Case Studyの内容は，抗体医薬の設計から製造工程の開発，量産化に向けたスケールアップといった各開発段階，培養から精製，製剤化，充填までの各製造工程と，これらを通じた管理戦略の策定や，規制対応等多岐にわたっており，バイオ医薬品の開発における課題の大部分を網羅するものとなっている[11]。

A-Mab Case Studyでは，QbD開発は製品理解とプロセス理解の上に成り立っているとの思想をベースにし，分子設計の段階から，最終的には商業生産の段階でのプロセス管理戦略に至るまでの開発過程において，製品理解に基づき，標的製品プロファイル（TPP）に係る重要品質特性（CQA）を特定し，プロセスの理解に基づいて重要工程パラメータ（CPP）の設定を行い，管理戦略を作り上げる過程が具体的に示されている。いいかえれば，何をどう作るかを決め，それをどう管理するかの道筋がここに集約されている。

A-Mab Case Studyでは，QbDアプローチのため，例として以下の科学的かつリスクベースの手法を紹介している。
① リスクベースの手法によるCQAの選定ならびに，CPPへの関連付け
② 実験計画法（DOE）を用いた管理戦略の設定
③ デザインスペース（DS）の設定

管理戦略は，薬の安全性と有効性を保証するために設定された品質特性範囲を満たす製品を供給するために，原材料の管理，手続き上の管理，工程パラメータの管理，工程内試験，出荷試験，同等性試験，および工程の監視を統合することとされている。それぞれの品質特性は，特性の重要度とプロセス性能の開発ライフサイクルを通したリスクアセスメントに基づいて決定されており，このリスクアセスメント結果に基づいて，適切な管理要素を選択することにより，それぞれの品質特性に対して，合理的な管理戦略が組み立てられることになる。上市後の継続的なプロセスの監視については，管理戦略が期待通りに機能していることを確認するために，多変量統計プロセス制御（MSPC）とCQA管理チャートを設定し，選択した特性に対し継続したモニタリングを行う必要がある。MSPCは各パラメータデータから，CQA管理チャートはCQAデータから設定する。なお，MSPCと管理チャートは，上市後であっても，デザインスペース内での変動があった場合は，いつでも再設定されるべきものとされている。

QbD アプローチの実践にあたっては，デザインスペース（DS）は管理戦略の重要な要素ではあるが，必ずしも DS の設定を行うことのみが，QbD アプローチの目的ではないこと，また QbD は必ずしも教条的に取り扱うべきものではなく，部分適用や，minimum approach も QbD の有効な活用手段として取り入れる余地があることを認識する必要がある。

（3）　重要品質特性（Critical Quality Attribute：CQA）のリスクアセスメント手法

目的の品質を達成するために，QbD アプローチでは CQA をリスクベースで選定することが必要となるが，今まで抗体医薬をはじめとするバイオ医薬品を開発した経験のない会社が，このアプローチを選択した場合，既存知識の活用の大きな部分を占める先行品や既存のプラットフォームの活用ができず，開発初期に見込まれる重要品質特性（potential Critical Quality Attribute：pCQA）選定が難しいという印象がある。この pCQA 選定に関して，日本 PDA 製薬学会バイオウイルス委員会では，自社の開発経験ではなく文献レビューに基づくリスクアセスメント手法，RAT-SPOC 法（Risk Assessment Tool for Selecting Potential Critical Quality Attribute）を考案し，誌上にて紹介した[12,13]。

RAT-SPOC 法はインパクトとリスクに対する確実性という 2 つの項目について文献調査をベースにスコアリングし，評価をするという方法で，A-Mab で用いられているスコアリング方法を一部改変した方法となる。

リスクとしては，製品の安全性および有効性に影響があるということを前提として評価を行う。インパクトと確実性を，同じレベルで重要であると考え，いずれも最高スコアを 10 としてその掛け算により，A-Mab と同様の項目でスコアリングを実施する。インパクトについては，文献等のリスク情報の有無，確実性については，抗体のリスク報告の有無，抗体よりもさらに広く，タンパク質のリスク報告の有無，その他潜在的なもの，と分けてスコアリングを行う。

特定の項目としてリスクがないとしてはずしてしまう，ということではなく，ここでは pCQA の選定なので，あとでリスクが高いと判断されれば，開発後期のリスクアセスメントで CQA になりうる。リスクが高い低いということを予測するという行為により，すべての項目について，詳細に検証をするという非効率的なアプローチをしなくて済む，また，限られた情報の中でも公の文献調査をするという行為により，製品の特性に対する知識が組織内に蓄積されるという 2 つのメリットがもたらされる。

おわりに

抗体医薬を例に，バイオ医薬品の製造について概説した。目的物質の生産のための培養工程と多様な不純物を除去するための精製工程という，従来の化学合成医薬品とはかなり違った製造方法であることがおわかりいただけたと思う。また，汚染防止を実現するためのバイオ原薬製造における製造環境管理基準および施設のゾーニングについても解説した。年々伸びつつあるバイオ医薬品に呼応して製造設備機器，製造技術も日々進化しており，高品質かつコストパフォーマンスを高めるための設備機器の改善や進歩に多くの努力が払われている。

■参考文献
1) WHO Guideline, "Requirements for use of animal cells as *in vitro* substrates for the production of biological. Requirements for biological substances, No.50", 1997
2) 原薬GMPのガイドラインについて. 平成13年11月2日　医薬発第1200号
3) ICH Qトリオとその実践：日本PDA 製薬学会編，ファームテクジャパン，第25巻第5号, 2009
4) ISPE Good Practice Guide：Heating, Ventilation, and Air Conditioning(HVAC)
5) R. L. Fahrner et al.：*Biotechnol. Appl. Biochem.*, 30, 121-128, 1999
6) J. N. Carter-Franklin et al.：*J.Chromatogr.*, 1163, 105-111, 2007
7) R. Levy：Parenteral Drug Association(PDA), American Pharmaceutical Review, 2008
8) D. M. Bohonak and A. L. Zydney：*J. Memb. Sci.*, 254, 71-79, 2005
9) Virus Filtration. PDA テクニカルレポートNo.41, 2008
10) A-Mab：a Case Study in Bioprocess Development. CMC Biotech Working Group. 2009 (http://c.ymcdn.com/sites/www.casss.org/resource/resmgr/imported/A-Mab_Case_Study_Version_2-1.pdf)
11) Quality by Design (QbD) ― "A-Mab：a Case Study in Bioprocess Development" の紹介も含めて. 日本PDA 製薬学会バイオウイルス委員会QbD分科会：ファームテクジャパン, 27：887-904, 2011
12) バイオ医薬品のQbD―pCQA選定のための新規リスクアセスメントツールの提案および実践―. 日本PDA 製薬学会バイオウイルス委員会QbD分科会：ファームテクジャパン, 29：1263-1272, 2013
13) バイオ医薬品のQbD―凝集体およびHCPの最新分析法とリスク管理―. 日本PDA 製薬学会バイオウイルス委員会QbD分科会：ファームテクジャパン, 31：1280-1289, 2015

II 連続生産技術―バイオ医薬品における現状と課題

はじめに

　バイオ医薬品は抗体医薬を中心として着実に市場規模が拡大しているが，それに伴い医療経済に与える影響が近年論じられている。これはバイオ医薬品の開発が低分子医薬品に比べより多くの費用が必要な背景から[1]，費用対効果を含めバイオ医薬品の薬価が注目を集める状況となってきたからである。しかし生産の観点からは，細胞培養を用いた複雑な生産系を用いること，それら生産設備のために多額の先行投資が必要など，開発企業にとって投資回収が従来の医薬品に比べ難しい薬剤と考えられる。さらに，バイオシミラーの台頭や，同一疾患領域を対象とした新薬の増加が予想されるなど，競争自体が今後ますます激しくなることも想定されている[2]。

　最近の創薬の方向性をみると，バイオ医薬品では従来型のブロックバスターを指向する流れから，その特徴を活かしてより個別化医療への対応の方向へと進むことが予想されている。さまざまな新しい医薬品モダリティの出現や同一疾患領域に多くの薬剤が開発されている状況を併せ，これら薬剤の製造は今後小規模から中規模の製造スケールで多品種の生産を行うことが主流になると考えられている。これらの現状と背景は，バイオ医薬品において新たな製造技術を求めるドライバーとなっており，連続生産技術(Continuous manufacturing technology)が解決手法の1つとして期待されている。

　連続生産は，生産の合理性と柔軟性から産業界では比較的古くから用いられてきた手法であり，低分子医薬品(合成医薬品)においては製造方法として取り入れられているものもでてきた。バイオ医薬品の分野においても，連続生産は新しい製造技術および分析技術を組み合わせることにより，柔軟な製造体制の構築と高度な品質制御が可能な次世代生産技術としてさまざまな

検討が進められている。そこで本項では，抗体医薬をベースとしたバイオ医薬品の連続生産における工程開発と工程管理について現状と課題を概説する。

1. 医薬品の連続生産

　連続生産とは，製造プロセスが稼働している間，連続的に原料が製造工程内に供給され，生産物が継続的に取り出される生産方法である。連続生産は，設備の高い使用率による生産性の向上と小スペース化による投資の抑制，さらにはプロセスを恒常的に長期間稼働させることで，望ましい品質を有する最終製品を，必要な量，必要な時期に製造できる利点がある[3]。食品や化学の分野では広く用いられてきた技術であり，最近では低分子医薬品でもその有用性から次第に使われるようになってきた。2015年にFDA承認を受けたCF治療薬オルカンビ(Orkambi)や，2016年に承認を受けたHIV治療薬プレジスタ(Prezista)に始まり，その後もいくつかの品目で連続生産が立ち上がってきた[4]。製造量を運転期間で変更できることから，スケールアップの必要性をなくし，製品を市場に投入するまでの期間も短縮することが可能であり，さまざまな面で大きなメリットをもたらすことが期待できる技術として紹介されている[5]。

　規制当局も医薬品の連続生産技術の潮流を認識しており，独立行政法人医薬品医療機器総合機構(PMDA)では革新的製造技術ワーキング・グループを立ち上げ「連続生産に関するPoint to Consider」(2016年)を作成した[6]。米国Food and Drug Administration(FDA)では，Office of Pharmaceutical Qualityに最新技術を評価するEmerging Technology Team(ETT)を設置して連続生産の導入をサポートし[7]，2019年に連続生産の品質に関するドラフトガイドラインを発行した[8]。ICHも新たなガイドラインに向けて活動を開始している。

　連続生産のバイオ医薬品原薬への実装はまだ発展途上な部分が多いが，現状における期待と懸念の代表的なものを以下に示す。

　期待：
　・設備の稼働効率，フレキシビリティ向上
　・原材料の削減による費用減(例：連続クロマトグラフィーにおける充填剤等)
　・生産スケールの調整が容易
　・品質制御の高度化
　懸念：
　・原材料の増加による費用増(例：Perfusion培養における培地等)
　・連続運転による人件費の増加
　・要素技術が発展途上
　・規制環境が未整備

　バイオ医薬品の製造においても，連続生産は費用対効果や設備の柔軟性，開発スピードの向上といった，低分子医薬品での適用と同様の利点が考えられており，自動化設備の多用，プロセス解析工学(Process Analytical Technology：PAT)といった新たな製造工程の管理戦略を

取り入れることにより高品質の製造が期待される[9,10]。

2. バイオ医薬品の連続生産技術

　いくつかのバイオ医薬品の原薬の製造施設において，連続製造への取り組みが進められているが，完全なEnd to Endの連続生産には至っていない。ただし工程の接続による連続処理やPATを搭載した連続運転のモニタリングの実証が急速に進んできた[11]。バッチの培養工程に精製の一部を連続処理するケースや，逆に連続培養にバッチの精製工程を組み合わせるハイブリッドの連続処理など，プロセスの一部の連続化を目指す事例が多数報告されている。本項では，バイオ医薬品の連続生産技術について紹介する。なお，ここで紹介する多くの技術・装置がすでに実用化および市販されており，製造工程に導入することが可能である。

(1) 上流工程（培養工程）

　上流工程では，種培養と生産培養の一連のステップで細胞増殖の効率化を行い，生産性の向上を進めている。生産技術では，これまでのFed-batch（流加）培養に対し，Perfusion（灌流）培養が注目されている。Perfusion培養は，培養槽（バイオリアクター）に連続的に新鮮な培地を供給し，槽内に細胞を保持したまま，培地供給と同じ速度で生産物を含む培養上清を回収する手法である。これにより培養槽内の液量を一定に保ったまま，消費される栄養源を常に補給しつつ，老廃物の除去も行うことができ，細胞の生育に適した環境を長期間一定に保って，高い細胞密度と生細胞率を維持することが可能となる。優れた点としては，小さな培養槽でも長期間の運転で大量の生産が可能であり，生産設備の規模を比較的コンパクトにできるという点があげられる。Perfusion培養自体は，古くからの手法で，生産物が長期間培養槽に留まることがないので，培養槽内での安定性に劣るタンパク質の生産にも向いていることから，この利点を活かして生産されているバイオ医薬品もいくつかある[12]。一方で，懸念される点としては多量に使用する培地コストの増加，またプロセスの制御が複雑で，かつ長期間培養で汚染のリスクが高くなるといったことなどがあげられる。

　生産培養（N培養）前の種培養（N-1またはN-2などのSeed培養）にPerfusionを導入するSeed perfusion（灌流種培養）では，Perfusionで得られた高密度の種細胞で，生産培養への拡大比率を通常より高くし，より小さな種培養から生産培養に拡大することで種培養設備を小型化する場合（Compressed Seed）と，生産培養槽に播種する細胞を高密度化して拡大する手法（High Seed）がある。どちらも培養槽の小型化の投資メリットがあるが，特に高密度で生産培養に移送する場合，生産培養時の目標細胞密度への到達時間を短縮させ，生産培養の運転日数の短縮やタンパク質生産の開始を早めるなど，時間当たりの生産性を向上させることができる[13,14]。

　生産培養におけるPerfusionの利用には，さまざまな方式が取り入れられている。各種培養方式の例を**表4-2**に示す[15]。細胞密度の制御の有無とハーベストを連続的に実施するかどうかにそれぞれ特徴がある。Fed-Perfusion（灌流-流加）培養は培養初期の細胞増殖時にPerfusionを用いて高密度化を行い，その後Fed-batchでタンパク質を生産するハイブリッドの方法である[16,17]。Concentrated Fed-batch（濃縮流加）培養は生産物を培養槽に保持した状態でPerfusion

表4-2　N培養槽の強化手法の比較

培養タイプ	Fed-batch	Fed-Perfusion	Perfusion	Concentrated Fed-batch	Dynamic Perfusion
細胞増殖カーブ（イメージ）					
生細胞密度	変動	変動	一定	変動	変動
ハーベスト手法	シングル	シングル	連続	シングル	連続
灌流排出液	なし	除細胞液（増殖時）	除細胞液	除細胞液 除生産物液	除細胞液
細胞ブリード	なし	なし	必要時	なし	なし

を継続する手法である[18]。Dynamic Perfusion培養は細胞密度の維持よりも細胞増殖を優先して培養を継続する手法である[19]。どの手法を選択するかは，コスト面だけでなく，品質および導入や管理の容易さなどを総合的に判断する必要がある[20]。

　連続の灌流培養で細胞密度を制御する場合，定期的にブリードを併用する場合があるが，目的物質の回収を行う場合は，これまで通りデプスフィルターや連続遠心機[21]を利用する。Perfusionにおける細胞の保持と培地の入れ替えは，過去には重力沈降（マイクロキャリアを使う事例もある），スピンフィルター，連続遠心，最近では中空糸膜や平膜を使ったクロスフローろ過のTFF（Tangential Flow Filtration）やATF（Alternative Tangential Flow），さらには超音波などさまざまな細胞分離技術がある[22]。

　ATFは中空糸膜モジュールを培養槽外に設置し，その末端にあるダイアフラムポンプの上下運動で培養液を中空糸内に通して，そこで細胞と培養上清を効果的に分離する技術である（図4-7）。ポンプを用いて中空糸や平膜に送液する手法では，ポンプによる細胞への物理的ダメージに注意が必要である。ATFやTFFは多くの実績があるが，高密度培養や長期運転による生産物の透過性の低下に注意が必要である[23]。

　また最近の培養培地では，これまで主流だったFed-Batch培養用のものだけでなく，拡大培

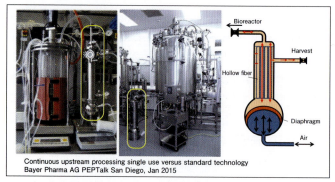

図4-7　バイオリアクターとATFシステム
ベンチスケールのリアクターとATF（左）と製造スケールのリアクターとATF（中），ATFの模式図（右）

養用の高密度化に向けて細胞増殖に適したものや，低い培地交換率で高いタンパク質生産を安定して行えるPerfusion培養に適したものなどが市販されるようになった。今後は，生産性を高めるために，それらを組み合わせた効率的な運用も進んでいくと考えられる。細胞に関しては，これまでがFed-Batch培養が主流だったこともあり，著しく長期のPerfusion培養での生産に対する信頼性に不明な部分も多い。長期継代培養に向けた細胞数倍加レベルの確認も必要となる。今後は安定した長期の商業生産が行えるかの検証と実績の積み重ねが進み，CSPR（Cell Specific Perfusion Rate）に優れた培養に特化した細胞株や，高密度化が短期間で行える細胞株の開発なども期待されている。

（2）下流工程（精製工程）

　一般的なバイオ医薬品の下流工程は，各種クロマトグラフィー，濃縮脱塩（UF/DF），ウイルス不活化および除去，ろ過滅菌工程などが組み合わされて構成されている。医薬品の開発および製造をしている各社は，これらの工程で，最終製品である医薬品の有効性，安全性および品質が損なわれることがないように細心の注意を払いながら，確実に不純物を除き，目的物質をロスなく効率的に回収することを目指している。

①キャプチャークロマトグラフィー

　下流工程の代表的な連続生産技術として，連続クロマトグラフィー技術を紹介する。**図4-8**にそのイメージを示した[24]。従来法と連続法を示しているが，従来法では1つのカラムを使用，連続法では2〜4個のカラムを使用する例をそれぞれ紹介する。従来法では，赤色の#1のLoad（負荷）で，タンパク質などの目的物質を吸着させる工程があり，次の黄色の#2で，例えばProtein Aクロマトグラフィーでは，pHを低下させることにより，Elution（溶出）させる。

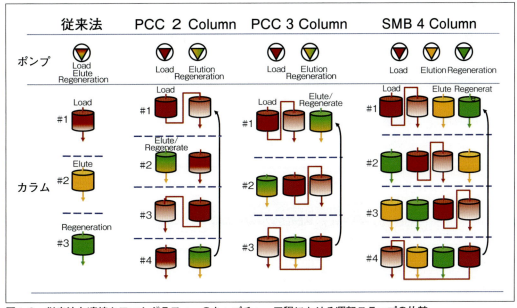

図4-8　従来法と連続クロマトグラフィーのキャプチャー工程における運転ステップの比較

＃3であるRegeneration（再生）では，洗浄を実施し，これらのステップを順番に行う。そのため1回のLoadで対応するには大型のカラムが必要になるためコストに影響を及ぼし，多量の処理液を複数回の処理で対応しようとしても，一度この処理を開始すると，新たな処理液のLoadは，基本的には＃3が終了するまで，開始を待たねばならない。

　それに対して連続法（PCC：periodic counter-current法や，SMB：simulated moving bed法などと呼称される場合もある）では，複数のカラムを使用し，従来法で紹介した各ステップを，それぞれのカラムで同時に実行することにより，連続的に目的物質を処理することが可能になる[24]。また，従来法では，過剰なLoadで目的物質がカラム（クロマトグラフィー担体）に吸着しきれず，目的物質のリークが回収率の低下となることから，線流速（流量）を下げ吸着容量の改善を図ることや，クロマトグラフィー担体量を増やしカラムの吸着容量に余裕を持たせるなどの対策をとることが多かった。それに対して，連続法では，Loadステップで，2つのカラムを直列に接続する方法を採用することにより，前段のカラムから目的タンパク質がリークするような高い負荷をかけた場合でも，後段のカラムにてそれを回収することが可能になる。その結果連続法では，前段カラムの吸着容量を増やし，かつ複数サイクルで処理を行うことで，カラムサイズ（クロマトグラフィー担体量）およびバッファー使用量を最適化（小さくすること）でき，製造設備のコスト低減が達成される。さらにリークを考慮した高流速処理は，単位時間当たりの処理量を増加させ，生産性の向上が可能となる。

②フロースルークロマトグラフィー

　抗体製造における陰イオン交換クロマトグラフィーなど，目的物質以外の不純物を除去するクロマトグラフィーはLoadステップで目的物質が回収されることからフロースルークロマトグラフィーと呼ばれる。下流工程のポリッシングでは連続的な処理を行うために，この複数のフロースルークロマトグラフィーの連結による連続処理が検討されている。陰イオン交換にMixモードのクロマトグラフィーを組み合わせる事例[25]や，陰イオン交換に陽イオン交換，さらには活性炭などを組み合わせる事例[26]などが報告されている。前後の工程のpHと導電率などのバッファー条件を統一し，同じ条件で2つのカラムに連続的に送液するケースと[26]，インラインのpH調整，インラインのTFFによる脱塩，インライン希釈などを工程間に用いて，最適なバッファー条件に調整して工程を接続するケースがあり[25]，いずれもシステムの簡略化や中間タンク削減，工程時間の短縮などの効果が得られている。

③ウイルス不活化・除去

　ウイルス不活化工程は，低pH処理やSD（有機溶媒／界面活性剤の添加）処理により，一定時間の保持を行うことでウイルスの不活化が行われる。連続化には，2つ以上のタンクを使い，片側のタンクの送液時にもう一方のタンクで不活化処理と次工程への輸送を行う疑似連続的な処理を行うもの[27]，プラグフローのコイル状の流路やカラムなどの充填槽などを反応チャンバーとして，連続的に不活化処理を行うものの大きく2つがある[28,29]。反応槽を早く出てくるものがあると不十分な不活化処理となり，遅く出てくるものは長時間の処理による品質低下が懸念されるため，滞留時間分布（RTD）をよく把握し安全側に設計することが必要となる。

ウイルス除去はバッチ工程と同様にメンブレンフィルターによるろ過やクロマトグラフィーで行われる。フィルターの場合，交換頻度の低減のために，バッファー条件や目的物質濃度の最適化を行うことでろ過処理量を改善する取り組みが報告されている[30]。フィルターの運転条件設定はウイルスクリアランススタディの実証結果に基づくことになるが，2～4日間の長時間のクリアランススタディも報告されている[30～32]。フィルターでは閉塞が避けられないため，交換用の並列なライン設計やサージタンクなどの配慮が必要となる。クロマトグラフィーでは，連続クロマトグラフィーのサイクル運転にてウイルスクリアランスを検証した結果が報告されている[33～35]。

④限外ろ過

限外ろ過工程の連続化は，他のクロマトグラフィー工程と比べて連続生産で得られるメリットが少ないため，今後の技術開発が期待されるが，連続TFF装置を用いた濃縮脱塩（UF/DF）の連続化はかなり検討が進んでいる[36]。シングルパスTFFによる連続濃縮は，下流工程の液量の削減につながりプロセスの小型化に活かせる。濃縮でカラムの不純物の除去性能を向上させることで，クロマト担体量の削減やLoad量の向上に貢献できることなどが報告されている[37]。バッファー交換などの脱塩処理は，インラインで多段処理を行うものと[38]，2つのタンクを切替え疑似的に連続処理するものがある[39]。

ここで紹介したさまざまな技術を実際のバイオ医薬品製造工程に導入した事例紹介として複数の報告がされている。各サプライヤーはこの技術開発に積極的に投資をしており，それを使用する製薬企業も，新しい製造技術として大きな興味を持っている。バイオ医薬品製造の下流工程に適用される連続技術の開発および導入は，今後も引き続き活発になるものと予想する。

（3）バイオ医薬品連続生産による品質特性

バイオ医薬品連続生産のための製品と技術開発の進展は，大規模なスケールで上流および下流工程の各ステップを接続した連続処理による実証研究を多数実現させた[40～42]。バイオ医薬品の品質項目に着目すると，バッチ生産と比較して，純度・凝集体・HCP・DNA・チャージバリアント・糖鎖構造など，いずれにおいても連続生産で品質目標を達成でき，特に目的物質に関連するチャージバリアントの恒常性と凝集体や分解物などの目的物質由来不純物のレベルにおいて，連続生産で品質が向上したことが報告されている[43]。糖鎖パターンは，Perfusionにより培地組成と細胞密度を一定に保てることが変動を抑えるのに役立っている。チャージバリアントの恒常性は，バッチ生産が培養のすべての段階の生産物を継続して合算し何らかの影響を受けるのに対して，Perfusion培養では，ある程度安定した培養条件下で生産物を定常的に取り出すことができることと，培養槽内での生産物の滞留時間が短いことが作用し，特に酸性の異性体のレベルを抑えることにつながっている。この短い滞留時間は凝集体の形成や分解酵素によるフラグメントの生成を抑制できることにも影響する[44]。凝集体においては，タンパク質濃度に依存して濃度が上昇するケースもあるため解釈には注意が必要であるが，工程間のプールタンクを削減し各ステップの連結で連続的に工程を動かすフロースルーの精製では，凝

集体のレベルが低減しウイルスフィルターの処理量の向上に寄与できることが報告されている[45]。

3. バイオ医薬品連続生産の製造コスト

(1) コスト低減化に向けた方策と課題

　バイオ医薬品の製造にかかるコストは，大きく分けて減価償却費として計上される設備投資費に由来する部分と，操業費として計上される製造ロットごとに必要となる原材料費，人件費，その他メンテナンスや廃棄に必要な費用から構成される（図4-9）。また，バイオ医薬品原薬の製造コスト指標としてよく用いられる単位生産量当たりの製造コスト（¥/g）は，①原薬を1ロット製造するために必要な操業費に，②1ロット当たりに割り付けられた設備の減価償却費を加えた費用を，③生産量（タンパク質取得量）で除して計算される。そして製造コストの低減を考える際には，これら①～③の各項目に対してのアプローチを検討することになる。一例をあげると，①では培地や精製に使用する充填剤などの高額な原材料を削減することや工程の自動化による人件費の抑制，②では製造期間の短縮によるロット数増加や工場建設コスト自体の抑制，③では生産培養の改良による培養生産量の向上や精製収率の向上，さらに堅牢な製造工程の構築によるロットアウトの防止等である。

　これらの項目はいずれもコスト低減化を考える際には有効なアプローチだが，現状のバイオ医薬品の状況を考えると十分な考慮が必要と思われる。まず，最もコスト低減化に効果が高いと考えられるロット当たりの生産量向上について考えてみる。抗体医薬を例にとると培養生産量は，1990年代には1 g/L程度だったものが，近年では3 g/Lから5 g/Lが平均的なレベルになってきている。しかし試算によっては，2 g/L程度までは培養生産量の向上とともに生産コスト（¥/g）が顕著に減少するが，これ以上の領域では生産量向上によるコスト低減の効果は次第に減少することが報告されている[46]。他方，精製については，広くプラットフォーム製法と

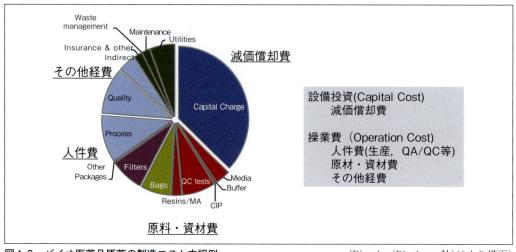

図4-9　バイオ医薬品原薬の製造コスト内訳例　　　　　　　　（Biosolve（Biopharm社）により描画）

して共通に使用可能な精製方法が存在する抗体のような製品では，今以上の劇的な収率の改善は困難である。また，培養生産量向上への対応において，処理能力の観点から精製工程がボトルネックになる可能性も考えられる。そのため，生産量向上に向けたこれまでの取り組みを継続することの重要性は変わらないものの，さらなるコスト低減化のためには従来の延長線上でない技術開発や他の方策との組み合わせを考慮したアプローチが必要になる。

また，最近の創薬の方向性と薬剤の多様化による少量多品種生産の流れは，量産によるコスト低減化を見込みにくいだけでなく，多品種を生産していくことにより，製造管理が複雑になること等の要因はむしろコストを上げる方向に働く可能性がある。このような側面からもコスト低減化を従来の延長線で考えることは難しく，最適な生産スケールやフレキシビリティを考慮したアプローチの立案が必要になると想定される。

(2) 連続生産によるコスト低減化の検討事例

連続生産をコスト低減効果の側面から考察すると，各工程ステップを同時稼働することにより生産設備の稼働効率を最大化し，高い生産性を実現することによりコストの低減化が可能な技術と考えられる（図4-10）。

バイオ医薬品原薬への連続生産技術の実装は，まだ発展途上な部分が多い。コスト低減の視点からも期待と懸念があり，連続化する対象工程や採用する技術によってはコスト低減の効果が変わることが予想されることから，どの程度の効果が期待できるかについては不明な点が多いと思われる。そのため，連続生産によるコスト低減化の効果を理解するには，これらの要素を加味したシミュレーションが必要になる。

連続生産とバッチ製造のコスト比較は，さまざまなケースで報告されている。ISPEのBoston支部大会で2015年1月に発表されたBioVolutions社の発表事例では[47]，連続生産で抗体生産性は低下するが，培養槽の大きさは1/10まで縮小することができ，Protein A担体の使用

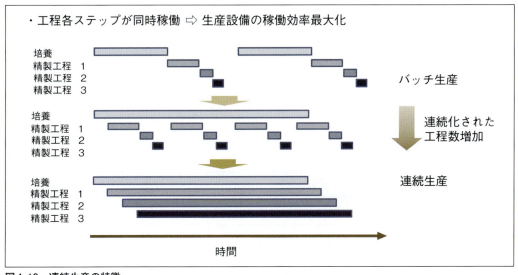

図4-10　連続生産の特徴

量が削減可能となる。なお，連続生産では培地使用量がバッチ生産よりも増加するが，バッチ生産用の流加培地(フィード用培地)と比べると連続生産用の培地を安価に予測している。シングルユース培養槽とステンレス培養槽でのバッチ生産(Fed-batch)と連続生産(Perfusion with ATF)のコスト比較では，いずれも連続培養とすることで，主に設備投資が抑制できるため，トータルコストは減少すると報告している。連続生産とバッチ生産，および両者を組み合わせたHybridのコスト比較についてBiopharm Services社の汎用シミュレーションソフト(Biosolve)を用いた試算結果の発表事例では[48]，バッチ生産(Fed batch培養／バッチ精製)，Hybrid生産(Fed batch培養／連続精製)，および連続生産(Perfusion培養／連続精製)のコスト比較において，年間生産量として現在一般的な生産量100～500 kg/年では，連続生産にすることでバッチ生産と比べ3割以上コストを抑制することができるが，生産量2,000 kg/年の大量生産の場合では連続生産もバッチ生産もさほどコストとして差は生じないと報告している。

最近のシミュレーション報告例として，同じくBiopharm Services社による試算事例では[49]，培養ではFed batchとPerfusionを，精製工程では初段のProtein A工程のみMCC(マルチカラムクロマトグラフィー)を導入したものから，精製工程全体を連続化したものまで連続化の程度を変えて比較している。試算の代表的な前提条件は次の通りである。抗体の年間供給量は500 kg，培養工程での使用リアクター容量を最大2000 Lとし，Fed Batch培養は6槽を使用し生産量5.0 g/L，Perfusion培養は2槽を使用し生産量1.2 g/L，精製工程で使用するProtein Aカラムへの負荷条件はBatchの場合33.9 g/L-resin，MCCの場合57.9 g/L-resinとしている。表4-3のシミュレーションの結果から，培養の手法のみを比較した場合(精製をBatch処理で揃えた場合)，Fed Batch培養とPerfusion培養を比較すると，Perfusion培養のほうがFed batch培養よりも単位生産量当たりの生産コストCoGs($/g)が約1割，初期投資額が約2割減少している。また，Fed batch培養，Perfusion培養のどちらのケースでも，精製工程の連続化により単位生産量当たりの生産コスト($/g)が約2割，初期投資額が約1割減少している。培養と精製における連続生産の費用対効果において，生産コストと初期投資額の減少の様子が逆転しているが，この理由は，Perfusion培養で使用する多量の培地コストが生産コストにおいて初期投資の減少を相殺することに対し，精製では高価な充填剤の費用やその他操業費用の削減効果が生産コストの削減に寄与するためと考えられる。

次に，連続生産で想定されるコスト削減効果の特徴として初期投資額の削減に着目し，日本PDA製薬学会バイオウイルス委員会連続生産分科会においても検討を行った。先ほどと同じシミュレーションソフトウエア(Biosolve)を用い，同様の前提条件のもとで従来のバッチ生産用のステンレス製固定配管設備(SS)と連続生産用のシングルユース設備(SUS)の主工程室のモ

表4-3　生産方法の違いによるコスト比較

培養	精製	CoGs ($/g)			Total installed cost (M$)		
		Batch	Batch MCC[*]	Continuous[**]	Batch	Batch MCC[*]	Continuous[**]
	Fed batch	66	64.3	52.3～55.3	52.1	53.5	46.1～47.0
	Perfusion	59.8	58	52.0～55.6	38.1	41.7	32.6～36.2

[*]　MCCのみを導入し，単位操作はバッチ処理を行ったものとして試算
[**]　Protein A工程のみを連続するケースから精製の全工程を連続化するケースまで連続化の対象工程を変えて試算

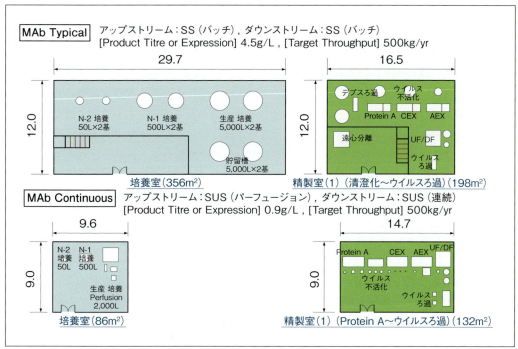

図4-11 SUS+工程連続化による施設面積低減（主工程室）

デル化を行い比較することを試みた。ソフトウエアから得られた情報をベースに，当委員会メンバーで協議，一部改変をして算出を行った結果，連続生産用のSUSではバッチ生産用のSSに比べ，製造作業を行う工程室のスペースが半分以下に縮小できることを確認した（図4-11）。連続生産の適用により，建設費用の低減による初期投資（減価償却費）の削減が可能であること，さらに空調設備の運転および室内環境管理（モニタリング，清掃，消毒等）に要する費用（操業費）の削減が期待できると考えられる。

　連続生産のコスト低減効果について，シミュレーションをもとにイメージ把握を試みた。このような検討はさまざまなケースを想定して進められており，例えば培養方式とハーベスト手法の違いによる単位生産量当たりの製造コストへの影響や[20]，連続クロマトグラフィーにおける搭載カラム数の比較など[50]，生産目標と運用に最適な工程設計と連続生産手法の計画に役立てられている。具体的検証で得られた生産量に基づきコストを検証した報告もみられるようになってきた[41]。このようなシミュレーションは連続生産の導入を検討する上で有用であるが，一方で前提条件により結果が大きく左右されることに留意する必要があることを指摘しておきたい。別の報告例では，開発フェーズや会社の規模（パイプライン数）により，最適な連続化対象工程が異なることが示されている[51]。連続生産をコスト低減化の手法として考える際は，状況によって期待される効果が変わることには十分な注意が必要と考えられる。

4. 考慮すべき点

（1） バイオ医薬品の連続生産におけるバッチあるいはロットの考え方

　バッチあるいはロットの定義は，ICH Q7に記載されている通りで[注]，バッチ生産においても連続生産においても違いはない。ただし，連続生産でのロットサイズは，稼働時間や処理速度，製造量，原材料の仕込み量のいずれかに基づき規定されると考えられる[8]。最大のロットサイズは稼働時間を延長させた運転条件とプロセスバリデーションの結果により，リスクアセスメントによる潜在的リスクを踏まえ，同じ品質のものが製造できる範囲によって決定すべきといわれている[6]。

> [注] 規定された限度内で均質と予測できる，一つの工程又は一連の工程で製造された原材料等の特定の量。連続製造の場合には，ロットは製造の規定された画分に相当する。ロットサイズは，特定の量又は特定の時間内に製造された量と定義される。バッチともいう。
> ICH-Q7 GMP（医薬品の製造管理及び品質管理に関する基準）

　低分子医薬品の連続生産に対して，バイオ医薬品の連続生産ではロットをどのように定義すべきであろうか？　一例として，日本PDA製薬学会バイオウイルス委員会連続生産分科会での議論を紹介する（図4-12）[52]。バッチ生産ではFed-Batch培養の中で蓄積されたタンパク質が一連の下流工程を経て精製バルクとなる。1つの培養バッチから得られた精製バルクが1つのロットとなりえる。一方，連続生産ではPerfusion培養のある一定期間ごとのハーベストが連続的に回収され下流工程が連続的に進み，その結果小さい単位での精製バルクが連続的に生産されることが想定される。そのため，連続培養の期間を通してこれらの精製バルクが一定の品質で管理可能であることをバリデーション等で検証することが必要となるが，検証の結果，同じ品質とみなされる範囲であれば小単位の精製バルクをプールした原薬は1つのロットであるとみなすことが可能と考えられる。つまり，一連のPerfusion培養の1ロットとプールされた精製バルクの1ロットが1：1の関係となりえるため，従来のバッチ式製造と同様の考え方を

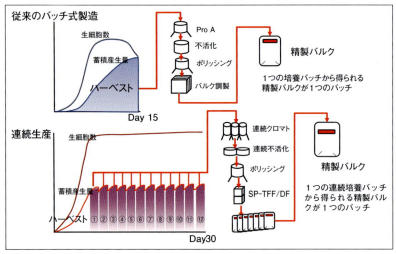

図4-12　連続生産におけるバッチ／ロットの考え方の一例
　　　　従来のFed-Batch培養によるバッチ式製造方式と連続生産方式のロットの考え方

とることができると想定される。

（2） シングルユース技術によるクローズドプロセスの構築

バイオ医薬品製造コストを取り巻く環境変化への対応とさらなるコスト削減を達成するには，これまで以上に生産設備をより効率的に運用することで生産性を向上させることが必要である。そのためには，それらに適応した新しい技術をいかに的確に導入するかが重要になってくる。近年，新たなニーズに応えるべく新しい製造設備のコンセプトや製造技術についてさまざまな提案がなされている。

シングルユース技術はバイオ医薬品の製造になくてはならない技術となっている。連続生産プロセスにおいてもシングルユース技術の大きな効果が期待されているが，上流工程と下流工程の連結による運用面のフレキシビリティの向上と，長期運転における微生物管理の信頼性の向上，フィルター交換に起因する汚染リスクの低減などから，クローズドプロセスの構築とその活用を考慮することでさらなる効果があると考えられる。

クローズドプロセスとは，細胞，工程液，製品が製造エリアの環境に直接曝露されないよう構築されたプロセスである。一般的に，製品と環境との接触の有無および設備の特徴によりプロセスおよび設備は4種に区分され（**図4-13**）[53]，クローズドプロセスとは設備としてFully closed systemを用いる，またはFunctionally closed processを構築して操作されるものを指す。Fully closed systemとは製造環境に直接曝露されることがないよう設計された設備を指す。一方，Functionally closed processは装置セットアップ時には環境に曝露される可能性があるが，製造前に系内の殺菌や滅菌処理などの処置を施すことにより，製造自体は閉鎖系で完結可能なプロセスを指す。

適切なクローズドプロセスの構築を達成した場合，従前のオープンプロセスと異なり，多品目の同時製造や，製造エリアの環境管理と更衣のレベルダウンが可能になると考えられる（図

- 細胞，工程液・製品が製造エリアの環境に直接接触しないプロセス

  Fully closed system
  ○ 環境と直接接触なし

  Briefly exposed process
  ○ クロージング工程が必要
  （ろ過滅菌など）

  Functionally closed process
  ○ 組立装着時に環境曝露（使用前殺菌等の後，閉鎖系で製造）

  Open system
  ○ 環境に曝露

- 規制要件

	Multi-product	Classified room	Gowning level	Airlock, Cleaning procedure
Open process	No ☹	Yes ☹	High ☹	Yes ☹
Closed process	Yes ☺	No (CNC) ☺	Low ☺	No ☺

Controlled non classified (CNC): A cGMP manufacturing area designed to produce a consistent and controlled environment, but not necessarily monitored to a given environmental classification.

図4-13　クローズドプロセスとは

4-13)[53]。連続プロセスでは上流工程と下流工程を同時に運転することから，移動等が比較的自由に行えるクローズドプロセスを構築することにより，従来のような空間的，時間的なセグメンテーションによる管理から脱却し，効率の良い設備運用や設備簡素化による建設コストの削減が可能になると考えられる。シングルユースを使用したクローズドプロセスの構築には，十分な注意を払ったリスクアセスメントや手順の整備が必要だが，連続生産プロセスにおいても重要な要素として上手に活用すべき手法と考えられる。

(3) フレキシブルな施設設計コンセプト

新しい施設設計のコンセプトとして，ボールルーム，モジュラーデザインおよびBox in Boxについて紹介する。

ボールルームは工程間においてまったく間仕切りのない製造エリアを持つ製造施設の設計コンセプトとして立案され，シングルユース技術によるクローズドプロセスの構築により高効率なバイオ医薬品の製造を実現する手法として注目されていた。しかし残念なことに，旧来のボールルームは管理や運用の難しさ，規制当局への対応における懸念があり，本コンセプトを全面的に採用した設備はあまり広がりをみせなかった。しかし近年，アムジェン社がシンガポールに建設した製造施設のように，ボールルームを上手に活用しているケースが報告されている[54]。同施設では，培養から精製のウイルスろ過工程まで同一エリアで実施し，製造環境の浮遊微粒子レベルもISO Class 9で管理されるなど，高効率な運用を実現している。

モジュラーデザインでは，施設を規格化されたモジュール単位で設計し，組み立て済みのモジュールを建設現場で連結することにより建設を行う。モジュラーデザインの1つであるGE社のKUBioにより中国で製造施設の建設を行ったファイザー社からは，同デザインを採用しない場合と比較し25～50％のコスト低減を実現したとのコメントが残されている[55]。また，Box in Boxは間仕切り壁のない建屋内部に，製造作業を行う工程室等の組み立て済みのユニットを設置して製造施設を構築する設計コンセプトであり，こちらもモジュラーデザインとともに注目を集めている。建屋の建設とユニットの組み立てを別々に並行して実施できることによる建設期間短縮のほか，設計次第ではユニットの入れ替えにより将来の設備活用における柔軟性が確保できる等の利点が期待される。

以上の技術を組み合わせた場合のコスト低減効果について，アムジェン社から先ほどのシンガポール工場での事例が紹介されている。同工場は，シングルユース技術をベースとして，ボールルーム，モジュラーデザインおよびBox in Boxのコンセプトを適切に取り入れて設計，建設されている。その結果，アムジェン社の既存設備と同等の生産能力にもかかわらず，半分の建設期間と1/4の投資金額，さらに実製造において操業費を1/3まで低減化を達成したと試算されている。この例が示すように，シングルユース技術によるクローズドプロセスと施設設計を合わせて考慮することにより，建設と運用の両面から生産コストの削減に大きな効果がもたらされる可能性があることは，今後新規に施設の設計，建設を行う際には留意しておく必要があるだろう。

(4) 管理された状態と滞留時間分布

連続生産においては，得られた原薬がいつどの工程で処理され，どのサイクルのステップを経過して製造されたかの製造履歴を明確にすることが必要となる[8]。そのためサイクル運転を行うクロマトグラフィーなどの工程の連結を考える場合，前後の工程のサイクルのタイミングを揃えておくことは都合がよい。例えばキャプチャー工程のカラム3サイクルに対して陰イオン交換工程をカラム1サイクルで処理し，最終のMixモードのクロマトグラフィー工程をカラム3サイクルで処理するなど[56]，工程のサイクル開始やフィルター交換のタイミングを前後の工程で整合性を持たせる必要がある。また使用する培地やバッファーの原材料もこれらの工程の各段階でトレーサビリティが追えるようにしておかなければならない[11]。

連続運転時のプロセスが許容範囲を外れた場合に，その影響する範囲を隔離し正常な連続生産物から除外するために，プロセス流路における滞留時間分布(RTD：Residence time distribution)を理解し(図4-14)，各々の工程とそれらの相関を把握しておく必要がある[57]。連続生産における各工程でのRTDを理解するために，プロセス全体にわたって物質収支からRTDのプロセスモデルを作成し，上流工程のある区間の物質が，下流の各段階においてどのように広範囲に広がるかを検討する試みも進んでいる[58]。

医薬品の連続生産には，製造工程全体を包括した頑健な管理戦略に基づき「管理できた状態(State of Control)」が維持されていることを示す必要がある[6]。しかしバイオ医薬品では注意が必要である。多数の工程を連結したバイオ医薬品ではスタートアップに数時間を要しRTDも広範囲にわたる。合成医薬品の連続製造のように考えると，事前に設定されたレンジ内で重要工程パラメータと品質特性が維持されることが必要だが，ある程度のばらつきを持った細胞由来の生産に基づくため，常に定常から乖離してしまう可能性が懸念される[3]。バッチプロセ

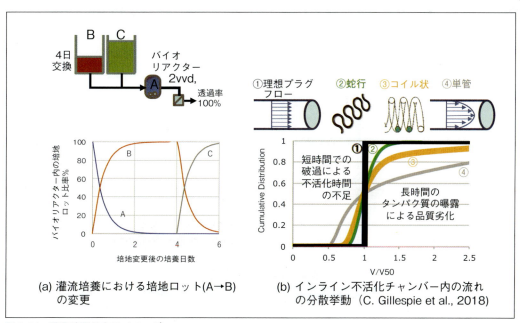

(a) 灌流培養における培地ロット(A→B)の変更

(b) インライン不活化チャンバー内の流れの分散挙動（C. Gillespie et al., 2018）

図4-14 滞留時間分布のイメージ

スのように工程液をプールタンクに貯留することはプロセスの変動を吸収できることから，連続プロセスの工程間にサージタンクを設けることが検討されている[59]。サージタンクは，ばらつきを抑えて均一化を得る以外にも，フィルター交換などのメンテナンスの時間を作るとともに，ポンプをステップごとにそれぞれ分割することで工程を連結した送液よりも低圧運転を可能にする。さらにpHや導電率調整などの運転条件の変更や，クロマト溶出液などの分画を貯留することで定流量にて次工程に送液ができる。しかしサージタンク内で保持されることから液量に伴いRTDが広がり，サージタンクの設計はプロセス運転リスクと均衡をとるのが難しい。そのため2個のサージを切り替えて運用するなどの手法も検討されている[58]。

(5) プロセスバリデーション

連続生産であってもプロセスバリデーションの基本的な考え方に変更はなく，バッチ生産と同様にICH Q8, Q9, Q10の基本的なガイドラインに基づく。連続生産に適用する場合，プロセスの性能および品質特性が「管理された状態」であることと，品質の変動がロット間／内において経時的に許容範囲内であることが必要であると考えられている[6]。FDAのガイドラインでは，設計・適格性・継続的ベリフィケーションとしてステージごとに記載されている[8]。バイオ医薬品への適用は，バッチと連続生産の併用の場合は従来の考え方が適用しやすい。完全な連続生産に向けては実証研究が進むにつれ明確になってくると思われる。長期運転の場合，最大バッチサイズを考えると多量のデータの取り扱いが必要となる。各ステップのデザインスペースを集約しプラント全体で制御を行い，品質を保証するためのデータ分析手法の構築が必要と思われる。変動や外乱の影響の把握に役立てるために，プロセスのモデル化によるシミュレーションや，モデルに基づくプロセス制御も提唱されている[11, 60]。

(6) バイオ医薬品の連続生産におけるプロセス解析工学（PAT）の適用

連続生産を考える上で，PATの活用は不可欠である。連続生産技術は常にプロセスが動き

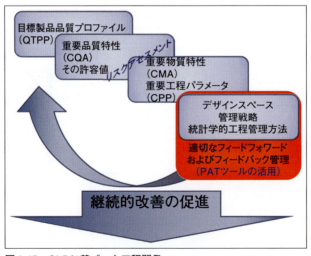

図4-15　QbDに基づいた工程開発

続けることになるため，最終の品質を維持するように工程パラメータを制御することからインラインモニタリングによるリアルタイム（あるいはリアルタイムに近い状態）での管理が必要となってくる。どれほど最適化した製造法であれ，突発的な異常（あるいはアラート）が発生するリスクがあり，このような場合に的確に不具合を取り除き，「管理できた状態（State of Control）」へ戻すことができなければ，連続して製造した多くの医薬品を廃棄せざるを得なくなる。バイオ医薬品製造工程へのインラインモニタリングの導入は今後さらに重要性を増していくと考えられる[61]。

　PATを導入する必要がある工程は，バッチ製造におけるQbD（Quality by Design）のアプローチと同様である。ICH Q8およびQ9に基づき品質の制御に重点を置く。重要品質特性（Critical Quality Attribute：CQA）とその許容値に対して，リスクアセスメントを行い重要物質特性（Critical Material Attribute：CMA）と重要工程パラメータ（Critical Process Parameter：CPP）を設定し，PATによりCPPを制御することでCMAを工程内で管理する。結果としてCQAが許容範囲内であることを保証する（図4-15）。これらをICH Q10に基づき管理し維持運用する。

　リアルタイムでの複数の品質特性のモニタリングでは，サンプリングの頻度と比率が重要となり，データのばらつきをよく理解し，開始から終了までのデータの動向を把握するとともに，バッチの品質を保証するのに十分な頻度で実施しなければならない[11]。

　低分子医薬品製造におけるCMAは，例えば，含量に対して打錠工程の素錠質量，溶出性に対して原薬工程の原薬の粒子径，製剤均一性に対して混合工程の混合均一性が想定される。その連続生産では，近赤外分光分析法（Near Infrared Spectorscopy：NIR）あるいはラマン分光分析法がPATとして活用可能とされる[62]。

表4-4　培養工程のセットパラメータと工程管理項目

生産培養工程（例）					
製造プロセスの管理戦略				Perfusion培養	
品質関連パラメータ	主要プロセスパラメータ	主要プロセス特性	工程内品質特性	セットパラメータ	工程管理項目
温度	栄養源添加時期	製品収率	バイオバーデン	通気量	溶存酸素
pH	栄養源添加量	生細胞密度	MMV	撹拌速度	pH
溶存CO_2	グルコース添加時期	生存率	マイコプラズマ	pH	温度
培養期間	グルコース添加量		外来性ウイルス	溶存酸素	生細胞密度
浸透圧	溶存酸素			温度	生存率
残存グルコース				培養期間	グルコース
				培地交換量	グルタミン
					乳酸
					アンモニア
					力価
					エンドトキシン
					Virus（*in vitro*）

製造プロセスの管理戦略はA-Mab Case Studyを引用

本章内での定義
インライン：リアルタイムでの測定
オンライン：サンプリングしてその場で測定
アットライン：サンプリングしラボで測定

バイオ医薬の連続生産では，どのようにPATが適用されるだろうか。「A-Mab Case Study」の記載では，Fed-batch培養の例であるが，品質に直接影響を与える工程パラメータがあげられており，また工程の安定性および頑健性に影響を与えるパラメータとして主要プロセスパラメータ，主要プロセス特性，工程内品質特性の管理項目が考えられている[63]。これらはPerfusion培養における管理項目およびPATの適用を考える上でも参考になる。QbDアプローチにおけるCMAから考えられるPerfusion培養の工程セットパラメータと主な工程管理項目をまとめた（表4-4）。現時点でも，インラインでリアルタイムに測定が可能であり，即時にセットパラメータにフィードバックあるいはフィードフォワード制御可能なものは連続製造のPATとして導入可能である。また，サンプリングして迅速に測定するオンラインの管理において，技術の革新とともに徐々にインライン測定に切り替わることが期待できる。オートサンプラーで自動的にサンプリングして代謝測定を定期的に継続して実施する製品[64]や細胞密度をオンラインで測定できるセンサー[65]などが販売されている。

　これらの既存技術を基にしたフィードフォワード制御技術による培養は以下のような例があげられる[15, 66]。CHO細胞培養時には炭素源としてグルコースを使用し代謝産物として乳酸が生成されるが，このグルコースと乳酸はNIR（近赤外）分光分析やラマン分析などのスペクトル解析センサーによってインラインで測定され，生細胞数はキャパシタンス測定により同じくインラインでモニタリングされる。これらインラインモニタリングの技術と機械学習を組み合わせることで最適な培養条件を予測・制御する。

　一方，精製工程においては，モノクローナル抗体ではキャプチャークロマト工程で比較的高い精製度が得られることから，インラインモニタリング（pH・導電率・タンパク質濃度，フィルター完全性など）は可能であるため，一部の工程では連続製造はリアルタイムで制御可能である。その他の品質に関するもの，例えば凝集体，チャージバリアント，酸化体，脱アミド体，糖鎖などは，オンライン（サンプリング後，現場で迅速に測定するもの）ではUPLCを用いた測定が可能となってきている。将来的にはMulti-Attribute Method（MAM）のように1回の測定で複数の品質・特性情報を取得できる分析手法が適用可能となると考えられる。MAMはLC-MS・LC-MS/MSによる測定であり，現時点では事前の処理や測定，測定結果の解析に時間を要しているが，技術の進展により測定時間・解析時間が短縮され，迅速な品質試験を達成できるようになると期待されている[67]。

　一方，サンプリングしたのちラボで測定するアットライン測定は，リアルタイムPCRのような従来と比較すると簡易検査により短時間で測定できる製品も出てきてはいるものの，まだ迅速な解析とはいえない状況である。

　表4-5には培養工程における工程パラメータとそれに対する現時点での技術および現在開発中（近く実用化可能な）の技術について記載した。また表4-6には精製工程の工程パラメータとそれに対する現時点での技術および現在開発中（近く実用化可能な）の技術をまとめた。

　現在使用可能なPAT，また現在開発中のものを合わせて考慮すると，バイオ医薬品の製造においては多くの工程を連続化することが可能となってきている状況である。一方でいくつかの試験，例えばバイオバーデンや外来性ウイルス否定といった試験は，現在開発中の技術を用いても測定に時間を要すると考えられる（表4-7）。そのため「常に工程が進み続ける」連続

表4-5 工程管理項目と測定技術(培養工程)

工程管理項目	利用可能な測定	現在開発中の測定方法
溶存酸素	インラインDOセンサー	同左
pH	インラインpHセンサー	同左
温度	インライン温度センサー	同左
生細胞密度	インラインキャパシタンスセンサー オンラインセルカウンター	同左
生存率	オンラインセルカウンター	同左
グルコース	アットライン／オンライングルコースアナライザー	インラインRaman, NIR
グルタミン	アットライン／オンラインアナライザー	インラインRaman, NIR
乳酸	アットライン／オンラインアナライザー	インラインRaman, NIR
アンモニア	アットライン／オンラインアナライザー	インラインRaman, NIR
力価	アットライン(ELISA, SPR)	オンラインUPLC, 2D-LC, オンラインSPR

表4-6 工程管理項目と測定技術(精製工程)

工程管理項目	利用可能な測定	現在開発中の測定方法
凝集体	アットラインSEC	オンラインUPLC, SEC インラインMALS, MIR
チャージバリアント	アットラインキャピラリー等電点 アットラインIEX	オンラインUPLC
酸化		オンラインUPLC
脱アミド		オンラインUPLC
糖付加		オンラインUPLC
タンパク質濃度	インラインUV, インラインrefractive index	インラインUV slope spectroscopy, wide-range UV
HCP	アットラインELISA, MS	LC-MS method
導電率/pH	インライン導電率センサー インラインpHセンサー	同左

表4-7 外来性因子の試験に要する期間

項目	現在の手法	期間	将来の手法	期間
バイオバーデン	培養法	2〜7日	蛍光法／CO_2測定を利用したアッセイ, フローサイトメトリー, マイクロフローイメージ	2日
マイコプラズマ	培養法	7日以上	qPCR	2日
外来性ウイルス	培養法	7日以上	qPCR	2日
MMV	qPCR	2〜7日	qPCR	2日
エンドトキシン	LAL	<1日	マススペクトル	1日

製造の性質を考慮すると，バイオ医薬品の連続生産は連続化できる部分とサージタンク等を用いて一時的に貯留する部分を適切に組み合わせていくことになると考えられる。

おわりに

　連続生産技術は，バイオ医薬品の生産に大きな変革をもたらすと考えられている。近年の装置・設備メーカーでの積極的な技術・機器開発と，バイオ医薬品メーカーを中心とする産学官の協力した取り組みから，連続生産の具体的な実証研究の成果もみられるようになった。これらの進展により，具体化・顕在化していた多くの課題も克服されてきた。最近では工程の同時運転におけるプロセス制御手法や大量の運転データに基づくプロセス管理手法の構築なども手探りながら進み始めた。Industry 4.0により機械学習などを取り入れた新しいプロセス管理手法も提唱されている。これら未来を見据えた1つひとつの活動から，近くEnd to Endの完全なバイオ医薬品の連続生産が実現することを期待したい。

■参考文献

1) バイオ医薬品関連政策の視点　平成25年5月経済産業省生物化学産業課　https://www.mhlw.go.jp/stf/shingi/2r98520000032ord-att/2r98520000032owe_1.pdf
2) 日本PDA製薬学会バイオウイルス委員会連続生産工程開発及び工程管理分科会, GxPの更なる進展 第2章 バイオ医薬品の製造・品質管理での気になる課題, 2) バイオ医薬品製造のコストに関する考察, PHARM TECH JAPAN増刊号, Vol.35 No.7(2019)
3) Lee S and Woodcock J. et al., Modernizing Pharmaceutical Manufacturing： from Batch to Continuous Production J pharm Innov(2015)10：191-199
4) Sau(Larry)Lee, FDA Perspective on Continuous Manufacturing, 連続生産の実現・推進を考える会,2018年12月東京, http://ccpmj.org/downloads/1_Dr.Lee_rev(en).pdf
5) Aylin Ates "Enablers and Barriers for Continuous Manufacturing in the Pharmaceutical Industry" EPSRC 2012
6) 日本医療研究開発機構, 平成28年度 医薬品の連続生産における品質保証に関する研究「連続生産に関するPoints to Consider」
7) FDA Emerging Technology Program, https://www.fda.gov/
8) FDA Guidance Document, Quality Considerations for Continuous Manufacturing, Feb. 2019.(Draft)
9) Konstantin B. Konstantinov, Charles L. Cooney. White Paper on Continuous Bioprocessing ISCMP 2014
10) J-M. Bielser, Continuous operations in Biopharm Manufacturing： Back to the Future, Bioprocessing Sumit, Boston, 5th Aug 2015
11) M.M.Nasr et al., Regulatory Perspectives on Continuous Pharmaceutical Manufacturing： Moving From Theory to Practice： September 26-27, 2016, International Symposium on the Continuous Manufacturing of Pharmaceuticals, J Pharm Sci(2017)106：3199-3206
12) J. Pollock et al., Fed-batch and Perfusion Culture Processes： Economic, Environmental, and Operational Feasibility Under Uncertainty, Biotechnol. Bioeng.,(2013)110：206-219.
13) I. Padawer et al., Case Study： An Accelerated 8-Day Monoclonal Antibody Production Process Based on High Seeding Densities, Biotechnol. Prog.,(2013)29：829-832
14) M. Jordan et al., Intensification of large-scale cell culture processes, Current Opinion in Chemical Engineering,(2018)22：253-257
15) J-M. Bielser et al., Perfusion mammalian cell culture for recombinant protein manufacturing –A critical review, Biotechnology Advances,(2018)36：1328-1340
16) G.W. Hiller, Cell-Controlled Hybrid Perfusion Fed-Batch CHO Cell Process Provides Significant Productivity Improvement Over Conventional Fed-Batch Cultures, Biotechnol. Bioeng.,(2017)114：1438-1477
17) K. Mellahi et al., Process intensification for the production of rituximab by an inducible CHO cell line, Bioprocess and Biosystems Engineering,(2019)42：711-725
18) W. C. Yang et al., Concentrated fed-batch cell culture increases manufacturing capacity without

additional volumetric capacity, J. Biotechnol.,(2016)217：1-11
19) M. Gagnon et al., Shift to High-Intensity, Low-Volume Perfusion Cell Culture Enabling a Continuous, Integrated Bioprocess, Biotechnol. Prog.,(2018)34：1472-1481
20) S. Xu et al., Bioreactor Productivity and Media Cost Comparison for Different Intensified Cell Culture Processes, Biotechnol. Prog.,(2017)33：867-878
21) S.Mehta, Automated Single‐Use Centrifugation Solution for Diverse Biomanufacturing Process, Continuous Processing in Pharmaceutical Manufacturing, Chapter 15, Wiley‐VCH(2015)385-400
22) R. Patil and J. Walther, Continuous Manufacturing of Recombinant Therapeutic Proteins：Upstream and Downstream Technologies, Adv Biochem Eng Biotechnol, Springer(2017)
23) S. Wang et al., Shear Contributions to Cell Culture Performance and Product Recovery in ATF and TFF Perfusion Systems, J Biotechnol.,(2017)20：52-60
24) A. L. Zydney, Continuous Downstream Processing for High Value Biological Products：A Review, Biotechnol. Bioeng.,(2016)113：465-475
25) J. Zhang et al., Pool-less processing to streamline downstream purification of monoclonal antibodies, Eng. Life Sci.(2017)17：117-124
26) T. Ichihara et al., Polishing approach with fully connected flow-through purification for therapeutic monoclonal antibody, Eng. Life Sci.(2019)19：31-36
27) M. Schofield and D. M. Johnson, Continuous Low-pH Virus Inactivation：Challenges and Practical Solutions, GEN,(2018)38
28) Klutz et al., Continuous viral inactivation at low pH value in antibody manufacturing, Chem Eng Processing,(2016)102：88-101
29) C. Gillespie, Continuous In-Line Virus Inactivation for Next Generation Bioprocessing, Biotechnol. J.(2018)14：1700718
30) D. Bohonak, Viral clearance across intensified polishing and virus filtration operations, PDA Virus Forum, May 2018, Italy
31) L. David et al., Continuous viral filtration for the production of monoclonal antibodies, Chemical Engineering Research and Design,(2019)152：336-347
32) S. Lute et al., Development of small-scale models to understand the impact of continuous downstream bioprocessing on integrated virus, Biotechnol. Prog.,(2020)36：e2962
33) M. J. Chiang et al., Validation and optimization of viral clearance in a downstream continuous chromatography setting, Biotechnol. Bioeng.,(2019)116：2292-2302
34) J. Angelo et al., Virus clearance validation across continuous capture chromatography, Biotechnol. Bioeng.,(2019)116：2275-2284
35) C. Goussen et al., Viral clearance capacity by continuous Protein A chromatography step using Sequential MultiColumn Chromatography, J Chrom. B,(2020)1145：122056
36) E. Ayturk, C. Forespring. Simplifying Bioprocessing with Single-Pass TFF, GEN,(2016)36
37) T. Elich et al., Investigating the Combination of Single-Pass Tangential Flow Filtration and Anion Exchange Chromatography for Intensified mAb Polishing, Biotechnol. Prog.(2019)35；e2862.
38) J. Rucker-Pezzini et al., Single Pass Diafiltration Integrated Into a Fully Continuous mAb Purification Process, Biotechnol Bioeng,(2018)published online.
39) A. Gupta and E. Goodrich, An Efficient and cGMP-friendly Solution to Diafiltration for Intensified or Continuous Processing, Oct 11, 2019. https://bit.ly/2M6cTYD
40) J. McLaughlin, Integrating Continuous and Batch Operations for Efficient Initial Clinical Manufacturing of Biopharmaceuticals, BioProduction Summit, 12-13 Dec, 2016
41) L. Arnold et al., Implementation of Fully Integrated Continuous Antibody Processing：Effects on Productivity and COGm, Biotechnol. J.(2019)14：1800061
42) EUROPEAN DISSEMINATION MEDIA AGENCY, Next Generation Biopharmaceutical Downstream Process - nextBioPharmDSP, The Project repository journal(2019)1：82-85
43) J. Xu et al., Biomanufacturing evolution from conventional to intensified processes for productivity improvement：a case study, mAbs(2020)online
44) D. J. Karst et al., Continuous integrated manufacturing of therapeutic proteins, Current Opinion in Biotechnology(2018)53：76-84
45) C. Gillespie et al., Integrating Continuous and Single-Use Methods to Establish a New Downstream Processing Platform for Monoclonal Antibodies, Continuous Processing in Pharmaceutical Manufacturing, Edited by G. Subramanian, WILEY-VCH, 2015. 71-96.
46) Ying Fei Li et al, Integrating Design of Experiments and Principal Component Analysis to Reduce Downstream Cost of Goods in Monoclonal Antibody Production. J Pharm Innov(2016)11：352-361
47) M. Cattaneo, Continuous biomanufacturing. BioVolutions Inc. ISPE Boston, 15 January 2015,
48) Biopharm services, Continuous processing：Part 3, What's happening in downstream processing？,(2014)

https://biopharmservices.com/continuous-processing-part-3/
49) Andrew Sinclair, バッチから連続生産へのシフトが，コスト及び製造方法にもたらすメリットとは？ INTERPHEX Japan (2018)
50) D. Baur et al., Comparison of batch and continuous multi‐column protein A capture processes by optimal design, Biotechnol. J. (2016) 11：920-931
51) Pollock J et al, Integrated continuous bioprocessing：Economic, operational, and environmental feasibility for clinical and commercial antibody manufacture. Biotechnol Prog. 2017 Jul；33(4)：854-866
52) PDA日本PDA製薬学会 バイオウイルス委員会，第9章バイオ医薬品に最近の話題である連続生産の現状とNGSとウイルス安全性について，PHARM TECH JAPAN増刊号, Vol.34 No.6 (2018)
53) Chalk, S. et al, Challenging the cleanroom paradigm for biopharmaceutical manufacturing of bulk drug substances. BioPharm Int, Aug 2011：1-13
54) A. Paulino, Transforming Operations with Next Generation Biomanufacturing. 2017 PDA/FDA Joint Regulatory Conference
55) M. Egan, Think Inside The Box：Pfizer Will Use GE's Mobile Biotech Factory To Make Next-Generation Drugs In China. GE Report Jun 2016
56) X. Gjoka et al., Transfer of a three step mAb chromatography process from batch to continuous：Optimizing productivity to minimize consumable requirements, J Biotechnol, (2017) 242：11-18
57) A. Myerson et al., Control Systems Engineering in Continuous Pharmaceutical Manufacturing May 20-21, 2014 Continuous Manufacturing Symposium, J Pharm Sci, (2015) 104：832-839.
58) J. Sencar et al., Modeling the Residence Time Distribution of Integrated Continuous Bioprocesses, Biotechnol J, (2020) in press.
59) R. Hernandez, To Surge or Not to Surge？, GEN (2017) 37
60) S. Vogg et al., Current status and future challenges in continuous biochromatography, Current Opinion in Chemical Engineering (2018) 22：138-144
61) BioPhorum, Biomanufacturing technology roadmap：6. In-line monitoring and real time release (https://www.biophorum.com/download/in-line-monitoring-and-real-time-release/)
62) 「サクラ開花錠P2モック」厚生労働科学研究費補助金（医薬品・医療機器等レギュラトリーサイエンス総合研究事業）「製剤のライフサイクルにわたる品質保証に関する研究」サクラ開花錠モック分科会
63) The CMC Biotech Working Group. A-Mab：a case study in bioprocess development (https://cdn.ymaws.com/www.casss.org/resource/resmgr/imported/A-Mab_Case_Study_Version_2-1.pdf)
64) J. Carvell et al., Monitoring Live Biomass in Disposable Bioreactors, BioProcess International, (2016) 14：40-48
65) V. Vojinovic, Real-time bioprocess monitoring：Part I：In situ sensors, Sensors and Actuators B Chemical (2006) 114：1083-1091
66) 生田目 哲志他，バイオ抗体医薬生産ソリューション，横河技報 (2017) 60：95-100
67) Richard S. Rogers et al., A View on the Importance of "Multi-Attribute Method" for Measuring Purity of Biopharmaceuticals and Improving Overall Control Strategy, The AAPS Journal (2018) 20：7

Ⅲ CDMO/CRO

1．バイオ医薬品開発におけるアウトソーシングの動向

　バイオ医薬品の開発には，莫大な設備投資，遺伝子組換えや細胞培養という繊細で特殊な技術とそれを取り扱うことができる人材の確保，高度で多様な規格試験，いずれも初めて取り組むには高いハードルがいくつもある。バイオ医薬品の開発，製造および品質管理のアウトソーシングビジネスはこのような背景から生まれ，さらにその需要と供給が拡大しつつある。バイオ医薬品の開発初期から承認申請，上市にいたるまでには図4-16に示すようにさまざまな業務がある。
　これらの業務はいずれも重要な作業であり，何1つ欠けても承認申請を行うことができない。そしてこれらの業務はすべてアウトソーシングが可能である。バイオ医薬品に特化した受託

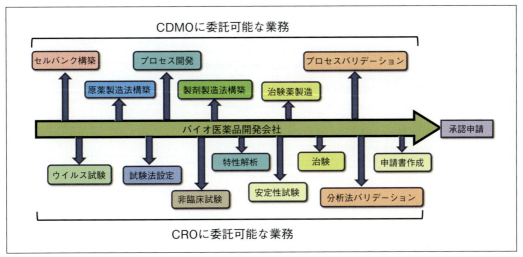

図4-16 バイオ医薬品開発におけるアウトソーシングの役割

　サービスをする受託開発製造業者（CDMO）や受託開発業者（CRO）は，それぞれの担当分野について多くの実績を持っており，開発の各ステージや業務に合ったCDMOやCROを選んで委託すれば，バイオ医薬品を自社製品として手に入れることができるようになってきている。
　2020年の新型コロナウイルスパンデミックは，バイオ医薬品のアウトソーシングにも多大な影響を与えた。最も大きな出来事は，新型コロナワクチンの製造用にCDMOのプラントが奪い合いになったことである。その原因のひとつは新型コロナワクチンが従来のワクチンの製造設備では対応できない方法で作られるからである。不活化コロナウイルス細胞培養ワクチン，DNAワクチンなどの製造にはバイオのCDMOの設備がそのまま使えるので，大手ワクチンメーカーはこれらのワクチンの製造が可能なCDMOのプラントを押さえられた結果，CDMOに委託しているがん治療用モノクローナル抗体などの治療薬の開発にも遅れが出ている。また，新型コロナ拡大により海外渡航ができない状態が続いているため，海外CDMOから国内CDMOへの切替えを検討する動きも出てきた。国内CDMOに対する期待はおそらくこれまでないほどに高まってきた。一方，日本国内のCDMOはその需要に十分応えられるだけのCDMOがない状態が続いているが，遺伝子治療や再生医療などの先端医療の実用化が進むにつれ，遺伝子組換えベクターのGMP製造を行うCDMOなど業態の広がりをみせている。新型コロナウイルスワクチンや治療薬の開発，製造に振り回されることなく，新しい需要に対応できるCDMOが増えることが期待される。また，バイオ医薬品の品質試験は煩雑で高度な技術を要するものが多いので，品質試験の構築や実施をCROに委託するケースも多くなってきている。
　表4-8に国内のCDMO，**表4-9**に国内のCROのリストを示す。バイオ医薬品の製造や試験は海外に委託することがほとんどであるが，海外のCDMOおよびCROについては文献[9]を参照されたい。

表4-8　国内CDMOリスト

◎：自社，○：他社へ再委託，×：非対応，—：情報提供なし

番号	会社名 （本社所在地）	製造施設 所在地	生産系／製品	受託サービスの範囲		
				遺伝子組換体／ ベクター構築	セルバンク 製造・保管	製造開発
1	AGC （AGC Biologics） （本社　米国）	AGC Inc. （千葉県）	微生物培養	◎	◎ MCB，WCB （製造・保管）	◎ 小スケール培養槽
			動物細胞培養	—	◎ MCB，WCB （保管のみ）	◎ 小スケール培養槽
		AGC Biologics A/S （デンマーク）	動物細胞培養	◎ 独自の高発現システム CHEFF1	◎ MCB，WCB （製造・保管）	◎ 小スケール培養槽 non-cGMPパイロットプラント （100L，20L）
			微生物培養	◎	◎ MCB，WCB （製造・保管）	◎ 小スケール培養槽 non-cGMPパイロットプラント （100L）
		AGC Biologics Inc （アメリカ）	動物細胞培養 （シアトルサイト）	◎ 独自の高発現システム CHEFF1	◎ MCB，WCB （製造・保管）	◎ 小スケール培養槽 non-cGMPパイロットプラント
			動物細胞培養 （ボールダーサイト）	—	—	—
			微生物培養 （シアトルサイト， 2021年稼働予定）	—	—	—
		AGC Biologics GmbH （ドイツ）	微生物培養	◎	◎ MCB，WCB （製造，保管）	◎ 小スケール培養槽
2	味の素／ Ajinomoto Bio-Pharma Services （本社　日本）	San Diego （米国）	微生物培養／ 無菌製剤	◎	◎ MCB，WCB GMP製造，保管	◎ ガラスバイオリアクター 5L×4

受託サービスの範囲			日本製造業許可／認定	特色／固有技術
原薬GMP製造／設備仕様	バイオ原薬品質試験	製剤設計／処方設計／製剤GMP製造／試験法開発		
◎ ステンレス製培養槽 （4,500L, 220L, 30L）	◎ 分析法開発 分析法バリデーション 安定性試験 規格試験	×	◎ 生物学的製剤等	①特徴的な独自の発現系 ・ASPEX発現システム（宿主：Schizosaccharomyces pombe） ・CHEF1®発現システム（宿主：CHO） 遺伝子情報からcGMP製造まで最短14カ月 ②日・米・欧3極で高品質なサービスを提供 ③FDA, EMA, PMDAをはじめ豊富な当局査察実績 ④開発品から商用品まで幅広い製造実績
◎ シングルユース培養槽 （2,000L, 500L）	◎ 分析法開発 分析法バリデーション 安定性試験 規格試験	×		
◎ ステンレス製培養槽(750L) シングルユース培養槽(500L, Fed-batchまたはATF perfusion対応) シングルユース培養槽（2×500L） シングルユース6Pack™ ライン（6×2000L）	◎ 分析法開発 分析法バリデーション 安定性試験 規格試験	◎（製剤開発のみ） 添加剤スクリーニング 高濃度製剤条件検討 製剤処方検討 製剤安定性検討	◎ 生物学的製剤等 ＊医薬品外国製造業者認定	
◎ ステンレス製培養槽 （2×1,500L）	◎ 分析法開発 分析法バリデーション 安定性試験 規格試験	×	◎ 生物学的製剤等 ＊医薬品外国製造業者認定	
◎ LineA：ステンレス製培養槽（750L, 3,000L） LineB：ステンレス製培養槽（750L, 3,000L） LineC：シングルユース6Pack™ ライン（6×2000L） 2021年より新規シングルユース6Pack™ ライン（2×6×2000L）稼働開始予定	◎ 分析法開発 分析法バリデーション 安定性試験 規格試験	◎（製剤開発のみ） 添加剤スクリーニング 高濃度製剤条件検討 製剤処方検討 製剤安定性検討	×	
◎ ステンレス製培養槽 （2×20,000L）	―	―	×	
◎ 2021年より新規ステンレス製培養槽稼働予定	―	―	×	
◎ ステンレス製培養槽 （150L, 1,500L）	◎ 分析法開発 分析法バリデーション 安定性試験 規格試験	×	◎ 生物学的製剤等 ＊医薬品外国製造業者認定	
◎ ステンレスバイオリアクター 100L×2, 1,000L×1	◎ 生化学試験 免疫学試験 *in vitro*細胞培養試験 一部外注	◎ バイアル充てんライン×5 0.5mL‐100mL ～70,000バイアル／Batch シリンジ充てんライン×2 0.5mL‐5mL ～50,000シリンジ／lot	◎ 生物学的製剤 無菌製剤	Corynex®：微生物タンパク質発現プラットフォーム 高密度プラスミド製造&能力 AJICAPTM：抗体の改変を必要としない，部位特異的コンジュゲーションプラットフォーム

（次ページに続く）

番号	会社名 (本社所在地)	製造施設 所在地	生産系／製品	受託サービスの範囲		
				遺伝子組換体／ ベクター構築	セルバンク 製造・保管	製造開発
2		San Diego (米国)	ADC/HPAPI/ 無菌製剤	×	×	◎ ADCコンジュゲーション プロセス開発
3	シミックバイオ (株) シミックCMO (株) (本社 東京) シミックファー マサイエンス (株) (本社 山梨)	原薬製造： シミックバイオ (株) 製剤開発： シミックCMO (株)製剤開発セン ター 島田市(静岡県) 製剤製造： シミックCMO (株) 足利市(栃木県)	GMP原薬及び製剤 の製造	○ シミックバイオ(株) (提携先に再委託)	○ シミックバイオ(株) (製造は提携先に再委 託)	◎ シミックバイオ(株) ＜培養技術開発機能＞ ・フラスコ振とう機 ・CO_2インキュベー ター ・1〜5Lガラス製バイオリア クター ・25L Waveバイオリアクター ・50Lシングルユースバイオリ アクター 　＜精製技術開発機能＞ ・AKTA Avant ・YMC Biostream ・UF濃縮装置
4	カルティベクス ／MGCファーマ (本社 東京)	新潟 (新潟県)	動物細胞培養	○ パートナー会社で実施	○ MCB，WCB	◎ 開発設備 Amber ガラスリアクター 1L，15L サンプル製造専用設備 WAVE20L シングルユース10L ＋50L AKTA Pilot 2台
5	カネカ (本社 日本)	Liège (ベルギー)	微生物培養	◎ E.coli，P.pastoris， H.polymorpha， S.cerevisiae	◎ MCB, WCB GMP製造，保管	培養法開発 ファーメンタ，5L×5 精製法開発 レジンパラレルスクリーニング

第4章 バイオ医薬品の製造

受託サービスの範囲			日本製造業許可／認定	特色／固有技術
原薬GMP製造／設備仕様	バイオ原薬品質試験	製剤設計／処方設計／製剤GMP製造／試験法開発		
◎ ADCコンジュゲーション シングルユースシステム OEL down to 1 ng/m³	◎ 生化学試験 免疫学試験 in vitro細胞培養試験 一部外注	◎ ADC・HPAPI充てん＆凍結乾燥ライン 2mL - 20mL ～70,000バイアル	◎ 無菌製剤	
◎ シミックバイオ(株) 治験薬GMP製造設備 (動物細胞培養・精製) ・フラスコ振とう機 ・CO₂インキュベーター ・25L Waveバイオリアクター ・200Lシングルユースバイオリアクター ・デプスフィルター ・AKTA Process ・UF濃縮装置 ・WFI供給設備	◎ シミックファーマサイエンス(株) ・特性解析(物理的化学的性質) ・原薬および製剤の品質試験 ・原薬および製剤の安定性試験 ・原薬および製剤の出荷試験 シミックバイオ(株) ・原薬製造工程試験 ・工程試験分析法のバリデーション	◎ シミックCMO(株)製剤開発センター ・プレフォーミュレーション研究 ・製剤設計(処方検討・一次容器選定検討) ・後期製剤開発(高濃度化等) ・検討用製剤の試作・予備安定性試験 ・製剤製造法検討 ・試験法開発・クオリフィケーション ・製剤の臨床使用時安定性評価(容器・用具との適合性検証含む) ・製剤開発報告書、臨床試験関連申請資料の作成サポート ◎ シミックCMO(株)足利工場 第1注射剤棟： アンプル製造ライン ロットスケール：200L 容器：1, 2, 3, 5 mLガラスアンプル 最終滅菌：26,900本／バッチ 低温保管：5℃以下 第2注射剤棟(2018年10月稼働開始)： バイアル製造ライン ロットスケール：10～400L, シングルユースにも対応 容器：1～50mLガラスバイアル 充てん：1,200～8,000本／hr 凍結乾燥：15,000本／バッチ(20mLバイアル) 最終滅菌：10,000本／バッチ(20mLバイアル) 無菌保証：アイソレータ, CIP/SIP 低温保管：2～8℃	◎ 無菌製剤	シミックグループで医薬品のバリューチェーンを支援 サービス内容 ・原薬の製造検討 ・処方設計 ・試験法開発 ・技術移転 ・治験薬製造 ・製剤商用生産
◎ 2018年3月GMP製造施設竣工 シングルユース WAVE：50L 2台 シングルユース：200L, 1,000L (2020年度に1,000または2,000L追設予定)の培養および精製ライン	◎ 分析法開発, 分析法バリデーション, 安定性試験, 規格試験, 工程試験, 環境モニタリング, 細胞試験	○	2020～2021年に取得予定	培養, 精製すべてシングルユースシステム採用レギュラトリードキュメンテーション, 抗体バイオシミラーに精通, 海外CDMOと連携
◎ GMP培養ライン×3 500L×3 (2020年までに2,200L培養槽を増設) 精製ライン×2 最終無菌充てん×1	◎ 試験法開発 工程管理試験 セルベースアッセイを含む各種試験法を実施 安定性試験	×	×	ライセンスフリーのPichia pastoris生産 低O-グリカンタンパク質のPichia pastoris生産 高密度フェドバッチ培養

(次ページに続く)

番号	会社名 (本社所在地)	製造施設 所在地	生産系／製品	受託サービスの範囲		
				遺伝子組換体／ ベクター構築	セルバンク 製造・保管	製造開発
6	FujiFilm Diosynth Biotechnologies (米国／英国)	North Carolina (米国)	動物細胞培養／ 微生物培養	◎ 動物細胞培養 Apollo™X高発現シス テム 微生物培養 pAVEway™高発現シ ステム	◎	◎ 動物細胞培養 SATURN™Mab発現 システム CHO， バキュロウイルス（VLP生産）
		Billingham (英国)	動物細胞培養／ 微生物培養	◎ 動物細胞培養 Apollo™X高発現シス テム 微生物培養 pAVEway™高発現シ ステム	◎	◎ 動物細胞培養 SATURN™Mab発現 システム CHO， バキュロウイルス（VLP生産）
		Texas (米国)	動物細胞培養／ ウイルスベクター 製造	◎ 動物細胞培養 Apollo™X高発現シス テム	◎	◎ 動物細胞培養 SATURN™Mab発現 システム CHO
7	JSR (本社　日本) SELEXIS (本社　スイス) KBI Biopharma (本社　米国)	SELEXIS (Geneva)	動物細胞培養・微 生物培養／遺伝子 組換えベクター	◎ コドンの最適化 ベクターの構築	◎ RCBの構築 安定株の初期スクリー ニング RCBのグループ CDMOのKBIまたは他 の製造サイトへの移管	×
		KBI Biopharma (Durham)	動物細胞培養	○ グループ会社Selexis で実施	○ 自社管理下で他社に再 委託	◎ シェイクフラスコ 3L×34 Applicon bioreactor×2 Ambr 15/24×4 Ambr 250/12 or 24×4 15L Applicon bioreactor×4 シングルユースシステム GE 50L×3， GE 200L×3
		KBI Biopharma (Boulder)	微生物培養	◎ E.coli発現株開発	○ 自社管理下で他社に再 委託	◎ ステンレスシステム 3L×2，15L×3， 30L×1

バイオ医薬品の製造 第4章

受託サービスの範囲			日本製造業許可／認定	特色／固有技術
原薬GMP製造／設備仕様	バイオ原薬品質試験	製剤設計／処方設計／製剤GMP製造／試験法開発		
◎ 動物細胞培養 ステンレスシステム 拡大培養 145L, 650L 生産培養 2,000L シングルユースシステム 拡大培養 50L, 500L, 生産培養 1,000L, 2,000L	◎ 目的物質の特性解析 (1次構造，高次構造，翻訳後修飾体の解析) 規格試験法設定	×	×	ApolloTM X：動物細胞発現プラットフォーム SATURNTM：動物細胞mAbプラットフォーム pAVEwayTM：E.coli高発現プラットフォーム
◎ 動物細胞培養 シングルユースシステム 生産培養 2,000L 微生物培養 ステンレスシステム 50L, 500L, 5,000L	◎ 目的物質の特性解析 (2次構造，高次構造，翻訳後修飾体の解析) 規格試験法設定	×	×	
◎ 動物細胞培養 シングルユースシステム 生産培養 2,000L ウイルスベクター製造 HYPERstack, シングルユース 200L	◎ 目的物質の特性解析 (2次構造，高次構造，翻訳後修飾体の解析) 規格試験法設定	◎ バイアル無菌充てん	×	
×	×	×	×	SUREtechnogy プラットフォーム： 1. 高効率遺伝子導入 2. 独自CHO-K1細胞株 3. 最適な市販培地およびフィード推奨 4. ゲノム全配列解析，モノクローナリティ評価
◎ GMP細胞培養×2ライン ライン1：治験用 シングルユースシステム GE 200L×1, 2,000L×1 ライン2：治験用／商業生産用 シングルユースシステム GE 2,000L×2	◎ 生化学試験(ペプチドマップ，AAA，LCMS-MSシーケンシング，CD，FTIR，DSC, DSF, DLS, ICD, FL, 糖分析，CZE, SDS-CGE, cIEF, icIEF, SDS-PAGE, マイクロチップCE, ELISA, 残留DNA, HCP, SE-HPLC, IEX-HPLC, RP-HPLC, HIC-HPLC, アフィニティーHPLC, Biacore, Fortebio 細胞培養アッセイ 翻訳後修飾体奇跡 PEG化サイト解析	×	生物学的製剤認定予定	Custom CHO HCP ELISA マススペクトル解析によるHCP同定および定量 可視・不可視粒状物質(凝集体・異物)解析および同定
◎ 製造区域1 ステンレスシステム 1,500L×1 製造区域2 ステンレスシステム 100L×1 シングルユースシステム 300L×1	◎ FTIR, DLS, Intrinsic Fluorescence, SEC-MALS, ELISA, ForteBio, 残留Protein A, HCP, DNA, IPTG, Free PEG, HPLC/UPLC, CE, gel electrophoresis, SoloVPE, ペプチドマッピング，ウェスタンブロット，HIAC, MFI, Morphology G3-ID	×	生物学的製剤認定予定	

(次ページに続く)

番号	会社名 (本社所在地)	製造施設 所在地	生産系／製品	受託サービスの範囲		
				遺伝子組換体／ ベクター構築	セルバンク 製造・保管	製造開発
8	癸巳化成 (本社　横浜) 横浜バイオリサーチアンドサプライ (本社　横浜)	横浜 (神奈川県)	動物細胞培養／ 微生物培養	◎ 微生物，動物細胞	◎ MCB，WCBのGMP製造および保管	◎ プロセス開発 培養，精製工程最適化 スケールアップ検討
9	メディリッジ (株) (本社　東京)	アブクルクス バイオファクトリー うるま (沖縄県)	微生物培養 遺伝子組換えプラスミド	◎ プラスミドベクター	◎ 遺伝子治療，細胞治療用遺伝子組換えベクター(ウイルス)	○ グループ会社AMBisで実施
		AMBiS 南城 (沖縄県)	微生物培養 遺伝子組換えプラスミド	◎ プラスミドベクター ウイルス／非ウイルスベクター	◎ 遺伝子治療，細胞治療用遺伝子組換えベクター(ウイルス／非ウイルス)	◎ non-GMPプロセス開発
		EirGenix, Inc. 新北 (台湾) 竹北 (台湾)	動物細胞培養／ 微生物生産	○	○ MCB，WCB，EPC GMP製造，保管	◎ 動物細胞培養 ベンチトップ培養槽 2L, 5L シングルユースシステム 50L, 100L, 200L 微生物培養 ステンレスシステム 20L
		TFBSBioScience 台北 (台湾)	遺伝子組換え体 ベクターウイルス	◎ 遺伝子組換え体 ベクターウイルス (AAV, レンチウイルス) 動物細胞遺伝子組換えベクター構築	◎ セルバンク製造 ウイルスベクター (AAV, レンチウイルス)構築，バンク保存	◎ non-GMPプロセス開発 治験薬GMP製造

第4章 バイオ医薬品の製造

受託サービスの範囲			日本製造業許可／認定	特色／固有技術
原薬GMP製造／設備仕様	バイオ原薬品質試験	製剤設計／処方設計／製剤GMP製造／試験法開発		
◎ <動物細胞> シングルユースシステム 生産培養槽1,000L×2 生産培養槽500L×1 生産培養槽200L×1 生産培養槽100L×1 WAVE培養装置×3基 培地調製槽×2基 精製クロマトシステム×2 精製カラム2基 バッファー調製槽×7基 バッファータンク×12基 微生物： 固定設備 生産培養槽300L×1 集菌用ディスク型遠心機×1 フレンチプレス×1 汎用精製クロマトシステム×1	◎ 試験法開発 原薬規格試験 工程管理試験 安定性試験 生化学試験 ペプチドマッピング ELISA in vitroセルベースアッセイ オリゴ糖解析 レセプター結合活性測定 微生物試験 マイコプラズマ試験(PCR)	×	◎ 生物学的製剤 (2020年7月取得)	信頼性の高いセルバンク保管から研究用生産，治験薬製造，商用原薬製造までワンストップサービスを行ってきた癸巳化成と，組換体の調製から工程開発，スケールアップ，治験薬製造を行ってきた横浜バイオリサーチアンドサプライの協働がスタート。研究開発know-howと製造管理know-howのシナジー効果による顧客サービス向上を目指す。 癸巳化成が微生物培養設備を取得したことにより，微生物生産にも対応。 8月には業許可取得し，上市品の受託製造もスムーズに対応できる体制を確立する。
×	○ プラスミド試験はTFBS Biosciene が実施。	×	× 取得準備中	アブクルクスが実作業，運営管理をメディリッジが担当
◎ 治験薬GMP製造 種菌培養室 5L，20Lジャーファーメンタ ハザード室 90L培養タンク 精製室 クロマトグラフィー装置	○ セルバンク試験 タンパク質特性解析	×	× 過去にGMP製造業許可可 現在は治験薬GMP	微生物高密度培養 完全閉鎖系培養システム(特許出願)
◎ 動物細胞培養 シングルユースシステム 50L，200L，1,000L，2,000L （最大培養能力：(2,000L×2)×6） 微生物培養 ステンレスシステム 最大培養容量1,000L	◎ 確認試験，定量試験，純度試験，不純物試験，生物活性，生物汚染試験	×	◎ 生物学的製剤	対応発現系：CHO，NS0，PER.C6，E. coli，Pichia 生産能力：CHO-S, CHO-K1でgレベルの生産達成 血清／成長因子類フリー培地使用 タンパク質特性解析およびQC試験 プロセス開発，動物細胞および微生物培養は独立した設備 ADC合成技術(Formosa Loboratoriesとの共同開発) PIC/S GMP準拠
×	◎ ウイルス等試験用P2施設 感染動物用アイソレーションラック ウイルス安全性試験 (in vivo, in vitro) マイコプラズマ否定試験 無菌試験 ブタ由来／ウシ由来ウイルス否定試験 ウイルス製剤等臨床試験支援分析サービス 担動物作製，解析	×	×	これまでに大腸菌，哺乳動物細胞のセルバンク試験など多数の受託実績あり。 ウイルスクリアランス試験は年に数回の実績あり。 ウイルスベクター(AAV，レンチウイルス)の治験薬GMP製造を開始。

（次ページに続く）

番号	会社名 （本社所在地）	製造施設 所在地	生産系／製品	受託サービスの範囲		
				遺伝子組換体／ ベクター構築	セルバンク 製造・保管	製造開発
10	DM Bio （本社　韓国） Meiji Seikaファルマ （日本の窓口）	Incheon （仁川）	動物細胞培養	○ グループ会社での実施 相談可	○ MCB，WCB GMP製造，保管	◎ Ambr15 2L×4 10L×4※ （バイオリアクター：） ※10Lを4（2）機培養時 2Lは2（4）基培養可能。 ATF system ×2 WAVEシステム 20L×1，50L×1 シングルユースシステム 200L×1 小型，パイロットスケール クロマト装置 小型UF/DF装置
11	持田製薬工場 （本社　大田原）	大田原 （栃木県）	製剤GMP製造	×	×	×
12	日本マイクロバイオファーマ （本社　東京）	磐田 （静岡県）	微生物培養	◎	◎ MCB，WCB	◎
		清須 （愛知県）	微生物培養	◎	◎ MCB，WCB	◎ 開発拠点
		八代 （熊本県）	微生物培養	◎	◎ MCB，WCB	◎
13	ニプロファーマ （本社　大阪）	大館 （秋田県） 伊勢 （三重県）	製剤GMP製造	×	×	×

第4章 バイオ医薬品の製造

受託サービスの範囲			日本製造業許可／認定	特色／固有技術
原薬GMP製造／設備仕様	バイオ原薬品質試験	製剤設計／処方設計／製剤GMP製造／試験法開発		
◎ WAVEシステム 20L×4, 50L×4 シングルユースシステム 200L×4, 500L×4 ステンレスシステム 2,500L×3 連続遠心分離機 プロセススケールクロマト装置 大, 中型UF/DF装置	◎ 生化学試験 免疫学的試験 最新ガイドラインのEMS/LIMS対応	◎ プレフィルドシリンジのシングルユース充填設備 充てん：10,800シリンジ／hr ブリスター, カートン包装：3,000/hr 二次包装設備 ・各種シリンジに対応したChange Parts 保持	◎ 外国製造業者登録 ・生物学的製剤 ・無菌医薬品／PMDA認定 ・原薬工程 ・製剤工程	ステンレス, シングルユースの両方を持つCDMO 併設の研究センターにて各種バイオ医薬品のプロセス開発等を受託可能（クライアントとの共同実施可）
×	×	◎ 注射剤製造 洗浄：ボッシュ製アンプル, バイアル, ゴム栓洗浄機 滅菌：ボッシュ製アンプル, バイアル滅菌機 充てん：ボッシュ製アンプル, バイアル充てん閉塞機 凍結乾燥：共和真空製凍結乾燥機 滅菌：ゲティンゲ製アンプル, バイアル滅菌機 巻締：KT製作所製	◎ 無菌製剤	ボッシュ製大型洗浄機, 滅菌機, 無菌充てん機
◎ ステンレス 30〜60,000L	◎	×	◎ 医薬品一般	日本マイクロバイオファーマの強み： ・カルタヘナ法準拠, GILSP準拠 ・FDA査察に適合した発酵技術 ・微生物によるバイオ医薬品生産（プラスミド, サイトカイン, ペプチド, 断片抗体, ADCなど） ・抗がん剤など高活性原薬の製造 ・ADCコンジュゲーション技術開発
◎ ステンレス 90〜3,000L	◎		◎ 医薬品生物学的製剤等	
◎ ステンレス 50〜100,000L	◎		◎ 医薬品一般	
×	×	◎ 大館工場, 伊勢工場 注射剤 プレフィルドシリンジライン ネスト, シングルユース対応 バイアルライン シングルユース対応 小容量バイアル充てんライン 400vials/min 低温充てん 充てん量0.3 - 25mL 充てん薬液ロスの最小限化 液剤／凍結乾燥製剤 調製スケール10L - 1,000L （2021年春稼働予定）	◎ 無菌製剤	低溶出バイアル「VIALEX®」 デラミネーションやタンパク質凝集発生リスク抑制 溶解移注射針付プレフィルドシリンジ セーフテクト® 検査包装専用工場（伊勢）

（次ページに続く）

番号	会社名 (本社所在地)	製造施設 所在地	生産系／製品	受託サービスの範囲		
				遺伝子組換体／ ベクター構築	セルバンク 製造・保管	製造開発
14	積水メディカル ／ SEKISUI DIAGNOSTICS UK(SDUK) (本社 英国)	Maidstone (英国)	微生物培養	×	◎ MCB, WCB保管	シングルユースシステム プロセス開発 20L - 5,000L
15	スペラファーマ (本社 大阪)	製剤製造施設 (大阪)	無菌製剤	×	×	×
16	テルモ (本社 東京)	富士宮(静岡県) 甲府(山梨県) テルモ山口 (山口県)	製剤GMP製造	×	×	×
17	東洋紡 (本社 大阪)	大津 (滋賀県)	動物細胞培養	◎	◎ MCB, WCB	◎ ステンレス試作検討用 50L×1
18	ZENOAQ／ 全薬工業(株) (本社 郡山)	郡山 (福島県)	動物細胞培養	◎	◎	◎

受託サービスの範囲			日本製造業許可／認定	特色／固有技術
原薬GMP製造／設備仕様	バイオ原薬品質試験	製剤設計／処方設計／製剤GMP製造／試験法開発		
◎ シングルユースシステム cGMP準拠 1,000Lスケール ICH GMP準拠 遠心分離機，ホモジナイザー，限外濾過装置，イオン交換，アフィニティー，疎水性，MMCなど数種類のクロマトグラフィー（ラボスケールから200Lまで）	◎ In-house試験体制	×	×	2008年に積水化学工業株式会社のメディカル事業部門と第一化学薬品株式会社の統合により発足した積水化学グループのライフサイエンス分野を担う中核会社 検査事業と医療事業を柱として，国内，北米，欧州，アジアなどでグローバル事業展開を加速．
×	◎ ・試験法の開発，糖鎖・ペプチドマップ等特性解析，処方評価，安定性試験 ◎ （一部再委託） ・治験薬の各種GMP試験（試験法バリデーション，品質試験，安定性試験）	◎ アイソレータ付帯バイアル洗浄・滅菌・充填・施栓・巻締・外面洗浄一連機 ・ガラスバイアル（3mL〜35mLサイズ） ・ゴム栓（13mm，20mm） ・液体充填：0.5-20mL/バイアル（ペリスタルティックポンプまたはタイムプレッシャー方式） ・粉末充填：25-500mg/バイアル（オーガ方式） ・全数秤量システム採用 ・薬液調製〜無菌ろ過〜充填プロセスのシングルユースシステム（50L） ・ステンレス製薬液調製（20L，50L，100L，200Lタンク）〜無菌ろ過〜充填設備（S/CIP）対応 ・最大8,000本／バッチ	×	・カテゴリー5の封じ込め対応アイソレータ（秤量アイソレータ，充填アイソレータ）適用 ・アイソレータに凍結乾燥機器を連結してカテゴリ5までの凍結乾燥製剤の製造可能 ・洗浄滅菌したゴム栓ベッセルをダイレクトにアイソレータに無菌接続するため汚染のリスクがない ・シングルユースシステムを採用することで，交叉汚染のリスクおよび薬液ロスを最小限とする ・充填後のプロセスにバイアル外面を洗浄する機能を有していることにより薬物汚染，交叉汚染のリスクの回避が可能 ・原薬及び製剤製造と連携した分析機能 ・LC/MS法を中心とした特性解析技術
×	×	◎ 富士宮工場，甲府工場，受託製造展開中 テルモ山口，プレフィルドシリンジ工場追加増設完了。 （2021年稼働開始）	◎ 無菌製剤	シリコンオイルフリー表面加工技術 "i-coating" 材料COPを使用したプレフィルドシリンジ "PLAJEX"
◎ ステンレス 生産培養槽4,000L×1 精製クロマトシステム×3	◎ 分析法開発 分析法バリデーション 安定性試験 規格試験	◎ ガラスバイアル （2mL〜50mLサイズ） 最大46,000本／バッチ 充てん：最大200本／分 プレフィルドシリンジ （1mL〜5mLサイズ） 最大8,000本／バッチ 充てん：最大30本／分	◎ 無菌製剤	無菌充てん製剤／凍乾製剤 2015年よりプレフィルドシリンジ製造受託開始 プレフィルドシリンジはアイソレータおよびベンチレーション式蒸気滅菌機を用いて無菌充てん，閉塞を実施
◎ シングルユース 種培養：フラスコ20mL〜500mL 拡大，生産培養：50L，250L，500L，2,000L WAVE培養装置：1基（2L〜10L） 培地調製タンク：100L，500L，1,000L クロマト装置（K-Prime40II）×3 送液100〜3,000mL/min クロマト装置（AKTA-pilot）×2 送液4〜800mL/min	×	×	×	細胞保存用DMSO Freeセルバンカーを販売 次世代バイオ医薬品製造技術組合と連携

表4-9 国内CROリスト

	会社名(本社所在国)	試験施設	受託の範囲	受託可能な試験項目	固有技術
1	シミックファーマサイエンス(本社 山梨)	日本：山梨(動物試験)兵庫(バイオアナリシス)北海道(CMC)	GLP試験非臨床領域における医薬品の申請書類作成(メディカルライティング)医薬品の開発におけるコンサルティングGMP試験(生物学的製剤，分析試験)薬効薬理試験薬物濃度分析バイオマーカー測定安定性試験微生物試験バイオ医薬品の評価	安全性試験遺伝毒性試験薬効薬理試験仕様模擬試験LC/MS/MSPCRフローサイトメトリー生物活性評価(培養細胞，動物を用いるバイオアッセイ)免疫学的測定(ELISAなど)物理化学的試験(キャピラリー電気泳動，各種HPLC測定など)微生物試験(無菌試験，エンドトキシン試験，微生物限度試験など)	①規制当局(FDA，PMDA，北海道庁)による適合性調査を受けており，すべて適合している。②抗体医薬等の受託実績が豊富で，各種機器分析，微生物試験に加えて，バイオアッセイに強みを持っている。
2	イーピーエス(EPS)(本社 東京)	アジア地域(臨床試験)	医薬品開発支援再生医療開発支援臨床支援	臨床データマネジメントCRF：症例報告書Electronic Data Captureデータ入力，コード化(有害事象，合併症)中央モニタリング薬剤割付統計解析技術	国内最大のCRORBMサービス：重要なプロセスリスクの特定，データの可視化を通じて試験で起こりうるリスクを最小化し，効率的な運用を実現
3	eurofins／ユーロフィン分析科学研究所(本社 京都)	ユーロフィン分析科学研究所(京都)ユーロフィンバイオファーマグループのグローバル試験施設(米国，イタリア，オランダ他)	＜ユーロフィン分析科学研究所＞試験法開発，品質試験，微生物学的試験，不純物試験，製剤開発支援，異物分析，安定性試験，標準品管理＜グローバルラボ＞マイコプラズマ否定試験，ウイルスクリアランス試験，毒性評価，セルバンク，不純物評価，医薬品包装の機能性試験 他	開発初期から商用までの医薬品ビジネスにおけるソリューションの提供・Extractables &Leachables試験(プロジェクトを包括的にサポート)・残留溶媒試験(ICH-Q3C対応)・元素不純物試験(ICH-Q3D対応)・試験法開発，分析法バリデーション(承認申請を見据えて対応)・JP/USP/EP3極対応 品質試験(低分子・抗体・ADC対応)・安定性試験(各種保存条件 対応)・異物分析(24時間以内の速報サービス)・製剤開発支援(表面分析および非破壊分析)	グローバル医薬品GMPに対応した18カ国，34カ所のラボネットワークを活用し，製品開発初期から商用までのあらゆる試験ニーズに，各種規制を遵守しつつ，効率的かつスピーディーに対応。JP/USP/EP3極に対応。グローバルラボは，GMPやGLPに準拠。ISO17025，ISO1348，ISO22716の認定。医薬品包装の機能性試験について長年の実績。イタリアラボは，日本国内で実施が難しい毒性評価やウィルスクリアランス試験。オランダラボはバイオ医薬品分析，セルバンク，ニトロソアミンなど不純物評価を受託。
4	ファルコバイオシステムズ(本社 京都)	ライフサイエンスラボ(京都)	臨床検査微生物検査ウイルス試験(PCR)	再生医療等製品関連試験遺伝子解析による微生物同定培地性能試験マイコプラズマ否定試験抗菌試験・抗ウイルス試験	食品衛生検査，環境検査，医薬品，化粧品等の検査受託業務食品の規格検査に関する受託業務食品製造設備を主とした衛生管理業務食品衛生に関するコンサルティング微生物制御の研究に関する試験受託，コンサルティング医薬品・化粧品等の研究開発に関する検査受託業務

(次ページに続く)

バイオ医薬品の製造 第4章

	会社名 (本社所在国)	試験施設	受託の範囲	受託可能な試験項目	固有技術
5	インクロムCRO (本社 大阪)	CRO業務(大阪本社)	臨床試験モニタリング データマネジメント 統計解析 メディカルライティング	モニタリングおよびGCP監査 責任医師,分担医師の要件確認 医学専門家の委嘱補助 治験の依頼,IRB対応 医師及びCRCへの説明 GCP監査(治験施設,CRO) 統計解析,EDCシステム構築支援 治験計画書,症例報告書,治験薬概要書作成	インクロム：提携医療機関である医療法人平心会 大阪治験病院, OCROMクリニックの臨床試験をサポートするSMO インクロムCRO：インクロムSMOで管理された治験の実施, 進捗管理, データ解析を担当。
6	intellim (本社 東京)	CRO業務(東京本社)	国内臨床試験 →intellim グローバル企業→IQ Pharma Services(アジア治験)	臨床薬理試験(PhaseⅠ) 探索的試験(PhaseⅡab) 検証試験(PhaseⅢ) 治療的試験(PhaseⅣ) 製造販売後調査	製薬企業と医療機関のかけ橋となって, 高品質でスピーディなモニタリングサービスを提供
7	LSIメディエンス (本社　)	鹿島試験センター(茨城) 熊本試験センター(熊本)	臨床検査 体外診断用医薬の開発 医薬品開発支援サービス ドーピング検査	臨床検査(生化学的検査, 血液学的検査, 免疫学的検査, 微生物学的検査, 遺伝子関連検査, 病理学的検査, その他検査) 医薬品探索支援, 非臨床, 臨床試験 バイオマーカー分析 ヒト細胞による薬効, 毒性評価	4000を超える信頼性の高い臨床検査の豊富な実績 最新の検査機器による結果を情報システムおよび全国ネットワークにより高品質かつ迅速に医療機関に提供。
8	メディリッジ (本社 東京)	TFBS Bioscience(台湾) Texcell(フランス, 米国, ドイツ)	＜TFBS Bioscience＞ セルバンクの特性解析 プロセスバリデーション, 不純物の解析 バイオ医薬品安全性試験 原薬の出荷規格試験 GLP試験 バイオアッセイ開発 医療機器の滅菌とクリーニングの研究 ＜Texcell＞ セルバンクウイルス安全性試験 ウイルスクリアランス試験	＜TFBS Bioscience＞ ウイルス等試験用P2施設。 感染動物用アイソレーションラック その他, 試験に必要な設備機器。 セルバンク作製, 特性解析, 安全性試験 ウイルスクリアランス試験 ウイルス安全性試験 臨床試験支援分析サービス(ウイルス製剤の臨床検体含む) 治療用組換えウイルスベクターの品質試験 ＜Texcell＞ セルバンクの作製 セルバンク安全性試験(ICH Q5A準拠) ウイルスクリアランス試験 バイオ医薬品の体内動態解析 イムノプロファイリング	＜TFBS Bioscience＞ クロスコンタミを防止する試験設備設計 ウイルスはP2プラス施設での扱い 動物試験設備はBSL2準拠 ＜Texcell＞ ICH Q5A準拠試験はTexcell(パリ郊外) 免疫原性, 免疫毒性試験はVivo Science(ドイツ) 9CFRに準拠したウシウイルス否定試験
9	MICメディカル (本社 東京)	薬事調査, 臨床開発(東京本社)	医薬品, 医療機器の臨床開発に関する業務(CRA派遣, モニタリング, QC, QA, メディカルライティング) 医薬品, 医療機器の製造販売承認申請支援業務 医薬品, 医療機器の製造業許可および製造販売業許可申請支援業務 CRA・MRの教育研修支援業務 上記に係る各種コンサルティング業務	臨床開発プランニング モニタリング(治験の申請, 医療機関との契約, 臨床試験の進捗管理) GCP監査 薬事, メディカルライティング(申請書作成)	薬品, 医療機器の治験(医師主導治験を含む)ならびに製造販売後臨床試験が, 医薬品医療機器法, GCP省令, 治験実施計画書および標準業務手順書等を遵守して実施されているかを随時確認し, 治験等に係る品質を確保。

(次ページに続く)

	会社名 (本社所在国)	試験施設	受託の範囲	受託可能な試験項目	固有技術
10	生物科学安全研究所(RIAS) (本社 神奈川)	試験施設(神奈川)	ICH Q5Aに準拠したセルバンク(MCB, WCB)のウイルス試験, マイコプラズマ否定試験, 無菌試験 ウイルスクリアランス試験	薬事コンサルティング ウイルス安全性評価試験 ウイルスクリアランス試験	GLP, GCP, GPSP準拠試験設備。セルバンク試験, ウイルスクリアランス試験を実施するために必要な設備はすべて自研究所で所有
11	住化分析センター(SCAS) (本社 大阪)	大阪ラボラトリー(大阪) 大分ラボラトリー(大分) 千葉ラボラトリー(千葉) 筑波ラボラトリー(茨城) 淀川ラボラトリー(大阪) 愛媛ラボラトリー(愛媛)	バイオ医薬品のCMC分析 試験法設定, 規格試験設定 生体試料中の微量薬物濃度測定 再生医療等製品・細胞医薬品の開発支援分析 in vitro安全性スクリーニング in vitro/vivo薬物動態スクリーニング	タンパク質一次構造 糖鎖パターン, 糖組成 分子量 変異体, 分子サイズvariants 電荷variants 宿主由来タンパク質 残留DNA 力価 タンパク質定量 微生物試験	ECLイムノアッセイを用いた生体試料中濃度測定 信頼性基準, GLPに基づいたin vitroセルベースアッセイ SPR法による血清中抗体濃度測定 Q Orbitrap質量分析計とナノLCを組み合わせたモノクローナル抗体の特性解析 電気化学発光(ECL)を用いた抗HCP抗体の定量 再生医療等製品の品質評価試験の構築
12	東レリサーチセンター(TRC) (本社 東京)	滋賀研究部門(滋賀) 名古屋研究部門(愛知) 鎌倉研究部門(神奈川)	GLP試験(TK測定), 臨床試験(PK測定) GMP試験(品質, 安定性試験) 構造解析, 特性解析 不純物分析 バイオマーカー探索 イメージング 遺伝子解析	創薬研究支援(バイオマーカー探索, イメージング, 相互作用解析他) 薬物動態(TK・PK測定, バイオマーカー測定) 構造決定, 不純物構造解析, 特性解析, 品質・規格試験, 安定性試験 Q3D(ICP-MS), E&L(Extractables&Leachables)	1978年6月東レ株式会社の研究開発部門より独立。「信頼性の高い技術を提供させていただくこと」と「機密保持を厳守すること」がモットー
13	トライアングル (本社 東京)	東京本社(資料作成, QC)	資料作成 翻訳(日英, 日中) QC コンサルティング 教育研修	医薬品開発に特化した豊富な専門家を抱える専門集団として, お客様の幅広いニーズに対応。監督官庁への対応や, 書類作成上のノウハウなど, 経験豊富な外部専門機関を活用することで開発の短縮化, 費用の削減を提供する。	・医薬品等の申請資料の作成・翻訳・QCおよび医薬品開発に関わるコンサルティング事業 ・総合人材コンサルティングおよび受託研究業務
14	新日本科学PPD (本社 東京) PPD (本社 米国)	<新日本科学PPD> 安全性研究所(鹿児島) 薬物代謝分析センター(和歌山) つくば分析ラボラトリー(茨城) <PPD> 米国, 英国, ブルガリア, フィリピン, メキシコ, オーストラリア, 中国など46か国	第I相〜第IV相における臨床試験支援 モニタリング データマネジメントと生物統計解析 PMDA対面助言に関わる支援を含む薬事業務 メディカルライティング GCP監査・試験実施施設監査 ファーマコビジランス 国内, アジア, およびグローバルの臨床試験のマネジメント	<新日本科学PPD> 安全性試験, 臨床試験 薬事業務 メディカルライティング <PPD> グローバル治験 製品開発およびコンサルテーション バイオ分析 GMP試験 バイオマーカー試験	業界大手のグローバルCROであるPPDと新日本科学の臨床開発部門が合併して誕生した合弁会社 過去5年間で150試験以上の臨床試験受託実績 全世界的に統合されたオペレーションシステムと技術を駆使して, 各地域に適した知識と経験に基づき, 高い品質のサービスを提供 PPD® Laboratoriesにおける最先端の設備を用い, スピードおよびコストを重視し, 画期的なワクチンやバイオ医薬品の開発を推進

(次ページに続く)

	会社名 (本社所在国)	試験施設	受託の範囲	受託可能な試験項目	固有技術
15	SRL (本社　東京) エスアール・エルメディサーチ (本社　東京)	八王子ラボラトリー(東京) 港ラボラトリー(東京)	受託臨床検査事業 健診機関の運営受託・健康増進サービス 治験(医薬品開発)支援※ 病院支援サービス(クリーニング ※関係会社	株式会社日本医学臨床研究所 生化学的検査 　血液学的検査 　免疫学検査 　尿・糞便検査 　内分泌学検査 　腫瘍関連検査 　機能検査 　ウイルス関連検査 　血中薬物検査 　特殊分析検査 　穿刺液・採取液検査 　染色体・HLA検査 　産業医学関連検査 　微生物学検査 株式会社北信臨床 生化学検査 　免疫学検査 　血液学検査 　凝固検査 　尿・糞便・その他検査 　外注検査処理・分注処理 群馬臨床検査センター 生化学検査 　血液検査 　一般検査(尿，便等検査) 　血清免疫検査 　細菌	八王子ラボラトリー群では，臨床検査室の国際規格である。ISO15189「臨床検査室－品質と能力に関する特定要求事項」が発行された2003年より規格が求める内容を理解し品質保証システムの構築に取り組んできた。2005年12月には，公益財団法人日本適合性認定協会の臨床検査室認定を取得し，継続的に品質の向上に取り組んでいる。
		相模原ラボラトリー(神奈川)	治験検査業務，臨床開発業務などの受託	品質試験(バイオ医薬品，再生医療等製品等)	バイオ医薬品(バイオテクノロジー応用医薬品／生物起源・由来医薬品)・再生医療等製品を対象に，生物学的な手法によりICH Q5A，Q5D，第17改正日本薬局方等に記載されている試験(各種品質試験)を実施。 細胞・ウイルスを対象とした，医薬品の力価試験。 1 無菌試験(日本薬局方) 2 マイコプラズマ否定試験(日本薬局方，生物学的製剤基準)・培養法，DNA染色法，PCR法(NAT) 3 エンドトキシン試験(日本薬局方) 4 インビトロウイルス試験・CPE，HAおよびHAdによる検出 5 ウイルス否定試験・HBV，HCV，HIV-1，HTLV-1，B19V 6 その他・製剤力価試験など

(次ページに続く)

	会社名 (本社所在国)	試験施設	受託の範囲	受託可能な試験項目	固有技術
16	スペラファーマ (本社　大阪)	分析研究部門(大阪)	タンパク質の特性解析 バイオ原薬，製剤試験法の開発 安定性試験 微生物学的試験 製剤検討評価	糖鎖構造解析 ペプチドマッピング HPLC分析(SEC-HPLC，IEX-HPLC) 微生物限度試験，無菌試験，エンドトキシン試験 機能性製剤試験 安定性試験 添加剤，製剤包装材試験 分解物，不純物の構造推定 MALDI-TOF/MSによる微生物の迅速同定	主要機器： HPLC, UHPLC, GPC, KF, HIAC, LC/GC-MS, MALS, MS, NMR, IR, NIR, UV, 吸湿平衡装置, ラマン, 粒度, 粉末X線, 熱分析(TG/DSC/DTA), TG/MS, XRD-DSC, 各種溶出試験器, 崩壊試験器, ICP-AES, ICP-MS, ELSD, CAD, 旋光度, 各種安定性保存庫(長期，加速，苛酷), MALDI-TOF/MS
17	ViSpot (本社　兵庫)	試験施設(兵庫)	バイオ医薬品のウイルスクリアランス試験	BSL-2ラボ ICH Q5A準拠	次世代バイオ医薬品製造技術研究組合の成果から生まれたウイルス試験技術

2. バイオ医薬のアウトソーシングの課題と今後

　近年，需要と期待が高まっているCDMO，CROサービスであるが，CDMOおよびCROそれぞれに課題がある。

　CDMOのうちモノクローナル抗体などを製造する動物細胞培養による製造のほとんどはプラスチックバッグを使用するシングルユースシステムを採用している。シングルユースシステムは製品切り替えによる交叉汚染の心配がないこと，製造設備建設の初期投資軽減でのコスト削減，洗浄バリデーションが不要でGMP製造開始期間の短縮などのメリットがあるが，設備の自動化が難しくステンレスシステムに比べて手作業が多く人為ミスの発生リスクが高い，プラスチックバッグ，シングルユースの付属品などの材料費が高い，などのデメリットもある（**図4-17**）。最近，連続生産法の導入検討によりシングルユースシステムの自動化や生産性向上により製造のコストダウンが図られており，連続生産での受託が可能であることを表明する

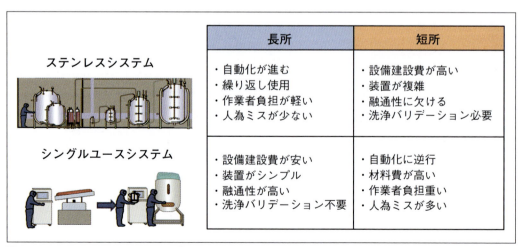

図4-17　ステンレスシステムとシングルユースシステムの長所および短所

CDMOも出てきている。

　バイオ医薬品の薬価は低分子合成薬に比べて桁違いに高いことが関節リウマチやがん治療に十分に使用されてない一番の理由となっている。安い培地を用い短期間で目的タンパク質を得ることができる微生物生産の可能性は高まっている。また，再生医療や遺伝子治療に不可欠なプラスミドベクターは大腸菌などの微生物で生産される。国内では数少ないが，今後微生物生産を行うCDMOへのニーズは高まると予想される。

　CROについての課題であるが，開発の各ステージを担当するCROはそれぞれ専門化してしまっており，開発のあらゆるデータを統合して承認申請に臨まなければならない委託元の期待と試験に限定されたCROの成果との間にずれが生じてしまっている。またプロセス管理が重要であるバイオ医薬品の製造では工程管理試験が必須であるが，CROにも製造プロセスに対する理解と経験を持って製造をサポートするサービスが提供できるようになることが望まれる。

　2020年は新型コロナパンデミックの発生でバイオ医薬のアウトソーシングにも大きな影響が出ている。海外のCDMOを選んだが，慣れないテレワークとWEB会議で委受託の作業がなかなか前に進まず，国内のCDMOを再検討することになるケースも出ている。これまで海外のCDMOに依存していた日本のバイオ医薬品の開発は，国内のCDMOを育てて活用していくなど，より主体的かつ柔軟な戦略を立てる必要性が増している。

■参考文献

1) ICH Q7 原薬GMPガイドライン 医薬発第1200号 平成13年11月2日．
2) PIC/S GMP Guideline ANNEX 2 Manufacture of Biological Medical Substances and Products for Human Use, Revision September 2019.
3) 岡村 元義，"バイオ医薬品製造および品質管理におけるアウトソーシングの動向"，PHARM TECH JAPAN, Vol.29 No.11, 7-19, 2013.
4) 岡村 元義，"バイオ医薬品製造および品質試験におけるアウトソーシングの動向"，PHARM TECH JAPAN, Vol.31 No.12, 2015.
5) 岡村 元義，岡入 梨沙，馬場 玲佳，"バイオ医薬品製造および品質試験におけるアウトソーシングの動向"，PHARM TECH JAPAN, Vol.33 No.11, 20-30, 2017.
6) 岡村 元義，"バイオ医薬品の開発および製造におけるアウトソーシングの動向 －国内編－，PHARM TECH JAPAN, Vol.34 No.10, 23-35, 2018.
7) 岡村 元義，"バイオ医薬品の開発および製造におけるアウトソーシングの動向 －海外編－，PHARM TECH JAPAN, Vol.34 No.11, 17-39, 2018.
8) 岡入 梨沙，岡村 元義，"バイオ医薬品製造におけるアウトソーシングの動向"，PHARM TECH JAPAN, Vol.35 No.11, 35-63, 2019.
9) 岡入 梨沙，岡村 元義，"バイオ医薬品製造および品質試験におけるアウトソーシングの動向"，PHARM TECH JAPAN, Vol.36 No.12, 1983-2006, 2020.

第 5 章

シングルユース技術

はじめに

　迅速でフレキシブルな医薬品開発と製造への要求から，シングルユース技術の利用は急速に拡大し，特にバイオ医薬品やワクチンの開発と製造では，その普及は顕著で欠かせない技術の1つとなった。現在では培養工程から精製工程，さらには製剤工程まで，すべての段階でシングルユース技術の導入が進み，開発フェーズにおいても研究開発段階の非GMP製造から，商業生産のGMP製造へと適応を広げてきた[1]。

　本技術は，製造前後の洗浄の必要がないため，洗浄設備や滅菌設備等のユーティリティ設備の設置が不要であり，設備自体の簡素化が可能であることに加え，設備の立ち上げ期間が短いといった長所がある。そのため，設備投資額の低減化のみならず，洗浄バリデーションの省略，チェンジオーバー期間の短縮，製造サイクルの向上といった効率化や，複数品目を同一設備で製造する場合でも製品間のクロスコンタミネーションリスクを低減できるといったさまざまな利点が知られている。

　もともとこの技術は，製造時の中間容器へのプラスチックバッグの利用を中心に進展してきた。医薬品の最終容器としてのプラスチックバッグの歴史は古く50年以上の実績があるが，医薬品製造用中間容器としての歴史はおよそ20年程度である[2, 3]。医薬品製造におけるシングルユース化への取り組みについては，洗浄バリデーションの負担軽減等を目指した背景から，1980年代にカプセル型のフィルター等の試みに始まり，1990年代には中間容器や培養槽への応用が始まっている。前述したシングルユースの本来のベネフィットを発揮するには，バッグやフィルターだけの単独技術では成立せず，実用化には，接続技術，撹拌技術，送液技術，計測技術など周辺技術の充実が不可欠であった。これらは2000年以降，新製品や新しいアプリケーションに対する技術開発が活発に行われ，さまざまな用途に対応するシングルユース製品が利用できることに伴って急速な発達を見せた。バッグ自体の容量レンジの拡大（現在最大5,000 L程度）も相まって，現在のシングルユース技術の普及を支える要因となった[4, 5]。

　シングルユース技術がここまで普及したもう1つの背景には，いくつかの業界団体がシングルユース技術の理解を業界へ浸透させるべく活動し，さまざまな課題を克服することで懸念事項を払拭してきたことも大きい。PDAでは，シングルユース技術の評価方法やバリデーションの方法について詳述しながら，シングルユースシステムの採用に際する適切な意思決定ができるガイドとして，テクニカルレポートNo.66を発表した。Bio-Process Systems Alliance（BPSA）では，現行実施されている試験内容を部品ごとに調査・整理し，その内容に合意を得るとともに，現在シングルユース製品に使用されている構成部品の品質管理の基盤として，情報提供を製薬業界に行っている。BioPhorumでは，シングルユースシステムの各部品（シング

ルユース製品）に関してExtractables/Leachables[7]の標準的なデータ取得に対する提案，および製品の変更通知やサプライチェーンのあり方に対する活動を行っている。また指針としてASTM（American Society for Testing and Materials）がシングルユース製品のExtractables/LeachablesやParticulatesに関する試験の規格作りを，ASME（American Society of Mechanical Engineers）がASME-BPE（Bioprocess Equipment）にシングルユース製品に関する規格を加えている。さらにはISPE（International Society of Pharmaceutical Engineering）も積極的な活動を継続している。

　シングルユース技術の具体的な要求事項や規格・基準まで言及し，シングルユース技術に特化したレギュレーションは，現時点で存在していないが，これらの活動成果が，既存のレギュレーション等の考え方を参考にしながらリスクを評価し，シングルユース技術の導入を進めることに繋がったことは明らかである。本章では，シングルユース技術の概要や用途例を紹介し，その特徴，評価方法，リスク管理に加え，ユーザーの観点も交えて概説する。

1．シングルユース技術の概要と関連する製品

（1）シングルユースの定義

　シングルユースシステムの概要を述べるに当たって，「シングルユースシステムを用いて製造されるバイオ医薬品の品質確保に関する提言」[8]を参考に，本章でのいくつかの用語の定義を以下に示す。

- ・シングルユース製品：使用回数が1回（単回使用）である製品。本章では，バイオ医薬品やワクチン等の製造に用いられるプラスチック製のバッグ，フィルター，チューブ，コネクター，溶液保管用ボトル，センサー等。
- ・シングルユースシステム：上述のシングルユース製品を，装置・設備等の主要部分に備えたシステム。
- ・単回使用（Single use）：使用回数が1回であることを指す。なお，同一物質を取り扱う1つの工程でシングルユース製品を複数回使用後，廃棄されるものについては，基本的にシングルユース製品とは定義しないが，本章を参考にすることができる。また複数回使用する際に洗浄作業が必要な場合は，本章で示す要件のほか，洗浄バリデーション等が発生することにも留意しなければならない。

（2）シングルユース製品の紹介

①シングルユースバッグ

　シングルユースバッグは，合成樹脂製フィルムとチューブ，ポートからなる容器である（図5-1）。市場には多くのサプライヤーからそれぞれ特徴あるバッグが提供されていることから，目的に合ったバッグを選択するのが肝要である。そのためには，導入検討に際し，使用する用途，大きさ，形状，周辺機器との接続，無菌性確保の有無，動物由来原料使用の有無，取扱性能，品質基準や変更管理ルールなどといった要求される仕様を明確化しておくことが望ましい。ただし，これらはサプライヤーと打ち合わせながら決められることが多い。またシングルユー

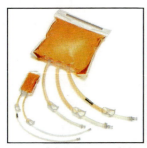

図5-1　シングルユースバッグ（例）

スバッグ等は直接接液する部材であるため，接液部材の性質・性能の一貫性の確保が重要であり，そのためのサプライヤーとユーザー間での情報開示や変更通知の取り決めも重要になる。

バッグには，サプライヤーによりフィルム材質と透明度，デザイン形状，接続ポートタイプなどが異なることにも留意が必要である。通常，50 mLから5,000 Lといったサイズのラインアップで提供されている。50 L以上の大きさの場合では，バッグの形状は3次元の立体構造になり，バッグを支持し保護する樹脂製やステンレス製の容器が使用される。用途としては，細胞培養用の培地やバッファーの調製と保管，培養液，クロマトグラフィー工程のフラクション回収，中間体の保管，サンプリング工程，製剤工程での調液・保管などさまざまなものがあげられる。用途によっては，凍結する場合があるため，バッグや周辺機器との接続部の強度は十分に留意しておく必要がある。

一般的に，バッグに対してはサプライヤーでの開発時あるいは製造時に次のような試験が実施されている。

・機械的強度試験
・バイオバーデン試験
・無菌試験
・ガンマ線照射耐性試験
・凍結耐性試験
・チューブ接続部強度試験
・保管寿命試験
・生物学的安全性試験
・物理化学試験
・酸素透過性試験
・二酸化炭素透過性試験
・水蒸気透過性試験
・エンドトキシン，微粒子試験，異物目視検査
・Extractables評価試験
・液排出試験

②無菌接続コネクター／無菌ディスコネクターおよびチューブウェルダー／チューブシーラー

　無菌接続コネクターが開発され，評価検討，導入されるまでには数年を要したが，現在では複数のサプライヤーから提供され，これまで以上に利便性が高まっており，多くの用途で採用されている（図5-2）。

　無菌接続コネクターは，乾燥した状態にある2種類の流路を無菌的に接続するデバイスである。従来の無菌的な接続方法は，接続する環境（清浄度）への配慮を必要とし，作業者の熟練度に大きく依存する操作のため，誤操作や接続に要する時間など，汚染リスクが高いことが認識されていた。現在発売されている無菌接続コネクターは，操作が容易で作業者の熟練度に依存する部分が少なく，より短時間に無菌接続できる。また，オートクレーブ滅菌やガンマ線滅菌に対応しており，ユーザー側でシングルユースシステムを組み立てオートクレーブ滅菌後に使用したり，サプライヤー側で組み立て，ガンマ線滅菌後にユーザーに納入されたシングルユースシステムを使用したりという，柔軟な使い方が可能である。使用されている代表的な用途としては，サンプリングライン，調製した培地，バッファーなどの移送，ろ過滅菌した製品の移送，原薬バルクから製剤ラインへの移送など，プロセスの上流から下流までさまざまである。

　サプライヤー各社は，無菌接続コネクターの評価試験を行い，その結果を「バリデーションガイド」や「バリデーションサポートファイル」等といわれるドキュメントパッケージにまとめ，ユーザーに提供している。試験内容は，前述のように標準化された基準がないことから，サプライヤーにより方法は異なる部分がある。一般的な評価内容としては以下のものがある[5]。

・破裂試験（バーストテスト）
・クリープラプチャー試験
・引張強度試験

図5-2　無菌接続（例）

・機能試験（意図的汚染試験）
・密閉性試験
・流量特性試験
・Extractables試験
・保管期間試験
・オートクレーブ試験
・生物学的安全性試験

　また，同様の機能を果たす製品として，チューブウェルダーと呼ばれる熱可塑性材質のチューブ同士を無菌的に接続する装置も一般的に使用されている。無菌コネクターが，あらかじめ想定，デザインされた箇所でのみ無菌接続が可能であるのに対し，チューブウェルダーにおいては，対応する該当チューブ上では状況に応じて，フレキシブルな無菌接続ができる利点がある。接続箇所近くに装置を用意する必要があること，接続までの完了時間が長いこと，環境中への微粒子発生などに考慮が必要であること，装置に対しての定期的なメンテナンスが必要であること，などに配慮する必要があるが，双方の利点を活かして，両方の技術を有効に活用しているユーザーも多い。

　無菌接続に加えて，無菌状態でのチューブ切り離し（切断）するための無菌ディスコネクターや，チューブシーラーも，作業性を高めるために使用されている。最近では，接続だけでなく接続と切り離しをバリデートされた回数内で繰り返し行える無菌コネクターも開発されている。

　上記で説明した無菌接続コネクターは，一部オートクレーブ滅菌に対応しているが，SIP（定置滅菌，Sterilization-In-Place）を実施するラインへの接続には対応していない。そのため，SIPを実施する従来型のラインや，新規の設備であっても一部ステンレススチールを使用する製造ラインにシングルユースシステムを無菌的に接続する場合は，接続後に無菌性が保持されていない部分を滅菌するアプローチが必要になってくる。それを可能にするために開発されたのが，SIP可能なコネクター[9, 10]である。これにより，SIPを実施するラインや，タンクなどにもシングルユースシステムを無菌的に接続することが可能である。

　また，よりクローズドな形で製造ラインの接続と切断ができることは，人体に触れれば有害となりうる製品（中間製品）を取り扱う場合でも，作業者への安全がより確保された環境を提供できることもメリットとして付け加えておきたい。

③シングルユースバッグ培養装置

　現在，大別すると振とう撹拌式（ピローバッグタイプ）とインペラ（撹拌翼）撹拌式の培養装置が主に流通している（**図5-3Aおよび3B**）。

　振とう撹拌式の培養装置は，その操作の簡便さや動物細胞に与える物理的ストレスの点で優れており，本培養前の拡大培養の工程で用いられる場合が多い。ただしピロー型のバッグを用いるため大量培養は難しい（最大培地量500Lまで）。

　インペラ撹拌型の培養装置については，コンベンショナルなジャーファーメンターを模したセンターシャフトタイプや上部から撹拌するもの，下部にインペラを設け撹拌するタイプなど，いろいろな形式の製品が提供されている。現時点において，いずれも一般的にマーケットで使

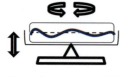

振とう（ロッキングや揺動）によって液面と気相間でガス移動を行う。

図5-3A　振とうタイプ浮遊培養バイオリアクター（1 L～500 L）

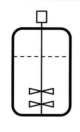

インペラの配置はいくつか異なるタイプがある
（下部撹拌，上部撹拌，センターシャフト）

(a) Ambr® 15 cell culture　(b) BIOSTAT® STR　(c) Mobius® Bioreactors　(d) Allegro™ STR 1000

図5-3B　インペラ撹拌型浮遊培養バッグの撹拌方法

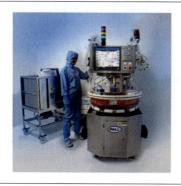

図5-3C　接着細胞培養用バイオリアクター

用されている最大容量は2,000 Lの製品であり，それを超える容量の培養槽が必要な場合は，通常はステンレス製培養槽が選択される。最近では，サプライヤー側での製品改良が進み，2,000 Lよりも大きな容量のシングルユースバッグ培養装置も見られるようになってきている。

接着性細胞の大量培養では，ゲル状のマトリックスに付着し浮遊培養する場合と，不織布状の繊維シートを活用して培養するなどの方法が用いられている（図5-3C）。

シングルユースバッグ培養装置の発展に合わせて支援技術の開発も進んでいる。その例としてシングルユースのセンサー類（(6)に詳細を記載）がある。pHおよび溶存酸素の感受性色素を用いた光学的測定によるpH, DOモニタリングはもとより，ガラス電極などを無菌的に装着する無菌コネクター，その他，培地中の糖分の測定，生細胞数を連続モニタリングできるセンサー，排ガス中の成分分析装置等が提供されている。

シングルユース培養装置共通の注意点として，容器自体が樹脂製バッグであるため耐圧性能は高くないことがある（おおむね10kPa以下）。特に感染性の材料を扱う場合，排ガスフィルターの結露防止管理や培養装置に過大加圧防止機能が備わっていることが安全管理上重要である。

また，シングルユースバッグへの懸念点としてバッグからのExtractables/Leachablesの問題があげられる。一般的に，これは製品の品質特性へのリスクを考慮したものであるが，これとは別に培養用途の場合，細胞の増殖性への影響を考えておく必要がある。実際に発生した事例で，バッグからのLeachables（樹脂の添加剤の変性物）が細胞の増殖性に悪影響を及ぼしたことが示されている。現在，このような事例を契機に細胞増殖に考慮して開発されたフィルムも提供されている。この事例はシングルユース製品全般に潜在する問題も提起している。つまり従来使われてきた素材や添加剤であっても，フィルム製造条件や予告されない工程条件変更などによって予期せぬ不具合を起こす可能性があるため，変更管理の取り決めなど，ユーザーとして材質特性の一貫性を確保する必要がある[11, 12]。

④無菌サンプリングシステム

シングルユースシステムでのサンプリングは，あらかじめ必要なサンプリングユニットを装着し，事前に滅菌された完全な閉鎖系で無菌サンプリングを行うため，従来のシステムに存在した汚染のリスクがなく，過度の衝撃や逸脱がなければ擬陽性や不確かな結果が発生しない。そのメリットは工程や操作者およびそのサンプルへの「防護」が容易に確立されることにある。デッドレグをなくしたサンプリングポートにより工程に対する影響もなくすことも可能となった。

一方，大規模なマルチユースのステンレス設備にも，シングルユースの無菌サンプリングシステムが利用されている。一度滅菌するとサンプリング間の洗浄や滅菌の必要がないことや，その使用しやすさから，操作者の訓練の時間が低減できるなど，シングルユース無菌サンプリングシステムを導入するメリットが活かされている。その堅牢性は下記で検証されている[13]。

①タンクなどに接続・滅菌されたシステムの無菌性
②接続されたシステムの外部環境からの汚染の防御
③サンプリングユニットの切り離し部分からの外部環境への汚染の防御

シングルユース無菌サンプリングシステムは，従来のサンプリングポイントを定置滅菌（SIP：Sterilization-In-Place）するシステムに比べ，定置洗浄（CIP：Cleaning-In-Place）バリデーションが不要であること，また日常の運用においてSIP回数が激減すること，さらに操作者由来の操作ミスが発生しないなどのメリットがある。SIP回数の低減については，サンプリングバッグを複数装着できるため，培養液などのサンプリングにおいて，培養開始前の滅菌後は再度滅菌する必要がないことに起因する。また，工程のバイオバーデンモニタリングや培養液のサンプリング以外にも，無菌医薬品バルクの無菌保証において，サンプリングミス由来の擬陽性を確実に回避できるなど，今後もその用途は広がると思われる。

⑤シングルユース凍結保存用バッグ

シングルユース技術の応用例として，原薬やワーキングセルバンク（WCB）を充填し，汎用あるいは専用のフリーザーによって凍結・融解して使用するバッグ製品が販売されている（図5-4）。凍結用バッグに求められる基本的な仕様は，製造工程で用いられるバッグ（一般的な使用温度範囲4〜40℃）と同様であるが，低温環境中（例：原薬の保存では−40〜−80℃等）でフィルムやチューブ接合部の靭性が維持されることの確認や，長期保存を考慮したバリデーションを実施すべきである。また，原薬等の保管においては変性がない凍結・融解条件の設定も重要である。

また物理的，化学的な特性だけでなく，凍結条件下（内容物が固体）においては移送中の振動や作業などに付随する機械的ストレスがバッグやチューブ接続部の破損（リーク）の原因になることから，保護容器の設置や取り扱い手順について注意を払う必要がある。

セルバンクの保管については，臍帯血や細胞保存用のバッグを応用しWCBを数10〜300 mLスケールで分注・凍結保管するバッグがある。チューブの無菌接続装置や無菌コネクターによる無菌接続は，従来のクリーンベンチ内での手技による無菌操作を含む拡大培養に比べ，高い無菌性保持レベルが確保されており，汚染リスクを下げ，かつ培養工程期間を短縮できるメリットもある。

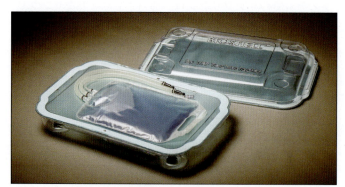

図5-4　シングルユース凍結用バッグの例

⑥シングルユース・センサー

シングルユース・センサーは2000年代半ばに実用化がなされた圧力センサーをはじめ，近年

では多様な種類のパラメータを測定可能な製品が開発されている（**図5-5**）。多くはすでに実用化されており，培養から精製の一連の工程で，小スケールのプロセス開発から比較的大きな製造スケールまでさまざまな場所で使用されている。特に（8）シングルユースシステムで紹介する自動化システムが実現したのは，各種シングルユース・センサーの実用化に依るところが特に大きいといえる。シングルユース・センサーの要求事項として，高精度，高感度，高い安定性，容易な操作，滅菌耐久性，多量供給，低価格が求められる。

これまで実用化されたアプリケーションとセンサーの種類としては以下がある。

培養工程（バイオリアクターおよび培養装置）：pH, pO_2, pCO_2，温度，圧力，流量，濁度（細胞密度），泡

精製工程（カラムクロマトグラフィーおよび各種ろ過装置）：UV，圧力，流量，電導度，pH，温度，タンクレベル，気泡

製剤工程（無菌ろ過装置および充填装置）：圧力，流量

医薬品製造で用いるセンサーには，校正と精度確認が必要となる。センサーをシングルユースの工程において使用する場合，ガンマ線滅菌による閉鎖システムの状態で納品されるため，ユーザーは使用前の校正や精度確認が実施できない。したがってセンサー個体は製造者の出荷時に然るべき基準に従って校正がなされ，精度が厳密に確認されていなければならない。特にウイルス除去や最終ろ過滅菌のような重要工程で使用される場合にセンサーのパラメータが重要な管理項目となる場合は，製造者に対する査察を実施し，製造者の製造工程と品質保証システムがユーザーの品質保証システムに十分組み込めるものであることを事前に確認することが望ましい。また，このような重要工程においては，プロセス終了後にセンサーの完全性と精度を確認することにも考慮が必要だろう。

図5-5　シングルユース・センサー（例）

⑦リーク試験装置

シングルユースバッグの漏れ（リーク）への懸念は常にユーザーアンケート調査の上位に位置する課題である[14]。現時点において，専用チャンバーとヘリウムガスを使ったリークテスターや空気または窒素等の圧縮気体を用い圧力降下や流量を測定するバッグ専用のリークテスター（図5-6）などがサプライヤーから発売されている。技術的課題として，柔軟なシングルユースバッグの現場で採用可能な試験は一般的に低圧（数kPa程度）でしか実施できないため，理論的な孔の検出限界はバッグのサイズに依存し，圧縮気体による方法では直径数十μmから数百μm程度と言われている[39]。これらの試験を実際の製造工程にどのように組み込み，リークのリスク低減を図るか，という課題については，工程のリスク分析や作業負荷，メリット・デメリットを考慮し，対応をとっていく必要がある。

⑧シングルユースシステムの自動化システム

③で紹介したシングルユースバイオリアクターは，撹拌スピード，DO，pH，液温などをモニタリングやコントロールができる自動化したシステムとなるが，その他のアプリケーションでも，使用できるシングルユース自動化システムの導入が活発になってきている。

シングルユースシステムの課題としてよくあげられる項目の1つは，実際にシングルユースシステムを使用して医薬品を製造するユーザーの作業者に対する負担増加である。シングルユースシステムは，そのメリットも多数存在するが，複雑な工程をシングルユース化しようとした際，ライン構成が複雑になり，接続箇所やバルブの開閉，撹拌の有無，ポンプ流量の制御，ライン圧力制御，pHや導電率を確認しながらの作業など，作業者がマニュアルで実施する操作が増加する。これは，高度に自動化が進んだステンレス製のラインと比較した場合，大きな違いとなり，オペレーションミスなどにより，製造に支障が出るリスクもはらんでいる。そのため，現在では，各サプライヤーもそのニーズに対応するために，自動化システムの開発に取り組んでいる。

用途としては，液体ろ過[15]（粗過，ろ過滅菌，ウイルス除去工程等），pH調整[16,17]，クロマトグラフィー工程[18]，UF/DF（TFF）工程[19,20]，原薬充填工程[21]などが代表的なものである（図5-7）[22~24]。バッグやマニフォールド（チューブセットなど）の設置は，マニュアルで行う必要があるが，その後の工程は，すべてあらかじめ設定されたパラメータなどに従って，装置側が

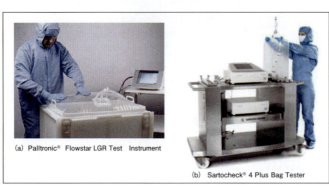

(a) Palltronic® Flowstar LGR Test Instrument
(b) Sartocheck® 4 Plus Bag Tester

図5-6　リーク試験装置（例）

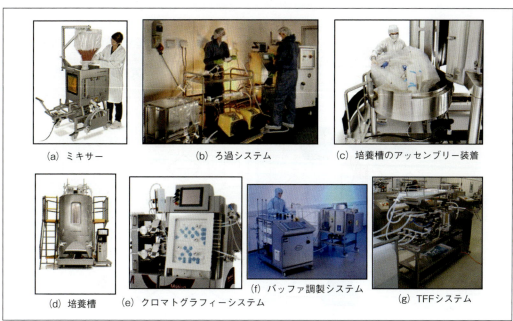

図5-7　シングルユースシステムの例

制御してくれる。これらの自動化システムを使用することにより，ユーザー側としても，よりリスクを抑えた形でシングルユースシステムを使用することができる。ユーザー側は，必要に応じて21CFRパート11[26)]やPIC/S GMPガイドライン アネックス11[27)]などの関連法規制，ガイドラインについて，サプライヤーからあらかじめ情報収集をし，対応する必要があるだろう。

⑨クローズドプロセス

　クローズドプロセスとは，細胞，工程液，製品が製造エリアの環境に直接曝露されないよう構築されたプロセスである。各シングルユースの要素技術を組み合わせたクローズドプロセスの構築とその活用は，上述してきたシングルユース技術のメリット以外にも製造戦略や施設運営においてさらなる効果が期待できると言われている[28)]。一般的に，製品と環境との接触の有無および設備の特徴によりプロセスおよび設備は4種（Fully closed system, Functionally closed process, Briefly exposed process, Open system）に区分され，クローズドプロセスとは設備としてFully close systemまたはFunctionally closed processを構築して操作されるものを指す。Fully close systemとは製造環境に直接曝露されることがないよう設計された設備を指す。一方，Functionally closed processは装置セットアップ時には環境に曝露する可能性があるが，製造前に系内の殺菌や滅菌処理などの処置を施すことにより，製造自体は閉鎖系で完結可能なプロセスを指す。具体的にクローズドプロセスのためのシステムの構築例を，バイオリアクターを題材に示す（**図5-8**）。この模式図は，典型的なシングルユースバイオリアクターを示したものである。クローズドシステムの構築に当たっては，矢印のような箇所で，培養の実行に必要なフィード培地，添加物，エアー，計測機器，サンプリング装置等の接続を，すべてガンマ線滅菌済みのシングルユース資材もしくはオートクレーブ済みの資材を閉止状態で無菌的

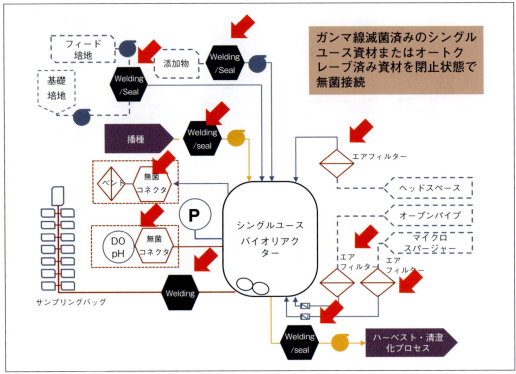

図5-8　クローズドプロセスの構築例：バイオリアクター

に接続することが必要となる。これらの接続は無菌コネクターやウェルダーなどを使用し実施可能であり，これにより培養液を製造エリアの環境に直接曝露することなく製造を実行することが可能となる。

2. シングルユース技術の導入戦略と実現性評価

まずシングルユース技術を導入検討するには，シングルユース技術で何を解決するかを明確にしておくことが重要である。具体的な事例を以下にあげる。
- 新規製造設備立ち上げまでの期間短縮
- 製造施設建築費用の削減(HVAC，ユーティリティ(水処理設備，滅菌設備等))
- 製造設備の柔軟性(交叉汚染リスク低減による多品目対応，設備導入後のより容易なライン変更)
- 洗浄バリデーション，洗浄作業などの間接作業低減

シングルユース技術を導入評価する際は，社内でプロジェクトチームを発足させ，リーダーを選任することから始めることが必要だろう。メンバーについては製造関係，技術関係，品質保証，品質管理，サプライチェーンといったさまざまな部門の関係者から構成されることが望ましく，その他の経営的な判断も必要になる。それは，技術面，経済面，品質面，管理面などといったさまざまな側面で評価され意思決定されるべきだからである。そして，プロジェクト

チームにより戦略立案，実現性調査，リスクアセスメント，バリデーション試験などといった検討を進め，シングルユース技術採用の具現化を図っていくことになる[29,30]。

導入のための実現性評価には，経済的な指標は定量的に算出できることから有用な情報である。しかしながら，その効果は使用用途（治験薬，上市薬，後続品），対象となる製品の製造頻度，将来求められる製造規模，製造頻度，新設備への投資か既存設備の変更か，自社製造か委（受）託製造かといった違いなど，さまざまであることを理解しなければならない。一般的にシングルユース製品導入は，初期投資低減効果が大きいことは周知の事実であるが，消耗品のコストや付随するランニングコストを正確に把握し，設備投資時の投下資本利益率（ROI）算出に反映されなければならない。最近ではバイオリアクター，ミキシングシステム，メンブレンクロマトグラフィーといった技術の利用が浸透してきているが，そういった技術がもつ利点が最大に発揮されるかという点も，経済効果を考える上で見落としてはならない。

例えば前述のシングルユース技術を用いたクローズドプロセスの導入を考える場合，多品目の同時製造や製造エリアのクラスや更衣のレベルにまで効果が期待できる。シングルユース設備は設備の制約が少なく移動等が比較的自由に行えることから，クローズドプロセスを構築することにより，従来のような空間的，時間的なセグメンテーションによる管理から脱却することができる。さらに効率の良い設備運用や設備簡素化による建設コストの削減が可能になると考えられる。ただしこの実現には，十分な注意を払ったリスクアセスメントや手順の整備が必要となることから実現性の評価が計画段階から重要となる[31]。

また開発品の場合，シングルユースの利点（初期投資低減や迅速な設備立ち上げ）は直接"Time to Market"に繋がってくる。例えば治験薬GMP（平成20年）の中で「使い捨て機器や器具」，2008年FDAの『Guidance for Industry CGMP for Phase 1 Investigational Drugs』[32]の中で「ディスポーザブルの装置，プロセス補助器具や充填済み注射用水の使用など」でシングルユース技術の使用に言及している。シングルユース技術によって設備投資やバリデーションに対する時間的，経済的なハードルを下げることで"Time to Market"は確実に短縮される。

それ以外に，シングルユース技術の活用はアカデミアやベンチャー企業に存在する有用なシーズを治験のステージに上げやすくなることにもつながり，結果としてその使用を待ち望んでいる患者に安全で有効な医薬品をより短期間で届けることの一助になると考えられる。

業界誌などにシングルユース技術に関する調査記事や，「シングルユースorステンレス」といった題目でシングルユースとマルチユース（ステンレス製）の比較記事も参考にすることができる[33〜35]。

3. シングルユース技術の導入におけるリスク評価

現状では，ユーザーはシングルユース技術の導入に当たって，業界団体によるリファレンス（例えばPDAによる『テクニカルレポートNo.66』など[6]）をもとに，対象プロセスのリスクアセスメントを行い，既存のレギュレーション等の考え方を踏まえた評価に基づき導入を進めている。サプライヤーは，ユーザーがシングルユース技術を導入するための評価をスムーズに進められるよう，さまざまな体系で支援を行っている。それには，製品および関連する周辺機器

の情報提供から，製品の品質，品質保証システムや，実際の試験，評価にまで及ぶ。特に，製品が接触する部分の医薬品や中間体の品質への影響度評価については，ユーザーおよび規制当局の両方が重要視する点であり，サプライヤーとしても最も注力する必要がある。

シングルユース製品を工程に採用することで，洗浄工程および滅菌工程の作業を省くことができ，これらの作業に関するバリデーションを実施する労力と時間を大きく削減できる可能性があることは前述の通りである。一方で，主要素材が高分子部材であることから，従来使用されてきたステンレススチールやガラス等の無機質部材と比較しプラスチック由来の不純物の問題や，化学耐性と耐圧性が低いことによる使用箇所の制約など，シングルユース技術に特化して留意すべき点があることも事実である。

実現性評価と並行して行われるリスク評価では，シングルユースシステムを使って製造するバイオ医薬品の安全性，有効性，品質（特にCQA）および製造工程に与える影響と可能性をリスクアセスメントし，品質による要因だけでなく技術，環境，購買といったあらゆる角度から分析する必要がある。また，医療機器やラボ用として販売されているシングルユース製品は，GMP製造用途に適応できない場合があるので，注意が必要である。

シングルユースというと，"使い捨て"の消耗品的なイメージで安易にとらえてしまえば，もしかすると製品の安全性，有効性，品質に直接影響するということが認識しづらくなるかもしれないが，プロセス液に直接触れること，またシングルユース製品中で長期間保管される場合も多いこと，リスクアセスメントした場合に製品への影響も大きく評価されることが少なくないため，製造工程中の重要な原材料としてとらえ，選定・運用することが重要である。

一連の製造工程中に，同じ材質のシングルユース製品を採用する場合，どの製造工程に採用するかによって製品に与える影響の評価が異なり，リスクアセスメントの結果が変わってくる。一般的には，製造工程の下流に行くほど最終製品の安全性，有効性，品質に与える影響は大きくなり，リスクアセスメントの結果に注意を払う必要がある。

プロジェクトチームでFMEA分析のようなツールを利用し，重篤度，検出度，発生頻度に分類し，評価することが総合的な判断となるため有用である。特に品質面については，後述するLeachablesに対する製品への影響評価は非常に重要である。ここでは，リスク評価を実施する際に留意すべき確認事項やリスクについて紹介する[1]。

①レギュレーション対応

前述したように，シングルユース技術に特化したレギュレーションは今のところないが，関連するとみられる法的要求に対して十分な注意を払うことが必要である。国内では医薬品・医薬部外品（製剤）GMP指針に『表面が製品に接触することにより製品の品質に悪影響を及ぼす恐れのある構造設備についてはそのような接触のないように配置するものとする』とあり，さらに注釈には『製品が接触する構造設備にはタンク，配管，フィルター，イオン交換樹脂，ホース，ガスケット，クロマトグラフィー等』が含まれる。耐薬品性（製品が接触箇所を反応させ，または腐食させないこと），およびLeachables（接液箇所からの溶出により製品の品質に悪影響を及ぼさないこと）も，レギュレーション対応として十分な留意が必要である。FDA CGMP 21CFR211.65(a)および(b)にも同様の記述がある。

②耐薬品性

　シングルユース製品の製品接触面はプラスチック材であることから，強酸，強アルカリなどには不適な場合がある。サプライヤーに耐薬品性データ（バリデーションガイド等）の提出を要求し，製品に影響を及ぼす可能性がないかを評価しておくことが重要である。

③耐熱，耐圧特性

　プラスチック製品ゆえ，耐熱性や耐圧性には限界がある。温度や圧力などの工程条件と各シングルユース製品の仕様を，接液する溶液の重要性や安全性を踏まえ事前に確認しておく必要がある。あわせてシングルユース製品のフィルムの材質や厚み，強度などを確認しておく。操作等でリークの可能性が拭えないこと，またリークテスト感度にも限界があることから，総合的な判断が必要となる。

④ Extractables/Leachables および不溶性微粒子や異物

　次項（7．バリデーション試験とExtractables/Leachables評価）参照。不溶性微粒子や異物など発生リスクを踏まえ検査や対応方法を考慮しておく。

⑤容量，規模

　理論的には$10\ m^3$も可能であるが実際のバッグの設置，ハンドリング，廃棄などを考慮すると$3 \sim 5\ m^3$が限界と考えられる。また$1.5\ m^3$以上のバッグの取扱いにはそれを支える容器にも特別の設計と周辺機器（作業用ステージやバッグ用簡易クレーン）が必要になる。

⑥透湿性，ガスバリア性

　シングルユース製品内で長期保管する場合などは，透湿性やガスバリア性の情報を得て品質への影響を踏まえておく。

⑦正確性と信頼性

　正確な採取量（体積あるいは重量），pHや導電率などを，これまでのステンレスの装置と同じように測定できない場合もあることから，目的に適した信頼性を持つ用途に合致したシングルユース・センサー類や方法を適用する。

⑧操作性

　バッグやチューブなどの取扱いは原則として作業者によるマニュアル操作となる。無菌接続や無菌切断など，操作に起因するリスクの有無は仕様決定時に事前に確認しておく必要がある。バッグの厚みは強度を考慮する上で必要だが，装着や設置などにおける操作性への負担も考えておく。特に大容量のバッグの取り扱いには廃棄処理も含めて注意が必要である。またバッグの透明性は，作業者の目視確認の助けとなる。使用前および使用後に，滅菌，殺菌あるいは不活化といった処理が必要な場合は，その操作性も十分に検討しておく。作業者の負担の軽減に自動化技術の導入も候補となる。標準化デザイン（モジュラーアプローチ）の導入は作業者のミ

スの軽減につながる。

⑨供給，納期，在庫管理，最低発注数量
　現在，国内で市販されているメーカーの大部分が海外に本社，製造拠点があるため，その供給体制や輸送中のトラブル，例えば，梱包の不備や破損には注意が必要である。製品が特注品であれば，代替品をすぐに調達できる可能性が難しくなることからリスクに応じた特別な対応が必要である。特定部品の共通化（例：コネクター，3次元形状のバッグ設置用容器等）や，特定の用途（例：撹拌後のろ過滅菌およびろ過液回収）に対応する標準化デザイン（モジュラーアプローチ）の推進はコスト低減や納期短縮に貢献する可能性がある。また，納品の遅れは製造スケジュールに大きく影響することから，在庫管理（最低発注数量を考慮したサプライヤーへの発注のタイミング等）にも注意しなければならない。サプライヤーの製造拠点や物流等の供給体制をよく確認し，信頼性の高い安定供給体制の確立を目指す。必要に応じてリスク分散も考慮する。

⑩資材倉庫，梱包形態
　ステンレスシステムに比較して大量に消耗品が増加するため，これに応じ十分な倉庫スペースがユーザー側に必要になる。事前に梱包サイズと在庫管理に基づく最大保管数を踏まえ，資材倉庫の設計にも識別性，操作性が考慮されることが望ましい。

⑪保管期間
　製品にはガンマ線滅菌を実施しているものが多く，照射後は使用期限が発生するため，事前に使用期限を踏まえた在庫管理に注意が必要である。

⑫廃棄処理
　ユーザーは導入前に廃棄時の処理法を確認しておく必要がある。地方自治体などにより，プラスチックなどの処理方法，基準が異なるため，環境への影響を考慮しながら対応する必要がある。

⑬教育訓練
　バッグの設置，チューブの接続，分離，移送などの適切な使用方法の教育訓練は必須となる。教育訓練は，納入時も含め定期的にサプライヤーにも協力を求めることができる。

⑭サプライチェーン
　シングルユース製品は，単体よりむしろ複数の部品を組み合わせ，さらにガンマ線滅菌などの処理をして，提供されている。さらに各々の製品は，プラスチック製であることから，原材料となる高分子原料は化学メーカーから提供されており，従来からある設備に比べ非常に多岐にわたる。素材メーカー，部材メーカーも複数であるため，サプライチェーンに対するマネジメントは極めて重要である。対応としては，製品の重要度とリスクで優先順位をつけ，必要に

応じて製造元への査察を実施し，シングルユース製品の生産体制，品質保証システム，フィルム素材や原材料，フィルム製造法，構成部材（コネクター，チューブなど）のベンダー受入管理体制，流通，リスクマネジメントを詳細に確認しておく必要がある。また，サプライヤー側での，シングルユース部品の変更管理や変更通知について確認しておくことは，安定製造を継続する上で重要である。

⑮導入スケジュール

　より自社の製造工程に合ったシングルユース製品を採り入れる場合や，汎用性をより高める場合には，非標準の仕様になることが多々ある。この場合，サプライヤーと仕様決定では図面のやりとりが発生するが，各々の組織において承認プロセスも加わることから，想定していた以上に時間がかかることがある。よって，十分な準備期間を設定したスケジュールを想定する必要がある。

⑯サプライヤーへの依存度の高さ

　使用する用途や工程が重要であればあるほど，それが顕著になる。一般的に，バイオリアクターはその仕様の特殊性と複雑性から，技術的リスクが高いとされ，ミキシングシステムは中程度，汎用しているバッグなどは比較的リスクが低いとされている。

　他のサプライヤーの製品でも代替できるようにデュアルソース化はリスク回避につながり，万が一を鑑み，最初からバックアップ体制を想定して選定しておくことも有意義だろう。また用途，製品ごとにどのようなサプライヤーが参入しているのか，常に情報を入手しておくことも肝要である。

⑰サプライヤー選定

　各社製品の情報とリスクアセスメントに基づき，最終的には経済性（初期の設備投資および長期的ランニングコスト）や使い勝手など多面性を考慮し，上述した項目を踏まえサプライヤー／製品を選定することになる。サプライヤーを選定する際には，製薬業界での実績のみならず，国内外でのラボ支援も含む技術的サポート体制，生産能力，在庫／納期管理能力，変更管理体制，査察受入体制やバリデーションガイドを含む技術的な情報提供，海外メーカーが多いことから国内スタッフの海外とのコミュニケーション能力も評価しておく。

　具体的には，Web，製品カタログ，サプライヤー担当者などから情報を集めて比較表を作成し，採用する製造工程でのリスクアセスメントの結果も考慮して，情報の重要度に応じて点数付けによりサプライヤー評価するのが，理解を得やすい方法だろう。この時，担当者一人の見解で判断するのではなく，開発・製造に関わる多様なメンバー（例えば製造，技術，品質管理，品質保証，サプライチェーンなどの観点）から，多面的に評価することが望ましい。

　また，使用するシングルユース製品が決まり，製造工程中での使用を開始した後に別のシングルユース製品に切り替える必要性が出てきた際には，変更管理の観点から多大な労力を伴う場合がある。こうしたリスクを低減するためにも，シングルユース製品導入時に製品およびそれに伴う情報提供者であるサプライヤーの選定は，慎重に進める必要がある[1]。

4. バリデーション試験とExtractables/Leachables(抽出物／溶出物)評価

　シングルユース技術が普及している大きな要因の1つは，バリデーションへの負荷を削減する効果である。シングルユースシステムは単回使用であるため，洗浄バリデーションは不要であることはいうまでもないが，多回使用に伴う寿命試験や，滅菌バリデーションに関わる試験も不要となる。

　一方でシングルユース技術においては，シングルユース製品特有のバリデーション試験が必要である。導入検討においては，リスク評価とともに，そのバリデーションをどのレベルまで実施するかの判断は重要であり，導入に当たって決定的な要素となる。PIC/S GMPガイドライン　パート1[27)]の記載「The parts of the production equipment that come into contact with the product must not be reactive, additive or absorptive to such an extent that it will affect the quality of the product and thus present any hazard.(製品と接触することになる製造設備の部品は製品の品質に影響し，それによって危険性が生じる程度まで反応性，付加性又は吸着性があってはならない)(3.39)」に代表されるように，製品に接液する設備への一般的な要件として，規制当局側からの文書等に同様の記載はいくつかあるが，ユーザーは導入検討において，サプライヤーが提供するバリデーションガイド等[36)]に収載された一般的な条件下での試験結果を十分に調査し，シングルユースシステムの使用が，自社の製品に与える影響について，考察しなければならない。検討中の対象工程によっては，ユーザー特有の工程条件であるため，サプライヤーが提供するバリデーションガイドの結果からは，製品への影響の度合いを判断できない場合もある。なかでも，Extractables/Leachables(図5-9)のバリデーションには，特別な配慮が必要である。繰り返しになるが，シングルユース製品からのExtractables/Leachablesに対する具体的な評価基準は国際的にも規制当局からは示されていない。ユーザーは，自社の製品品質への影響に対するリスク評価を，既存のガイドラインや最新の科学的知見などを参考にしながら実施することになる。

　前述したBPSAでは，リスクアセスメントにおけるExtractables評価の進め方に対してシン

抽出物(Extractables)
・苛酷条件下で，シングルユース製品から内容液に移行する化学物質。本文書において苛酷条件とは，内容液の組成，pH，温度，接触時間等の点で，バイオ医薬品製造工程での使用条件と比較して，内容液に化学物質が移行しやすい条件をいう。

溶出物(Leachables)
・実際の使用条件下で，シングルユース製品から内容液に移行する化学物質。

「シングルユースシステムを用いて製造されるバイオ医薬品の品質確保に関する提言」より

図5-9　Extractables／Leachablesとは？

シングルユース技術 第5章

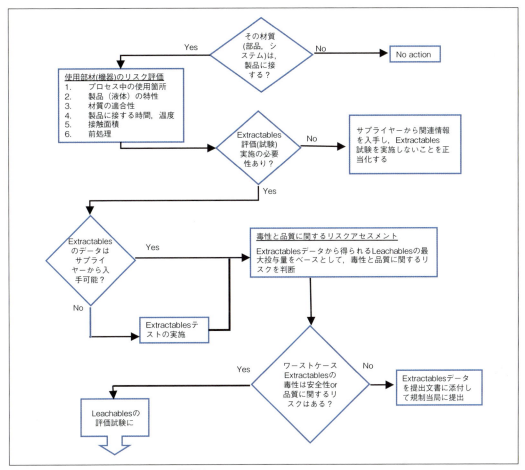

図5-10A　Extractables/Leachables評価のDecision Tree

グルユース技術に特化したガイドを提供している[37]。その目的は，シングルユースシステムのユーザーがExtractables/Leachablesに関する理解を整理し，効率的に入手できるよう支援し，最適なリスクベースに基づいた判断を可能にすることから，一般的に利用され始めている。BPSAが推奨するExtractables/Leachables評価のフローを示す（**図5-10Aおよび10B**）。

　シングルユース製品は複数の部材から形成されていることがほとんどである。例えば，フィルター，チューブ，コネクター，バッグといった部材が組み合わされてできており，またカスタムメイド品も多い。このことから，サプライヤーからのExtractablesについてデータソースが複数で，同一条件でのExtractablesデータが得られないケースがあり，注意しなければならない。サプライヤーからのExtractablesデータを評価する場合，対象となるプロセス条件下で，製品に溶出してくる可能性のある化学物質を，質，量ともに特定し，それらが製品の品質や安全性にどの程度影響するか評価しなければならない。この評価方法は，関連するレギュレーションなどを参考にしながら，社内の専門家（トキシコロジストなど）に相談し判断したほうがよい。また，その際の根拠は文書化し当局に説明できるようにしておく必要がある。

　もし，サプライヤーのバリデーションデータのみでは不足であり，ユーザーの工程条件を反

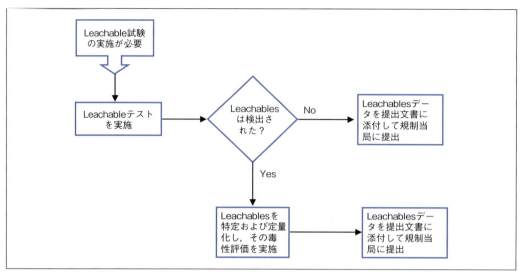

図5-10B　Extractables/Leachables評価のDecision Tree

映した追加データが必要になるとの判断であれば，ユーザーとサプライヤーで，詳細な試験内容などについて協議し，試験を実施することが望ましい。シングルユース製品を使用する工程が下流であればあるほど，Leachablesのリスクは高くなるため，ユーザー特有の試験を実施する必要性が高まる傾向はある。Extractables/Leachables試験を実際に設計するには，滅菌条件，溶出条件，溶媒種類，溶媒濃度，溶出温度，時間，振とう条件，表面積と接する溶媒の比率，使用前フラッシング条件と方法，試験するサイズ（実スケールかダウンサイズか）などについて考慮することになる。これらの一連の検討は，一般的にはプロセスバリデーションの一環として，得られた適格性評価データは，申請の際，CMCパッケージの一部に用いられることになる。

　参考までに，以下の機器はExtractablesの分析に有用である。

- FTIR　　　　　　フーリエ変換赤外分光光度計
- GC/FID　　　　　ガスクロマトグラフ／水素炎イオン化検出器
- GC/MS　　　　　 ガスクロマトグラフ質量分析
- HPLC/DAD　　　　多波長検出器付高速液体クロマトグラフ
- HPLC/MS　　　　 高速液体クロマトグラフ質量分析
- HS/GC/MS　　　　ヘッドスペースガスクロマトグラフ質量分析
- IC　　　　　　　イオンクロマトグラフ分析
- ICP　　　　　　 プラズマ発光分光分析
- NVR　　　　　　 不揮発性残渣
- Conductivity　　電気伝導度
- pH　　　　　　　pH計
- TOC　　　　　　 全有機炭素分析

　このように，Extractables/Leachablesのデータ取得には，少なからぬ費用と時間を必要とするが，サプライヤー側とユーザー側のどちらが主体となってデータを取得するのかについて

議論になることがある。日本PDA製薬学会バイオウイルス委員会で議論した結果をまとめると，以下のようになった。

　a) シングルユースシステムの各部品（シングルユース製品）に対して一般的な条件でのExtractablesはサプライヤー側が主体となってデータ取得。

　b) a)ではシミュレートできない，ユーザー側固有のプロセスをシミュレートしたExtractablesのデータは，ユーザー側が主体となって取得。

　c) 実際にユーザーが使用する（中間）製品を用い，製造プロセスをシミュレートした条件でのLeachablesのデータ取得は，ユーザー側が主体となって取得

BioPhorumという団体がa)に関しては，標準的なExtractablesデータ取得に対する提案を行っている[38]。この方向性が推進されれば，将来的には，ユーザー側にてb)，c)を行わずにリスク評価を完了させる事例を増加させることができると考えられている。

また，米国薬局方(USP)では，シングルユースシステムを含む医薬品製造工程で使用される高分子部品およびシステムに対するExtractabels，Leachablesの評価方法を記載した新たなチャプターを＜665＞，＜1665＞として追加する予定であることが報告されている。規制当局に近い側から発出される具体的な方法を示す初めての文書であり，業界内で非常に注目が集まっている[39]。

シングルユースシステムのExtractables/Leachablesは，その導入例が増え始めた2005～2010年と比較すると，業界内の議論が進み，その評価方法については大筋が見えてきている感がある。使用するシングルユースシステムからのLeachablesのリスクに関する最終的な評価，判断は，ユーザー側の課題となるが，サプライヤーと協力し，Leachablesが最終製品の，安全性，有効性，品質に与える影響を適切に評価する必要がある。

おわりに

シングルユース技術にはさまざまなメリットがあり，適切に導入することにより，従来の製造設備と比較して大きな利益をもたらすものである。ただし，ここ十数年で本格的に導入されてきた技術であることから，未熟な部分もあることは否めない。本章で触れたシングルユース技術におけるリスクや課題については，業界の中でもサプライヤー，ユーザー，規制当局，関係団体が一丸となり，より信頼される技術とするべく，解決に向けたさまざまな取り組みが進み，成果が得られてきたことは非常に喜ばしいことである。

実際，本書の初版発行当初にシングルユース技術に対して寄せられたさまざまな期待や課題（高圧運転，撹拌性能向上，遠心機，温度制御など）は，これまでの技術の進展により克服されてきたことからも，当該技術は今後も発展を継続し，近い将来バイオ医薬品の製造にさらに大きな改革をもたらしていくと考えられている。

こうした中，実際にシングルユース技術を新たなエリアに導入を考えている，また使用しているユーザー側で，それらのリスクを下げるには，ユーザーとサプライヤーとが効果的な協力関係（パートナーシップ）を構築し，綿密な情報交換を継続していくことが必要不可欠であると考えられる。互いの期待，要件，スケジュール，状況等を十分に理解した上でコミュニケー

ションを重ねていくことが成功の秘訣となるであろう。

　最後に，医薬品のTime to Marketおよび生産性向上のために，シングルユース技術がさらにどこまで貢献できるか，今後の進展を見守りたい。本章で紹介した内容が，導入検討の一助になれば幸甚である。

■参考文献
1) 日本PDA製薬学会　バイオウイルス委員会共著，"シングルユースシステム－その技術概要，課題と対応策－"，Pharm Tech Japan, 32(5)：791-800, 2016
2) ダグラス・スター(山下篤子 訳)，"血液の物語"，河出書房新社, 1999
3) 日本赤十字社研究報告書，"血液事業のあゆみ"，
4) Markus Laukel, Peter Rogge, Gregor Dudziak, "Disposable Downstream Processing for Clinical Manufacturing", BioProcess International, May 2011
5) Adriana G. Lopes, "Single-use in the biopharmaceutical industry： A review of current technology impact,challenges and limitations", Food and bioproducts processing, Vol.9 No.3：98-114, 2015
6) Parenteral Drug Association, Inc., "Application of Single-Use Systems in Pharmaceutical Manufacturing", PDA Technical Report No.66, 2014
7) Extractables/Leachablesは，業界内で日本語訳が統一されていないため，本章では英語表記をそのまま使用した。図5-9.においては，引用した「シングルユースシステムを用いて製造されるバイオ医薬品の品質確保に関する提言」で使用されている日本語訳をそのまま掲載した。
8) 石井明子 et al. シングルユースシステムを用いて製造されるバイオ医薬品の品質確保に関する提言. PDA Journal of GMP and Validation in Japan 19：15-29, 2017
9) Merck Application note, "Lynx ST (Steam-To) コネクターによる，滅菌済シングルユースアッセンブリとステンレス製システムの接続", AN7428JA00,
10) CPC社：http://www.cpcworldwide.com/Product-List?Series＝78
11) Hammond M., Nunn H., Rogers G., Lee H., Marghitoiu AL., Perez L., Nashed-Samuel Y., Anderson C., Vandiver M., Kline S., "Identification of a Leachable Compound Detrimental to Cell Growth in Single-Use Bioprocess Containers", PDA J Pharm Sci and Tech, Vol.67, No.2：123-13, 2013
12) Regine Eibl, Nina Steiger, Christina Fritz, Detlef Eisenkrätzer, Joachim Bär, Dethardt Müller, Dieter Eibl, "Standardized cell culture test for the early identification of critical films for CHO cell lines in chemically defined culture media", http://dechema.de/dechema_media/SingleUse_Leachables_2014_en-p-4734.pdf
13) Assuring film quality, European Biotechnology, Autumn Edition, Vol. 13, 2014
14) Merck Brochure, "NovaSeptum○R Single-Use Sterile Sampling System", PB1261EN00 Rev B, 2012
15) BioPlan Associates, Inc., "10th Annual Report and Survey of Biopharmaceutical Manufacturing Capacity and Production： A Study of Biotherapeutic Developers and Contract Manufacturing Organizations" Apr 2013
16) L. D. McLeod, "The Road to a Fully Disposable Protein Purification Process", BioProcess International, Jun 2009, 4-8
17) Pall Allegro (TM) MVP Single-use System, USD2881, http://www.pall.com/pdfs/Biopharmaceuticals/USD2881-Allegro-MVP-Single-use-System-Sept-2013.pdf
18) Sartorius Stedim Biotech Flex Act® VI,https://www.sartorius.com/en/products/flexact-systems/,https://www.sartorius.co.jp/ja/mab/downstream/virus-inactivation/
19) Merck, "Mobius® FlexReady Solution with Smart Flexware® Assemblies for Chromatography and TFF", Lit No. DS2251EN00 Rev.B, Oct 2012
20) Hutchinson R, Matthews T, Sugahara J., "Fully Automated Single-Use Tangential Flow Filtration for the Formulation of Biologics". Am. Pharma. Rev. Vol.13, No.7, 2010
21) Paul Bird, "Automation of a Single-Use Final Bulk Filtration Step", Bioprocess Intrenational, Mar 2015
22) Andrea Detroy, Ernest Jenness, Christian Matz, Mark Leykin, Ross W. Acucena "Single-Use Technology for Syringe Filling". BioPharm International. Vol.27, No.3, Mar 2014, S24-S30.
23) https://www.pall.com/main/biopharmaceuticals/automated-solutions.page
24) http://www.merckmillipore.com/JP/ja/products/biopharmaceutical-manufacturing/upstream-processing/single-use-manufacturing/5lSb.qB.cSEAAAFDAs1UTxI8,nav
25) https://www.sartorius.co.jp/ja/bioprocess-solutions/
26) 米国食品医薬品局(FDA),連邦規則第21条第11章(21 CFR Part 11)
27) 厚生労働省医薬食品局監視指導・麻薬対策課　事務連絡「PIC／SのGMPガイドラインを活用する際の考え方について」の一部改正について，別紙(10) PIC／S GMPガイドライン アネックス11, 平成25年3月28日

28) Chalk, S. et al Challenging the cleanroom paradigm for biopharmaceutical manufacturing of bulk drug substances, BioPharm International, Oct 10, 2011
29) 丸山裕一，浦久保和也，大場徹也，塩見哲次，重松弘樹，"シングルユースバッグの評価と導入"，Pharm Tech Japan, 26(5)：769-775, 2010
30) Martyn Botterill and Bruce Rawlings, "Applying Good Engineering Practices to the Design of Single-Use Systems", Bioprocess International, Vol.6, No.11, 2008
31) 日本PDA製薬学会 バイオウイルス委員会 連続生産工程開発及び工程管理 分科会 "バイオ医薬品製造コストに関する考察", Pharm Tech Japan, 35(7)：1251-1250, 2019
32) 米国食品医薬品局(FDA)，"Guidance for Industry, INDs-Approaches to Complying with CGMP During Phase 1", 2008
33) Andrew Sinclair,Lindsay Leveen,Miriam Monge,Janice Lim,Stacey Cox, "The Environmental Impact of Disposable Technologies", Biopharm International, Nov 2008
34) Olivier Cochet, Jean-Claude Corbière, Andrew Sinclair, Miriam Monge, Andrew Brown, and Géraldine Eschbach, "A Sustainable, Single-Use Facility for Monoclonal Antibody Production", BioProcess International, Vol.11, No.11, Dec 2013
35) Andrew Sinclair, Nigel Titchener-Hooker, "Inactivated Poliovirus Vaccine Made in Modular Facilities with Single-Use Technology", BioProcess International, Vol.11, Sap.5, 2013
36) 粟津洋寿，高木光治，野村弘実，小田昌宏，"シングルユース技術 最近の話題と評価事例", PDA Journal of GMP and Validation in Japan, 9(1)：61-68, 2007
37) The Bio-Process Systems Alliance(BPSA)，"Recommendations for Testing and Evaluation of Extractables from Single-Use Process Equipment", BPSA E102, Jul 6, 2010
38) BPOG, BioPhorum best practices guide for extractables testing of single-use components, Apr 2020
39) 山川 大介，星野 直美，倉嶋 秀樹，粟津 洋寿 "シングルユース技術に関わる最近の話題", PDA Journal of GMP and Validation in Japan, 21(2)：27-38, 2019

第 6 章
バイオ医薬品の品質管理

はじめに

第4章では，バイオ医薬品の代表として抗体医薬品を取り上げ，その製造法について概説した。本章では，抗体医薬品を中心に，バイオ医薬品の品質の基本的な考え方を概説する。

1. バイオ医薬品と合成医薬品との違い

低分子化合物である合成医薬品がタンク内の化学反応によって製造されるのに対し，バイオ医薬品は生き物である細胞の生体機能を利用して，すなわち細胞を小さな反応槽として利用することにより生産される。したがって，わずかな培養条件の変化によっても，生産物の分子構造に影響を及ぼす可能性があり，150 kD という大きな分子量を有する IgG 抗体においては，構造上の不均一性を防ぐことはほとんど不可能である（**図 6-1**）。このように構造が不均一であるということは，モノクローナル抗体といっても多くの分子種が存在することを意味し，これらの分子種の中には医薬品としての有効性および安全性に影響を及ぼすものもある。そこで，ICH ガイドラインでは，バイオ医薬品のこれらの分子種を**表 6-1** のように定義して区別している[1]。

目的物質由来不純物は不純物として扱う。前駆体や凝集体のように目的物質由来不純物として判別しやすいものから，分解物・変化物のように目的物質関連物質との判別が困難なものもある。分解物・変化物でも生物活性があり，安全性および有効性に悪影響を及ぼさなければ，目的物質関連物質として，目的物質と合わせて有効成分としてよい。例えば，脱アミド体，酸化体，糖鎖非付加体，糖化体等の変化物でも，安全性・有効性に問題なければ，目

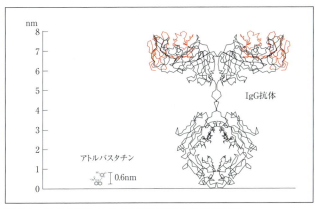

図 6-1　合成医薬品とバイオ医薬品の大きさの比較

表 6-1　バイオ医薬品分子種の定義

＜目的物質＞
　(1)予期した構造を有するタンパク質，(2)DNA 塩基配列から期待されるタンパク質，(3)しかるべき翻訳後修飾（グリコフォームの生成を含む）から期待されるタンパク質，および(4)生物活性分子を生産するのに必要な，意図的な加工・修飾操作から期待されるタンパク質．

＜目的物質関連物質＞
　製造中や保存中に生成する目的物質の分子変化体で，生物活性があり，製品の安全性および有効性に悪影響を及ぼさないもの．これらの分子変化体は目的物質に匹敵する特性を備えており，不純物とは考えない．

＜目的物質由来不純物＞
　目的物質の分子変化体（例えば，前駆体，製造中や保存中に生成する分解物・変化物）で，生物活性，有効性および安全性の点で目的物質に匹敵する特性を持たないもの．

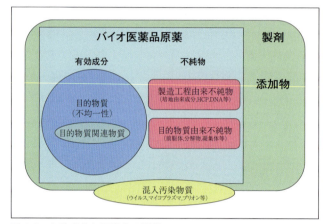

図 6-2　有効成分と不純物の関係

的物質関連物質とし，有効成分として扱う．ただし，毎回の製造において，目的物質と目的物質関連物質の比率の恒常性が保たれなければ品質を担保できないという点は同じである．

　バイオ医薬品は，細胞の生体機能を利用して生産を行うので，分解物や凝集体といった目的物質由来不純物以外にも，培地由来成分，宿主細胞由来タンパク質（HCP）や宿主細胞由来 DNA などの製造工程由来不純物が混入する可能性もある．

　また，バイオ医薬品と合成医薬品の違いの 1 つに，感染性因子混入のリスクがある．抗体医薬品のように動物細胞を利用して製造する場合は，ウイルスやマイコプラズマのような感染性因子が混入する可能性がある．さらに培養工程で使用する培地にウシ血清などのウシ由来成分を使用する場合，あるいは生産細胞を樹立する際にウシ由来成分を使用した履歴がある場合は，牛海綿状脳症（BSE）の原因物質であるプリオン[注1]が混入する可能性もある．このような感染性因子は，ICH ガイドラインでは混入汚染物質と定義し，製造工程中には本来存在しないものとされている．これら有効成分，不純物，混入汚染物質の関係を**図 6-2**に示した．

[注1] 正確な用語は「異常プリオンタンパク質」であるが，本章では通例に従い「プリオン」とする．

2. タンパク質分子の不均一性

ヒト IgG 抗体は 2 分子の H 鎖と 2 分子の L 鎖から構成される 2 本鎖構造を有し，構造上以下のような部分で不均一性を有することが知られている（図 6-3）。
- H 鎖および L 鎖の末端アミノ酸配列
- ジスルフィド結合
- 糖鎖構造
- アミノ酸の修飾（酸化，脱アミド化など）

IgG 抗体 1 分子ごとにこのような構造上の違いを調べることはもちろん不可能であるが，各種分析方法を組み合わせることにより，目的物質全体としてどのような構造を持つ分子集団であるのかを知ることは可能である。医薬品開発の過程で製造方法の変更を行った場合等，品質に影響を及ぼす可能性がある場合には，このような目的物質の物理的化学的特性を変更前後で比較し，恒常性が保たれていることを確認する必要がある（図 6-4）。同時に目的物質関連物質や各種不純物についても評価しなければならない。このようなデータの積み重ねが，

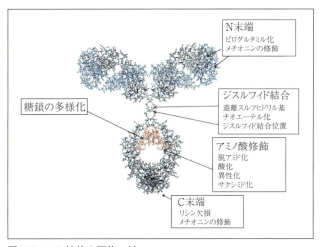

図 6-3　IgG 抗体の不均一性

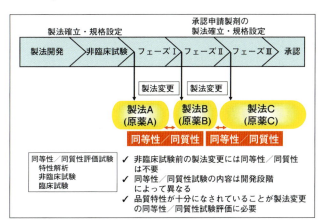

図 6-4　製法変更における同等性／同質性の例

表 6-2 特性解析項目一覧

<構造>	・アイソフォーム	・表面プラズモン共鳴
・アミノ酸配列	・電気泳動	
・アミノ酸組成	・HPLC	<純度，不純物>
・N/C 末端アミノ酸配列	・分光学的性質	・ELISA
・ペプチドマップ		・HPLC
・スルフヒドリル基，ジスルフィド結合	<生物活性>	・電気泳動
・糖組成	・動物を用いたバイオアッセイ	
・糖鎖構造	・細胞を用いたバイオアッセイ	<混入汚染物質>
		・ウイルス試験
	<免疫化学的性質>	・マイコプラズマ否定試験
<物理的化学的性質>	・イムノアッセイ(ELISA，ECL)	・無菌試験
・分子量	・ウエスタンブロッティング	・微生物限度試験

医薬品の有効性および安全性を担保するために重要であり，規格及び試験方法の設定に際しての基礎データとなる[2]。**表 6-2** に構造，物理的化学的性質，生物活性，免疫化学的性質，純度，不純物および混入汚染物質を評価するための特性解析項目をまとめた。第 7 章の「バイオ医薬品の特性解析」に詳細を述べる。

3. バイオ医薬品の品質管理

（1） 品質管理の考え方

バイオ医薬品の品質管理の考え方も基本的には合成医薬品と同様で，出発物質から最終製品に至るまで適切な工程で適切な品質試験を実施することにより，最終製品の品質を保証することになる。ただし，先に述べたように生産細胞として動物細胞を利用する場合は，感染性因子が混入するリスクがあるため，それらの混入を検出できるような品質試験を実施する必要がある（**図 6-5**）。また，構造が複雑で必ずしも保存安定性に優れているとはいえないバイオ医薬品は，合成医薬品に比べ試験項目も多くなる傾向にある。

以下，抗体医薬品を例にしてバイオ医薬品の品質管理についての考え方を述べる。なお，バイオ医薬品製造の出発物質である生産細胞の試験については，第 3 章の「細胞基材の品質・安全性確保」に詳細に述べているのでここでは省略する。

（2） 原料の管理

バイオ医薬品は注射剤であるために発熱性物質であるエンドトキシンは重要な管理項目の 1 つである。細胞培養で使用する培地や精製工程で使用する各種緩衝液等はすべて滅菌して使用するが，滅菌によってエンドトキシンの供給源である細菌は除去できるものの，エンドトキシンを除去することはできない。したがって，培地や緩衝液を作製するための原料については，エンドトキシン含量を管理する必要がある。

動物由来原料を製造に使用する場合は生物由来原料基準に従う必要があり，この基準を満たさない原料は品質や安全性に関する情報が十分でないとされ，医薬品製造には原則的に使用することはできない[3]。例えば，細胞培養に使用する培地にはアミノ酸，糖，ビタミン，無機塩

バイオ医薬品の品質管理 第6章

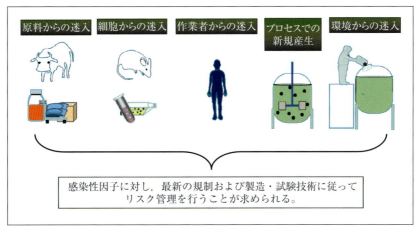

図6-5 感染性因子とリスク管理

等，さまざまな成分が含まれているが，各成分が生物由来であるか否かについて情報を入手する必要がある。製造元が発行している由来証明書（Certificate of Origin）を入手し，ファイリングしておく必要がある。培地成分の1つであるインスリンは，組換え微生物で製造したものを使用することが多くなったため，それ自体は動物由来ではないが，製造工程でウシ由来のペプトン等を使用しているインスリンもあり，その場合はそのペプトンが上記基準に適合していることを確認したほうがよい。"原料の原料の原料の…"と，どこまでさかのぼればよいか議論になるところではあるが，医薬品製造においては少なくとも原料の原料，すなわち2次原料までは把握しておいたほうが良い。重要なのは原材料の管理を十分に実施している原材料メーカーを選定することである。ただし，下記のような例は，生物由来原料には該当しない[4]。

- 細胞培養工程の培地成分として使用されるヒトインスリン（遺伝子組換え）を産生する細胞（大腸菌等）のセルバンクの構築にのみ用いられる原材料
- 細胞培養工程の培地成分として使用されるヒトインスリン（遺伝子組換え）の製造工程において，部分分解に使用される菌由来成分（ペプチダーゼ）の製造に使用される原材料
- 抗体医薬品等の精製工程に使用されているProtein Aアフィニティークロマトグラフィー担体を構成するProtein A（菌由来）を精製するために使用される人免疫グロブリンG

なお，生物由来原料基準には，不活化が困難であるプリオンによる汚染を防止するために，反芻動物由来原料について使用可能部位や原産国等が詳細に定められているので注意が必要である。また，ウシ由来原料については，欧州薬局方委員会（European Directorate for the Quality of Medicines：EDQM）の評価に適合しているものであれば，その証明書（Certificate of Suitability：COS）を入手することが可能であるので，試験成績書（Certificate of Analysis：COA）とともに入手しておくことを勧める[5]。

129

(3) 工程内管理試験

工程内管理試験は，各製造工程の目的および役割を考慮して設定すべきである。これは合成医薬品と同じ考え方である。

①重要中間体

PEG化バイオ医薬品のような精製後にさらなる修飾が必要である場合，一定した最終品の品質確保のために，重要中間体を定めて品質を評価することが必要である。

②不純物─目的物質由来不純物，製造工程由来不純物─

「(4) 原薬の規格及び試験方法」で後述するが，目的物質由来不純物および製造工程由来不純物を工程内試験で管理する必要がある。このような工程内管理試験を実施することで，製造工程が適切であることを確認することができる。

また，第4章の「バイオ医薬品の製造」で詳細を述べたが，近年では「より進んだ(enhanced)」手法を製造に取り入れる場合がある。すなわち製造工程の設計において品質を保証するQuality by Design（QbD）アプローチである。本アプローチでは，要求される製品品質を確保するために，重要品質特性（Critical Quality Attribute：CQA）が設定される。不純物はCQAとして重要なものとして位置付けられており，バイオ医薬品の製造でより進んだ手法を用いる際にも，目的物質由来不純物や製造工程由来不純物が管理戦略として評価されている[6]。

③混入汚染物質 ─微生物─

バイオ医薬品の製造工程は複雑・多段階であり，微生物汚染による影響を非常に受けやすい。また，化学合成医薬品と比較して変化しやすいバイオ医薬品は，微生物汚染の影響を受けやすい。例えば，微生物酵素による分解・構造変化，不純物プロファイルの変動等である。そのため，製造において重要な工程では微生物（およびエンドトキシン量）の管理が重要となる。例えば，細胞培養後，一次的な保管状態，何らかの反応状態（前駆体から成熟体への反応のような）で微生物を管理する必要がある。なお，FDAは，最終製品の品質の一貫性を確保するためにも，エンドトキシンの混入リスクがある製造工程で工程内サンプルのエンドトキシン試験を実施することの重要性を強調している[7]。

④混入汚染物質 ─ウイルス─

バイオ医薬品に特有な試験として未加工／未精製バルクにおける感染性因子についての試験があげられる。未加工／未精製バルクとは培養終了後，精製工程へ進むために回収された細胞を含む培養液を示し，精製処理などを行っていないために外来性の感染性因子を高い確率で検出できると考えられている。ICHガイドラインではウイルス試験の必要性のみ言及されているが[8]，無菌試験または微生物限度試験，マイコプラズマ否定試験，MVM（Minute virus of mice）アッセイの実施も考慮したほうがよい。感染性因子の混入が認められた未加工／未精製バルクは製造に使用すべきではなく，適切に処理した後，直ちに混入の原因を究明する必要がある。米国ジェンザイム社の製造施設で発生したウイルス汚染により，希少疾病

用医薬品であるファブラザイムとセレザイムの供給が一時的にストップした実例がある（第8章に詳細を記載）[9]。このように感染性因子による汚染は，その製造バッチだけでなく，原因究明や製造設備の消毒のため，長期間に及ぶ製造停止を余儀なくされる。原料管理と合わせて，工程内管理試験により感染性因子に対する安全性を担保することが重要である。

（4） 原薬の規格及び試験方法

規格及び試験方法は，臨床試験で使用されたロットと同等の品質のものを恒常的に製造できるように設定されるものである。バイオ医薬品の場合は，目的物質の構造が複雑であり単一成分ではないことから試験項目（表6-3）も多くなる傾向にあり，目的物質関連物質や目的物質由来不純物を分析できる特異的な試験方法も必要とされる。なお，バイオ医薬品で用いられる試験法の分析法バリデーションに関して，実施すべき分析能パラメータは原則，合成医薬品とほぼ同様である。ただし，タンパク質医薬品の場合，医薬品としての性質が複雑であるため，ICH Q2A/Bで示されている手法（表6-4）[10,11]とは異なる手法を適用する場合もある。

①外観・性状

原薬の物理的状態（例えば，固体，液体）および色を定性的に規定すればよい。なお，近年の海外例では，欧州薬局方（2.2.2 DEGREE OF COLORATION OF LIQUIDS）の記載に基づく色見本との比較が一般的となっている。

②確認試験

確認試験は，その原薬に特異的である必要があり，目的物質の構造上の特徴や性質に基づいて設定する必要がある。2種類以上の試験を設定することが必要とされ，抗体医薬品では，イオン交換クロマトグラフィー，SDS-PAGE，ペプチドマップ，等電点電気泳動，Identity

表6-3 抗体医薬品の品質試験例

試験項目	試験内容	評価方法例	
外観・性状	状態，色，澄明	目視試験	
確認試験	目的物質の構造上の特徴や性質に基づいた原薬に特異的な試験	イオン交換クロマトグラフィー，SDS-PAGE，ペプチドマップ，等電点電気泳動，Identity ELISA	
純度試験・不純物試験	不純物の含量，類縁物質の含量を測定する試験	目的物質関連物質 目的物質由来不純物	サイズ排除液体クロマトグラフィー，イオン交換クロマトグラフィー，逆相クロマトグラフィー，SDS-PAGE
		製造工程由来不純物（HCP，DNA，インスリン，メトトレキサート，Protein A等）	ELISA イオン交換／逆相クロマトグラフィー等
力価	生物活性の定量試験	抗原結合活性，細胞増殖活性，細胞増殖阻害活性，殺細胞活性	
糖鎖試験	糖鎖構造の解析試験	単糖分析，オリゴ糖分析，グリコフォーム分析	
物質量	タンパク質量の測定試験	紫外可視吸光度測定法	
その他	−	エンドトキシン試験，微生物限度試験，pH測定	

表 6-4　分析法バリデーション（ICH Q2A/B）

分析能パラメータ ＼ 試験法のタイプ	確認試験	純度試験 定量試験	純度試験 限度試験	定量法 ○含量／力価 ○溶出試験（分析のみ）
真度	−	＋	−	＋
精度				
併行精度	−	＋	−	＋
室内再現精度	−	＋(1)	−	＋(1)
特異性(2)	＋	＋	＋	＋
検出限界	−	−(3)	＋	−
定量限界	−	＋	−	−
直線性	−	＋	−	＋
範囲	−	＋	−	＋

− このパラメータは通常評価する必要がない。
＋ このパラメータは通常評価する必要がある。
(1) 室間再現精度を評価する場合には，室内再現精度の評価は必要ない。
(2) 分析法が特異性に欠ける場合には，関連する他の分析法によって補うことができる。
(3) 評価が必要な場合もある。

ELISA[注2]等が設定されることが多い。また，抗体医薬品は製品間での類似性が非常に高いため，同じ施設で複数の抗体医薬品を製造している場合は，それらを区別できるような確認試験を設定することも考えるべきである。

> [注2] Identity ELISA：抗体医薬品で実施される例が多い。抗原特異的 ELISA であるが，1 濃度の試料溶液のレスポンス値とブランク溶液のレスポンス値を比較して特異的な結合であるかを確認する。

③純度と不純物

バイオ医薬品の場合は，絶対的な純度を求めるのは困難であることから，通常は複数の分析方法を組み合わせることによって純度が評価される。したがって，目的物質，目的物質関連物質，目的物質由来不純物および製造工程由来不純物を特定したうえで，適切な試験を設定しなければならない。

目的物質由来不純物は，その物理的化学的性質の違いによりサイズ排除／イオン交換／逆相クロマトグラフィーや SDS-PAGE 等を用いて評価することができる。目的物質由来不純物の代表例である凝集体は免疫原性を有するリスクがあるため，適切な規格を設定し管理する必要がある。

製造工程由来不純物としては，宿主細胞由来の HCP や DNA，培地由来成分のインスリンやメトトレキサートや消泡剤，精製工程で使用されたクロマトグラフィー樹脂からの漏出物由来の Protein A 等があげられる。これらの不純物は抗原抗体反応を利用した ELISA などにより評価される。**表 6-5** にこれら製造工程由来不純物の許容値を記載する。従来は，これら許容値を 1 つの目安として開発が進められてきたが，将来的に，この基準がゆるまることはなく，むしろ今後はより厳しい値を開発時の許容値として設定することが好ましいと著者は考える。なお，製造工程由来不純物は精製工程において除去できることが示されれば，ロットごとに試験する必要はない[15]。

純度試験は，目的物質の不均一性がロット間で一定であることを確認するための試験とい

表 6-5 製造工程由来不純物の許容値例

不純物	由来	許容値例
MTX	培養時の培地成分	< 1.5 μg/日[12]
Protein A	精製時のカラム樹脂	< 10〜12 ppm[13]
DNA	宿主細胞	< 10 ng/dose[14]
HCP	宿主細胞	< 0.5〜100 ppm[13]

う位置づけでもある。イオン交換クロマトグラフィー，等電点電気泳動，ペプチドマップ，糖鎖マップ等により各分子種の存在比を評価することができる。ペプチドマップ等は，標準物質とそのパターンが一致するというだけでなく，特定のピークの強度や比率を規格に設定すべきである。また，抗体医薬品は糖鎖構造が生物活性に影響を及ぼすことが知られているので糖鎖構造の一定性には特に注意する必要がある。

④力価

　力価とは生物活性の強さを定量的に表す尺度であり，通常バイオアッセイが用いられる。バイオ医薬品のような構造が複雑な分子では，理化学的試験だけでその高次構造を評価することは困難である。したがって，タンパク質量当たりの力価からその高次構造が正しく形成されていることを確認するためにもバイオアッセイは有用である。生物活性は臨床上期待される作用と同じものである必要はないが，臨床上期待される作用と生物活性との相関は薬理試験や臨床試験において確認しておく必要がある。抗体医薬品の場合は，バイオアッセイとして抗原結合活性，細胞増殖活性，細胞増殖阻害活性，殺細胞活性などが採用される。

　なお，理化学的試験により物理的化学的性質に関する情報が十分に得られ，生物活性との相関が証明され，豊富な製造実績がある医薬品については，バイオアッセイから理化学的試験への置き換えも可能である。例えば，インスリンや成長ホルモンがその例である。

⑤物質量

　通常タンパク質量で表し，紫外可視吸光度測定が用いられることが多い。

⑥その他

　その他実施すべき試験として，薬局方に収載されているエンドトキシン試験，微生物限度試験，pH測定等があげられる。

(5) 製剤規格試験

　製剤規格試験では，「(4) 原薬の規格及び試験方法」から原薬特有の試験である製造工程由来不純物を除いた項目を主に実施する。また，バイオ医薬品は主に注射剤であるために，求められる試験は合成医薬品の注射剤の製剤規格試験と同様，浸透圧測定，エンドトキシン試験，採取容量試験，無菌試験，不溶性微粒子試験，不溶性異物検査である。

　製剤を製造する際，あるいは保存中に生成または増加する可能性がある不純物については特に注意を払う必要がある。抗体医薬品はタンパク質が高濃度となる場合が多いため，凝集

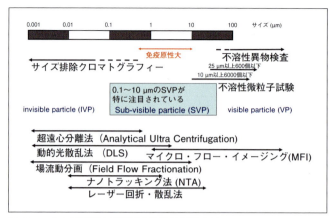

図6-6 バイオ医薬品の現状の凝集体試験方法

体については適切な試験を実施すべきである。凝集体に関して，近年ではsub-visible particles（SVP）が特に注目を集めている。凝集体の評価は，サイズ排除クロマトグラフィー（invisible particles；IVP領域の測定評価のため）と不溶性微粒子試験により主に実施されてきた。また，目視検査として，不溶性異物検査（visible particles；VP領域の測定評価のため）が実施されてきた。明確な定義付けはないもののIVP領域からVP領域の間がSVPである。サイズ排除クロマトグラフィーでは，粒径0.1μmより大きい凝集体はカラムトップでトラップされて評価ができない。また，不溶性微粒子試験で評価できるのは10μm以上の粒子径である。そのため，これまでの試験法では0.1μm～10μmの領域の粒子が評価できなかった。また，この領域の凝集体は免疫原性を増加させる可能性が高いとされており，FDAはガイドライン[16]の中で医薬品中の凝集体の大きさ，性状および含量を明らかにすべきであるとしている。SVPを評価するさまざまな測定方法が提案されているものの，どの方法が適した方法であるのか明確に結論がでていない（**図6-6**）。現在の技術では，1手法のみで正確にSVP領域の凝集体を評価できないため，2手法以上の測定方法で評価することが推奨される。タンパク質の凝集体は免疫原性を増加させる可能性が高いことから，凝集体の大きさ，性状および含量を明らかにするとともに適切な管理と軽減が必要である。凝集体の測定法については優れた総説[17]があるので，参照いただきたい。

（6） 安定性試験

　バイオ医薬品は通常は合成医薬品ほど安定ではなく，脱アミド化，酸化，スルホキシド化，ジスルフィド結合の開裂・交換，凝集または断片化等による物質変化，それに伴う生物活性の低下が起きる。これらを回避するために厳密な保存条件が必要とされる。したがって，このような不安定な原薬については，合成医薬品原薬で設定されることが多いリテスト期間はなく，実保存条件での長期保存試験の結果に基づいて有効期間を設定し，これに基づいて管理を行うことが適切である[18,19]。

　安定性試験にどのような試験項目を設定するかは製品の特徴によって異なるが，製品の同一性，純度および力価の変化をとらえることができるバリデートされた複数の試験方法で評

価する必要がある。有用な分析方法としては，SDS-PAGE，等電点電気泳動，サイズ排除クロマトグラフィー，逆相クロマトグラフィー，イオン交換クロマトグラフィー，ペプチドマッピングおよび力価試験等である。

おわりに

　近年，医薬品の品質管理は，最終製品の試験で品質を管理するという考え方から品質試験も含めた製造プロセス全体で品質を管理するという考え方に変化している。特にバイオ医薬品は，わずかな製造条件の違いによっても最終製品の品質に影響を及ぼす可能性があるため，安定した製造プロセスを維持するとともに，各工程で設定した試験が総合的に最終製品の品質を評価できるような品質管理システムを構築する必要がある。そのためには，目的物質の構造，物理的化学的特性，不純物などを徹底的に調べることが重要であろう。バイオ医薬品の分析手法は日々進化しているので，最新の情報を入手する努力が必要である。

■参考文献

1) 生物薬品（バイオテクノロジー応用医薬品／生物起源由来医薬品）の規格及び試験方法の設定について（医薬審発第571号，平成13年5月1日，ICH Q6B）
2) 生物薬品（バイオテクノロジー応用製品／生物起源由来製品）の製造工程の変更に伴う同等性／同質性評価について（医薬審発第0426001号，平成17年4月26日，ICH Q5E）
3) 生物由来原料基準（平成26年厚生労働省告示第375号）
4) 生物由来原料基準の運用について（薬食機参発1002第5号 平成26年10月2日）
5) Note for Guidance on Minimising the Risk of Transmitting Animal Spongiform Encephalopathy Agents via Human and Veterinary Medicinal Products (EMEA/410/01)
6) 原薬の開発と製造（化学薬品及びバイオテクノロジー応用医薬品／生物起源由来製品）ガイドラインについて（医薬審第9号，平成26年7月10日，ICH Q11）
7) Guidance for Industry Pyrogen and Endotoxins Testing: Questions and Answers (FDA, June 2012)
8) 「ヒト又は動物細胞株を用いて製造されるバイオテクノロジー応用医薬品のウイルス安全性評価」について（医薬審第329号，平成12年2月22日，ICH Q5A）
9) PRESS RELEASE Supply shortages of Cerezyme and Fabrazyme – priority access for patients most in need of treatment recommended (London, 25 June 2009 Doc. Ref. EMEA/389995/2009)
10) 分析法バリデーションに関するテキスト（実施項目）について（医薬審第756号，平成7年7月20日，ICH Q2A）
11) 分析法バリデーションに関するテキスト（実施方法）について（医薬審第338号，平成9年10月28日，ICH Q2B）
12) ASSESSMENT AND CONTROL OF DNA REACTIVE (MUTAGENIC) IMPURITIES IN PHARMACEUTICALS TO LIMIT POTENTIAL CARCINOGENIC RISK. ICH M7 (R1) Step 4, 31 March, 2017
13) The Gold Sheet (F-D-C REPORTS Vol. 38, No. 9 September 2004)
14) Requirements for the use of animal cells as *in vitro* substrates for the production of biologicals. WHO Expert Committee on Biological Standardization (WHO Technical Report Series, No. 878, 1998)
15) A-Mab: Case study in bioprocess development (CMC Biotech Working Group Ver 2.1 October 2009)
16) Guidance for Industry Imumunogenicity assessment for therapeutic protein products (FDA, August 2014)
17) Elena Krayukhina, 米田早紀, 古賀博己, 丸野孝浩, 内山 進. タンパク質の凝集と凝集体評価. Pharm Tech Japan 34(7): 121-131, 2018
18) 安定性試験ガイドラインの改定について（医薬審発第0603001号，平成15年6月3日，ICH Q1A(R2)）
19) 生物薬品（バイオテクノロジー応用製品／生物起源由来製品）の安定性試験について（医薬審第6号，平成10年1月6日，ICH Q5C）

第 7 章 バイオ医薬品の特性解析

はじめに

第6章では，バイオ医薬品の品質管理について基本的な考え方を中心に述べた．本章では，Ⅰ項「バイオ医薬品の特性解析」で品質管理の基盤となる特性解析とそれを支える分析技術について概説する．また，Ⅱ項「抗体医薬品の翻訳後修飾」では，翻訳後修飾が主に抗体医薬品の機能やPKに及ぼす影響について概説する．

Ⅰ バイオ医薬品の特性解析

はじめに

本章で取り上げる遺伝子組換え技術や，細胞培養技術を用いて生産されるタンパク質性のバイオ医薬品の品質，特性を考えるにあたって，考慮すべき点として，不均一性があげられる．すなわち，完全に人為的なコントロールを行うことが不可能な，生細胞中の生合成系に

表7-1 バイオ医薬品の物理的化学的特性解析および不純物（ICH Q6B）

6.1 物理的化学的特性解析
6.1.1 構造解析・構造確認
a) アミノ酸配列（全アミノ酸配列）
b) アミノ酸組成
c) 末端アミノ酸配列（C末端，N末端）
d) ペプチドマップ
e) スルフヒドリル基及びジスルフィド結合
f) 糖組成・糖鎖構造
6.1.2 物理的化学的性質
a) 分子量・分子サイズ
b) アイソフォームパターン
c) 比吸光度（又はモル吸光係数）
d) 電気泳動パターン
e) 液体クロマトグラフィーパターン
f) 分光学的性質
6.2 不純物
6.2.1 製造工程由来不純物及び混入汚染物質
a) 細胞基材に由来する不純物（宿主由来タンパク質，核酸（宿主ゲノム由来，ベクター由来，総DNA）など）
b) 細胞培養液に由来する不純物（インデューサー，抗生物質，血清，その他の培地成分など）
c) 細胞培養以降の工程である目的物質の抽出，分離，加工，精製工程に由来する不純物
6.2.2 目的物質由来不純物（分解物・変化物を含む）
a) 切断体
b) 切断体以外の分子変化体（脱アミド体，異性体，ジスルフィド結合ミスマッチ体，酸化体など）
c) 凝集物

より生産されること，糖鎖付加等の翻訳後修飾により分子構造的に多様性が生ずる可能性があること，タンパク質自体が不安定な高分子物質であり，製造工程，精製工程，製剤化後の保存中においても，構造の変化に伴う不均一性が生じ得ること等が考えられる。

そこで，バイオ医薬品の特性解析においては，その品質の恒常性を維持するため，幅広く物質としての本質をとらえるとともに，変化，不均一性をできるだけ鋭敏に検出できる手法により行われることが望ましい。

ICH Q6B[1]では，バイオ医薬品の特性解析に関する基本的な事項に加え，開発段階においては幅広く解析が行われるべきであること，不均一性に留意すべきことに言及されており，十分に参照されたい（**表7-1**）。

1．バイオ医薬品の特性解析の概要

①構造・組成

タンパク質性のバイオ医薬品の場合，アミノ酸配列からなる一次構造から，ジスルフィド結合による架橋も含めた，正しい折りたたみの構造，すなわち，高次構造がその生物活性の発揮に重要である。さらに，糖タンパク質性の医薬品の場合には，糖鎖の種類，構造ならびに付加状態により，その機能，安定性およびPK（Pharmacokinetics：薬物動態）等が変化する可能性がある。

そこで，これらの点を踏まえ，バイオ医薬品のタンパク質部分および糖鎖部分に関する特性解析項目としては，それぞれ以下のような内容があげられる。

1）タンパク質部分

タンパク質の構造について，どの程度まで徹底して解析することが必要かは，目的とする物質の分子量や構造的な複雑さ，分子種の多様性により異なり，また，その手段としての分析技術の現在の水準において，現実的にどこまでの解析が可能かということにも左右される。一般論としては，以下の項目が特性解析の主要な項目としてあげられる。

- アミノ酸組成
- N末端およびC末端アミノ酸配列
- ペプチドマップ
- 全アミノ酸配列
- スルフヒドリル基およびジスルフィド結合
- 高次構造

2）糖鎖部分

糖タンパク質の糖鎖部分は，標的細胞における受容体との結合等の生物活性や，体内動態，抗原性，溶解性や安定性にも影響するといわれている。また，糖鎖部分には不均一性が存在し，発現細胞やその培養条件によっても変化が起こること等も知られている。そこで，糖鎖構造と生物活性の関係性を考慮しつつ，可能な範囲で，以下の項目について解析することが

望まれる。
- 糖組成（単糖およびオリゴ糖）
- 糖結合型（N-結合型，O-結合型）
- シアル酸分子種
- 糖鎖構造
- 糖鎖結合位置
- 結合位置ごとの糖鎖分布，構造

②物理的化学的性質

以下に示す各手法による分析項目は，タンパク質の分子量，分子サイズ，構造的／電気的特性を表すパラメータに関するものであり，特に各種クロマトグラフィーや電気泳動といった手法は，その分離モード（原理）を組み合わせることにより，タンパク質の特性解析，同定，定量，さらには純度，不均一性の解析手段として有用なものとなる。

ⅰ）質量分析（Mass Spectrum：MS）：分子量
ⅱ）各種電気泳動
- SDS-ポリアクリルアミドゲル電気泳動（SDS-PAGE）：分子量分布等
- 等電点電気泳動（Isoelectric Focusing：IEF）：アイソフォーム[注1]パターン等

ⅲ）各種クロマトグラフィー
- サイズ排除クロマトグラフィー（Size Exclusion Chromatography：SEC）：単量体，多量体等
- イオン交換クロマトグラフィー（Ion-Exchange Chromatography：IEC）：荷電の異なる分子種（糖鎖の不均一性，末端アミノ酸配列の不均一性，脱アミド体，酸化体等）

ⅳ）分光学的性質（UV）：モル吸光係数を用いたタンパク質濃度
ⅴ）高次構造（CDスペクトル）：二次構造の種類と含量

[注1] 同様の機能を有するがアミノ酸配列の一部が異なるタンパク質。

③生物活性

生物活性は，バイオ医薬品の作用の指標であり，目的とする物質の生物学的，生化学的機能の解明，確認に必須の項目である。例えば，酵素の場合は酵素活性，抗体の場合は抗原の中和活性，エフェクター活性，アゴニスト活性，ワクチンであれば免疫反応誘導能，サイトカインやホルモンであれば目的となる機能発現が指標となる。

生物活性の評価には，動物を用いる in vivo 試験法と，細胞を用いる，あるいは生化学的な反応系を用いる in vitro 試験法がある。後者は，簡便性と再現性の点で優れ，品質管理を目的とする試験では多用される。一方，前者は，生体内での動態や，標的細胞あるいは分子との相互作用が反映されるのに対し，後者ではそれら要素が十分に反映されず，両者の結果が必ずしも相関しない場合があることに注意する必要がある。

一般的に，タンパク質性医薬品の生物活性を示す尺度として「力価」が用いられるが，力価測定の指標である生物活性は，必ずしも臨床使用時の薬効と同一，あるいは類似のもので

あることを必要としない。生物活性は特性解析，品質管理を行う上での要件を満たすものでよいが，その場合，臨床効果と当該指標との相関性については，薬力学試験，臨床試験において確認する必要がある。

④免疫化学的性質

タンパク質性医薬品の免疫化学的性質は，一般的にはその物質に対する特異的な反応性を有する抗体との反応特性で表され，免疫化学的方法（ウエスタンブロッティング，ELISA（Enzyme-Linked ImmunoSorbent Assay），表面プラズモン共鳴等）を用いて評価する。これらの手法は，目的物質の同一性，均一性，純度等の確認試験法として，また目的物質の定量法として活用される。

⑤不純物等

不純物には，目的物質由来不純物に加え，製造工程由来不純物の存在が考えられる。これら不純物は生物活性や免疫化学的性質へ影響することも考えられるため，特性データとして，不純物プロファイルを明確にし，その恒常性を評価することで品質管理が可能となる。

2. 抗体医薬品の特徴

（1） 構造的，物理的化学的特徴

抗体の基本構造は，H鎖2本とL鎖2本から構成される4本鎖構造を有する糖タンパク質であり，ポリペプチド鎖の違いによりIgG，IgD，IgE，IgA，IgMに分類される。さらにH鎖の性状によりサブクラスに分かれ[注2]，これら各クラスおよびサブクラスの抗体間では分子量，等電点といった物理的化学的な性質が異なる（表7-2）。

表7-2　ヒト抗体クラス／サブクラス別の物理的化学的性質[2]
一般的な値で，これらから外れる場合もある

クラス／サブクラス	分子量(kDa)	等電点
IgG$_1$	146	5.0〜9.5
IgG$_2$	146	5.0〜8.5
IgG$_3$	170	8.2〜9.0
IgG$_4$	146	5.0〜6.0
IgM	900	5.1〜7.8
IgA$_1$	160	5.2〜6.6
IgA$_2$	160	5.2〜6.6
sIgA	370	4.7〜6.2
IgD	184	n.d.
IgE	190	n.d.

n.d.：No data

加えて，第6章でも示したように，抗体医薬品の構造的特徴として，①H鎖およびL鎖の末端アミノ酸配列，②ジスルフィド結合，③糖鎖構造の違い，④酸化，脱アミド化等の不均一性が生じる可能性がある（図6-3）。

また，抗体医薬品については，その免疫原性[注3]の低減を目的として，マウス抗体の定常領域をヒト由来の構造に置き換えたキメラ抗体，抗原結合部位である超可変領域のみマウス由来構造を残し，ヒト由来構造に置き換えたヒト化抗体，完全にヒトのアミノ酸配列を有するヒト抗体等が開発され（図7-1），主流となりつつある。したがって，これらの抗体のタンパ

[注2]抗体医薬品の主流はIgG$_1$である。
[注3]抗体医薬品が抗原となり免疫反応を引き起こす性質。

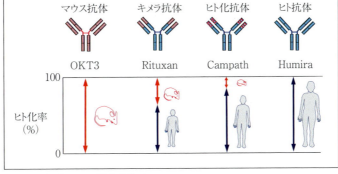
図7-1　抗体分子の構造変換[3]

ク質分子としての特性も，その構造変換に伴い変化することとなる。なお，ヒト抗体のほうがヒト化抗体よりも，抗抗体の発現率が高い例なども報告されており，生体の反応は理屈で考えるほど単純ではない。

(2) 生物学的特徴

抗体医薬品の薬効とは，抗原の機能調節に基づく生物活性により規定され，力価として表示されるが，酵素タンパク質の活性のように標準物質が存在しないため，特性解析を行った自家一次標準により力価を設定し，それとの対比により，抗体としての能力価を定めることとなる。

また，薬効，安全性の両面にかかわる要素として，抗体の抗原特異性と抗体タンパク質自体の免疫原性があげられる。前者は，抗体の薬効が選択的であることや主作用に関連した副反応にかかわり，後者は反復投与時の中和抗体による効力減弱，PKの低下等にかかわるとともに，アレルギー反応等の有害事象の発現にも関与する可能性がある。

抗体医薬品の特性評価に際しては，以上のような抗体医薬品に特徴的な，構造的および生物学的な性質を踏まえた上で進める必要がある。

3. 抗体医薬品の特性解析

この項では，バイオ医薬品の代表例として抗体医薬品を取り上げ，その特性解析の基本的事項，すなわち，構造（タンパク質構造，糖鎖構造），物理的化学的性質，生物学的性質（生物活性，免疫学的性質），不純物と解析方法について概説する。

なお，抗体医薬品の品質評価のためのガイダンス[4]は，モノクローナル抗体のみならず，薬理活性を持つ低分子化合物，放射性同位元素配位性キレート，ポリエチレングリコール等による化学的修飾を施したモノクローナル抗体も対象としており，特性解析において考慮すべき基本的事項について言及しているので，十分に参照されたい。

（1）タンパク質構造解析

①一次構造解析

　タンパク質を構成するアミノ酸の配列を調べることを一次構造解析と呼ぶ。アミノ酸配列の分析は塩基配列から推定されるアミノ酸配列との相同性を確認するために行われるが，一般に抗体のような高分子量タンパク質では，アミノ酸組成分析や，N末端からアミノ酸を逐次遊離させるエドマン分解法による配列解析のみで，一次構造を決定することは困難である。よって，N末端，C末端のアミノ酸配列の分析や，LC-MSとペプチドマッピングを組み合わせた手法等による結果と合わせて解析することとなる。

1）アミノ酸組成

　タンパク質のアミノ酸組成は，各タンパク質に固有の値を示す。アミノ酸組成分析においては，タンパク質を酸加水分解でアミノ酸にまで完全分解して，各アミノ酸をポストラベル法あるいはプレラベル法を併用したHPLC分析を行うのが一般的である。ポストラベル法の場合，イオン交換カラムでアミノ酸を分離後，ニンヒドリンやo-フタルアルデヒド等と反応させ，それぞれ，可視吸光，蛍光検出器で測定するものである（**図7-2**）。

　一方，プレラベル法は分離前にアミノ酸を誘導体化し，その後，逆相系のカラムで分離測定するものである。現在は，アミノ酸分析専用の自動分析装置もあり，精度の高い分析が可能である。

　なお，第十七改正日本薬局方の参考情報「アミノ酸分析法」に，三薬局方での調和合意に基づき規定した試験法が記載されているので，参照されたい。

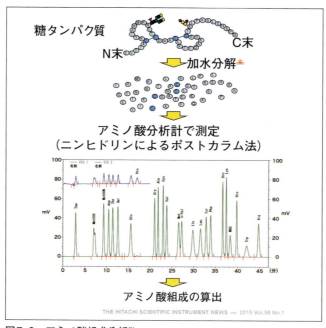

図7-2　アミノ酸組成分析[7]

2）N末端，C末端アミノ酸配列

末端アミノ酸配列の分析は，N末端，C末端アミノ酸の種類ならびに不均一性の確認のために行う。N末端部分のアミノ酸配列分析にはエドマン法を利用したプロテインシーケンサーが用いられる。すなわち，末端アミノ酸を誘導体化し，1残基ずつ逐次遊離させ，逆相系HPLCにて分離，同定される（**図7-3**）。なお，抗体医薬品の場合はN末端がピログルタミン酸によりブロックされ，解析困難な場合があり，このような場合にはピログルタミン酸をピログルタミルアミノペプチダーゼ消化した後に解析を行う等の対応が必要となる。なお，ピログルタミン酸の形成が確認された場合は，その割合を求める。

一方，C末端アミノ酸配列については，カルボキシペプチダーゼ等による酵素的な分解により順次遊離させ，解析を行うことができる。なお，カルボキシペプチダーゼ等による酵素的な分解がうまくいかない場合は，タンパク質を水と$H_2^{18}O$を1：1で含む緩衝液中で酵素消化後，LC-MSで分析することによりC末端ペプチドを同定し，プロテインシーケンサーでC末端アミノ酸配列を解析する方法もある（**図7-4**）。なお，ほとんどの抗体医薬品において，H鎖C末端のリシンの大部分は欠損しており，C末端アミノ酸の不均一性を確認する必要がある。

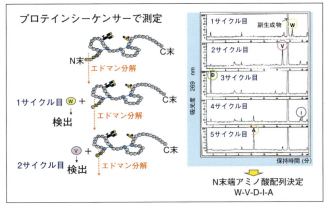

図7-3　N末端アミノ酸配列解析[7]

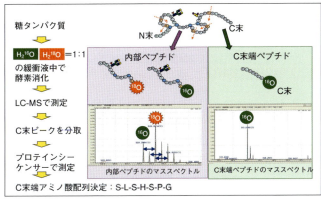

図7-4　C末端アミノ酸配列解析

3）ペプチドマップ

ペプチドマッピングは，タンパク質を化学的または酵素的に消化して生じたペプチド断片をHPLC等により分離・解析する方法である。本方法は，ⅰ）ペプチド結合の切断，ⅱ）クロマトグラフィー等による分離および分離パターンの解析，ⅲ）各ペプチドの解析，の3段階からなる。ペプチド結合の切断については，トリプシン等を用いる酵素法と，化学的方法があり，酵素または切断剤の量，pH，温度，反応時間等の条件を最適化する必要がある。ペプチドの分離は，通常，逆相HPLCを用いて行うが，それぞれのペプチドが分離できる条件をあらかじめ検討する必要がある。確認試験として用いられることも多く，その際は検体と標準物質のクロマトグラムの相同性をもって，同一性が確認される。また，分離されたペプチドのアミノ酸配列をシーケンサーやタンデム質量分析計（Tandem mass spectrometer：MS/MS）により解析することにより，アミノ酸配列を確認することができる（図7-5）。

さらに，抗体医薬品においては，LC-MS/MSを用いたペプチドマッピングを行うことで，N末端，C末端の不均一性（末端ペプチドのマススペクトルより異なる末端構造の存在比を求める）や，ペプチドに結合している糖鎖の構造，各糖鎖の存在比の推定，人為的修飾，ならびに分子変化体の解析といった特異性把握のために重要な情報も得ることが可能となる。

なお，第十七改正日本薬局方[5]の参考情報「ペプチドマップ法」に，三薬局方での調和合意に基づき規定した試験法が収載されており，タンパク質の一次構造を解析する場合，塩基配列から推定される理論アミノ酸配列と少なくとも95%が一致することを目標とするようにとの記載がある。

4）スルフヒドリル基およびジスルフィド結合

抗体分子内には，H鎖内，L鎖内，H-L鎖間，ならびにH鎖間に複数のジスルフィド結合が存在しており，分子構造の特定には，その位置と数を解析する必要がある。スルフヒドリル

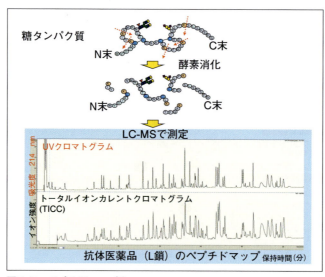

図7-5　ペプチドマップ[7]

基およびジスルフィド結合解析は，それぞれジスルフィド結合していないスルフヒドリル基の割合を明らかにすること，および目的とするジスルフィド結合が形成されていることを確認するために実施する。

スルフヒドリル基は，5,5'-ジチオビス（2-ニトロ安息香酸）（DTNB試薬）を用いた比色定量法（エルマン反応）等によって定量することができる。ジスルフィド結合の位置は，還元アルキル化処理した抗体と，未処理の抗体をペプチドへ断片化して，それぞれのペプチドマップの比較から，ジスルフィド結合を含むペプチドを特定し，それらのペプチドのアミノ酸配列を解析することで，決定することができる（図7-6）。

なお，IgG_2やIgG_3では，ジスルフィド結合の不均一性に注意を払う必要がある。

②立体構造解析

タンパク質は，アミノ酸が直鎖状に連なったポリペプチドが規則正しく折りたたまれ，特定の立体構造を示して初めて本来の生物活性を発揮することができる。この立体構造を解析する手法としては，円偏光2色性（Circular Dichroism：CD）スペクトル分析，核磁気共鳴（Nuclear Magnetic Resonance：NMR）などがある。

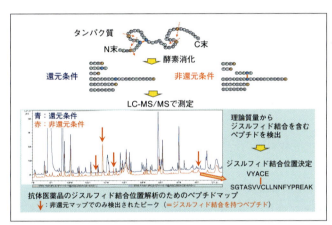

図7-6　ジスルフィド結合位置の解析[7]

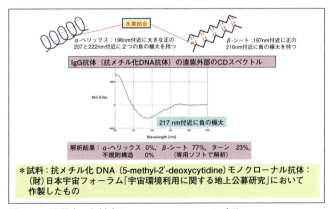

図7-7　円偏光2色性（Circular dichroism：CD）[7]

CDスペクトルは，タンパク質の二次構造，すなわちαヘリックス，βシート，ランダム構造による紫外部の吸収スペクトルパターンが異なることを利用して，抗体の立体構造を推定する方法である（図7-7）。

同一の一次構造を有するポリペプチド鎖でも，正常に折りたたまれた（フォールディング）場合と，異常に折りたたまれた（ミスフォールディング）場合では，表面荷電が異なる場合がある。

(2) 糖鎖構造解析

糖タンパクに結合している糖鎖は大きく分けて，N-結合型糖鎖とO-結合型糖鎖に分類される。N-結合型糖鎖は，マンノース3分子とN-アセチルグルコサミン2分子からなるトリマンノシルコアを基本骨格とした糖鎖で，Asn-Xaa-Ser/Thr（XaaはPro以外のアミノ酸）の配列中のAsnのアミド窒素原子に結合している。O-結合型糖鎖として多くみられるのはムチン型糖鎖で，主にSer/Thrの酸素原子に結合している（図7-8）。

IgGを基本骨格とするモノクローナル抗体では，通常，H鎖のCH$_2$ドメインの1カ所に共通してN-結合型糖鎖が結合しており，N-結合型糖鎖のトリマンノシルコア部分にα1-6結合しているフコースまたは非還元末端ガラクトースがその細胞傷害活性等を制御することが知られている。

動物細胞で生産した抗体に付加される非ヒト型糖鎖としてはガラクトースα1-3ガラクトース（Galα1-3Gal）やN-グリコリルノイラミン酸（NeuGc）が知られており，Galα1-3Galについては抗体医薬品投与時のアナフィラキシー発症との関連が報告された例がある[6]。

抗体の糖鎖分析法としては，単糖に分解して分析する方法（単糖組成分析），糖鎖を酵素等で切り出して分析する方法（オリゴ糖分析），トリプシン等による分解で糖ペプチドとして解析する方法（糖ペプチド解析），および糖タンパク質のまま解析する方法（グリコフォーム分析）があり，1つの解析にてすべての情報を得ることは困難であり，この4種類の方法を組み合わせた解析を行うのが一般的である。

なお，第十七改正日本薬局方の一般試験法に「糖鎖試験法」が，参考情報に「単糖分析及びオリゴ糖分析／糖鎖プロファイル法」が新規収載された。

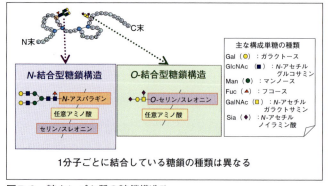

図7-8　糖タンパク質の糖鎖構造[7]

①単糖組成分析

単糖組成分析では、N-結合型糖鎖とO-結合型糖鎖の有無と、糖鎖全体に占める各単糖の割合を確認する目的で行われる。中性糖およびアミノ糖については、酸加水分解により糖を抗体タンパク質より遊離させ、高速陰イオン交換クロマトグラフィーパルス式電気化学検出法（High Performance Anion Exchange Chromatography-Pulsed Amperometric Detection：HPAEC-PAD）または、蛍光誘導体化後、HPLCにより定量する（図7-9）。HPAEC-PADは、遊離単糖をそのまま分析できる利点がある。シアル酸はシアリダーゼまたは酸処理により切り出し、HPAEC-PADまたは、蛍光誘導体化後、HPLCにて定量する。

②オリゴ糖分析

オリゴ糖分析は、各糖鎖の構造と結合の全体に占める比率を確認するために行われる。N-結合型糖鎖は、N-グリコシダーゼF等の酵素やヒドラジン分解により、O-結合型糖鎖の場合は、O-グリカナーゼやアルカリ分解により、糖鎖を遊離させ、HPAEC-PAD、HPLC、キャピラリー電気泳動（Capillary Electrophoresis：CE）、スラブゲル電気泳動等で分離、解析する。検出器としてMSを用いた場合には、検出されるフラグメントパターンより糖鎖構造が推定される（図7-10および図7-11）。

③糖ペプチド分析

糖ペプチド分析は、結合部位ごとに糖鎖の不均一性を明らかにする必要があるときに行う。消化酵素はペプチドごとに2つ以上の糖鎖が含まれないよう、また、MS分析時のイオン化効率を考慮し、ペプチドのアミノ酸残基数が大きくなりすぎないように選択する。HPLCにより糖ペプチドを分離後、MSにて分析を行う。

なお、LC-MSを用いたペプチドマッピングを行っている場合には、糖ペプチドのマススペクトルから糖鎖構造の推定が可能である。

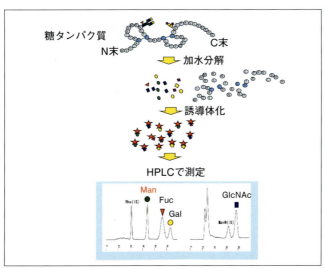

図7-9　糖組成分析[7]

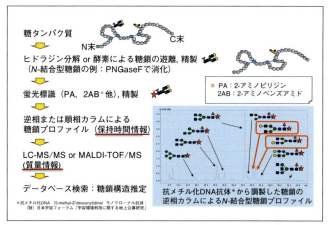

図7-10　糖鎖構造解析（N-結合型）[7]

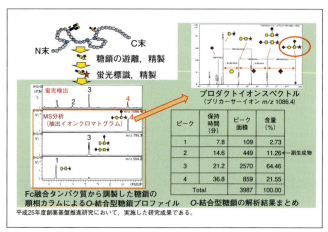

図7-11　糖鎖構造解析（O-結合型）[7]

　また，LC-MSにより，どのアミノ酸に糖鎖が付加しているかを解析することもできる。N-結合型糖鎖の場合は，（2）糖鎖構造解析の冒頭で述べたように，いわゆるコンセンサス配列があるため，糖鎖が付加しているAsnは特定しやすいが，O-結合型糖鎖の場合は，配列に規則性はなく，また対象となるSer/Thrは比較的酵素消化後の同一ペプチド内に集中して出現するため，どのSer/Thrであるのかを特定するのは難しい場合が多い。加えて，一般的に用いられる衝突誘起解離（CID：Collision induced dissociation）によるMS/MS分析では，ペプチドから糖鎖が最初に脱離してしまうことから，その解析には時間を要することが知られている。そこで，電子移動解離（ETD：Electron Transfer Dissociation）と呼ばれる解離方法を用いてMS/MS分析を行うことで，糖鎖を脱離させることなく，ペプチドの配列情報を解析することで糖鎖修飾の位置情報を得ることができる（図7-12）。

④糖タンパク質解析
　タンパク質への糖鎖付加の割合やグリコフォーム[注4]分布を確認する方法として，2次元電気泳動（等電点電気泳動 → SDS-PAGE），キャピラリー電気泳動，MS等が利用される。

注4) タンパク質部分の一次構造が同一で，糖鎖部分のみが異なる糖タンパク質のサブユニット。

（3） 物理的化学的性質

　抗体医薬品においては，分子構造上の不均一性の存在を考慮する必要性があり，物理的化学的性質の解析に際しても，目的物質の不均一性のパターンについて明らかにしておく必要性がある。抗体医薬品において不均一性が存在する要因として，凝集，断片化，N末端グルタミンまたはグルタミン酸残基のピログルタミン酸形成，H鎖C末端リシン残基の欠失，アスパラギン酸残基の異性化，アスパラギンの脱アミド化，メチオニン残基の酸化，ジスルフィド結合異性体等のポリペプチド鎖上に生じた分子変化（分子異性体の存在），糖鎖の不均一性等が知られている（図7-13）。以下に，物理的化学的性質の解析として実施すべき主たる項目について示す。

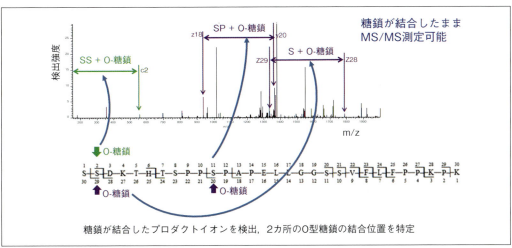

図7-12　ETDによる糖ペプチドのMS/MS分析

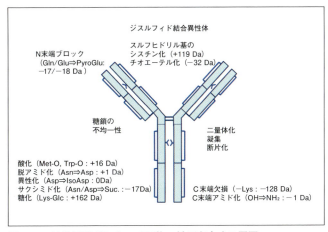

図7-13　抗体医薬品において不均一性が存在する要因

①分光学的性質

　タンパク質の分光学的性質としては，芳香族アミノ酸に由来する紫外部吸収により特徴づけられ，これらアミノ酸残基の存在量，存在状態に応じた吸収スペクトルが与えられる。
　また，単位量当たりの吸光度，すなわち比吸光度（もしくはモル吸光係数）は，窒素定量法（ケルダール法）等で求めた既知量のタンパク質溶液から求められる。

②電気的性質

　糖タンパク質である抗体の場合，高次構造形成時の分子表面のアミノ酸解離基に加え，糖鎖の影響も含め，電気的性質が決定づけられる。電気的性質の解析としては，主にIEFやIECが用いられる。
　IEFは各タンパク質が固有に持つ等電点により分離する方法である。抗体医薬品の場合，C末端リシン残基の有無，脱アミド化，シアル酸結合量といった違いによる荷電アイソフォームの分離が可能である。また，CE装置を用いたCE-IEFでは，UV検出器等と組み合わせ，液体クロマトグラフィー並みの高分離度による解析が可能である。
　IECは，等電点が異なるタンパク質を分離するのに最も適したクロマトグラフィーである。脱アミド体，一方または両方のH鎖C末端リシン欠失体，一方または両方のH鎖のN末端がグルタミン酸残基であるもの，シアル酸付加体，H鎖断片，L鎖断片，Fab断片およびFc断片等の検出に利用される（図7-14）。

③分子量，分子サイズ

　タンパク質の分子量については，従来，SDS-PAGEや，SEC等により測定されてきた。還元条件下でのSDS-PAGEでは，H鎖，L鎖の分離検出が可能であり，非還元条件下では150〜200 kDaの位置に4量体の状態での抗体分子が検出され，さらに，凝集体，分解，断片化したもの，ジスルフィド結合の異常によって生じた分子等も電気泳動パターンより検出が可能で

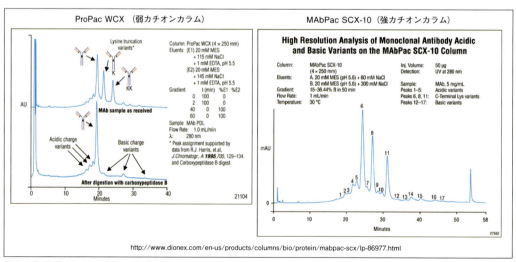

図7-14　イオン交換クロマトグラフィー
　　　　糖鎖付加，酸化，断片化等の検出[7]

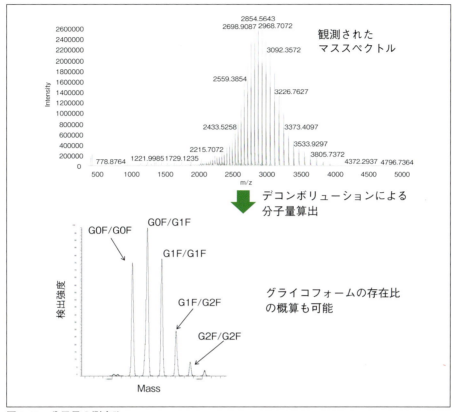

図7-15 分子量の測定[7]

ある。

また，最近では質量分析(MS)が汎用されるようになりつつある(**図7-15**)。MSについては，タンパク質イオン化には，エレクトロスプレーイオン化(ESI)法，マトリックス・アシステッド・レーザー・デソープションイオン化(MALDI)法があり，通常，飛行時間型質量分析計(Time-of-Flight Mass Spectrometer：TOF-MS)と組み合わせられ，微量のサンプルでの迅速分析も可能となっている。C末端リシンの欠損(128 Da)，糖鎖のガラクトース残基数(162 Da)の違いによる分子種の違いを識別できる。

なお，第十七改正日本薬局方の参考情報に，SDS-PAGE，ペプチドおよびタンパク質の質量分析が収載されている。

④高次構造

抗体の二次構造に関しては，前述のCDスペクトルの手法により紫外部CDスペクトルを測定することで，立体構造を推定できる。また，三次構造については，X線結晶構造解析による，分子形状の解析が可能である。

(4) 生物学的性質

抗体医薬品の生物活性とは，抗原の機能調節であり，それにより目的とする生体反応の抑制

あるいは活性化などの薬効が発揮される。これまでに実用化されている抗体医薬品は，生理活性物質やその受容体と結合することで生体反応を抑制するもの，細胞表面物質と結合し，エフェクター細胞あるいは補体を介した殺細胞活性により抗腫瘍活性を示すもの，ウイルスの表面タンパク質に結合し，感染抑制作用と生体からの排除を促進する作用を持つもの等に分類される。

　抗体医薬品の生物学的性質の測定法としては，抗原との結合性試験と，培養細胞等を用いたバイオアッセイに大別される。前者では，抗原と抗体の結合性（親和性）について詳細な検討が可能であり，後者では，抗原の機能調節に基づく生物活性および力価の測定が可能である。

①結合性試験

　結合性試験では抗原に対する親和性に加え，認識エピトープ確認，抗原特異性（交差反応性）等の評価も可能である。以下に結合性試験に用いられる主な方法を示す。

- ELISA：競合法ELISAと非競合法ELISA等があり，いずれも抗原を固相化し，抗体医薬品の反応を検出するものが多い。前者は目的物質である抗体成分自体の標識体調製が必要になるが，後者では，目的抗体成分を認識する二次抗体を使用するため，その必要性はない。
- 表面プラズモン共鳴：分子間での結合，解離に伴い起こるセンサーチップ表面でのわずかな質量変化をとらえることで，分子間相互作用を評価する方法である。抗原や抗体分子をセンサーチップ上に固定し，抗原抗体反応を高感度に解析することができる（**図7-16**）。なお，表面プラズモン共鳴法は，第十七改正日本薬局方の参考情報に新規収載された。
- 抗原発現細胞を用いた結合性評価：抗原を発現した細胞を用いることで，より生理的条件に近い状態での抗原との結合性を評価することができる。^{125}I 標識した抗体医薬品を用い，直接結合した放射活性を測定する，あるいは非標識抗体医薬品との競合により，結合性を評価する。また，抗体医薬品に蛍光標識体を結合させ，フローサイトメトリーに

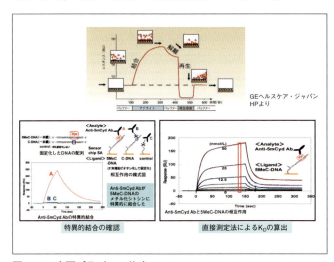

図7-16　表面プラズモン共鳴

より，抗体の結合を検出することもできる。

②培養細胞等を用いた機能評価試験

機能評価試験では，抗原抗体反応による抗原物質の生理機能への働きかけが，どのような生体反応を引き起こすかを評価するものである。抗体医薬品や抗原の特性，期待される臨床的効果等を考慮した試験系を設定する必要がある。

- 中和活性試験：サイトカイン，増殖因子あるいはこれらに対する受容体を標的とする抗体医薬品の場合，これら物質の細胞に対する作用の抑制効果を評価することとなり，その指標としては，細胞増殖や細胞傷害性が用いられる。また，抗ウイルス抗体医薬品の場合には，標的ウイルスによる被感染細胞の細胞変性作用やプラーク形成阻害作用を指標として評価を行うことが可能である。
- 抗体依存性細胞傷害（Antibody-Dependent-Cellular-Cytotoxicity：ADCC）活性：ADCC活性とは，抗体医薬品が標的細胞に結合し，抗体Fc部を介し，Fc受容体を保有するエフェクター細胞が，標的細胞に対して細胞傷害性を発揮するものである。エフェクター細胞としてはナチュラルキラー細胞，顆粒球，マクロファージがある。標的細胞に抗体医薬品を反応させた後に，エフェクター細胞を加え，細胞破壊により上清中に遊離したプロテアーゼ（例：カスパーゼ）や代謝酵素（例：乳酸脱水素酵素LDH）を測定する方法や，あらかじめCalcein-AMのような蛍光物質で標識した標的細胞を用いて細胞破壊により分泌された蛍光強度を測定することで評価を行うことができる（**図7-17**）。
- 補体依存性細胞傷害（Complement-Dependent Cytotoxicity：CDC）活性：CDC活性とは，標的細胞の膜表面抗原に結合した抗体Fc部を介し，補体系古典経路が活性化され，標的細胞膜表面に，補体の膜侵襲複合体が形成され，細胞溶解が引き起こされるものである。試験方法としては，標的細胞に抗体医薬品と補体成分を加え，反応させた後の生存標的細胞数や細胞溶解した死細胞を評価することにより行う。

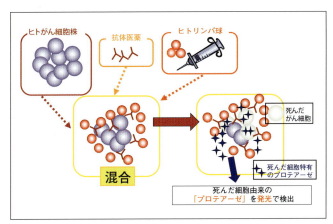

図7-17　ADCC（抗体依存性細胞傷害）活性測定法の例[7]

(5) 不純物[16]

①目的物質由来不純物，目的物質関連物質の分析

目的物質由来不純物とは有効性および安全性の点で目的物質に匹敵する特性を持たない物質であり，目的物質関連物質とは有効性および安全性の点で目的物質に匹敵する特性を持つ物質である。

切断体は目的物質由来不純物であり，サイズ排除クロマトグラフィーにより，サイズ分離と定量が可能である。多角度光散乱（multi angle light scattering）検出器などと組み合わせることで，分子量や慣性半径など，より詳細な情報を取得できる。SECのほか，SDS-PAGEやキャピラリー電気泳動（capillary electrophoresis：CE）などによって分析できる。

凝集体も目的物質由来不純物とみなされる。分析方法は，第6章 3.バイオ医薬品の品質管理（5）製剤規格試験に記載したとおりである。抗体医薬品の場合，製造プロセス後半のポリッシング段階後に凝集体は5％未満になっていることが目安とされている。

重鎖のN末端に存在するグルタミン酸やグルタミンがピログルタミン酸に変化したものが環化体であり，それぞれ質量が18 Da，17 Da減少することから，LC-MSを利用したペプチドマッピングで評価することができる。抗体分子に含まれる環化体の割合は，極めて高いことが一般的に知られている。安全性には影響がないことから目的物質関連物質とみなされることが多い。

メチオニン，トリプトファン，システイン，ヒスチジンは酸化体を形成しやすい。最も頻繁に観察されるのがメチオニンの酸化体であり，LC-MSを利用したペプチドマッピングで評価されることが多い。

アスパラギンやグルタミンの脱アミド体（+0.984 Da）は非酵素的に生じる。これらもLC-MSを利用したペプチドマッピングで分析することができる。

アスパラギン酸はイソアスパラギン酸へと異性化するが，この反応も非酵素的に進行する。分子量の変化が起こらないため，質量分析での評価はできないが，適切な酵素で切断後，逆相クロマトグラフィーやIEX，CEで分離可能であり，ペプチドマッピングで評価することができる。

アスパラギンの脱アミド化やアスパラギン酸の異性化は，抗体の安定性や活性に影響することが知られている。

②製造工程由来不純物

製造工程由来不純物としては，宿主細胞由来DNA，宿主細胞由来タンパク質，Protein A，血清由来成分，培地成分，培地添加物，容器等からの溶出物等がある。主な製造工程由来不純物について，分析法の概略を以下に示す。

1980年代には，宿主細胞由来DNAの造腫瘍性が懸念され厳しい基準が設定されていたが，その後安全性に関する知見が蓄積することにより，1996年に投与量あたり10 ng以下とするガイドラインがWHOから示され，許容値の目安とされている。宿主細胞由来DNAの定量には，宿主のDNA配列に特異的なプローブを用いたハイブリダイゼーション法，ビオチン標識した一本鎖DNA結合タンパク質とウレアーゼ標識した抗一本鎖DNA抗体のサンドイッチ法であるスレッシュホールド法，特異的なプライマーを用いたリアルタイムPCR法が用いられる。

宿主細胞由来タンパク質（host cell protein：HCP）は，体内に入ると患者に予期しない免疫反応を引き起こすことが懸念されている。HCPの定量には，抗HCP抗体を用いたELISAが用いられる。また，HCPの種類の確認には，銀染色やSyro® Rubyなどの染色法と併せた2D-SDS-PAGE，蛍光ディファレンシャルゲル二次元電気泳動，ウエスタンブロッティング法が用いられる。現在のところ，HCPの基準は，0.5〜100 ppm以下を目安とすることが多い。この基準値の幅は，宿主細胞の違い，製造方法の違いから，一般化された範囲の設定[8]が困難であり，残存量のみではなく，含まれるHCPの種類によっても安全性に影響を及ぼすと考えられているためである。低濃度でも高い免疫反応を示すHCPの存在が指摘されているため，開発時の製造変更には濃度のみではなく，HCPの種類にも留意する必要がある。

　漏出Protein Aの基準値は10〜12 ppm以下を目安とすることが多い。抗Protein A抗体を利用したELISAがよく使われる。

　培地由来成分には，アミノ酸，抗生物質，血清，添加物（インスリン，トランスフェリンなど），ビタミン，核酸関連化合物，細胞代謝物等がある。これらの評価には，MALDI-MSやLC-MSによる一斉分析が最適である。血清アルブミンやインスリンは，ELISAで個別に測定することができる。

③混入汚染物質

　微生物（細菌・真菌）は，メンブレン試験法，カンテン平板法などの生菌数試験法で測定する（第十七改正日本薬局方微生物限度試験法）。マイコプラズマ否定試験には1990年代中頃からは，PCR法を基盤とした迅速微生物試験法が一般的になりつつある（詳細については第9章参照）。

　エンドトキシンは，発熱やショック症状を引き起こすことから，厳重な管理が求められている。エンドトキシンの測定には，カブトガニの血液抽出成分から調製されたライゼート試薬を用いたリムルス反応が利用されている。2013年頃から，ポリソルベートを含む処方のタンパク質医薬品において，低エンドトキシン回収（Low endotoxin recovery：LER）が注目を集めている。端的に述べればリムルステストの陽性コントロールからは反応干渉が示されないにもかかわらず，製品に添加した既知のエンドトキシンは，一部あるいは全量がマスキングされることで検出されない現象である。FDAが，LERを患者に対するリスクと考えたことから[9]，医薬品業界で問題となっている。しかしながら，LERは試験法における問題であり，製品の製造におけるエンドトキシンの管理と，LERが示された場合にそれを克服する分析法の開発を実施することがLER問題に対処する戦略となる。

　バイオ医薬品におけるウイルス安全性を担保するため，2000年に「ヒト又は動物細胞株を用いて製造されるバイオテクノロジー応用医薬品のウイルス安全性評価」（ICH Q5A）が厚労省から通知された。その中で，ウイルス試験に用いられるアッセイ法の例として，抗体産生試験，*in vitro*試験，電子顕微鏡観察，逆転写酵素活性，レトロウイルス感染性試験，混合培養，NAT（nucleic acid amplification test）が記載されている（詳細については第8章参照）。

4. 抗体薬物複合体の特性解析

　近年，抗体薬物複合体（ADC：Antibody-Drug Conjugate）と呼ばれる，リンカーなどを介して薬物を共有結合させた抗体の研究開発が盛んになっている。抗体への共有結合の方法としては，①抗体のリジン残基のアミノ基に結合させる方法，②システイン残基のチオール基を部分的に還元して結合させる方法，③抗体の糖鎖などに結合させる方法，がある。

　そのようにして作製されたADCの品質評価について，ADCに特化した指針などは公表されていない。なお，抗体部分については「2. 抗体医薬品の特性解析」の項で述べた一連の特性解析を行う必要がある。また，リンカーや付加される薬物の評価は，別途行う必要がある。

　加えてADCの場合，抗体にリンカー分子を介して薬物が結合した修飾体であるため，薬物の結合数と結合位置を可能な限り明らかにする必要がある。また，各結合位置における薬物の結合の割合を解析する必要がある。しかしながら，現状では抗体のアミノ酸配列内のすべての結合位置候補について薬剤の結合の割合を定量的に評価することは，技術的に非常に難しい（特に，リジン残基に薬剤を結合させた場合）。

　薬剤の結合数は，薬物抗体比（DAR：Drug-to-Antibody Ratio）と呼ばれる。DARを解析する方法としては，LCを用いる方法や，LC-MSを用いる方法がある（図7-18）。

　また，結合位置の解析は，ほとんどの場合LC-MS/MS分析により行われる。糖鎖の場合と同様に，通常のCIDによるMS/MS分析では，ペプチドから薬剤が最初に脱離しやすいことから，ここでもETDと呼ばれる解離方法を用いてMS/MS分析を行うことで，薬剤を保持したままプロダクトイオンスペクトルを得ることができ，薬剤結合の位置情報を得ることができる（図7-19）。ただし，結合させた薬剤やリンカーの性質によっては必ずしも目的のプロダクトイオンスペクトルが得られない場合もある。

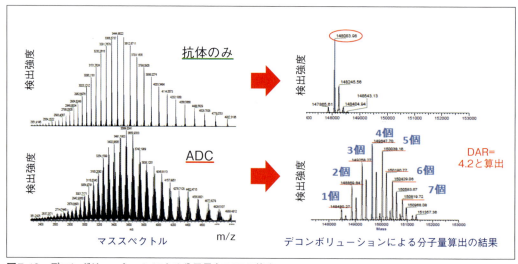

図7-18　デコンボリューションによる分子量とDARの算出

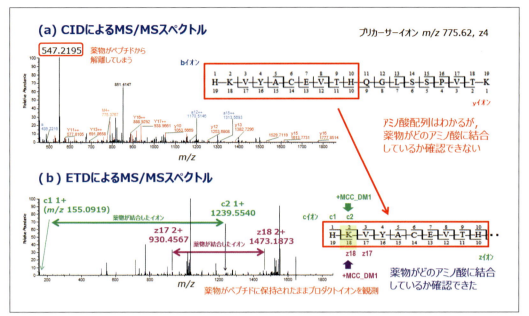

図7-19　ETDによる抗体薬物複合体中の薬物結合位置の分析

5. その他の特性解析

　タンパク製剤の投与を受けた患者で，同製剤に対する抗体（抗薬物抗体，anti-drug antibody：ADA）が産生されることはよく知られている（例：血友病A患者での抗血液凝固第Ⅷ因子抗体の産生など）。抗体医薬品も例外ではなく，1分子当たりマウス由来の領域を約25％含むキメラ抗体製剤（infliximab）ばかりでなく，完全ヒト型のadalimumabにおいても，ADAが産生される。ADAは有効性，PKの低下や有害事象の原因にもなるリスクファクターであり，タンパク質医薬品の免疫原性（immunogenicity）は重要な評価項目の1つである。特にバイオシミラーでは，審査段階で規制当局が着目するポイントでもあり，開発の初期段階から計画的にリソースを投入する必要がある。当該医薬品の重要品質特性（critical quality attribute：CQA）を明確にした上で，リスクベースで分析・評価し，戦略を立案し，系を構築し，得たデータをフィードバックして戦略を修正する。このサイクルを繰り返す必要がある。リスクベースでの分析・評価の考え方については，Shankarら[10]の総説などが参考となる。FDAとEMAよりガイドラインが発出されており[11, 12]，また，ADAの検出系についてはUSPにも記載がある[13]。免疫原性を適切に評価するには，これら欧米のガイドライン等を参考に構築され，ADA産生の有無が正確にかつ妥当性が検証されたADAアッセイにより測定されていることが必要である。しかし，その妥当性については各社それぞれで検討されており，必ずしも客観的に評価されていない。このような現状を踏まえ，10社の企業が参画した官民共同研究が実施され，各企業により規定およびデザインされた方法および共通のサンプルを用いて構築されたADAアッセイについて評価された。その結果が最近，Niimiら[14]により報告され，各企業が構築したADAアッセイは良好な感度と精度を有していることが示された。一方，

ADAおよび薬物を含むサンプルについては，特に酸解離を用いないADAアッセイの妥当性評価は困難であることが示された。

これからADAアッセイ系を構築する読者（社）にあっては，田中ら[15]により考え方がまとめられており，より具体的にはinfliximabのバイオシミラーである韓国のCelltrion社が開発したCT-P13（製品名：Inflectra®，インフリキシマブBS点滴静注用「NK」，インフリキシマブBS点滴静注用「CTH」）のBriefing Document（https://www.fda.gov/downloads/advisorycommittees/committeesmeetingmaterials/drugs/arthritisadvisorycommittee/ucm484860.pdf）や医薬品医療機器総合機構による審査報告書等が参考になるかもしれない。

おわりに

抗体医薬品等のバイオ医薬品の特徴を踏まえた，品質管理における基本的な留意事項は，第6章で論じた通りであるが，ここであらためて品質確保のための方策を整理すると，**図7-20**のように考えられる。すなわち，細胞の生合成系を利用し，複雑な製造工程により調製されるバイオ医薬品の場合，品質の恒常性を維持する上では製造工程のバリデーションやプロセスコントロールが重要であるが，特性解析は製品規格試験の基盤として重要であるだけでなく，工程運転条件の妥当性やプロセスコントロールの条件設定の根拠としても重要であることを理解しておく必要がある。

バイオ医薬品では原理の異なる複数の方法を組み合わせ，その特性を解析する必要がある。近年のタンパク質の構造解析，分子特性，品質解析に関する技術の進歩は著しいものがあり，必要に応じ，最新の知見，技術を取り入れていくことも肝要である。

抗体医薬品の分析・評価法，特性解析，および不純物については，優れた総説[16, 17]があるので，参照いただきたい。

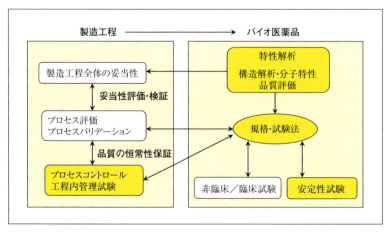

図7-20 バイオ医薬品の品質確保とその恒常性確保に寄与する製品の特性解析，製造工程の妥当性の評価・検証，プロセスコントロール，規格及び試験方法等の関係づけ

■参考文献

1) 生物薬品(バイオテクノロジー応用医薬品／生物起源由来医薬品)の規格及び試験方法の設定について(医薬審発第571号,平成13年5月1日,ICH Q6B)
2) GEヘルスケア・ジャパンデータに基づく．(http://www.gelifesciences.co.jp/newsletter/biodirect_mail/technical_tips/tips63.asp)
3) 岡村元義：バイオ医薬品の開発から申請に向けて，インターフェックスジャパン2008 専門技術セミナー(2008)
4) 「抗体医薬品の品質評価のためのガイダンス」(平成24年12月14日，薬食審査1214第1号厚生労働省医薬食品局審査管理課長通知)
5) 第十七改正日本薬局方(平成28年3月7日,厚生労働省告示第64号)
6) Cetuximab-Induced Anaphylaxis and IgE Specific for Galactose-α-1,3-Galactose. N Engl J Med. 2008 Mar 13；358(11)：1109-1117.
7) 株式会社東レリサーチセンター第11回医薬ポスターセッション　分析入門セミナー
8) 吉森孝幸ら．DateとRegulationからみるバイオ医薬品の安全性 第5回 タンパク質性バイオ医薬品における不純物としての宿主細胞由来タンパク質(HCP)に関する考察　PHARM TECH JAPAN 29(6)：151-157, 2013
9) Hughes PF, Thomas C, Suvarna, K, et al.：Low Endotoxin Recovery：An FDA Perspective. BioPharma Asia 4：14-25, 2015
10) Gopi Shankar, Charles Pendley & Kathryn E Stein. A risk-based bioanalytical strategy for the assessment of antibody immune responses against biological drugs. Nat. Biotechnol. 25：555-561, 2007
11) Draft Guidance for Industry：Assay Development and Validation for Immunogenicity Testing of Therapeutic Protein Products. FDA, April 2016
12) Guideline on Immunogenicity assessment of therapeutic proteins(EMEA/CHMP/BMWP/14327/2006 Rev 1)18 May, 2017
13) USP <1106> Immunogenicity assays-Design and validation of immunoassays to detect anti-drug antibodies.
14) Shingo Niimi, Kazuhiro Nishimiya, Masanobu Nishidate, Tetsu Saito, Kyoko Minoura, et al. Collaborative study using common samples to evaluate the performance of anti-drug antibody assays constructed by different companies. Drug Metab. Pharmacok. 33：125-132, 2018
15) 田中 登ら．医薬品開発における抗薬物抗体分析の現状と課題．医薬品医療機器レギュラトリーサイエンス 48：282-291, 2017
16) 本田真也ら．バイオ医薬品の分析のコツ 品質評価のための基礎と応用 第12回 バイオ医薬品に含まれる不純物．PHARM TECH JAPAN 34(9)：87-99, 2018
17) 柴田寛子ら．バイオ医薬品の分析のコツ 品質評価のための基礎と応用 第13回 抗体医薬品の事例で実際に分析法・品質評価を考える．PHARM TECH JAPAN 34(10)：157-166, 2018

II 抗体医薬品の翻訳後修飾

はじめに

　抗体医薬品は細胞培養による生産においてさまざまな翻訳後修飾を受け，機能およびPK等が影響を受ける可能性がある。また，これらの修飾の一部は精製から保存までの過程でも起こる可能性がある。本項では，翻訳後修飾として，N末端ピログルタミン酸の形成，シグナルペプチドの不完全な切断，C末端リシンの欠損，メチオニン（Met）およびトリプトファン（Trp）残基の酸化，アスパラギン（Asn）残基の脱アミド化，アスパラギン酸（Asp）残基の異性化，鎖間ジスルフィド結合の還元に着目し，主に機能およびPKに及ぼす影響について概説する。なお，本項は筆者の総説[1～5]を参考にした。これらの総説[1～5]には，本章では紙面の都合上割愛したさまざまな観点からの翻訳後修飾に関する情報が記載されているので，適宜参照されたい。

1. N末端ピログルタミン酸の形成

　免疫グロブリン重鎖，軽鎖のN末端残基がグルタミンとグルタミン酸である場合，ピログルタミン酸への環状化は組換えモノクローナル抗体で一般的に観察される現象である。

N末端ピログルタミン酸が機能およびPKに及ぼす影響

　組換えモノクローナル抗体よりweak cation-exchange（WCEX）chromatographyにより分離されたN末端重鎖にピログルタミン酸を含むピークおよびピログルタミン酸とグルタミンの両方を含むピークの生物活性を調べた結果，同等であった[6]。組換えモノクローナル抗体からWCEX chromatographyにより分離されたN末端ピログルタミン酸を約60％含む画分と約10～20％含む画分の，抗原，FcγRIIIaおよびneonatal Fc receptor（FcRn）に対する結合，antibody dependent cellular cytotoxicity（ADCC）活性およびcomplement dependent cytotoxicity（CDC）活性は同等であった[7]。

　重鎖および軽鎖N末端にグルタミン酸を有する組換えモノクローナル抗体について，ヒトに投与した場合とPBS（37℃）でインキュベートした場合におけるピログルタミン酸の形成速度を蓄積として比較した結果，同様であった[8]。本結果から，間接的ではあるがN末端ピログルタミン酸はPKに影響を及ぼさないことが示唆された。

2. シグナルペプチドの不完全な切断

　組換えモノクローナル抗体は分泌タンパク質であり，シグナルペプチドの不完全な切断が，低レベルではあるが観察されている。これはシグナルペプチダーゼが本来認識すべきアミノ酸残基と異なるアミノ酸残基を認識して切断することにより起こり，本来の切断部位に隣接した上流（シグナルペプチド）および下流（成熟タンパク質のN末端ペプチド残基）により影響を受ける。

シグナルペプチドの不完全な切断が機能および PK に及ぼす影響

　組換えモノクローナル抗体からWCEX chromatographyにより分離された，シグナルペプチドが部分的に除去されたピークとシグナルペプチドを含まないピークの生物活性を調べた結果，同等であった[6]。組換えモノクローナル抗体からWCEX chromatographyにより分離された不完全な切断のシグナルペプチドを15％含む塩基性ピーク，メインピーク，酸性ピークの，力価，FcRn結合，PKパラメーター（AUC_{0-14}，C_{max}，T_{max}，半減期）は同様であった[9]。

3. C末端リシンの欠損

　ヒトIgGの重鎖C末端アミノ酸残基はリシンであり，細胞培養においてカルボキシペプチダーゼにより部分的に除去される。

C末端リシンの欠損が機能および PK に及ぼす影響

　NS0細胞で産生された組換えモノクローナル抗体がWCEX chromatographyにより分離され，各画分に含まれるC末端リシンの相対含量は，酸性ピーク（1.0％），メインピーク（0.6％），塩基性ピーク1（42.8％），塩基性ピーク2（92.7％）であった[10]。これらの画分の抗原に対する結合活性に違いは見られなかった。

　SP2/0細胞で産生されたC末端リシンを15％含む組換えモノクローナル抗体をカルボキシペプチダーゼ処理有無でCDC活性を比較した結果，同様であった[11]。

　マウスセルラインを元のセルラインから商業用セルラインに変更して生産することによりC末端リシンが顕著に低下した組換えモノクローナル抗体で検討が行われた[12]。その結果，変更前と比べて，力価，動物におけるPK（濃度-時間プロファイル）に違いは見られなかった。

　なお，C末端リシン欠損がCDC活性に重要との知見があるが[13]，C末端リシンのヒトにおける半減期は62分であり[14]，モノクローナル抗体医薬品の品質特性としてC末端リシンが欠損されていることの意義は低いと筆者は考える。

4. C末端プロリンのアミド化

　組換えモノクローナル抗体における重鎖C末端プロリンのアミド化は以下のような反応により起こる。重鎖C末端リシンが欠損すると，peptidylglycine α-amidating monooxygenase（PAM）はその構成酵素であるpeptidylglycine α-hydroxylating monooxygenase（PHM）とpeptidyl-α-hydroxyglycine α-amidating lyase（PAL）を用い，それぞれグリシンのヒドロキシル化およびヒドロキシル化グリシンからグリオキシル酸の除去を触媒し，最終的にアミド化されたC末端プロリンが残る。

C末端プロリンのアミド化が機能に及ぼす影響

　組換えモノクローナル抗体からWCEX chromatographyにより分離された主ピーク（2本の未修飾軽鎖，2本の重鎖がC末端グリシン）と塩基性ピーク（2本の未修飾軽鎖，1本の重鎖がC

末端グリシン，もう1本の重鎖がC末端リシンあるいはα-アミド化プロリン）を比較した結果，抗原に対する結合およびエフェクター機能に違いは見られなかった[15]。

5. MetおよびTrp残基の酸化

抗体医薬品において，細胞培養工程，精製工程，製剤化工程および保管の間にMetおよびTrp残基の酸化が起きる可能性がある。その原因として溶存酸素，空気中の酸素，原材料由来の金属および過酸化物のような不純物を含む酸化環境への曝露が考えられる。

以下に示すMetおよびTrp残基の酸化部位は，特に断らない限り重鎖を示す。

MetおよびTrp残基の酸化が機能およびPKに及ぼす影響

0.3% H_2O_2室温6時間処理によりMet残基が酸化された組換えモノクローナル抗体では，抗原の中和能およびFcγRIIIaに対する結合は低下しなかった[16]。

0〜0.75 mM peracetic acid 30℃ 2時間処理した抗体1では，Met 257が最大約90%酸化され酸化の程度はCDC活性の低下と相関した[17]。0〜1.5 mM peracetic acid 25℃ 7日処理した抗体2において，complementarity determining region (CDR)の近くに位置するMet 34および軽鎖Met 50の酸化がそれぞれ0.3%から13.8%および1.4%から31.5%に増加し，抗原への結合性は影響を受けなかった。

4℃で4年間保存して酸化された組換えモノクローナル抗体から酸化体と非酸化体を含む画分が分離され，抗原に対する結合に及ぼす影響について検討が行われた[18]。酸化体を含む画分では97%以上が酸化され，そのうち約78%がCDR2領域に位置するMet 56の酸化体を含んでいた。一方，非酸化体を含む画分は95%が非酸化体であった。非酸化体を含む画分と比較すると酸化体を含む画分は結合性が18%増加した。

OKT3モノクローナル抗体を2〜8℃で14カ月〜3年保存すると，Met 34, Met 316, Met 408, 軽鎖Met 164の酸化が増加し，抗原との結合性は酸化の程度が高いものほど顕著に低下した[19]。

40℃ 2週間処理しMet 255およびMet 431の酸化が52%増加した抗HER2抗体において，抗原に対する結合活性および抗原への結合を介した細胞増殖抑制活性は90%以上維持された[20]。

5% tert-butylhydroperoxide (t-BHP) 25℃ 3時間処理により酸化されたエタネルセプトで酸化の程度および生物活性に及ぼす影響が比較された[21]。TNF-α結合部位に位置するMet 30, Met 174, Met 187, Met 223は80%以上酸化され，Fc領域に位置するMet 448の酸化は17.9%であった。酸化体の生物活性は16.6%しか低下しなかった。

0.05% t-BHP室温7日処理により酸化され，酸化の程度がMet 253 (67.0%)，Met 83 (0.5%)，Trp 32 (25.3%)の組換えモノクローナル抗体では，抗原との結合性が68%に低下した[22]。一方，0.2% t-BHP室温1日処理により酸化され，酸化の程度がMet 253 (73.2%)，Met 83 (0.9%)，Trp 32 (8.2%)の組換えモノクローナル抗体は，抗原との結合性が96%維持された。

0.3% H_2O_2，97.9 mM t-BHPあるいは554 mM 2,2'-Azobis (2-amidinopropane) dihydrochloride (AAPH)室温1日処理により酸化された組換えモノクローナル抗体で機能に及ぼす影響が

比較された[23]。H_2O_2はMet 252, Met 358, Met 438を98％以上酸化した。また，t-BHPおよびAAPHはMet 252, Met 428を92％以上酸化し，Met 358の酸化はそれぞれ77％と34％であった。一方，H_2O_2およびt-BHPによるMet 71の酸化の増加は0.1％でありTrp 49の酸化の増加は検出されなかったのに対し，AAPHによるMet 71およびTrp 49の酸化の増加はそれぞれ3.2％および6.3％であった。FcRnに対する結合はH_2O_2，t-BHPおよびAAPHで同様に約90％低下した。一方，ADCC活性，抗原に対する結合活性および細胞増殖の抑制はH_2O_2，t-BHPで観察されなかったが，AAPHではそれぞれ32％，70％，24％に低下した。

40℃ 2カ月処理により酸化された組換えモノクローナル抗体より分離されたTrp 104の酸化を84％含む画分の活性は40～50％に低下した[24]。

0.05％あるいは0.2％ H_2O_2 25℃ 24時間処理により酸化された組換えモノクローナル抗体において抗原との結合性が検討された[25]。軽鎖Met 4およびMet 100の酸化レベルは，それぞれ0.05％ H_2O_2では19.0％および97.5％，0.2％ H_2O_2では47.9％および99.4％であり，結合性は0.05％および0.2％ H_2O_2によりそれぞれ74％および56％に低下した。

ICH Q1Bのガイドラインに従った光照射によりMet 252およびMet 428の酸化がそれぞれ35％および22.8％増加した組換えモノクローナル抗体において，FcRn結合活性，ADCC活性，細胞増殖抑制活性はそれぞれ52％，72％，79％に低下したが，抗原結合活性はほとんど変化しなかった[26]。

0.3％ H_2O_2あるいは5％ t-BHP室温6時間までの処理により酸化された組換えモノクローナル抗体2種類においてFcRnおよびFcγRIIa-131Hへの結合性が検討された[27]。H_2O_2処理による抗体1および2の酸化率はそれぞれMet 252（0.8％），Met 358（0.6％），Met 428（0.8％）およびMet 252（0.8％），Met 358（0.7％），Met 428（0.3％）であった。t-BHP処理による抗体2の酸化率はMet 252（0.6％），Met 358（0.4％），Met 428（0.08％）であった。FcRnに対する結合親和性は，抗体2のH_2O_2処理で約30％に低下し，抗体1のH_2O_2処理および抗体2のt-BHP処理で約40％に低下した。FcγRIIa-131Hに対する結合は，抗体1のH_2O_2処理により約20％低下した。

0.02％ t-BHP 2時間処理により酸化された組換えモノクローナル抗体から酸化体およびメインピークが分離され，FcγRIIa H131およびFcγRIIa R131に対する結合性が検討された[28]。プレピーク1，プレピーク2，メインピークにおけるMet 252の酸化の程度は89.％，48.6％，2.5％であり，Met 428の酸化の程度は同様に25.0％，19.3％，21.2％であった。プレピーク1および2のFcγRIIa H131に対する結合性は，メインピークと比べると約20％低下し，FcγRIIa R131に対する結合性は約10％低下した。

1％ t-BHP 37℃ 2，6，24時間処理により酸化された組換えモノクローナル抗体より酸化体およびメインピークが分離されFcRnに対する結合性が検討された[29]。その結果，2時間処理および24時間処理におけるMet 残基の酸化レベルは，それぞれMet 252（46.5％），Met 358（5.3％），Met 397（3.0％），Met 428（30.0％）およびMet 252（95.2％），Met 358（63.9％），Met 397（66.7％），Met 428（82.0％）であり，FcRnに対する結合性（EC_{50}）は2倍および5倍低下した。

3年間冷蔵保存により酸化された組換えモノクローナル抗体より酸化体と非酸化体を分離しFcRnに対する結合性の検討が行われた[30]。非酸化体および酸化体の酸化レベルはそれぞれMet 252（1.8％），Met 428（3.5％）およびMet 252（43.2％），Met 428（8.4％）であり，酸化体で

はFcRnに対する結合親和性が67％に低下した。また，酸化体でヒトFcRnトランスジェニックマウスにおいて半減期が67％短縮した。0.3％ H_2O_2室温で最大24時間処理により酸化されたTrastuzumabのヒトFcRnトランスジェニックマウスにおける半減期が検討された[30]。酸化のレベルがMet 252（79％），Met 428（58％）の酸化体では，半減期が70％以上短縮した。

0.01％ H_2O_2室温18時間処理により酸化された組換えモノクローナル抗体から酸化体を含む2つのピークを分離し各種検討が行われた[31]。Met残基の酸化の程度がMet 252（90％），Met 428（42％）およびMet 252（50％），Met 428（23％）のピークでは，FcRnに対する結合性がそれぞれ30％，60％に低下した。前者の酸化体レベルが高いピークでは，ヒトFcRnトランスジェニックマウスにおいて血漿クリアランスが約2倍増加し半減期は約40％に短縮した。

6. Asn残基の脱アミド化およびAsp残基の異性化

　Asn残基の脱アミド化とAsp残基の異性化は抗体医薬品を含むタンパク質に共通の主要な非酵素的化学修飾である。中性および塩基性条件では，Asn残基の脱アミド化は脱プロトン化されたn＋1アミノ酸ペプチド鎖の窒素がAsn残基側鎖のカルボニル基を求核的に攻撃してアンモニアが消失し中間体としてsuccinimideが形成される。弱塩基性を含む生理的な条件ではsuccinimide中間体は不安定なため容易に加水分解され，モデルペプチドでは約3：1のモル比でイソアスパラギン酸（isoAsp）残基とAsp残基が形成される。Asp残基の異性化は弱酸性条件で起こり，Asn残基の脱アミド化と同様に中間体としてsuccinimideの形成を経て，弱塩基性を含む生理的な条件で加水分解によりisoAspおよびAsp残基が形成される。一方，中性から酸性条件では，Asp残基の異性化は加水分解により生じる。

Asn残基の脱アミド化およびAsp残基の異性化が活性およびPKに及ぼす影響

　37℃ pH5で21日間インキュベーションした組換えモノクローナル抗体から分離されたAsp残基の異性体のFab画分の活性が検討された[32]。その結果，軽鎖isoAsp32残基，環状化isoAsp32残基を含むFab画分の活性はそれぞれ13％および16％に低下した。

　30℃ pH5で90日間インキュベーションした抗HER2抗体から分離されたAsn残基の脱アミド体およびAspの異性体を含む画分の活性が検討された[33]。その結果，片側の軽鎖Asn30残基の脱アミド体を含む画分および片側の重鎖Asp102残基の異性体を含む画分では，非修飾画分と比較すると活性がそれぞれ70％および9〜21％に低下した。

　37℃ pH7.4で組換えモノクローナル抗体を1週間インキュベーションした際に検出される重鎖Asn55残基の脱アミド体が活性に及ぼす影響について，重鎖Asn55残基をAsp55残基に置換した組換えモノクローナル抗体で検討が行われた[34]。その結果，Asp55残基に置換した組換えモノクローナル抗体は，抗原に対する結合親和性が14分の1に低下した。

　組換えモノクローナル抗体から分離された重鎖Asn55残基の脱アミド体が15％，重鎖Asn387残基の脱アミド体および重鎖Asn392残基あるいは重鎖Asn393残基の脱アミド体を約25％含む画分の抗原に対する結合性は非修飾画分の94％であった[6]。

　45℃ pH5で2週間インキュベーションした組換えモノクローナル抗体から分離された軽鎖

Asp30残基のsuccinimide中間体を1カ所含む画分および2カ所含む画分の抗原に対する結合性は，メインピークと比較すると10〜20％しか低下しなかった[35]。

37℃ pH5.0で4カ月間インキュベーションし軽鎖Asp92残基の片方あるいは両方がほぼ完全に異性化されたPanitumumabでEGF受容体に対する結合性が比較された[36]。非修飾のPanitumumabは1：2のモル比で結合するのに対し，片方のAsp92残基が異性化されたものは1：1のモル比で結合し，両方のAsp92残基が異性化されたものは結合しなかった。

40℃ pH5で12週間インキュベーションした組換えモノクローナル抗体より分離された軽鎖Asp30残基のsuccinimide中間体を片方含む画分と両方含む画分の活性を2種類の方法で測定した結果，分離前のサンプルと比較すると両画分とも約10％低下したあるいは低下は見られなかった[37]。

37℃ pH6.5で3カ月間インキュベーションした組換えモノクローナル抗体から分離された片方の軽鎖Asn33残基が脱アミド化されたAspおよびisoAspを含む画分の抗原との結合性は，それぞれ39％および60％に低下した[38]。

組換えモノクローナル抗体から分離された重鎖Asn55残基のsuccinimide中間体を含む画分の活性は約30％に低下し，AspとisoAspに加水分解された画分ではさらに10％低下した[39]。

2〜8℃で1年間保存した組換えモノクローナル抗体から分離された重鎖CDR2領域のAsp残基の異性体を含む画分の抗原結合性は，非修飾画分と比較すると約50％低下し[40]，抗原に対するK_D値は約4倍増加した[41]。

40℃ pH5で4週間インキュベーションした組換えモノクローナル抗体より分離された軽鎖Asp30残基のsuccinimide中間体を54％含む画分の活性および抗原に対する結合の速度定数はそれぞれ67％および60％以上低下した[42]。

40℃ pH5.4で2週間および4週間インキュベーションし軽鎖Asp12残基および重鎖Asp24残基でsuccinimide中間体が74％および89％増加したFabの結合活性はそれぞれ88％および78％に低下した[43]。

組換えモノクローナル抗体から分離された軽鎖Asp32残基および重鎖Asp74残基のsuccinimide中間体を含む画分の活性は非修飾体画分と同様であった[44]。

組換えモノクローナル抗体から分離された重鎖Asn105残基の片方および両方の鎖のsuccinimide中間体を含む画分の抗原とのK_Dは，非修飾画分と比較するとそれぞれ約6倍および14倍に増加した[43]。

40℃ pH5.2で24週間インキュベーションした組換えモノクローナル抗体から分離された軽鎖Asp55残基のisoAsp異性体を40％含む画分の受容体に対する結合は78％に低下した[45]。

25℃ pH8で7日間インキュベーションした組換えモノクローナル抗体から分離された軽鎖Asn92残基の脱アミド体を41.4％含む画分の標的結合活性は，メイン画分（0.5％脱アミド体含有）と比較すると69％に低下した[25]。

4℃で4年間保存した組換えモノクローナル抗体から分離された主に軽鎖Asp54残基の異性体を97％以上含む画分の抗原に対する結合親和性は，非修飾画分と比較すると13％に低下した[18]。

37℃ pH7.4で2週間インキュベーションし重鎖CDR中のAsn残基の脱アミド体が32％増加し

た組換えモノクローナル抗体の結合活性は約半分に低下した[46]。

25℃ pH10.4で7日間インキュベーションしFc領域に位置するAsn404残基の脱アミド体が1.7%から19.3%に増加したエタネルセプトの生物活性は約60%に低下した[21]。

25℃ pH6.0で最大6カ月および40℃ pH6.0で最大3カ月インキュベーションした組換えモノクローナル抗体では重鎖Asp55残基および軽鎖Asp93残基の異性体が観察され，異性化の程度と力価の低下が相関した[47]。

組換えモノクローナル抗体から分離された軽鎖CDR3のAsn残基の脱アミド体を含む画分の抗原に対する結合親和性は，非修飾画分と比較すると約10分の1に低下した[48]。

PBS中37℃で12日間インキュベーションした組換えモノクローナル抗体より分離された軽鎖Asn30残基の脱アミド体を83%含む画分および重鎖Asp102残基の異性体を95%含む画分の抗原に対する結合は，非修飾画分と比較するとそれぞれ42%および5%低下した[49]。

組換えモノクローナル抗体を37℃ pH7.4で1週間インキュベーションするとCDR2に存在する重鎖Asn55残基の脱アミド体が観察され，本条件での重鎖Asn55残基の脱アミド化の半減期は約6日と推定された[34]。一方，サルに組換えモノクローナル抗体を皮下あるいは静脈内投与した場合，重鎖Asn55残基の脱アミド化の半減期は6日と計算された[50]。

7．抗体医薬品の製造工程で起こる鎖間ジスルフィド結合の還元

抗体医薬品の鎖間ジスルフィド結合の還元は，ハーベスト工程における細胞に対する過度のせん断により細胞膜が破砕されて培養液に流失した還元に関与する細胞内成分により，培養液の溶存酸素不足および室温保存条件との組み合わせで起きる。

抗体医薬品の製造工程で起こる鎖間ジスルフィド結合の還元が機能に及ぼす影響

Dithiothreitol (DTT) により部分的に還元された抗体（インタクトなレベルが2%，56%，82%，97%）の抗原に対する結合性はインタクトな抗体と同等であった[51]。DTTにより部分的に還元された抗体（インタクトなレベルが98.5，48.8，6.5%）の相対力価は，それぞれ112%，107%，92%であった[52]。

おわりに

モノクローナル抗体医薬品において翻訳後修飾が機能およびPKに及ぼす作用はさまざまである。例えば，N末端ピログルタミンの形成，C末端リシンの欠損およびC末端プロリンのアミド化は，作用を及ぼす可能性は低い。一方，MetおよびTrp残基の酸化，Asn残基の脱アミド化，Asp残基の異性化は，修飾部位および修飾のレベルにより作用は異なり作用を示さない場合もある。これらの検討結果の解釈において注意すべき点は，ほとんどが強制劣化条件で行われたものであり，本来の保存条件ではないことである。なお，鎖間ジスルフィド結合の還元は機能に影響を及ぼさないが，鎖間ジスルフィド結合が還元された抗体はインタクトなサブユニットを構成していないので目的物質由来不純物として分類される。

■ 参考文献

1) 新見伸吾：モノクローナル抗体医薬品の翻訳後修飾　その1．医薬品医療機器レギュラトリーサイエンス，50：307-313, 2019
2) 新見伸吾：モノクローナル抗体医薬品の翻訳後修飾　その2．医薬品医療機器レギュラトリーサイエンス，50：602-614, 2019
3) 新見伸吾：モノクローナル抗体医薬品の翻訳後修飾　その3．医薬品医療機器レギュラトリーサイエンス，51：89-95, 2020
4) 新見伸吾：モノクローナル抗体医薬品の翻訳後修飾　その4．医薬品医療機器レギュラトリーサイエンス，51：154-163, 2020
5) 新見伸吾：モノクローナル抗体医薬品の翻訳後修飾　その5．医薬品医療機器レギュラトリーサイエンス，51：514-521, 2020
6) Y Lyubarskaya, D Houde, J Woodard, et al：Analysis of Recombinant Monoclonal Antibody Isoforms by Electrospray Ionization Mass Spectrometry as a Strategy for Streamlining Characterization of Recombinant Monoclonal Antibody Charge Heterogeneity. Anal Biochem, 348：24-39, 2006
7) B Hintersteiner, N Lingg, P Zhang, et al.：Charge Heterogeneity：Basic Antibody Charge Variants with Increased Binding to Fc Receptors. Mabs, 8：1548-1560, 2016
8) YD Liu, AM Goetze, RB Bass, et al：N-terminal Glutamate to Pyroglutamate Conversion in vivo for Human IgG2 Antibodies. J Biol Chem, 286：11211-11217, 2011［doi：10.1074/jbc.M110.185041.］
9) LA Khawli, S Goswami, R Hutchinson, et al：Charge Variants in IgG1：Isolation, Characterization, In Vitro Binding Properties and Pharmacokinetics in Rats. Mabs, 2：613-624, 2010［doi：10.4161/mabs.2.6.13333.］
10) L Tang, S Sundaram, J Zhang, et al：Conformational Characterization of the Charge Variants of a Human IgG1 Monoclonal Antibody Using H/D Exchange Mass Spectrometry. Mabs, 5：114-125, 2013［doi：10.4161/mabs.22695.］
11) B Antes, S Amon, A Rizzi, et al：Analysis of Lysine Clipping of a Humanized Lewis-Y Specific IgG Antibody and Its Relation to Fc-mediated Effector Function. J Chromatogr B Analyt Technol Biomed Life Sci, 852：250-256, 2007
12) A Lubiniecki, DB Volkin, M Federici, et al：Comparability Assessments of Process and Product Changes Made During Development of Two Different Monoclonal Antibodies. Biologicals, 39：9-22, 2011［doi：10.1016/j.biologicals.2010.08.004.］
13) ET van den Bremer, FJ Beurskens, M Voorhorst, et al：Human IgG is Produced in a Pro-Form That Requires Clipping of C-Terminal Lysines for Maximal Complement Activation. Mabs, 7：672-680, 2015［doi：10.1080/19420862.2015.1046665.］
14) B Cai, H Pan, GC Flynn：C-Terminal Lysine Processing of Human Immunoglobulin G2 Heavy Chain In Vivo. Biotechnol Bioeng, 108：404-412, 2011［,doi：10.1002/bit.22933.］
15) KA Johnson, K Paisley-Flango, BS Tangarone, et al：Cation Exchange-HPLC and Mass Spectrometry Reveal C-Terminal Amidation of an IgG1 Heavy Chain. Anal Biochem, 360：75-83, 2007
16) D Houde, Y Peng, SA Berkowitz, et al：Post-translational modifications differentially affect IgG1 conformation and receptor binding. Mol Cell Proteomics, 9：1716-1728, 2010［doi：10.1074/mcp.M900540-MCP200.］
17) J Mo, Q Yan, CK So, et al：Understanding the Impact of Methionine Oxidation on the Biological Functions of IgG1 Antibodies Using Hydrogen/Deuterium Exchange Mass Spectrometry. Anal Chem, 88：9495-9502, 2016
18) Y Yan, H Wei, Y Fu, et al：Isomerization and Oxidation in the Complementarity-Determining Regions of a Monoclonal Antibody：A Study of the Modification-Structure-Function Correlations by Hydrogen-Deuterium Exchange Mass Spectrometry. Anal Chem, 88：2041-2050, 2016［doi：10.1021/acs.analchem.5b02800.］
19) DJ Kroon, A Baldwin-Ferro, P Lalan：Identification of sites of degradation in a therapeutic monoclonal antibody by peptide mapping. Pharm Res, 9：1386-1393, 1992
20) XM Lam, JY Yang, JL Cleland：Antioxidants for prevention of methionine oxidation in recombinant monoclonal antibody HER2. J Pharm Sci, 86：1250-1255, 1997
21) LJ Huang, CW Chiang, YW Lee, et al：Characterization and comparability of stress-induced oxidation and deamidation on vulnerable sites of etanercept products. J Chromatogr B Analyt Technol Biomed Life Sci, 1032：189-197, 2016［doi：10.1016/j.jchromb.2016.05.007.］
22) M Hensel, R Steurer, J Fichtl, et al：Identification of potential sites for tryptophan oxidation in recombinant antibodies using tert-butylhydroperoxide and quantitative LC-MS. PLoS One, 6：e17708, 2011［doi：10.1371/journal.pone.0017708.］
23) DD Shah, J Zhang, MC Hsieh, et al：Effect of Peroxide- Versus Alkoxyl-Induced Chemical Oxidation on the Structure, Stability, Aggregation, and Function of a Therapeutic Monoclonal Antibody. J Pharm Sci, 107：2789-2803, 2018［doi：10.1016/j.xphs.2018.07.024.］

24) C Wong, C Strachan-Mills, S Burman：Facile method of quantification for oxidized tryptophan degradants of monoclonal antibody by mixed mode ultra performance liquid chromatography. J Chromatogr A, 1270：153-161, 2012 [doi：10.1016/j.chroma.2012.10.064.]
25) M Haberger, K Bomans, K Diepold, et al：Assessment of chemical modifications of sites in the CDRs of recombinant antibodies：Susceptibility vs. functionality of critical quality attributes. Mabs, 6：327-339, 2014 [doi：10.4161/mabs.27876.]
26) DD Shah, J Zhang, H Maity, et al：Effect of photo-degradation on the structure, stability, aggregation, and function of an IgG1 monoclonal antibody. Int J Pharm, 547：438-449, 2018 [doi：10.1016/j.ijpharm.2018.06.007.]
27) A Bertolotti-Ciarlet, W Wang, R Lownes, et al：Impact of methionine oxidation on the binding of human IgG1 to Fc Rn and Fc gamma receptors. Mol Immunol, 46：1878-1882, 2009 [doi：10.1016/j.molimm.2009.02.002.]
28) F Cymer, M Thomann, H Wegele, et al：Oxidation of M252 but not M428 in hu-IgG1 is responsible for decreased binding to and activation of hu-Fc γ RIIa(His131). Biologicals, 50：125-128, 2017 [doi：10.1016/j.biologicals.2017.09.006.]
29) H Pan, K Chen, L Chu, et al：Methionine oxidation in human IgG2 Fc decreases binding affinities to protein A and FcRn. Protein Sci, 18：424-433, 2009 [doi：10.1002/pro.45.]
30) W Wang, J Vlasak, Y Li, et al：Impact of methionine oxidation in human IgG1 Fc on serum half-life of monoclonal antibodies. Mol Immunol, 48：860-866, 2011 [doi：10.1016/j.molimm.2010.12.009.]
31) J Stracke, T Emrich, P Rueger, et al：A novel approach to investigate the effect of methionine oxidation on pharmacokinetic properties of therapeutic antibodies. Mabs, 6：1229-1242, 2014 [doi：10.4161/mabs.29601.]
32) J Cacia, R Keck, LG Presta, et al：Isomerization of an aspartic acid residue in the complementarity-determining regions of a recombinant antibody to human IgE：identification and effect on binding affinity. Biochemistry, 35：1897-1903, 1996
33) RJ Harris, B Kabakoff, FD Macchi, et al：Identification of multiple sources of charge heterogeneity in a recombinant antibody. J Chromatogr B Biomed Sci Appl, 752：233-245, 2001
34) L Huang, J Lu, VJ Wroblewski, et al：In vivo deamidation characterization of monoclonal antibody by LC/MS/MS. Anal Chem, 77：1432-1439, 2005
35) GC Chu, D Chelius, G Xiao, et al：Accumulation of succinimide in a recombinant monoclonal antibody in mildly acidic buffers under elevated temperatures. Pharm Res, 24：1145-1156, 2007
36) DS Rehder, D Chelius, A McAuley, et al：Isomerization of a single aspartyl residue of anti-epidermal growth factor receptor immunoglobulin gamma2 antibody highlights the role avidity plays in antibody activity. Biochemistry, 47：2518-2530, 2008 [doi：10.1021/bi7018223.]
37) J Valliere-Douglass, L Jones, D Shpektor, et al：Separation and characterization of an IgG2 antibody containing a cyclic imide in CDR1 of light chain by hydrophobic interaction chromatography and mass spectrometry. Anal Chem, 80：3168-3174, 2008 [doi：10.1021/ac702245c.]
38) J Vlasak, MC Bussat, S Wang, et al：Identification and characterization of asparagine deamidation in the light chain CDR1 of a humanized IgG1 antibody. Anal Biochem, 392：145-154, 2009 [doi：10.1016/j.ab.2009.05.043.]
39) B Yan, S Steen, D Hambly, et al：Succinimide formation at Asn 55 in the complementarity determining region of a recombinant monoclonal antibody IgG1 heavy chain. J Pharm Sci, 98：3509-3521, 2009 [doi：10.1002/jps.21655.]
40) LW Dick Jr, D Qiu, KC Cheng：Identification and measurement of isoaspartic acid formation in the complementarity determining region of a fully human monoclonal antibody. J Chromatogr B Analyt Technol Biomed Life Sc, 877：3841-3849, 2009 [doi：10.1016/j.jchromb.2009.09.031.]
41) LW Dick Jr, D Qiu, RB Wong, et al：Isomerization in the CDR2 of a monoclonal antibody：Binding analysis and factors that influence the isomerization rate. Biotechnol Bioeng, 105：515-523, 2010 [doi：10.1002/bit.22561.]
42) XC Yu, K Joe, Y Zhang, et al：Accurate determination of succinimide degradation products using high fidelity trypsin digestion peptide map analysis. Anal Chem, 83：5912-5919, 2011 [doi：10.1021/ac200750u.]
43) J Zhang, H Yip, V Katta：Identification of isomerization and racemization of aspartate in the Asp-Asp motifs of a therapeutic protein. Anal Biochem, 410：234-243, 2011 [doi：10.1016/j.ab.2010.11.040.]
44) A Sreedhara, A Cordoba, Q Zhu, et al：Characterization of the isomerization products of aspartate residues at two different sites in a monoclonal antibody. Pharm Res, 29：187-197, 2012 [doi：10.1007/s11095-011-0534-2.]
45) CM Eakin, A Miller, J Kerr, et al：Assessing analytical methods to monitor isoAsp formation in monoclonal antibodies. Front Pharmacol, 5：87, 2014 [doi：10.3389/fphar.2014.00087.]
46) JC Tran, D Tran, A Hilderbrand, et al：Automated Affinity Capture and On-Tip Digestion to Accurately

Quantitate in Vivo Deamidation of Therapeutic Antibodies. Anal Chem, 88:11521-11526, 2016
47) M Cao, WD Mo, A Shannon, et al: Qualification of a Quantitative Method for Monitoring Aspartate Isomerization of a Monoclonal Antibody by Focused Peptide Mapping. PDA J Pharm Sci Technol, 70: 490-507, 2016
48) C King, R Patel, G Ponniah, et al: Characterization of recombinant monoclonal antibody variants detected by hydrophobic interaction chromatography and imaged capillary isoelectric focusing electrophoresis. J Chromatogr B Analyt Technol Biomed Life Sci, 1085:96-103, 2018 ［doi:10.1016/j.jchromb.2018.03.049.］
49) I Schmid, L Bonnington, M Gerl, et al: Assessment of susceptible chemical modification sites of trastuzumab and endogenous human immunoglobulins at physiological conditions. Commun Biol, 1: 28, 2018 ［doi:10.1038/s42003-018-0032-8.］
50) YD Liu, JZ van Enk, GC Flynn: Human antibody Fc deamidation in vivo. Biologicals, 37: 313-322, 2009 ［doi:10.1016/j.biologicals.2009.06.001.］
51) B O'Mara, ZH Gao, M Kuruganti, et al: Impact of depth filtration on disulfide bond reduction during downstream processing of monoclonal antibodies from CHO cell cultures. Biotechnol Bioeng, 116: 1669-1683, 2019 ［doi:10.1002/bit.26964.］
52) T Wang, YD Liu, B Cai, et al: Investigation of antibody disulfide reduction and re-oxidation and impact to biological activities. J Pharm Biomed Anal, 102:519-528, 2015 ［doi:10.1016/j.jpba.2014.10.023.］

第 8 章
生物薬品のウイルス安全性

はじめに

　ウイルスは細菌や真菌等の微生物よりも小さく，その検出方法や血漿分画製剤の製造方法が未発達であったことから，過去には血漿分画製剤にヒト免疫不全ウイルス（HIV），肝炎ウイルス（HBV，HCV）が混入，健康被害をもたらした事例もあった。現在ではウイルス汚染への対策が進み，ウイルス検出システムも大幅に改善されたため，ウイルス安全性は飛躍的に向上している。一方，ヒトや動物由来の特性解析がなされた細胞株を用いて製造されるバイオテクノロジー応用医薬品，いわゆるバイオ医薬品では，これまでのところ健康被害を生じた事例はない。しかし，1990年代にはGenentech社の製造施設において，二度にわたる大規模なMinute Virus of Mice（MVM）汚染事故が発生し[1]，2009年にはGenzyme社において原材料に混入していたとみられるVesivirusが培養液から検出され，一時は工場が操業停止となったことは記憶に新しい。さらに2010年にはGlaxoSmithKline社製造のロタウイルスワクチンからPorcine Circovirus type 1（PCV-1）が検出されるなど[2,3]，ウイルス汚染は決して油断することのできない問題である。

　バイオ医薬品や血漿分画製剤等の生物薬品のウイルス安全性を担保する考え方は，ICH Q5A（R1）[4]で示されている。本ガイドラインは発出されて20年を経るが，現在でもバイオ医薬品を含めた生物薬品全般のウイルス安全性を考える上での拠り所となっている。ICH Q5A（R1）では，主要なアプローチとして以下の3つが記されているが，ポイントはこれらが相補的という点である。

a）ヒトに対して感染性や病原性を示す可能性のあるウイルスの存在を否定するために，細胞株，その他培地成分を含む原材料を選択し，試験すること。
b）製造工程の感染性ウイルス除去・不活化能力を評価すること。
c）製造工程の適切な段階において，製品の感染性ウイルス否定試験を行うこと。

　ICH Q5A（R1）は長きにわたり，ウイルス安全性に関する基本となる重要なガイドラインの位置づけであったが，発行後の先進的なバイオテクノロジー製品の開発（ワクチン用途のウイルス様粒子や遺伝子治療用途のウイルスベクター等），製造技術（連続生産を含む）・ウイルス分析技術（PCR，NGS等）の発展，ウイルスクリアランス工程評価の最新の知見を反映するために改定の必要性が議論されるようになり，2019年6月のアムステルダム会議で改定がトピックとして採択された。改定ICH Q5A（R2）のコンセプトペーパー[5]とビジネスプラン[6]は，2019年11月にシンガポール会議で承認された。現在2022年11月の改定版発行に向けた活動が行われている。

　また世界中における生物薬品の製造の経験から種々のガイドライン等も策定されている。

本ハンドブック第3版以降，連続生産に関する新規ガイドラインICH Q13発行に向けた活動（現在Step1の段階）[7]，EMAからのPrior Knowledgeとその活用に関するmeetingレポート[8]があり，これまで蓄積してきた多くの知見を科学的に分析することでバイオ医薬品の生産性・安全性の向上に活かす活動が続けられている。

本章では，第1項でウイルス除去・不活化技術および最近の知見を，第2項ではウイルスクリアランス試験の実施と試験受託機関を利用する場合の留意点，第3項では生物薬品製造工程におけるウイルスの汚染事例およびウイルスの汚染が疑われた場合の対応に関するデシジョンフローについて解説する。

1. ウイルス除去・不活化

生物薬品製造におけるウイルス安全性確保において細胞株，培地成分を含む原材料，および血漿分画製剤の原材料であるヒト血漿の適切な選択が，非常に重要であることはいうまでもないが，第3項で紹介するとおり，製造工程中においてもウイルス汚染は起こりうる。これらのウイルス汚染によるリスクを可能な限り低減するためには，機序の異なる複数のウイルス除去・不活化工程を導入することが望ましい[4,9]。

（1） ウイルス除去・不活化技術

ウイルスの除去・不活化の技術には各種あるが，それぞれ作用機序は異なる。製造技術の作用機序をよく理解したうえで各医薬品の製造工程に適した技術を選択し，工程を設計する必要がある。一般的に利用されている技術の例を**表8-1**に示す。表中で＊を付した方法は，FDAが公表したモノクローナル抗体の製造と検査に関する文書[10]において，堅牢な方法として例示されている技術である。堅牢な方法とは，幅広い条件下で（例えば，塩濃度，pH，タンパク質濃度，温度などが変化しても），クリアランス能力が大きく変動せず，再現性のあるウイルス除去が可能な方法のことであり，加熱処理，低pH処理，有機溶媒／界面活性剤処理（S/D処理）ならびにウイルス除去膜によるウイルスろ過といった工程が含まれる。クロマトグラフィー工程においては分離モードによりウイルス除去能が大きく異なることがFDAに申請されたウイルスクリアランス試験のデータベースの解析により明らかとなっている。この中で抗体の製造工程で利用される陰イオン交換クロマトグラフィー工程のパルボウイルス除去能の平均値がウイルスろ過工程とともに他のクロマトグラフィー工程と比較し相対的に高いことが示されている[11]。

またバイオ製剤の製造工程においては，精製工程でのウイルス安全性の向上対策のみならず，安全な医薬品の安定した供給の観点から，培地成分に対するガンマ線照射，培地に対するUV-C照射[12]，短時間高温処理（high temperature short time：HTST），既存のウイルス除去膜もしくは培地ろ過専用膜[13]を用いた培地ろ過により，培養工程でのウイルス増幅リスクを回避する考え方が導入されてきている。

近年，最も堅牢な技術と位置づけられているウイルスろ過において，極端な圧力条件がウイルス検出性に影響を与えうる例が報告されている。PDA Technical Report 41[15]では，高い

表 8-1　ウイルス除去／不活化工程の例

不活化	除去／分離
熱処理法 　乾燥加熱　液状加熱処理* 　短時間高温処理（HTST） 有機溶媒／界面活性剤処理（S/D処理）法* 　TNBP/Triton X-100，TNBP/Cholate 化学物質処理法 　カプリル酸 pH処理法 　低pH処理（カラム溶出等）* 　高pH処理（カラム再生等） 照射法 　UV-C照射 　ガンマ線照射 光増感剤＋UV処理法 　ソラレン，リボフラビン	ろ過法 　ウイルス除去膜* クロマトグラフィー法 　イオン交換クロマトグラフィー 　アフィニティークロマトグラフィー 　マルチモードクロマトグラフィー 　疎水性相互作用クロマトグラフィー 　メンブレンクロマトグラフィー 沈殿法 　エタノール分画 　ポリエチレングリコール沈殿

（注）Triton X-100は欧州連合（EU）の化学物質の登録，評価，認可および制限（REACH）規則により，環境に放出されると内分泌かく乱物質様活性を示すことから，2017年6月に使用禁止物質としてリストに記載された（2021年1月4日を最終期限日としている）[14]。

TMP（膜間差圧）がウイルスろ過におけるワーストケースの1つとして例示されている。新しい知見として，低圧や一時的な圧力解放に続く再加圧直後のろ液に，一過性にウイルス粒子が検出されることが，特に小型のパルボウイルスやバクテリオファージをスパイクした実験系で観察されることがある[16, 17]。圧力解放に起因して検出されるウイルス量は，対象タンパク質を含むろ過対象溶液の性状，圧力，圧力解放時間，ウイルス除去膜との組み合わせで異なる。実工程での具体的な例としては，回収率向上を目的とした洗浄バッファータンクへの切り替え時に発生する圧力解放，その後の再加圧がそれにあたる。この現象の原因はろ過液流によりブラウン運動が抑制され膜内にトラップされていたウイルス粒子が，圧力がなくなることでブラウン運動を再開し膜壁から離れ，次の加圧時に粒子径より大きな穴を通り膜外部に流れ出るためと考えられている[18]。本現象は特定のウイルス除去膜に特有の現象ではなく，一般的なものである。製造工程での影響は，実工程を模したウイルスクリアランス試験を行うことで予想可能であり，さらには事前の適正なろ過条件設定により制御可能であると考えられる[19]。

（2）ウイルス除去・不活化におけるトピックス

①欧州におけるTriton Xの使用禁止

堅牢なウイルス不活化方法である有機溶媒／界面活性剤処理（S/D処理）法において，近年は界面活性剤のTriton X-100やPolysorbate80が，組換え医薬品における有効な不活化法として用いられるようになった[20〜24]。特に界面活性剤として用いられるTriton X-100を使用した場合は高い不活化効果が期待でき，製剤が低pH処理で不安定な時，本方法は有用である[25]。し

かし，欧州ではTriton X-100を含むOctylphenol Ethoxylateの分解物である4-tert-Octylphenolがヒトに強く影響する外因性内分泌かく乱化学物質として2017年，REACH（EU環境規則）に登録された。欧州では2021年1月4日までに代替品に切り替えるか，期限延長の妥当性のある資料を欧州の規制当局に提出する必要がある[14]。S/D処理法を使用している各社では代替品探索等の対応を進めている。代替品の例としてLDAO（lauryl dimethylamine N-oxide）[26]やTriton X-100の誘導体等[27,28]が報告されている。

②ウイルス除去・不活化工程の連続化に対応したウイルスクリアランス試験の検討

第4章で述べられているように，バイオ医薬品製造プロセスにおけるウイルス除去・不活化工程の連続化検討が進められており[29~37]，それに合わせたウイルスクリアランス試験の方法も検討されている。特に連続化においては工程の連結による連続操作や長時間の運転の実施が想定されるが，工程連結時のスケールダウンモデルの構築や長時間のウイルスクリアランス試験を行う際ウイルスの安定性が懸念されることがある。こうした点を克服するために連結した操作の途中でウイルスを配管中に連続的に添加するIn-line Spiking[38,39]，ウイルスろ過のワーストケースが想定される段階でウイルスを添加するRun Spikingの方法[40]，途中でウイルススパイク液を交換する方法[34]などが報告されている。

③過去の知見（Prior Knowledge）活用の動き

ウイルスクリアランス試験は，製剤ごとに，各工程について行われるのが一般的である。しかしながら，ウイルスクリアランス試験は負荷も大きく，特性の類似した製剤，工程が類似しプラットフォーム化されたケースにおいて，これまでの科学的に実証されたInternal（製薬メーカー内）およびExternal（学術論文，ベンダーの技術情報等）なPrior Knowledgeを活用することで，ウイルスクリアランス試験のあり方（考え方）を見直す提案・議論が始まっている。

複数の製薬メーカーの代表メンバーからなるワーキンググループの会合において，Industry Prior Knowledgeの活用として，ウイルスクリアランスの観点で，下記について提案・議論されたレポートがEMAから報告されている[8]。

1) 再利用したクロマトProtein Aカラムのバリデーション：

Protein Aによるウイルスクリアランス指数は，ウイルス種，レジンタイプ，再利用回数に影響を受けないという報告がある[41]。クロマトカラムの繰り返し使用の間，適切なクリーニング方法が適用されているなら，複数回再利用したProtein Aカラムについて，Prior Knowledgeがあれば，製剤固有のウイルスクリアランス試験は不要とする提案がなされた。

2) ウイルスろ過のモデルウイルス：

バイオ医薬品においては，パルボウイルス除去用のウイルス除去膜により，サイズの大きいウイルス（マウス白血病ウイルス，Murine Leukemia Virus（MuLV）等）は，いずれも検出限界以下まで除去される知見が蓄積されてきている。サイズ除去の原理から，パルボウイルス

除去用のウイルス除去膜によるサイズの大きいウイルスの除去性はパルボウイルスで予測可能であり，モデルウイルスはワーストケースのパルボウイルスのみを使用することで許容される，という考え方の提案がなされ[42]，ウイルスクリアランス試験時のモデルウイルスの見直しについて議論が進められている。

3）ウイルスろ過の堅牢性の研究：

ウイルスろ過においては，低い圧力または圧力解放は潜在的なワーストケースと見なされている。特定の状況下で重要になる可能性のあるパラメーターである。ワーストケースの条件下でのパルボウイルス除去に関するさらなる知見が求められており，フィルターの負荷や圧力といったワーストケース条件を考慮した製剤固有の検証試験が期待されている。

これらのPrior Knowledgeの活用については，今後のICH Q5A（R2）策定にも反映される可能性があり，その動きについては注視しておくべきである。

2. ウイルスクリアランス試験

ウイルスクリアランス試験は，生物薬品に関わるウイルス安全性試験の中でも，最も費用と時間がかかるが，ウイルスを除去・不活化する能力を正確に評価するために，これらの試験を正しく実施することが医薬品製造業者に求められている。そのため，さまざまな規制やガイドライン[4, 10, 43]を遵守するよう，クリアランス試験の設計，計画，実施をあらかじめよく考察することが極めて重要である[44~46, 50]。また，実生産スケールでのパラメーターを念頭に置いてスケールダウンモデルを設計することが肝要である。

ウイルスクリアランス試験の評価は，製造工程全体でとらえるべきである。試験すべき各工程の出発材料に対して，選択された高力価のウイルス液を添加（スパイク）し，目的物質の回収と合わせて残存ウイルスの力価を測定することで，各工程についてウイルス減少値を表すウイルスクリアランス指数（Log Reduction Value：LRV）を算出する。

最後に，製造工程全体にわたって，それぞれのウイルスについて総LRVを求めることがで

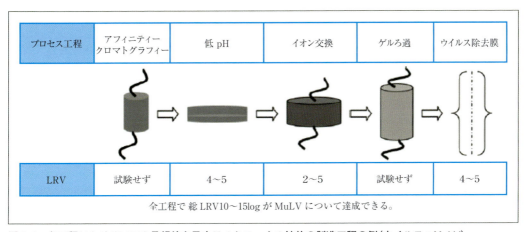

図8-1　各工程におけるLRVの予想値を示すモノクローナル抗体の製造工程の例（ウイルス：MuLV）

きる。**図8-1**にモノクローナル抗体の典型的な製造工程を例に，MuLVをモデルウイルスとした場合の各工程のLRVを示す。

（1） ウイルスクリアランス試験の計画・実施

①スケールダウンモデルの構築

　ウイルスクリアランス試験は，ウイルスを添加するため，実生産スケールでスパイク試験を実施することは，実際の製造工程を汚染させるため事実上不可能である。そのため，ウイルスを取り扱うことのできる受託試験機関等の施設で，スケールダウンされた工程に対して試験を実施することになる。ウイルスクリアランス試験のために，実生産のスケールダウンモデルを構築することは，試験の設計および計画で最も重要なポイントの1つである。試験のために選択された各工程は，スケールダウンできる操作パラメーターや物理的特性を持っており，スケールダウンされた工程は，実生産スケールを反映していることを検証しなければならない[4, 9]。

　特にウイルスろ過工程においては第1項で述べたように，ろ過圧力の解放がウイルス除去性に影響を与える場合があるため，実生産工程に圧力解放がある場合にはスケールダウン試験はそれを反映したプロトコールにて実施することが必要である。また停電などによる予期せぬ圧力の解放等の場合はGMP上逸脱となるため取扱いが異なる。必要に応じ対応策について別試験にて検証を行うなど，対応を決めておくことが重要である。

②モデルウイルスの選択

　ウイルスクリアランス試験のためのモデルウイルスの選択は，対象とする製品の製造工程や開発ステージによって異なる。モデルウイルス選択時の考慮すべき点としては，製品を汚染する可能性のあるウイルスと同等のモデルウイルスを選択することに加え，製品の製造工程がどの程度一般的なウイルス除去・不活化能力を有するかを解析することを指標にモデルウイルスを選択することが原則である。物理的・化学的に広範な特性を有するモデルウイルスを選択する必要がある。

　ICH Q5A（R1）において，使用するウイルスは「関連ウイルス」，「特異的モデルウイルス」および「非特異的モデルウイルス」の3つのカテゴリーに分けられる。

　「関連ウイルス」とは，製造工程で使用される細胞基材，その他の試薬類や各種物質に混在することが知られているか，あるいは存在の可能性があるウイルス類と同一または同種のウイルスである。製造工程で使用される原材料からの汚染を想定した関連ウイルスの選択には，バイオ医薬品におけるウイルス汚染事例（**表8-2**）が参考になる。

　「特異的モデルウイルス」とは存在が知られている，あるいは存在が疑われるウイルスに，密接に関連しているウイルスである。同一の属もしくは科のもので，検出されたウイルスあるいは存在が疑われるウイルスと類似した物理的・化学的性質を有するものである。ICH Q5A（R1）のケースB（げっ歯動物のレトロウイルス等のみが細胞または未加工／未精製バルク中に存在するケース）に該当する場合，MuLVを「特異的モデルウイルス」として用いることができる。

表 8-2　細胞培養工程におけるウイルス汚染事例

汚染が発生した年	汚染ウイルス／ホストセル	合計件数
1985-1989	Blue Tongue / CHO EHDV / CHO	2
1990-1994	Herpesvirus / primary monkey Herpesvirus / Vero MVM / CHO (×2) Parainfluenza 3 / MRC5 Reo3 / MRC5 Simian adenovirus / primary monkey	7
1995-1999	CVV / CHO Reovirus / human primary kidney Vesivirus 2117 / CHO	3
2000-2004	CVV / unknown (×2) Human adenovirus / HEK293	3
2005-2010	CVV / CHO MVM / CHO (×2) Vesivirus 2117 / CHO (×3)	6
2010-現在	MVM / CHO MVM / BHK-21 PCV-1 / Vero	3
不明	MVM / BHK-21 Reovirus / Unknown	2

「非特異的モデルウイルス」とは製造工程がウイルスの除去・不活化に関して一般にどの程度の能力を有するかを解析する目的で，すなわち工程が確実にウイルスクリアランス能力を発揮するという面での特性(robustness)を解析する目的で行うウイルスクリアランス工程特性解析試験に使用されるウイルスである．物理的処理や化学的処理に対して特に抵抗性を示すウイルスを優先して選択するのが望ましい．

よく使用されるモデルウイルスを，**表8-3**と**表8-4**に示すが，実際に選択するモデルウイルスの種類や数は，製品の種類と開発ステージによって異なる．

ICH Q5A(R1)の"ケースB"に該当する製品でCHO細胞の培養により製造するモノクローナル抗体やタンパク質製剤の場合，各種ガイドライン[4,10,43]や国内の審査報告書[47]を参照すると以下のウイルスをウイルスクリアランス試験に用いることが一般的である．

- 治験申請前：レトロウイルス[10]（例：MuLV）もしくはレトロウイルスおよび小型のエンベロープのないウイルス[43]（例：MuLV，MVMまたはPPV(Porcine Parvovirus)）
- 製造承認申請前：3種類以上（例1：MuLV，MVM，SV40，例2：MuLV，MVM，Reo3，PRV(Pseudorabies Virus)）[4,10,43]

また，工程の作用機序を考慮し，使用するウイルスの種類についてさらに考慮する必要がある．ここでは2つの事例をあげる．

例えば，S/D処理の場合，パルボウイルスなどのエンベロープを持たないウイルスに対しては効果のないことが知られており，試験を実施しても工程の有効性や処理時間および条件の妥当性を評価することができない．そのため，このような工程においては，エンベロープを有するウイルスを用いて評価することが一般的である．

表 8-3 血液製剤および血漿分画製剤クリアランス試験のためのモデルウイルス例

モデルウイルス	評価対象ウイルス	性質
HIV-1	レトロウイルス HIV-1および2 HTLV-1および2	エンベロープあり，ssRNA，80～130 nm 物理化学的不活化に低耐性
HSV-1 PRV BHV-1	ヘルペスウイルス HHV1-8 HBV*	エンベロープあり，dsDNA，150～200 nm 物理化学的不活化に低～中耐性
BVDV シンドビス	トガウイルス ペスチウイルス フラビウイルス HCV	エンベロープあり，ssRNA，40～70 nm 物理化学的不活化に低～中耐性
HAV EMC ポリオ	ピコルナウイルス HAV	エンベロープなし，ssRNA，28～30 nm 物理化学的不活化に中～高耐性
FCV	カリシ様ウイルス HEV	エンベロープなし，ssRNA，35～40 nm 物理化学的不活化に高耐性
PPV CPV	パルボウイルス B19	エンベロープなし，ssDNA，18～26 nm 物理化学的不活化に高耐性

*HBVには広く受け入れられたモデルウイルスがない。そのためクリアランス試験のために選ばれるモデルウイルスは，HBVと同様の物理的化学的性質の範囲を包含しなくてはならない。

表 8-4 細胞培養由来製剤クリアランス試験のためのモデルウイルス例

モデルウイルス	評価対象ウイルス	性質
MuLV	レトロウイルス	エンベロープあり，ssRNA，80～130 nm 物理化学的不活化に低耐性
HSV-1 PRV BHV-1	ヘルペスウイルス	エンベロープあり，dsDNA，150～200 nm 物理化学的不活化に低～中耐性
PI3	パラミクソウイルス	エンベロープあり，ssRNA，150～300 nm 物理化学的不活化に低～中耐性
BVDV	フラビウイルス	エンベロープあり，ssRNA，40～50 nm 物理化学的不活化に低～中耐性
Reo 3	レオウイルス ブルータングウイルス	エンベロープなし，dsRNA，60～80 nm 物理化学的不活化に中耐性
MVM CPV PPV	パルボウイルス	エンベロープなし，ssDNA，18～26 nm 物理化学的不活化に高耐性
SV40	ポリオーマウイルス	エンベロープなし，dsDNA，40～55 nm 物理化学的不活化に高耐性

　もう1つの例として，サイズ排除を作用機序とするウイルスろ過工程において，サイズの小さいモデルウイルスであるMVMを，汚染ウイルスを捕捉する工程におけるワーストケースのひとつとして考えることができる。MVMを用いた試験結果を他の大きいサイズのウイルスに対する除去能として外挿する妥当性，科学的根拠を明確にすることが必要である[42]。なお，ウイルスろ過工程のモデルウイルスに関しては，Prior Knowledgeの活用が討論されている(第1項参照)。

③予備試験

　ウイルスクリアランスの予備試験は，試験に用いる製造工程液（サンプル）や緩衝液がウイルス力価の測定系に干渉しないことを確認するために本試験の前に実施するものである。予備試験に使用するサンプルは本試験に使用するものと同一バッチ（ロット）であることが望ましい。予備試験には一般的にCytotoxicity, Interference, Spike Recoveryがある。S/D処理や低pH処理工程のクリアランス試験の場合は，不活化剤の反応停止条件（Quench assay）やpH中和条件も予備試験で決定しておく必要がある。また，ウイルス除去工程のクリアランス試験で細胞培養によるウイルス力価測定ができない場合，qPCRによるウイルスゲノムコピー数の測定系を使用することになるが，その場合はウイルス核酸抽出条件等の予備試験が必要となる。

　細胞を用いたウイルス力価測定では，TCID法（組織培養感染性試験：Tissue Culture Infectious dose, Cell Culture Infectious dose：CCID法ともいう）やプラーク法を用いてウイルス力価を測定する。いずれの方法も培養細胞（指示細胞）にウイルスが感染することで生じる細胞変性効果（Cytopathic effect：CPE）やプラーク形成（PFU）を確認する試験である。したがって，試験に用いる製造工程液や緩衝液がこれらの指示細胞に阻害的な影響を与える場合，ウイルスの力価を正しく評価することができない。そのため，サンプルによる指示細胞への毒性（Cytotoxicity）と測定系への干渉性（Interference）を事前に検討する必要がある。

　Cytotoxicity試験の流れ（例）は以下のとおり。
1) 段階希釈したサンプル準備
2) 指示細胞に無希釈および希釈サンプルを接種し，一定期間培養
3) 指示細胞を顕微鏡で観察し，指示細胞の形状や生育の状態を確認

Interference試験の流れ（例）は以下のとおり。
1) Cytotoxicity試験で決定した希釈率あるいはそれ以上の希釈サンプルを準備
2) 上記サンプルにウイルスをスパイクし指示細胞に接種
3) ウイルス力価を測定し，サンプルを接種することによるウイルス力価の低減の有無を確認。低減がある場合，影響が見られない段階まで希釈したサンプルを本試験での力価測定に用いる

Spike Recovery試験の流れ（例）は以下のとおり。
1) サンプルに本試験と同じ濃度でウイルスをスパイク，コントロールとしてウイルス培養用の培養液にも同様にウイルスをスパイク
2) 段階希釈系列を調整し，指示細胞に接種し，一定期間培養
3) ウイルス力価を測定し，コントロールと比較してサンプルにおけるウイルス力価の低減の有無を確認。低減がある場合，サンプルそのものがウイルス不活化作用を持つ可能性もあるため，測定系の変更等，受託試験機関と相談が必要

④スパイク試験における工程パラメーターの設定
　スパイク試験における各工程パラメーターの条件はワーストケース（ウイルスの除去・不活化への効果が最も低いと想定される条件）で実施する。例えば，低pH処理工程において工程管

理幅がpH3.5〜3.8の場合，スパイク試験においてはpH3.8を設定値として設定する。ただし，工程パラメーターの操作範囲のうち，ウイルス除去・不活化に関するワーストケースか不明な場合は，実製造を代表する条件で実施することも可能である。製造工程の設計・開発段階から各工程パラメーターがウイルス除去・不活化にどのような影響を及ぼすかという知識を蓄積していくことが，製造工程の頑健性を実証するより進んだアプローチと言えるだろう。

スパイクするウイルスの添加量比については，「製造工程のウイルス除去・不活化能力を十分に評価できる量として，各工程の出発材料の10％以下とすることが望ましい」とされている[9]。スパイクウイルス液は実際の工程液には含まれない「異物」であるため，ウイルス液をスパイクすることによる製造工程パラメーター（クロマトプロファイル，回収率等）への影響を考慮し，スパイクするウイルスの濃度についても検討しなければならない。また，ウイルス液に含まれる動物血清等が各工程のクリアランス能力に影響を与えることも知られており，スパイクウイルス液の調製法（バッファー組成等）についての情報を，受託試験機関から入手しなければならない。

⑤スパイク試験

図8-1に示した各工程の出発材料に一定量のウイルスをスパイクし，各工程におけるウイルスの除去・不活化能を検討し，数値化することがウイルスクリアランス試験の目的である。そのため，ウイルスの除去・不活化に寄与する工程にのみスパイク試験を実施する。このスパイク試験は，前述の予備試験（Cytotoxicity/Interference/Spike Recovery試験）に対し，「本試験」という言い方もされる。

近年，スパイクウイルス液中の不純物を極力減らした，高精製度のウイルス溶液が商業的に提供されている[48〜50]。本来，ウイルス試験を妨害する不純物を低減する方法として提供されたが，より高いLRVを得るための手段の1つとしての利用を考慮する場合もあるようである。しかしながら，必要以上のウイルスの負荷によるウイルスクリアランス試験への悪影響も観察されており，適正なウイルス負荷量でのアッセイ，より高感度なアッセイ系等を考慮した試験実施も提案されている[51]。

⑥工程サンプルのウイルス力価測定

③予備試験でも述べたが，ウイルスの力価を測定する方法としては，モデルウイルスに感受性の高い指示細胞を使用したTCID法やプラーク法が用いられる。ウイルスや工程の種類によっては，qPCR法を採用する場合もある。例えば，抗体医薬の製造工程で用いられるProtein Aクロマトグラフィー（以下「Protein Aカラム」）の場合，pHの低い溶出液を使用して目的物を回収するため，Protein Aカラム工程は，a)カラムによる分画（ウイルス除去）とb)低pHの溶出液によるウイルス不活化の2つの作用機序を有する工程ととらえられる。ところが，低pH処理工程とProtein Aカラム工程とが独立して存在する場合，エンベロープを持つウイルスについては，これらの2つの工程をそれぞれ以下のようにとらえる必要がある。

・低pH処理工程：ウイルス不活化工程
・Protein Aカラム工程：ウイルス除去工程

これはICH Q5A(R1)ほか関連するガイドラインにおいて「同一又は近似した方法を繰り返して達成されたクリアランス指数は，合理的な理由がない限り加算するべきではない」とされているためである。MuLVにおいては，低pH処理工程とProtein Aカラム工程で得られる結果は，いずれも低pH処理による不活化と見なされ，クリアランス値を加算することができない。そのため，上記のように異なる作用機序として評価しなければならない。

また，低pH処理工程において採用する力価測定はTCID法で行い，ウイルス不活化の度合いを測定する。一方，Protein Aカラム工程においては，ヌクレアーゼ処理を組み合わせたqPCR法を採用する。PCRは感染性の有無に関わらず，ウイルスゲノムを検出するので，カラムによるウイルスの分画(除去)の度合いを定量化することが可能である。

⑦ウイルス除去・不活化能力の評価

各工程のウイルス除去・不活化能力は，工程前の出発材料にスパイクしたウイルスが，工程後にどの程度減少したかを，工程前後のサンプルに含まれるウイルスの力価をそれぞれ測定し，LRVを求めることで評価する。

図8-2はProtein Aカラム工程におけるスパイク試験の流れと回収するサンプルを示している。LRVはLoad Sample(a)とProduct Eluate Sample(c)のウイルスの力価の比により求められる。例えばLoad Sample(a)の力価が10^7 TCID$_{50}$でProduct Eluate Sample(c)の力価が10^3 TCID$_{50}$であった場合，LRVは4となる。つまり，この工程を経ることで，スパイクしたウイルスの力価が10^4分の1(1万分の1)に減少したことを示す。もし，工程を経た後のサンプルにおいてウイルスが検出限界以下だった場合は，「≧X log」という表記の結果となる。

一般的に生物薬品の製造においては，ウイルスクリアランスを効果的に達成するために機序の異なる[4)]，効果的な[9)]複数のウイルス除去・不活化を製造工程に組み込むことが望ましいとされている。

一方，抗体医薬・タンパク質製剤に関しては，目標とする総クリアランス指数が明記された通知・ガイドラインは存在しないのが現状である。ただし，げっ歯類由来の細胞を用いて製造する場合，細胞内に内在性のレトロウイルスが存在することが知られており，精製工程

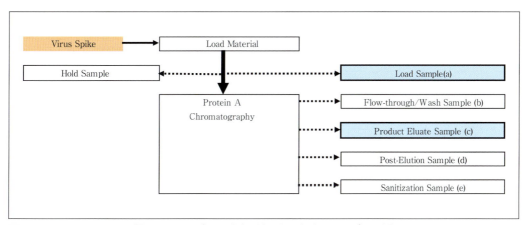

図8-2 Protein Aカラム工程におけるスパイク試験の流れと回収するサンプルの例

前の未加工・未精製バルク(UPB：Unprocessed Bulk)中のウイルス様粒子(VLP：Virus-like Particle)を透過型電子顕微鏡(TEM：Transmission Electron Microscopy)で測定し，目的産物の濃度と収率，および臨床試験での想定最大投与量から，1投与量当たりのVLP数を算出し，この数値から十分に除去・不活化できるようにウイルスクリアランス指数の目標値を設定することができる。

(2) 受託試験機関の利用

①選定の際に考慮すべき点

現在，受託試験機関は国内外に複数存在する(**表8-5**)。これら機関の中から実際に試験を委託する機関を選定する際に考慮すべき点を以下にあげる。これらの点を含め，受託試験機関の適格性確認のために，事前に試験機関を訪問することが望ましい。

1) 試験はGLP(またはGMP)基準に準拠して行われているか？
2) 信頼性保証を担保できる品質システムを有しているか？
3) 医薬品の承認申請に試験データを用いられた実績があるか？あるいは，規制当局からの査察実績があるか？
4) 試験に必要な高力価のスパイク用モデルウイルスを保有しているか？
5) 実験施設，設備が実施要件を満たしているか？
6) 試験結果および報告書の希望納期に応えられるか？
7) 受託試験機関の試験担当者が十分なウイルス学的見識を有しているか？

②試験委受託契約から最終試験報告書までの留意すべき点

実際の試験委託の検討から最終試験報告書の受領までは，通常6カ月以上の期間を想定すべきである。まず，委受託契約が締結されると，予備試験およびスパイク試験それぞれの試

表8-5　ウイルス安全性評価に関する受託試験機関の例

試験受託機関名	所在地	国内代理店・営業店	Homepage
BioReliance (Merck KGaA)	米国・英国	バイオリライアンス(株)	https://www.bioreliance.com/jp/
Charles River Laboratories, Inc.	米国・ドイツ	日本チャールズ・リバー(株)	https://www.criver.com/products-services/biologics
RIAS／(株)AVSS(共同)	日本	丸紅ケミックス(株)	https://www.marubenichemix.co.jp/
SGS Vitrology Ltd.	英国	タカラバイオ(株)	http://www.takara-bio.co.jp/
Texcell SA	フランス・台湾・米国	テクセル日本(株)	http://www.texcell.com/
TFBS Bioscience Inc.	台湾	メディリッジ(株)	https://mediridge.com/
Virusure GmbH	オーストリア	(株)イナリサーチ	https://www.ina-research.co.jp
ViSpot(株)	日本	なし	https://www.vispot.co.jp/
WuXi AppTec Inc.	米国	なし	http://www.wuxiapptec.com/

注)RIAS：一般財団法人生物科学安全研究所，(株)AVSS：長崎大学発バイオベンチャー企業，TFBS：Testing Facility for Biological Safety
日本PDA製薬学会バイオウイルス委員会調べ(2020年7月現在)

験計画書を作成する。並行して，サンプルや機材の試験機関への輸送手配および送付を行う。そして，実際のスパイク試験では，委託元の試験実施担当者は受託試験機関に滞在し，現地のスタッフと共同して試験を実施することになる。スパイク試験の実施から，最終試験報告書の受領には，2～3カ月の期間が必要となる。これら一連の流れの中で留意すべき点を，以下に5つに分けて記す。

1） 試験計画書の作成

受託試験機関が任命する試験責任者（Study Director）との十分な議論と相互理解が，試験計画書の作成に必須である。予備試験とスパイク試験に使用するサンプルは同一ロットが望ましく，両試験に必要なサンプルの量については事前に確認し，確保しておかなければならない。また，委託元が期待している各ステップのLRVを試験責任者に伝え議論することは重要である。すなわち，使用するスパイクウイルスの力価と添加量比そして大容量力価測定（Large Volume Plating）の実施の要否を検討し，その内容を試験計画書に反映させる。

2） 委託元試験実施担当者による使用可能な保有機材の確認

試験対象工程は，委託者のプロセスに依存する。その工程のスケールダウンモデルの実施において，受託試験機関の保有する機材で実施可能かどうかの確認を行わなければならない。特にクロマトシステムでは，至適流速域，モニター（pH，導電率）等の確認が重要である。受託試験機関保有の機材で実施が難しい場合，以下の3）で述べるように，依頼者からの機材の送付が必要となる。

3） サンプルおよび機材の送付

予備試験および本試験に使用するサンプルは，受託試験機関に試験開始前までに遅滞なく届けられなければならない。特に海外の受託試験機関で試験を実施するためにサンプルを送付する場合には，動物検疫，通関などの諸手続きが必要であり，その手続きに時間を要することも考慮しなければならない。またスパイク試験実施のために，高価な精密機械であるクロマトシステムなどを送る場合もあるため，輸送業者の選択も重要である。

4） スパイク試験の実施とデータの確認

スパイク試験の前日までに，現地の試験責任者および担当者間とで，サンプル受け取りの時間，器具や消耗品の所在の確認など，当日の手順や詳細を確認しておくべきである。特にHIVを使用する場合には，利用する実験室の利用の基準が異なるため，より綿密な協議が必要である。また，ウイルス除去膜を使用する場合には，完全性試験の実施について，試験責任者や必要に応じてフィルターメーカーの担当者とも協議が必要である。スパイク試験の当日の試験記録は，海外の受託試験機関で試験を実施する場合は，英語のフォーマットに記載することが望ましい。また，現時点では，受託試験機関によって試験成績が異なることもあり，試験条件（ウイルスの由来，調製法，スパイク条件，測定方法等）の記録は，将来の工程変更後の試験計画や結果評価の際にも重要となる。一般的には，試験の最終日に両者間で報

告会（Wrap-Up Meeting）を開催することが多いが，その際には，滞在中に発生した問題を漏らさず報告し，受託試験機関の良かった点，悪かった点も合わせて伝えることが重要である。また，報告会の議事を書面に残すことで，将来の試験委託に役立てるようにすべきである。試験が終了すると，委託先からデータが送られてくるが，サンプルの容量の転記間違い等には，注意が必要である。

5）報告書の作成と最終化

受託試験機関は，スパイク試験，それに続く力価測定試験の終了後，得られたデータをまとめ，試験報告書を作成する。通常，試験報告書の草案が委託者に提供され，委託者がスパイク試験実施時に取得したデータと照合し，報告書の最終化に向け受託試験機関とディスカッションを行う。ろ過液量などは委託者側でデータを提供する必要があるため，スパイク試験実施時に適切に記録を行うことが肝要である。ディスカッション終了後，受託試験機関の信頼性保証部門の監査を受けた後の最終案を委託者は再度確認し，合意が得られた段階で，受託試験機関の試験責任者および信頼性保証部門責任者の署名が入り，納品される。ディスカッションや最終化までの手続きにかかる日数を見込み，スケジュールを立てることも重要である。

ウイルスクリアランス試験はICH Q5A（R1）に記載のとおり「精製工程のスケールダウンを設計し，準備に関与した製造担当者とウイルスの専門知識を有する者が共同して」実施すべき試験である。すなわち，医薬品の製造者と受託試験機関が協力して，十分なディスカッションと情報共有を経て，試験計画書を作成し，その上で実施しなければならない。また，受託試験機関でのウイルススパイク試験の実施には，数週間の滞在を要する場合もあり，この点でも試験の成功には，受託試験機関との密なコミュニケーションと信頼関係の構築が必須となる。

3. バイオ医薬品におけるウイルス汚染事例

Baroneら[52]の報告によるとバイオ医薬品におけるウイルスの汚染事例は，少なくとも26件が報告されている（表8-2）。報告された汚染源は培地を構成する血清やその成分，また，作業者などとされている（**表8-6**）。この項では汚染の詳細が報告されている汚染事例について紹介する。

ウイルス汚染の最初の報告は，1988年にBioferon GmbH社で起こったCHO細胞での汚染事例である[53]。CHO細胞を宿主とした組換え医薬品の培養工程（10%FBSを含む血清培地での4日間の増殖培養後，無血清培地に交換して4日間の生産培養を行い，このサイクルを繰り返す）で，通常の培養が数週間続いた後，突然pHが低下し細胞が死滅した。初期調査の結果，原因は，細菌や真菌，マイコプラズマではなかった。汚染した感染性因子は，無菌ろ過フィルターを通過し，クロロホルム耐性で数度の凍結・融解に対しても耐性である一方，pH5.5処理で不活化された。またヒト赤血球の凝集能を欠いていた。詳細な調査の結果，同社は汚染ウイルスをEHDV（Epizootic Haemorrhagic Disease Virus，**図8-3**）と同定し報告した。同ウイ

表8-6 汚染源が特定されたウイルス汚染の報告

汚染した細胞株	汚染したウイルス	ヒトへの病原性	血清	組換え培地成分	未確定の培地成分	作業者	ホスト細胞株	不明
CHO細胞の培養から発見されたウイルス								
CHO	Blue tongue virus	なし	1					
CHO	Cache Valley virus	あり	2					
CHO	Minute virus of mice	なし		1	3			1
CHO	Vesivirus 2117	なし	4					
ヒトまたは初代培養系細胞株から発見されたウイルス								
Primary monkey, Vero	Herpesvirus	あり				1	1	
HEK293	Human adenovirus type 1	あり					1	
MRC5	Parainfluenza virus type 3	あり					1	
MRC5	Reovirus type 3	あり					1	
Primary monkey	Simian adenovirus	なし					1	

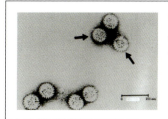

図8-3 EHDVの電顕写真

EHDVは，Reoviridae科Orbivirus属のノンエンベロープウイルスで，直径60～80nmの球状ゲノムは二本鎖RNAサシバエによって媒介され，ウシ，ウマ，ヒツジ，シカなどに感染する。近縁のウイルスに，Bluetongue virusやアカバネ病ウイルスなどがある

出典：Contamination of genetically engineered CHO cells by epizootic haemorrhagic disease virus (EHDV). Holger Rabenau et al. Biologicals 1993, 21:207-214

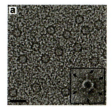

図8-4 MVMの電顕写真

MVMは，パルボウイルス科パルボウイルス属のノンエンベロープウイルスで，直径約20nmの球状ゲノムは，5081bの一本鎖DNA (Astell1983) mouse adenovirus中のコンタミウイルスとして分離された (Crawford 1966) 自然宿主はマウス。感染は不顕性。ウイルスは，糞便，尿，体液等に排泄され，主として経口および経鼻感染により伝播する
MVMの陽性率は，実験用のSPFマウスで25%，コンベンショナルマウスで40%との報告もある(Jacoby 1997)

出典：Minute virus of mice, a Parvovirus, in complex with the Fab fragment of a neutralizing monoclonal antibody. Bärbel Kaufmann, et al. J. Virol. 81:9851-9858, 2007

ルスは，1985年にBahrainで分離されたEHDV 318と同じ血清型であり，汚染ルートとしてはFBSが疑われた。

1993年と1994年には，Genentech社でCHO細胞を宿主とした組換え医薬品の培養工程(12,000 L)でMVM(図8-4)の汚染事例が発生した[54]。1回目は同定に時間を要したため，複数の培養槽に汚染が拡大し，製品の廃棄，除染に伴う長期の設備停止などで大きな損失を被った。当

時，3種の細胞に検体を接種後14日間培養し，細胞の顕鏡観察（CPE）と赤血球吸着反応（HAd）でウイルスの有無を判定する方法で行われていた（図8-5）。1回目の汚染時は，培養5日目で弱いHAdが観察されたことから，蛍光抗体法で同定を試みたところMVMが検出された。同社は，この事例を契機に多くのリソースを投入してPCRを用いた高感度検出系と324K細胞を用いた感染測定系を構築し，ルーチン検査に導入した。この対策が功を奏し，2回目の汚染時にはPCRで早期に検出し（図8-6），被害を最小限にとどめることができた。汚染ウイルスについては，それぞれから単離され詳細に解析された結果，2つは異なる株であった。徹底的な調査によっても汚染源の特定には至らなかったが，培地を含む原材料からの汚染が疑われた。2回目の汚染後，同社は，「①原材料に対するウイルスバリアーの構築（HTST），熱に安定で小容量の原材料はオートクレーブ処理，熱に不安定で小容量の原材料はウイルスろ過処理，製造プロセスの無血清化），②圧縮空気の加熱処理（150℃×90秒以上）と10 nmの粒子を捕捉可能なフィルターによるプロセスエアーのろ過，③小スケール段階でのMVMアッセイの導入，

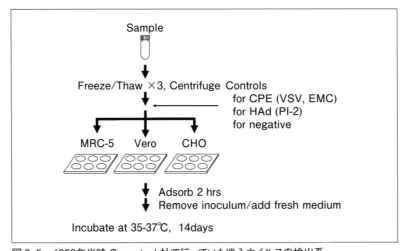

図8-5 1993年当時, Genentech社で行っていた迷入ウイルスの検出系
出典：R.L. Garnick: Experience with viral contamination in cell culture. Dev Biol Stand., 88:49-56, 1996のFig. 3を参考に作図

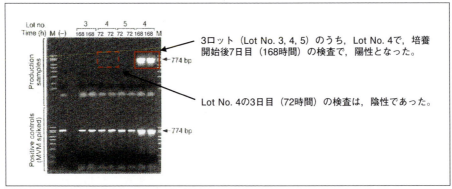

図8-6 1994年に迷入したMVMのPCR結果
出典：R.L. Garnick: Experience with viral contamination in cell culture. Dev Biol Stand., 88:49-56, 1996のFig. 10を引用

④ヒトと設備の分離」の対策を実施した[55, 56]。

　検討の過程で，興味深い現象が確認された。Genentech社の設備では，複数の製品が並行して製造されているが，MVMの汚染が起こったのは製品Bのみである。同じ宿主細胞（CHO細胞DUX B11株）由来の製品AではMVMの汚染が起こらなかったことから，それぞれの製造に用いる組換えCHO細胞のMVMに対する感受性を比較した結果，製品Aの製造に用いる組換え体はMVMに対する感受性がなかったのである。すなわち（仮説ではあるが），組換えに用いたCHO細胞の親株には，MVMに対する感受性を持つものと持たないものが混在していたと考えられる。

　2006年には，Amgen社でMVMの汚染事例が発生した[57]。組換え動物細胞を用いたバイオ医薬品の培養工程でpHが低下，続いて細胞が死滅した。同培養液より，qPCRにてMVMを検出した。対象エリアへのアクセスを制限するとともに，疑わしいロットも含めて当該ロットから採取したサンプルを隔離し，すべての原材料も使用を中止して隔離した。進行中の製造は停止して廃棄し，メンテナンス作業も中断した。設備は高濃度のbleachでのクリーニングを1日おきに実施した。これらの対策が功を奏して，最終的に汚染は1ロットのみ，4基の種培養槽のうちMVM陽性は1基にとどまった。すべての原材料と培地について調査がなされたが，MVM陰性であった。また施設の周りで採取したげっ歯類の糞もMVM陰性，ベンダーオーディットでも疑わしい特記事項は発見されなかった。同社は，再発防止策として，①ガウニングの高度化（ユニフォームの採用，生産エリアと機械設備エリアの区分，サンプリング／秤量時のガウニング）と，②教育を実施した。

　2009年には，Merrimack Pharmaceuticals社でMVMの汚染事例が発生した[58]。CHO細胞を宿主とした組換え医薬品の培養工程（1,000 L）で，5ロットのうち，3ロット（第3ロット，第4ロット，第5ロット）でMVMによる汚染が起こった。第3ロットと第4ロットではUnprocessed bulkの段階，第5ロットでは継代・拡張段階（ステップD）で汚染が判明した（図8-7）。汚染ロットにおいて培養パラメーター（生細胞数など）に異常はなく，PCRによるMVMの検出系を採用していなければ，発見できなかったと考えられる。図8-8に示す流れで絞り込みを行い，培地添加物（組換え品，動物由来成分不含）を汚染源と特定した。同社は，再発防止策として，①汚染ロットに由来する原薬と培養液は，20% bleachで処理後廃棄，②当該設備内にストックしていたチューブ，バッグなどの機材も廃棄，③設備は徹底的に除染作業を実施した。

　2003年には，Boehringer Ingelheim Pharma社でVesivirus 2117の汚染事例が発生した[59]。CHO細胞の培養工程で著しい細胞傷害が確認され，複数の製品の製造に支障が出た。調査の結果，培養上清中に直径約40 nmのカリシウイルス様粒子を認め，本ウイルス株を「Vesivirus 2117」と命名した。cDNAの塩基配列を解析した結果，ゲノムの大きさはpolyAを除いて8,091bで3つの遺伝子をコードしていた。汚染源は特定されなかったが，FBSの可能性が高いと考えられた。

　Vesivirus 2117による汚染事例は，Genzyme社でも発生した[60, 61]。2009年6月16日（火）8時30分，同社は，マサチューセッツ州Allstonの生産設備でVesivirus 2117による汚染が起こったため生産を一時中断すると発表した。汚染が起こったのは6つの培養槽のうちの1つで，

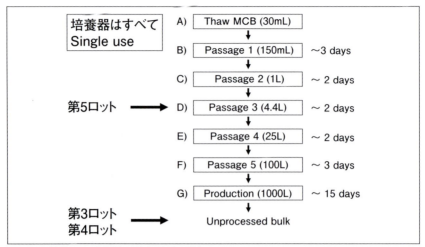

図8-7　培養フローと汚染が検出された工程
出典：Mark Moody, Washington Alves, Jose Varghese, Fazal Khan: Mouse minute virus (MVM) contamination – A case study: Detection, root cause determination, and corrective actions. PDA J Pharm Sci and Tech, 65:580-588, 2011の図2を引用

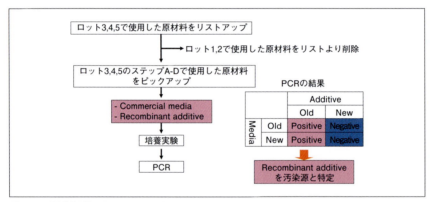

図8-8　汚染源絞り込みのフロー図
出典：Mark Moody, Washington Alves, Jose Varghese, Fazal Khan: Mouse minute virus (MVM) contamination – A case study: Detection, root cause determination, and corrective actions. PDA J Pharm Sci and Tech, 65:580-588, 2011の図1を一部改変

発表の前の週の週末にウイルスを同定し，月曜日の朝，FDAとEMEAへ通知，次いで同日午後，FDAと協議の後，翌朝発表した。本プレスリリースの中で，同社は2008年にAllstonとGeelの2カ所の設備で起こった2回のトラブル（組換えCHO細胞の生産性低下）についても，本ウイルスが原因であったと報告した（前述のBoehringer Ingelheim Pharma社で汚染したウイルスとの塩基配列の相同性は9割であった）。2008年当時の標準的な試験法では原因を明らかにすることができなかったが，その後，高感度の試験法を開発したことで，原因ウイルスを検出・同定できたとした。Allstonの設備は，希少疾患用の2つの治療薬（Cerezyme：ゴーシェ病の治療薬，Fabrazyme：ファブリー病の治療薬）の原薬工場であり，除染に6～8週間を要したため製剤の供給不安を起こした。

　Eli Lilly社では，ヒトアデノウイルスの汚染事例が発生した[62,63]。組換え293細胞を用いた

生物薬品のウイルス安全性 第8章

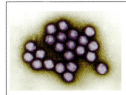
アデノウイルス科マストアデノウイルス属ゲノムは，約36kbpの二本鎖DNA
直径約80nmの正二十面体
エンベロープはない
1953年，Roweにより報告
51の血清型が知られており，ゲノムの相同性などから6つの亜型（A～F）に分けられる。
ヒトに上気道感染，咽頭炎，結膜炎，胃腸炎などを起こす

図8-9　ヒトアデノウイルスの電顕写真
出典：http://phil.cdc.gov/phil/details.asp

バイオ医薬品の培養工程で細胞数の著しい減少が認められた。検査の結果，「細胞変性の様子，電顕像，蛍光抗体法，塩基配列の解析結果」より，ヒトアデノウイルスと同定した（図8-9）。調査の結果，培地メーカーでの培地調製時に作業者から汚染した可能性が高いと考えられた。

　以上の事例は，幸いにも培養段階で汚染が検出され，培養液や中間体の段階で廃棄されたため，最終製品が汚染されることはなかったが，以下の事例では，最終製品が感染性のウイルスで汚染され，発覚した時点ですでに約3,000万人の乳幼児に投与されていた。

　2010年，カリフォルニア大学のVictoriaら[3]が，次世代シーケンサーとマイクロアレイを用いて，市販されている生ワクチンのウイルス多様性を研究しているとき，GSK社の経口弱毒生ヒトロタウイルスワクチン（Rotarix®）より，PCV-1（Porcine circovirus type 1，図8-10）の全長に相当するDNAを検出したことから発覚した。このことは，GSK社に伝えられ，社内調査の結果，製品，マスターセルバンク（MCB），ワーキングセルバンク（WCB）およびウイルスシードよりPCV-1が検出され，2010年3月15日にFDAへ報告された。FDAでは，報告を受けいったん米国内でのRotarix®の接種を停止したが，その1カ月半後，専門家らを招集してVaccines and Related Biological Products Advisory Committee Meetingを開催，同年5月14日には，安全性に問題はないとして，接種再開を決定した。接種再開の判断には，このワクチンがすでに約3,000万人の乳幼児に接種されていたが健康被害の報告がないこと，また市販されているブタ肉にもPCV-1が存在しているにもかかわらず，これまでにヒトへの感染の報告がないことから，接種することによるベネフィットがPCV-1によるリスクを上回るとの判断があったと思われる。

　Rotarix®は，Vero細胞にウイルスシードを接種し製造される。GSK社では，Vero細胞を1980年にATCCから入手し，1983年にMCBを確立しているが，GSK社の社内調査の結果，このMCBがすでにPCV-1で汚染されていることが判明した。当然，このMCBから作製されたWCB，およびWCBを使って作製されたウイルスシードにもPCV-1の汚染が認められた（図8-11）。Vero細胞を購入してからMCBを作製するまでに用いられた動物由来原料のうち，ブタ由来のものは細胞の継代に用いられたトリプシンのみであり，当該のトリプシンが汚染源であると考

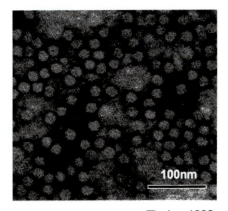

図8-10　PCV-1の電顕写真

えられた。GSK社は，同じWCBを用いて不活化ポリオワクチン（Inactivated polio vaccine：IPV）も製造しており，IPVのウイルスハーベストでもPCV-1のDNAが検出された。IPVは不活化ワクチンであり，精製と不活化工程を経て製品となるため，精製後のウイルス溶液においては，PCV-1のDNAも感染性も検出されなかった（**図8-12**）。精製工程でPCV-1が除去されたものと推測されている。

WHOは，PCV-1等のウイルスのバイオ医薬品への汚染事例をもとに，潜在的なAdventitious Agentのリスクを評価するドラフトガイドライン（“Guidelines on Assessing Risk When a Potential Adventitious Agent Is Found”）を，2011年4月に作成した。このガイドラインの目的は，市販薬にpotential extraneous agentが発見された場合のリスク評価に関する情報を提供することである。このドラフトガイドラインの中には，リスク評価を行う際のデシジョンツリーが案として示された（**図8-13**）（デシジョンツリーは，現在では公開されてい

図8-11　Rotarix®におけるPCV-1迷入経路の特定

Polio Virus Containing Vaccine Investigation

	Rotarix® Vaccine		IPV-based Vaccine	
	PCV-1 DNA Q-PCR (copies per mL)	PK15/Vero infectivity	PCV-1 DNA Q-PCR (copies per mL)	PK15/Vero infectivity
Viral Harvest	10^{10}	Detectable	10^{5}	ND
Purified bulk	10^{9}	Detectable (1,500 doses tested)	Not detectable	Not Detectable (1,500 doses tested)
Inactivated bulk	NA	NA	Not detectable	Not Detectable (1,500 doses tested)
Final container	10^{7}	Not Detectable (10 doses tested on Vero cells)	Not detectable	NA

Estimated clearance of
Purification step – 10^4 DNA copies
Inactivation step – ongoing

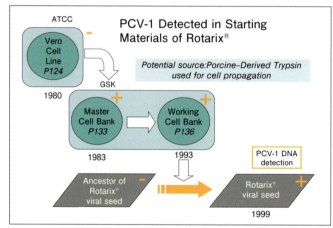

図8-12　Vero細胞を用いて製造されたGSK社ワクチンにおけるPCV-1 DNAの検出

ない)。

　RotaTeq®およびRotarix®のPCV汚染事例について，WHO Draft ♯1のデシジョンツリーを用いたリスク評価を行った場合（図8-14），Merck社のRotaTeq®の場合は，PCV核酸の断片のみしか検出されていないため，ヒトへの感染のリスクは極めて低いと評価できる。また，GSK社のRotarix®の場合は，感染性の粒子が検出されたが，ヒトの細胞への感染性も認められず，ヒトへの感染のリスクは非常に低いと評価される。

　以上のように，RotaTeq®およびRotarix®とも健康被害のリスクは低く，FDAおよびEMAの判断を支持する結果となった。

　WHOが示したデシジョンツリーによるとRotaTeq®およびRotarix®は，PCV-1がヒトへの感染性が認められずに健康被害のリスクは低いとされた。仮にPCV-1にヒトへの感染性と病原性が認めていた場合はどう評価されただろうか。おそらく，そのウイルスのリスクと得られる医薬品のベネフィットとの比較により評価されていただろう。例えば，希少疾病医薬品のようにその医薬品がないと生命の危機に陥る患者が存在する可能性がある場合はどうだろうか，やはりその安全性評価を行うためには医薬品のベネフィットとリスクを合わせて評価する必要がある。

　バイオ医薬品の汚染事例では，細胞培養の工程，特に培地成分からの汚染がほとんどであるが，一部には作業者から製造工程への汚染事例も報告されている。このようなウイルスの

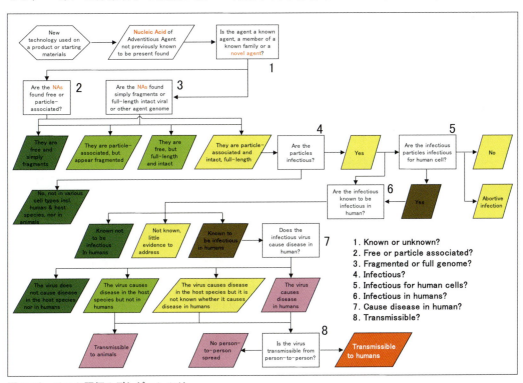

図8-13　リスク評価のデシジョンツリー
出典：Tara Tagmyer: Stress test of proposed WHO guidelines for adventitious agent investigations. IABS Workshop: Adventitious Agents, NEW Technology and Risk Assessment (Baltimore, May 2011)を一部改変

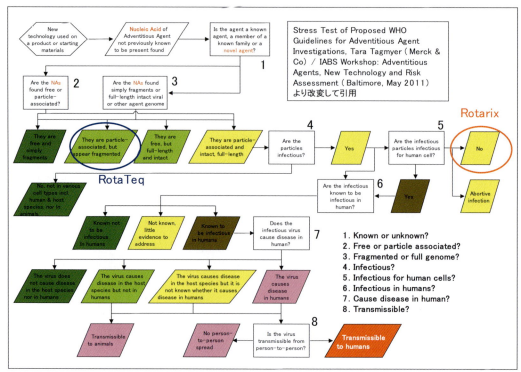

図8-14　RotaTeq®およびRotarix®のリスク評価

汚染を検知した場合の対応方法について，1つの考え方を日本PDA製薬学会バイオウイルス委員会ウイルスクリアランス分科会としてまとめた（**図8-15**）[64]。このデシジョンフローは，ICH Q5A（R1）のガイドラインにもあてはめて考えることができる[4]。ウイルスの汚染を防ぐ方法を考えた場合，いかに予防するかに尽きる。そしてその予防対策には，過去の事例を教訓にICH Q5A（R1）で示される各製造工程での対策をしっかりと行うことが大切である。また普段より，製造工程のパラメータのみならず，培養細胞の表情（形状）をみて異常を検知するなど，小さな異変も見逃さないことが重要である。また，NGSやAIによる画像解析などの新しい技術の応用も期待されるが，その結果を正しく理解するための念入りな準備が求められる。

ウイルスの汚染時の対応については，米国のPDAから発行されたテクニカルレポートNo.71「Emerging Methods for Virus Detection」[65]およびNo.83「Virus Contamination in Biomanufacturing：Risk Mitigation, Preparedness, and Response」[66]も参考になる。一度，目を通すことをお勧めしたい。

バイオ医薬品の製造においてウイルスのみならず細菌が汚染した事例も報告されている。Genentech社の組換えCHO細胞の初期培養工程において細菌の汚染が確認された（発生年は報告されていない）[67]。汚染は1年間に2度発生し，2度目の発生時にEMJH培地による培養が成功し，*Leptospira licerasiae*が同定された。培地には，0.1μmのろ過が行われていたが，他の加熱処理等は実施されていなかった。*L. licerasiae*は0.1μmの滅菌フィルターをすり抜ける

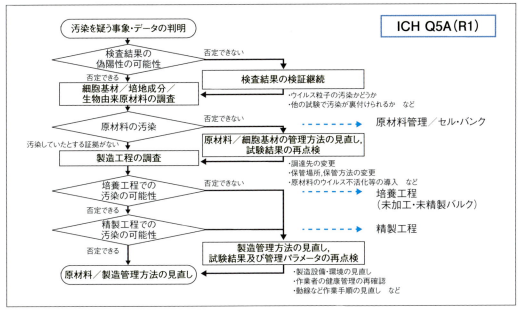

図8-15 ウイルスの汚染を検知した場合の対応方法

ことが知られている細菌である。その後，L. licerasiaeへの対策として，加熱処理などの処理を施し，EMJH培地を使用した培養試験が加えられた。なお，L. licerasiaeは，環境中に存在する常在菌であるが薬局方試験では検出できない。

おわりに

　第1項ではウイルス除去・不活化の最近の知見について概説した。従来の除去・不活化技術に加え，実際の普及は限られているがHTST，UV-Cなどの新しい技術も利用されてきている。現段階において，ウイルス除去・不活化の技術としてウイルス除去膜は必須の技術である。各社から市場のニーズに対応した製品が出されている。新しい知見として，ろ過工程中のろ過圧力の解放がウイルスの除去性に影響することが報告されているが，事前の検討によりその可能性は把握でき，かつ対応が可能な現象である。論文や，サプライヤーからも技術情報が多く蓄積しているため参考にされたい。また，ともすれば1工程でのLRVの大きさに目が行きがちであるが，ろ過やウイルスクリアランス試験の条件で数字が動くことも事実である。ウイルス安全性は製造工程全体で考慮されるべきであるため，各工程で利用している技術の目的，ウイルス除去性の堅牢さを十分理解し，妥当な方法で評価，判断し利用することが肝要である。

　第2項ではウイルスクリアランス試験の最近の知見と受託試験機関を利用する場合の留意事項について概説した。ウイルスクリアランス試験が始まって20年以上が経ち，受託試験機関には多くのノウハウ・技術が蓄積されている。実際には欧米の限られた受託試験機関が多くのウイルスクリアランス試験を実施しており，単なる試験の実施機関としてではなく，多

くの経験を有し，試験方法を提案する存在にもなっている。

　現在盛んに開発が進んでいる連続精製法等，これまでと異なる製造工程においては，個々の除去不活化原理が同じであってもウイルスクリアランス試験として実工程を小型モデル化した試験法となっていることを論理的に説明できることが必要である。そのためには委託者側も十分な知識を持ち，受託試験機関と十分な情報共有とディスカッションを行うことが必要であり，さらにはそれら密なコミュニケーションを通した信頼関係を構築することが，ウイルスクリアランス試験の成功につながるといっても過言ではない。

　ウイルスクリアランス試験を実施するためには，これまで海外の受託試験機関に頼らざるを得なかったのが現状である。最近になり国内でもようやく試験が実施できる体制が整いつつある。欧米に比べると実績が少ないことは否めないが，試験担当者はインフラが整っている国内出張で試験を終わらせることができ，試験機器の税関手続きも不要で，日本語で意思疎通が行えるなどメリットがある。今後は国内の受託試験機関も有力な委託先の1つになると考えられる。

　第3項で紹介した8例のウイルス汚染事例のうち，7例で汚染した培地が直接の原因と考えられたが，それら全例で培地およびその原材料の対象ウイルスへのPCR検査結果は陰性であった。すなわち原材料の検査だけでは，ウイルス汚染リスクを排除することは困難であることが明らかとなった。培養工程の注意深いモニタリングが重要であり，リスクの高いウイルスについては，培養の各段階でPCR等の迅速検査により，可能な限り早期に発見することが肝要である。一度汚染が発生すれば，患者への薬剤の供給が停止してしまうという重大な問題につながる。また除染に伴う長期の設備停止，原材料・中間体・製品の廃棄，販売シェア低下などで製造会社の事業面でも大きな損失も発生する。今回紹介したほとんどの事例では，培養段階で検出・廃棄されたため，汚染された製品が市場に出ることはなかったが，1つの事例において，感染性のあるウイルスに製品が汚染され，発覚した時点で3,000万人もの乳児に投与されていた点で他の7つの事例とは深刻さの度合いがまったく異なった。しかしながら大変幸いなことに汚染していたブタ由来ウイルスは，ヒトへの感染性はなく，ブタにも病原性を示さないことで事なきを得た。本件はガイドラインが整備される以前に作製されたセルバンクへのウイルス汚染が原因であるが，細胞基材の安全性については，常に最新の知見と考え方で見直し続けることを教訓とすべきである。さらに，この事例から得られたもう1つの教訓は，ウイルス学的／疫学的な知見の蓄積を背景に，リスク＆ベネフィットと評価のための整理された考え方（デシジョンツリー等）であり，最新の知見による論理的な判断を行うことの重要性である。この判断により，ウイルスが汚染したままのワクチン投与が継続された期間はあったが，健康被害の報告はなかった。逆に安全性のみを考えワクチンの投与が中止されていたならば，多くの乳児がロタウイルスの感染で苦しんでいたはずである。

　ウイルス自身は自己複製のしくみを持たないため，細胞にとり付いて（感染して），細胞内のタンパク質や核酸の合成系を使って子孫を増やす必要がある。したがって，ウイルスが培養工程に汚染しても，当該の細胞への感染性がなければ増える（＝顕在化する）ことはない。仮に増えても培養パラメーターに変化（＝細胞にダメージ）を与えなければ，やはり顕在化はしない。われわれは"汚染は起こり得る"として対策を考える必要があるのかもしれない。

生物薬品のウイルス安全性 第8章

最後に当分科会での検討結果が，本書を手に取られている皆さまの一助になれば幸いである。本章は，2012年に日本PDA製薬学会バイオウイルス委員会SALLY分科会のメンバーにより調査・検討され，誌上で公開された内容等[44, 68〜70]および2019年にウイルスクリアランス分科会メンバーにより再調査・再検討した内容[64, 71]をもとに再構成したものである。

■参考文献（WebのURLに関しては，最終アクセス日は2020年7月末日）

1) Garnick RL. Experience with viral contamination in cell culture. Dev Biol Stand., 88：49-56, 1996
2) McClenahan SD, Krause PR, Uhlenhaut C. Molecular and infectivity studies of porcine circovirus in vaccines. Vaccine, 29：4745-4753, 2011
3) Victoria JG, Wang C, Jones MS, et al.：Viral nucleic acids in live-attenuated vaccines：Detection of minority variants and an adventitious virus. Journal of Virology, 84：6033-6040, 2010
4) 医薬審第329号通知「ヒト又は動物細胞株を用いて製造されるバイオテクノロジー応用医薬品のウイルス安全性評価」について（平成12年2月22日）（原文：ICH Harmonized Tripartite Guideline, Viral Safety Evaluation of Biotechnology Products Derived rom Cell Line of Human or Animal Origin Q5A (R1) — Current Step 4 version dated 23 September 1999
5) Final Concept Paper, Q5A (R2)：Viral Safety Evaluation of Biotechnology Products Derived from Cell Lines of Human or Animal Origin, Dated 17 November 2019,
   Endorsed by the Management Committee on 18 November 2019
   (https://database.ich.org/sites/default/files/Q5A-2_FinalConceptPaper_2019_1117.pdf)
6) Final Business Plan Q5A (R2)：Viral Safety Evaluation of Biotechnology Products Derived from Cell Lines of Human or Animal Origin Dated 17 November 2019, Endorsed by the Management Committee on 18 November 2019 (https://database.ich.org/sites/default/files/Q5A-R2_FinalBusinessPlan_2019_1118.pdf
7) Continuous Manufacturing of Drug Substances and Drug Product
   (https://database.ich.org/sites/default/files/Q13_EWG_Concept_Paper.pdf)
8) EMA/CHMP/BWP/187162/2018, Meeting Report：Joint BWP/QWP workshop with stakeholders in relation to prior knowledge and its use in regulatory applications
   (https://www.ema.europa.eu/en/events/joint-biologics-working-party-quality-working-party-workshop-stakeholders-relation-prior-knowledge)
9) EMEA/CPMP/BWP/268/95/
   Note for Guidance on Virus Validation Studies：The Design, Contribution and Interpretation of Studies Validating the Inactivation and Removal of Viruses Chapter, 1996 (http://www.ema.europa.eu/docs/en_GB/document_library/Scientific_guideline/2009/09/WC500003684.pdf)
10) Points to Consider in the Manufacture and Testing of Monoclonal Antibody Products for Human Use (http://www.fda.gov/downloads/BiologicsBloodVaccines/GuidanceComplianceRegulatoryInformation/OtherRecommendationsforManufacturers/UCM153182.pdf)
11) Miesegaes G, Lute S, Brorson K. Analysis of viral clearance unit operations for monoclonal antibodies. Biotechnol Bioeng., 106：238-246, 2010
12) Bae JE, Jeong EK, Lee JI, Kim IS, Kim J. Evaluation of viral inactivation efficacy of a continuous flow ultraviolet-C Reactor (UVivatec). Kor J Microbiol Biotechnol., 37：377-382, 2009
13) Virosart® media. (https://www.sartorius.com/en/products/process-filtration/virus-filtration/virosart-media)
14) List of substances included in Annex XIV of REACH ("Authorisation List"). (https://echa.europa.eu/authorisation-list)
15) PDA Technical report No. 41, Virus filtration. (Revised 2008)
16) Asper, M. Virus breakthrough after pressure release during virus retentive filtration. PDA Virus/TSE Safety Conference, Barcelona Spain, 27 June 2011
17) Woods MA, Zydney AL. Effects of a pressure release on virus retention with the Ultipor DV20 membrane. Biotechnol Bioeng., 111：545-551, 2013
18) Yamamoto A, Hongo-Hirasaki T, Uchi Y, Hayashida H, Nagoya F. Effect of hydrodynamic forces on virus removal capability of PlanovaTM filters. AIChE J., 60：2286-2297, 2014
19) LaCasse D, Lute S, Fiadeiro M, et al. Mechanistic failure mode investigation and resolution of parvovirus retentive filters. Biotechnol Prog., 32：959-970, 2016
20) Horowitz B, Bonomo R, Prince AM, et al. Solvent/detergent-treated plasma：a virus-inactivated substitute for fresh frozen plasma. Blood, 79：826-831, 1998
21) Horowitz B, Lazo A, Grossberg H, et al. Virus inactivation by solvent/detergent treatment and the

manufacture of SD-plasma. Vox Sang, 74 Suppl 1：203-206, 1998

22) Roberts PL. Virus inactivation by solvent/detergent treatment using Triton X-100 in a high purity factor VIII. Biologicals, 36：330-335, 2008
23) Roberts PL, Lloyd D, Marshall PJ. Virus inactivation in a factor VIII/VWF concentrate treated using a solvent/detergent procedure based on polysorbate 20. Biologicals, 37：26-31, 2009
24) Abhinav A Shukla, Jörg Thömmes Recent advances in large-scale production of monoclonal antibodies and related proteins. Trends Biotechnol., 28：253-261, 2010
25) Ejima D, Tsumoto K, Fukada H, et al. Effects of acid exposure on the conformation, stability, and aggregation of monoclonal antibodies. Proteins, 66：954-962, 2007
26) Conley L, Tao Y, Henry A, et al. Evaluation of eco‐friendly zwitterionic detergents for enveloped virus inactivation. Biotechnol Bioeng., 114：813-820, 2017
27) Farcet J-B, Kindermann J, Karbiener M, Kreil TR. Development of a Triton X-100 replacement for effective virus inactivation in biotechnology processes. Engineer Rep., 1：e12078, 2019. doi：10.1002/eng2.12078
28) O'Donnell S. Insights into virus inactivation by Polysorbate 80 (PS80) in the absence of solvent. PDA Virus Forum 2020
29) Schofield M, Johnson DM. Continuous low-pH virus inactivation：Challenges and practical solutions. GEN, 38, 2018
30) Klutz S, Lobedann M, Bramsiepe C, Schembecker G. Continuous viral inactivation at low pH value in antibody manufacturing. Chem Eng Processing, 102：88-101, 2016
31) Gillespie C. Continuous in-line virus inactivation for next generation bioprocessing. Biotechnol. J., 14：1700718, 2018
32) Bohonak D. Viral clearance across intensified polishing and virus filtration operations. PDA Virus Forum, May 2018, Italy
33) David L, Niklas J, Budde B, et al., Continuous viral filtration for the production of monoclonal antibodies. Chem Eng Res Des., 152：336-347, 2019
34) Lute S, Kozaili J, Johnson S, et al., Development of small-scale models to understand the impact of continuous downstream bioprocessing on integrated virus. Biotechnol. Prog., 36：e2962, 2020
35) Chiang M-J, Pagkaliwangan M, Lute S, et al., Validation and optimization of viral clearance in a downstream continuous chromatography setting. Biotechnol. Bioeng., 116：2292-2302, 2019
36) Angelo J, Chollangi S, Muller-Spath T, et al., Virus clearance validation across continuous capture chromatography. Biotechnol. Bioeng., 116：2275-2284, 2019
37) Goussen C, Goldstein L, Breque C, et al., Viral clearance capacity by continuous Protein A chromatography step using Sequential MultiColumn Chromatography. J Chromatogr B, 1145：122056, 2020
38) Lutz H, Chang W, Blandl T, et al. Qualification of a novel inline spiking method for virus filter validation. Biotechnol. Prog., 27：121-128, 2011
39) Li Y, Chang A, Beattie D, Remington KM. Novel spiking methods developed for anion exchange chromatography operating in a continuous process. Biotechnol. Bioeng., 2020. https://doi.org/10.1002/bit.27500
40) Parrella J, Wu Y, Kahn DW, Genest P. RUNspike, a complementary virus filter spiking method：A solution to the problem of reduced throughput due to the addition of the virus spike. PDA J Pharm Sci Technol., 63：547-558, 2009
41) Mattila J, Curtis S, Webb-Vargas Y, et al. Retrospective evaluation of cycled resin in viral clearance studies—A multiple company collaboration. PDA J Pharm Sci Technol., 73：470-486, 2019
42) Gefroh E, Dehghani H, McClure M, et al. Use of MMV as a single worst-case model virus in viral filter validation studies. PDA J Pharm Sci Technol., 68：297-311, 2014
43) EMEA/CHMP/BWP/398498/2005：Guideline on Virus Safety Evaluation of Biotechnological Investigational Medicinal Products, 24 July 2008
44) 日本PDA製薬学会バイオウイルス委員会SALLY分科会．ウイルス迷入の安全性評価. Pharm Tech Japan, 30：829-836, 2014
45) 小田昌宏, 寺野剛, 岡村元義, 他．ウイルスクリアランス試験の課題と事例検討―総ウイルスクリアランス指数（LRV）をどこまで追及するか―. PDA Journal of GMP and Validation in Japan, 7：44-54, 2005
46) 村井活史, 浦久保知也, 西田靖武ら：申請のための具体的なウイルスクリアランス試験プロトコール. PDA Journal of GMP and Validation in Japan, 9：6-31, 2007
47) 独立行政法人 医薬品医療機器総合機構医療用医薬品情報検索（https://www.pmda.go.jp/PmdaSearch/iyakuSearch
48) Roush D, Myrold A, Burnham M, et al.. Limits in virus filtration capability？Impact of virus quality and spike level on virus removal with xenotropic murine leukemia virus. Biotechnol Prog., 31：135-144, 2015

49) De Vilmorin P, Slocum A, Jaber T, et al. Achieving a successful scale-down model and optimized economics through parvovirus filter validation using purified TrueSpikeTM viruses. PDA J Pharm Sci Technol., 69：440-449, 2015
50) Slocum A, Burnham M, Genest P, et al. Impact of virus preparation quality on parvovirus filter performance. Biotechnol Bioeng., 110：229-239, 2013
51) Ruppach H. Log10 reduction factors in viral clearance studies. BioProcess J., 12：24-30, 2014
52) Barone PW, Wiebe ME, Leung JC, et al. Viral contamination in biologic manufacture and implications for emerging therapies. Nat Biotechnol., 38：563-572, 2020
53) Rabenau H, Ohlinger V, Anderson J, et al. Contamination of genetically engineered CHO- cells by epizootic haemorrhagic disease virus(EHDV). Biologicals, 21：207-214, 1993
54) Garnick RL. Experience with viral contamination in cell culture. Dev Biol Stand., 88：49-56, 1996
55) Kljavin IJ. Broadening our expectations for viral safety risk mitigation. PDA J Pharm Sci Technol., 65：645-653, 2011
56) Kiss RD. Practicing safe cell culture： Applied process designs for minimizing virus contamination risk. PDA J Pharm Sci Technol., 65：715-729, 2011
57) Skrine J. A biotech production facility contamination case study – Minute mouse virus. PDA J Pharm Sci and Tech., 65：599-611, 2011
58) Moody M, Alves W, Varghese J, Khan K. Mouse minute virus(MMV) contamination – A case study： Detection, root cause determination, and corrective actions. PDA J Pharm Sci and Technol., 65：580-588, 2011
59) Oehmig A, Buttner M, Weiland F, et al. Identification of a calicivirus isolate of unknown origin. J gen Virol., 84：2837-2845, 2003
60) Genzyme Press Release. June 16, 2009： Genzyme Temporarily Interrupts Production at Allston Plant (http://www.businesswire.com/news/genzyme/20090616005692/en)
61) Plavsic M, et al. Caliciviridae and Vesivirus 2117. BioProcess J., 9：6-122010/2011
62) Rubino MJ. Experiences with HEK293：A human cell line. PDA J Pharm Sci Technol., 64：392-395, 2010
63) Rubino MJ. Raw materials case histories. PDA J Pharm Sci Technol., 64：440-441, 2010
64) 日本PDA製薬学会バイオウイルス委員会．バイオ医薬品等のウイルス安全性を考える①バイオテクノロジー応用医薬品の製造工程におけるウイルスの混入または迷入時の安全性評価のデシジョンツリー．Pharm Tech Japan, 36：981-987, 2020
65) PDA Technical report No. 71, Emerging Methods for Virus, 2015
66) PDA Technical report No. 83, Virus Contamination in Biomanufacturing：Risk Mitigation, 2019
67) Chen J, Bergevin J, Kiss R, Walker G, Battistoni T, Lufburrow P, et al. Case Study： A Novel Bacterial Contamination in Cell Culture Production--Leptospira licerasiae., PDA J Pharm Sci Technol., 66(6)：580-591, 2012
68) 日本 PDA製薬学会バイオウイルス委員会 SALLY分科会：過去の事例に学ぶウイルス汚染の防止対策～バイオ医薬品における事例検討～．日本 PDA製薬学会第 19回年会, 2012
69) 日本 PDA製薬学会バイオウイルス委員会 SALLY分科会：過去の事例に学ぶウイルス汚染の防止対策～血漿分画製剤の感染事例とその対策～．Pharm Tech Japan, 29：1257-1262, 2013
70) 新見伸吾, 他．バイオ医薬品のウイルス安全性評価に関する研究．厚生労働科学研究 医薬品・医療機器レギュラトリーサイエンス総合研究事業）「ウイルス等感染性因子安全性評価に関する研究」．平成 24年度報告書, 67-74, 2013
71) 日本PDA製薬学会バイオウイルス委員会．バイオ医薬品製造工程におけるウイルスの混入または迷入時の安全性評価のデシジョンツリー．日本PDA製薬学会第26回年会, 2019

第 9 章
ウイルス・マイコプラズマ否定試験

はじめに

　生物薬品の多くは，ヒトまたは動物の組織，細胞，体液等を原材料または起源としており，その製造過程でも，生物由来の材料や添加剤を使用することがあることから，ウイルスやマイコプラズマによる製品の汚染防止には十分な対策が必要である。このため，医薬品規制調和国際会議（ICH）や厚生労働省，規制当局などから，対策の考え方や試験法を示したガイドラインが出されている[1〜9]。

　第8章で述べられているように，ICH Q5Aガイドラインにはウイルスによる汚染防止策の基本となる考え方が記載されており，①原材料を吟味し試験すること，②製造工程に不活化／除去能力を持たせること，③中間体／製品の試験をすることの，相補的な3つの対策を講じることで，ウイルスの混入リスクを極限まで低下させることを狙いとしている[8]。

　一方，マイコプラズマについては，原材料や製品などを検体とし，定められた試験法により検出限界以下であることが求められる。試験法や検出すべきマイコプラズマ種については，日本・米国・欧州ではそれぞれの薬局方に記載されており，国内での開発においては日本薬局方に準じた試験の実施が求められる[2]。

　本章では，ウイルスおよびマイコプラズマの検出試験について，技術的な側面や試験デザインの考え方を中心に概説する。また，近年，新しいウイルス検出法として次世代シーケンシング（Next Generation Sequencing：NGS）技術が注目されてきたことから，本書第4版では，NGSの技術標準化に向けた国際動向などを新規に記載した。なお，開発・製造段階でのウイルス・マイコプラズマ混入防止の考え方および製造工程のウイルス不活化・除去能力の評価方法は，それぞれ第3章および第8章で述べられているため，合わせて参照いただきたい。

> **コラム**
>
> 　ウイルスやマイコプラズマの有無を確認する試験を，日本薬局方等では「否定試験」という呼び方をしている。これは，ウイルスやマイコプラズマが検体中に存在しないことを保証する試験という意味ではなく，ウイルスやマイコプラズマの量が，定められた手順の試験法の検出限界以下であることを確認する試験であることに留意する必要がある。

1．ウイルス否定試験（検出試験）

　ウイルスの検出にはさまざまなアプローチがあるため，各検出法の特性を理解し，被検試料の種類や試験目的などを踏まえた上で，最適な方法を選択する（必要に応じて複数の試験法を

組み合わせる) 必要がある。主なウイルス検出方法としては，培養細胞や動物に被検試料を接種し，ウイルス感染による変化を検出する方法 (in vivo試験, in vitro試験, S^+L^-フォーカス試験, XCプラーク試験, 抗体産生試験)，ウイルス粒子を直接観察する方法 (透過型電子顕微鏡観察)，ウイルス由来の核酸を検出する方法 (核酸増幅法, NGS解析) などが知られている (表9-1)。

表9-1 主なウイルス否定試験と特徴

検出方法	検出対象	検出網羅性	検出感度	所要時間	感染性評価	難易度
核酸増幅法 (PCR)	ウイルス核酸	限定的 (既知ウイルスのみ)	高い	数時間程度	不可能	簡便
in vitro試験	感染性ウイルス粒子	限定的 (細胞種による)	ウイルス種による	2, 3週間程度	可能	経験を要する
in vivo試験	感染性ウイルス粒子	限定的 (動物種による)	ウイルス種による	1カ月程度	可能	経験を要する
抗体産生試験	感染性ウイルス粒子	限定的 (動物種による)	ウイルス種による	1カ月程度	可能	経験を要する
S^+L^-フォーカス試験	感染性レトロウイルス粒子	限定的 (レトロウイルスが対象)	ウイルス種による	2〜4週間程度	可能	経験を要する
電子顕微鏡観察	ウイルス粒子	広範 (ウイルス粒子が対象)	低い	数日程度	推定程度	経験を要する
逆転写酵素検出	逆転写酵素活性	限定的 (レトロウイルスが対象)	比較的高い	数時間程度	不可能	比較的簡便
NGS解析	ウイルス核酸	極めて広範 (データベースに依存)	高い	数時間〜数日程度	推定程度	比較的簡便

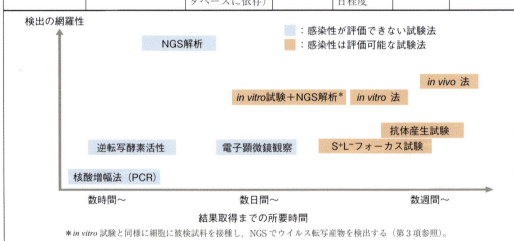

*in vitro試験と同様に細胞に被検試料を接種し，NGSでウイルス転写産物を検出する (第3項参照)。

> **コラム**
>
> In vitro試験およびin vivo試験は，それぞれ「試験管内で (細胞培養等により) 行う試験」および「実験動物を用いて行う試験」を意味する用語であるが，ウイルス否定試験に限らず一般的に使用される用語である。ES/iPS細胞等を用いた再生医療等製品では，造腫瘍性試験においてもin vitro試験, in vivo試験という用語が使用され，生化学分野で用いられるin vitro試験はさらに広範囲の試験を意味するので，会話の中では混同しないように気を付けるとよいかもしれない。

(1) in vitro 試験

*In vitro*試験は，広範囲の（もしくは特定の）ウイルス種に感受性のある培養細胞をウイルス感染の指示細胞（Indicator cells）として使用し，ウイルス感染により起こる細胞の形態変化（細胞死を含む）を観察することで，被検試料中のウイルスを検出する方法である[10〜25]。指示細胞の培地に被検試料を添加して培養を継続することにより，指示細胞にウイルスが感染し，細胞内で増殖すれば，細胞変性効果（Cytopathic effect：CPE），フォーカス形成（Focus forming）などの細胞の形態変化の有無を観察することや，血球凝集反応（Hemagglutination：HA），血球吸着反応（Hemadsorption：HAD）などの有無を確認することで，感染性のあるウイルスが被検試料中に存在するか判断することができる（**表9-2**）。

検出対象ウイルスや指示細胞の種類により培養期間は異なるが，2週間培養後の培養上清または細胞破砕液を継代してさらに2週間（計4週間）培養する場合が多い。増殖が遅いウイルスの場合は，初回の培養期間を4週間（計6週間）とする場合もある。

指示細胞には，通常，ヒト由来細胞および非ヒト霊長類由来細胞を含む2種類以上の細胞を使用する（3種類選択することが多い）。ウシ胎仔由来血清やブタ由来トリプシンなど，動物由来原料等を使用している場合は，該当する動物由来のウイルスに感受性のある細胞を追加する（**表9-3**）。

また，生きた細胞を被検試料とする場合は，レトロウイルスや内在性ウイルスの検出を目的として，同一容器による指示細胞と被検細胞の混合培養や，フィルターで仕切られたトランスウェルを用いた共培養（細胞どうしは直接混ざらないが，培地成分やウイルスはフィルターを通り抜けるような培養方法）を行う場合もある。共培養は，非常に増殖が遅い（長期の培養が必要な）ウイルスを検出する場合や，低接着性／浮遊系細胞を指示細胞に用いる場合に選択されることがある。共培養に用いられる指示細胞は，MRC-5細胞，Vero細胞のほか，Raji細胞，*Mus dunni*細胞，ヒト末梢血細胞等が代表的である（表9-3）。

*In vitro*試験の判定は直接目視または顕微鏡観察で行うことが多く，わずかな形態変化でウイルス感染による細胞変性を見分けることは熟練を要するため，判定者によって結果がばらつかないように，教育訓練等による技能習得と判定方法の標準化が必要である。なお，指示細胞の形態変化を伴わないウイルスを検出するために，*in vivo*試験，透過型電子顕微鏡観察，逆転写酵素活性もしくはNGS等，他の方法と組み合わせて行うこともある。

表9-2　MRC-5細胞およびVero細胞を用いた*in vitro*試験で検出されたと報告があるウイルス

MRC-5細胞（ヒト胎児正常肺組織由来）で検出された報告があるウイルス
アデノウイルス，コクサッキーウイルスA／B，エコーウイルス，インフルエンザウイルス，単純ヘルペスウイルス，サイトメガロウイルス，エンテロウイルス，ポリオウイルス，ライノウイルス，RSウイルス，パラインフルエンザウイルス，アルボウイルス，ワクシニアウイルス，麻疹ウイルス，風疹ウイルス
Vero細胞（アフリカミドリザル腎臓上皮細胞由来）で検出された報告があるウイルス
アデノウイルス，コクサッキーウイルスA／B，エコーウイルス，ポリオウイルス，エンテロウイルス，単純ヘルペスウイルス，インフルエンザウイルス，パラインフルエンザウイルス，麻疹ウイルス，フラビウイルス，ジステンパーウイルス，日本脳炎ウイルス，コロナウイルス，ポックスウイルス，ポリオーマウイルス，ロタウイルス，フィロウイルス，ブンヤウイルス，アレナウイルス，レオウイルス

表9-3 *in vitro* 試験で指示細胞として用いられる主な細胞株

細胞名	由来	備考
MRC-5	ヒト胎児肺組織／線維芽細胞	ウイルスワクチン生産や細胞老化研究などに利用されていたWI-38細胞株（米国のウィスター研究所で樹立）の代替として英国で樹立された。細胞名のMRCは英国Medical Research Councilに由来。（ATCC CCL-171）[14～19]
Vero	アフリカミドリザル腎臓上皮	日本で樹立され，多種のウイルスに感受性が高いことから，WHOなどでも未知のウイルス分離によく利用される。また，ウイルスワクチン生産用宿主細胞株としても使用される[20～23]。細胞名はVeda Reno（エスペラント語で「緑色の腎臓」）に由来。（ATCC CCL-81）
BT	ウシ鼻甲介	ウシウイルス性下痢症ウイルスに感受性が強いことが知られており，ウシウイルスの検出・分離に利用される。BTは，Bovine Turbinateの頭文字。
ST	ブタ胎仔精巣	各種ブタウイルスに対する感受性のほか，ウシウイルス性下痢症ウイルスやウシ伝染性鼻気管炎ウイルスにも感受性を示す。STは，Swine Testisの頭文字（ATCC CRL-1746）
PK	ブタ腎臓上皮	さまざまなブタウイルスに感受性があり，ブタ由来の原材料に対する*in vitro*試験で使用される。PKは，Porcine Kidneyの頭文字。なお，一般的にPK細胞と呼んでいるものには，PK-15，LLC-PK1などさまざまな株が含まれる。
Raji	ヒトバーキットリンパ腫／リンパ芽球様	造血細胞由来の初のヒト連続継代性細胞株として，1963年に樹立された浮遊細胞株。ヒトウイルスに感受性がある。
Mus dunni	マウス尾部組織	同種指向性，両種指向性，異種指向性のマウスレトロウイルスならびにミンク細胞フォーカス形成ウイルスに感受性がある。増殖性レトロウイルス（RCR）テストでは，*Mus dunni*細胞へウイルスを感染させた後に，PG4細胞で検出する。
PG4	ネコ脳組織（アストロサイト）	Moloney murine sarcoma virusにより形質転換されたS$^+$L$^-$細胞株。両種指向性のマウス白血病ウイルス検出に使用。
SC-1	マウス胎仔	マウス同種指向性レトロウイルスに感受性があり，XCプラークアッセイ等に使用される。
D56/FG10	マウス胎仔／3T3細胞	マウス同種指向性レトロウイルスに感受性があり，S$^+$L$^-$フォーカスアッセイに使用される。
XC	ラット横紋筋肉腫	マウス同種指向性レトロウイルスに感受性があり，SC-1細胞などと共に，XCプラークアッセイに使用される。

（2） *in vivo* 試験

*In vivo*試験は，実験動物をウイルス感染の指示動物（Indicator animals）として使用し，被検試料を接種してウイルス増殖の有無を確認する試験であり，*in vitro* 試験では検出が困難な病原性ウイルスを検出することを目的として実施される。モデルウイルスを用いて*in vitro*試験と*in vivo*試験の検出感度比較を行った結果，多くのウイルス種で*in vitro*試験のほうが感度良く検出されるという報告もあるため[26]，このような研究結果からも，*in vitro*試験では検出しにくいウイルス種を*in vivo*試験で検出するという意味合いが強いことがわかる。一方で，欧米を中心に動物実験の削減を訴える意見も強く，検出感度の低い*in vivo*試験の実施そのものに疑問を呈している関係者も多い。

ICH Q5Aガイドラインでは，「被検試料を乳飲みマウス，成熟マウスを含む動物，および発育鶏卵に接種することにより細胞培養で増殖できないウイルスを検出するための試験」との簡

単な記載しかないが[8]，生物学的製剤基準[3]には各種ワクチンのウイルス試験として具体的な記載があるほか，FDAのガイダンス[4]，WHOのrecommendation[5]，Report[6,7,24]にもワクチンや細胞に対するウイルス検出試験として記載されている。

試験デザインの決定にあたっては，指示動物の特徴と検出すべきウイルスの性質を考慮して，試験条件(動物種，週齢，投与経路，観察方法，観察期間等)を適切に選択しなければならない。よく用いられる*in vivo*試験の概要を**表9-4**に示した。実験動物を用いる試験であるため，予期

表9-4　主な*in vivo*試験の概要と検出報告があるウイルス

試験名	試験法概要	試験成立条件および結果判定	検出された報告があるウイルス
成熟マウス接種試験	通常は，成熟マウス10匹以上に対し，腹腔内および脳内にそれぞれ0.5 mLおよび0.03 mLの被検試料を接種し，接種後21日間，一般臨床および生死を観察する。	試験成立条件：陰性対照として培養液等を被検試料と同様に接種し，80%以上が生存することで試験成立と判断する。 結果判定：被検試料を接種した動物個体の80%以上が生存し，いずれも外来性病原体による感染を示さない時，陰性と判断する。	コクサッキーウイルス，フラビウイルス，狂犬病ウイルス，リンパ球性脈絡髄膜炎ウイルス，アルボウイルス，単純ヘルペスウイルス，ラブドウイルス，トガウイルス，ワクチニアウイルス，ラッサウイルス
乳飲みマウス接種試験	通常は，2腹分の乳飲みマウスに対し，腹腔内および脳内にそれぞれ0.1 mLおよび0.01 mLの試料を接種し，14日間観察する。 接種後14日目に剖検し，脳を含む組織を採材して，10%乳剤を作製する(初代接種試料)。初代接種試料は，新たな5匹以上の乳飲みマウスに対し，初回と同様に接種し，14日間一般臨床および生死を観察する。	試験成立条件：陰性対照として培養液等を被検試料と同様に接種し，80%以上が生存することで試験成立と判断する。 結果判定：被検試料を接種した動物個体は80%以上が生存し，いずれの動物も外来性の病原体による感染を示さない時，陰性と判断される。 ただし，乳飲みマウスは，接種時の手技的問題ならびに母親マウスの泌乳不足，育児放棄あるいは食殺等により死亡するケースがあるので，接種後1日以内の死亡例は判定対象から除く。	ピコルナウイルス(コクサッキーウイルス等)，アルファウイルス，ブンヤウイルス，アレナウイルス，フラビウイルス，単純ヘルペスウイルス，狂犬病ウイルス，アルボウイルス，ラブドウイルス，トガウイルス，フィロウイルス，Bウイルス，ワクチニアウイルス，リンパ球性脈絡髄膜炎ウイルス，ラッサウイルス，フニンウイルス
モルモット接種試験	通常は，体重300〜400gのモルモット5匹以上に対し，腹腔内および脳内にそれぞれ5mLおよび0.1 mLを接種し，42日間以上一般臨床および生死を観察する。	試験成立条件：陰性対照として培養液等を被検試料と同様に接種し，80%以上が生存することで試験成立と判断する。 結果判定：被検試料を接種した動物個体の80%以上が生存し，いずれもの動物も外来性の病原体による感染を示さない時，陰性と判断される。 試験開始後24時間以降に死亡し，または異常を示したすべての個体について剖検を行い顕微鏡観察するとき，外来性の病原体による感染所見を認めてはならない。観察期間後，生存しているモルモットも同様に検証する。	パラミクソウイルス，レオウイルス，フラビウイルス，アルボウイルス　ラブドウイルス，リンパ球性脈絡髄膜炎ウイルス，ラッサウイルス，ワクシニアウイルス，フィロウイルス，フニンウイルス

(次ページに続く)

試験名	試験法概要	試験成立条件および結果判定	検出された報告があるウイルス
発育鶏卵接種試験（尿膜空内）	10～11日齢の発育鶏卵10個以上の尿膜腔内に0.1～0.5 mL程度の試料を接種する。孵卵器にて3～5日間培養した後に各尿膜腔液をそれぞれ集めて混合し、－60℃以下で凍結保存する（初代尿膜腔液）。初代尿膜腔液は、それぞれ新たな発育鶏卵10個以上の尿膜腔内に接種して孵卵器にて3～5日間培養後、初代と同様の要領で尿膜腔液を採取し、－60℃以下で凍結保存する（2代目尿膜腔液）。培養期間中に死亡した卵は冷蔵保存し、培養期間終了後、開卵して腔液および鶏胚の状態を観察する。初代および2代目の各尿膜腔液は、マイクロプレートで2倍階段希釈を行い、ニワトリ、モルモットおよびヒトO型の0.5%赤血球懸濁液を添加して、2～8℃または37±2℃の2条件で2時間、赤血球凝集（HA）反応の有無を確認する。HA反応の陽性対照はインフルエンザウイルスA型を使用する。	試験成立条件：陰性対照として培養液等を被検試料と同様に接種し、陰性対照の80%以上が生存することで試験成立と判断する。ただし、接種後1日以内に死亡した卵はウイルス感染が原因とは考えにくいため、判定対象より除くことができる。 結果判定：いずれの発育鶏卵にも外来性ウイルスの存在による変化が認められない時、陰性と判断される。	オルソミクソウイルス（インフルエンザウイルスA, B等）、パラミクソウイルス科（パラインフルエンザウイルス、流行性耳下腺炎ウイルス、麻疹ウイルス等）、アルボウイルス、単純ヘルペスウイルス、ラブドウイルス、ワクシニアウイルス
発育鶏卵接種試験（卵黄嚢内）	6～7日齢の発育鶏卵10個以上の卵黄嚢内に0.1～0.5 mL程度の試料を接種する。孵卵器にて9日間培養した後に、各卵黄嚢を採取し、生理食塩液で洗浄した後、混合して10%乳剤を作製し、継代まで－60℃以下で凍結保存する（初代卵黄嚢液）。初代卵黄嚢液は、それぞれ新たな発育鶏卵10個以上の卵黄嚢内に接種して孵卵器にて9日間以上培養する。培養期間中に死亡した卵は冷蔵保存し、培養期間終了後、開卵して鶏胚および膜の状態を観察する。	試験成立条件：陰性対照として培養液等を被検試料と同様に接種し、陰性対照の80%以上が生存することで試験成立と判断する。ただし、接種後1日以内に死亡した卵はウイルス感染が原因とは考えにくいため、判定対象より除くことができる。 結果判定：いずれの発育鶏卵にも外来性ウイルスの存在による変化が認められない時、陰性と判断される。	ヘルペスウイルス、ポックスウイルス、ラブドウイルス、アルボウイルス、単純ヘルペスウイルス、ワクシニアウイルス、インフルエンザウイル、パラインフルエンザウイルス、流行性耳下腺炎ウイルス

せぬ死亡例に遭遇することもあるが、死亡例が発生した場合でも安易に棄却せず、ウイルス感染を念頭においた注意深い観察と適切な記録を残すことが必要である。また、*in vivo*試験の実施および結果判定は、*in vitro*試験以上に高度な技能と経験が求められるため、試験実施者の計画的な教育訓練も重要である。

（3） レトロウイルス検出試験

製造基材として使用される細胞が内在性レトロウイルスを発現している可能性がある場合は、まず、電子顕微鏡による観察と逆転写酵素活性の測定を実施する。いずれの試験でも陰性の場合は、通常、これ以上の試験は必要ない。いずれかの試験で陽性を示した場合は、指示細胞を用いて感染性レトロウイルス粒子の有無を確認する。

①透過型電子顕微鏡観察

透過型電子顕微鏡（TEM）は，個々のウイルス粒子を観察可能な解像度を持ち，細胞または培養上清中に存在するさまざまなウイルス種の粒子を観察可能である[27]。ただし，検出感度は他の試験法と比較するとかなり低く，被検試料1mLあたりおよそ10^6個以上のウイルス粒子が存在しないと，検出は困難である[28]。

通常は，10^7個の細胞をグルタルアルデヒドおよびオスミウム酸で固定した後，脱水および樹脂包埋をしてから超薄切片を作製し，酢酸ウランとクエン酸鉛で二重染色する。培養上清の場合は超遠心後の沈渣を懸濁後に，酢酸ウランやリンタングステン酸で染色する。倍率5万倍以上で100～200視野以上を観察し，20個以上の細胞を撮影して記録しておくことが多い。細胞内にはウイルスに類似した構造物があるため，染色像からウイルスと判別するには熟練を要する（図9-1）。最近では，人工知能や深層学習を用いた画像解析を取り入れることにより，作業者の負担を減らし，解析精度を上げる試みもなされている。

抗体医薬品等の製造に使用されるCHO細胞を含むげっ歯類由来細胞株の多くは，通常，TEM観察により内在性レトロウイルス粒子またはレトロウイルス様粒子が観察される（感染性のtype C粒子，非感染性のtype A・type R粒子等）。長年の使用経験や研究結果から，これらのウイルス粒子はヒトへの感染性はないと考えられており，CHO細胞は医薬品製造用の代表的な細胞種となっている。

②逆転写酵素活性試験

レトロウイルスは，宿主細胞ゲノムに取り込まれるため，RNAゲノムをDNAにするための逆転写酵素（Reverse transcriptase）の遺伝子を有している。正常な動物細胞は逆転写酵素遺伝子を持たないため，逆転写活性を測定することで，ウイルス種を問わずにレトロウイルスの存在を推定できる。

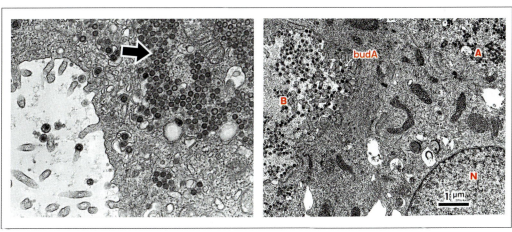

図9-1　透過型電子顕微鏡によるレトロウイルスの検出
　　左写真：細胞内にレトロウイルス様粒子（矢印）が認められる。
　　右写真：マウス乳がん細胞のA粒子（A），細胞外B粒子（B），細胞外への出芽（budA）が認められる。Nは細胞核。

試験の手技は比較的簡便であり，被検試料に鋳型RNAとプライマーを添加すれば，逆転写酵素が存在すればcDNAが合成されるため，そのcDNAを標識もしくは増幅することで検出可能である。以前は，放射性同位体で標識した核酸がcDNA合成時に取り込まれるかを検出していた。最近は，PERT法（Product Enhanced Reverse Transcriptase assay）やPBRT法（PCR Based Reverse Transcriptase assay）と呼ばれる，cDNA合成後にさらにPCRで増幅する方法が多く用いられ，特に蛍光プローブを用いたリアルタイムPCR法で増幅するF-PERT（Fluorescent-PERT）法が主流となりつつある。PCR法による検出は，放射性同位体標識と比べ簡便かつ高感度だが，コンタミネーション等による偽陽性に注意する必要がある。

　逆転写酵素は大きくマグネシウム要求性（マウス乳がんウイルスMouse Mammary Tumor Virus：MMTV）等とマンガン要求性（ネズミ白血病ウイルスMurine Leukemia Virus：MuLV）等に分けられ，以前は，反応液の組成をそれぞれ変えて逆転写酵素活性試験が行われていた。しかし，要求性はそれほど厳密なものではないため，逆転写反応とPCRを連続して行うワンステップF-PERT法では単一組成の試薬を用いている[29]（**資料9-1**）。

③レトロウイルス感染性試験

　レトロウイルスは，エンベロープと細胞表面レセプターの組み合わせにより，感染細胞種への指向性を持っている。例えば，マウスレトロウイルスの場合，同種指向性（Ecotropic）ウイルスはマウスやラットの細胞にしか感染しないが，異種指向性（Xenotropic）だとマウスの細胞に感染性を示さず，ラット，ミンク，ウサギおよびヒト等の細胞に感染性を示す。両種指向性（Amphotropic）のウイルスは，マウス，ラット，ミンク，ウサギおよびヒトの細胞に感染性を示す。

資料9-1　ワンステップF-PERT法の実施例（参考文献29）

```
＜鋳型RNA＞
バクテリオファージMS2 RNA
＜プライマー＞
A10［5'-CACAGGTCAAACCGCCTAGGAATG-3'］
A11［5'-TCCTGCTCAACTTCCTGTC GAG-3'］

＜蛍光プローブ＞
F-PERT probe［(5'FAM)-TCTTTAGCGAGACGCTACCA TGGCTA-(TAMRA)p3'］

＜手順＞
① 鋳型RNA（0.3 mg）とプライマーA11（10 pmol）を5μL容量でアニーリング（95℃ 5分, 37℃ 30分，氷上5分）
② 以下の試薬等を混合し，最終容量を50μLとする（カッコ内は終濃度）
    ・TaqMan Buffer A［KCl（50 mM），Tris-HCl, pH 8.3（10 mM）］，
    ・MgCl2（5 mM）
    ・dATP，dCTP，dGTP（300 mMずつ），dUTP（600 mM）
    ・プライマーA10およびA11（50 nMずつ）
    ・F-PERT probe（200 nM）
    ・RNase Inhibitor（20 U）
    ・AmpliTaq Gold（Taqポリメラーゼ）（1.25 U）
    ・被検試料　5μL
③ 逆転写反応（42℃ 30分間インキュベーション）
④ Denaturing（95℃ 10 min）
⑤ 定量PCR（94℃ 30 sec 64℃ 1 min）40サイクル程度
```

レトロウイルスの感染性を確認する試験としては，S^+L^-フォーカスアッセイ，XCプラークアッセイなどが代表的であるが（**表9-5**），検出対象とするウイルス種の感染指向性を踏まえ，指示細胞や試験方法の適切な選択が必要である（表9-3）。なお，これらの試験は，原理的には*in vitro*試験の一種とみなすこともできるが，実施目的の違いから，試験項目リストには*in vitro*試験とは異なる試験として別に記載されることが多い。

(4) 抗体産生試験

動物の口腔，鼻腔，腹腔，頭蓋等から被検試料を接種して，動物の血清中に抗ウイルス抗体が産生されたかにより，ウイルスの有無を調べる試験である。通常，接種から4週間後に，ELISA法，IFA法，HA法，HI法などの生化学的な方法で抗体の有無を確認するが，リンパ球性脈略髄膜炎ウイルスに対しては，試料接種から2〜3週後のマウスに致死量のウイルスを接種して生き残るかどうかで確認することもある（抗体が産生され免疫を獲得していれば生き残る）。

ICH Q5Aガイドラインには，マウスを用いるMAP試験（Mouse Antibody Production test），ハムスターを用いるHAP試験（Hamster Antibody Production test），ラットを用いるRAP試験

表9-5 レトロウイルス感染性試験の例

S^+L^-フォーカスアッセイ	
概要	ウイルス感染による形質転換（腫瘍化）で形成された細胞の異常積層スポット（フォーカス）形成の有無により，ウイルスの感染（感染力価）を調べる方法。線維芽細胞などの接着系培養細胞は，細胞が単層（もしくは数層）の細胞層を形成すると接触阻害（Contact inhibition）を起こし，細胞増殖が止まる。しかし，ウイルス感染により形質転換が起こると接触阻害が解かれ，肉眼や顕微鏡で観察可能なフォーカスを形成する。 S^+L^-とはSarcoma-positive Leukemia-negativeの略であり，マウス肉腫ウイルス（Murine Sarcoma Virus）遺伝子を内在し，かつマウス白血病ウイルス（Murine Leukemia Virus）の感染がないことを意味する。S^+L^-フォーカスアッセイでは，接触阻害が生じるS^+L^-細胞株を指示細胞として用いる。レトロウイルスは感染・増殖が起こっていても，細胞の形態変化を伴わない場合があるが，S^+L^-細胞株を用いることでレトロウイルス感染により形質転換を起こし，フォーカス形成が見られるようになる[30]。
試験例	試験方法の例としては，ミンク由来細胞でマウス異種指向性レトロウイルスを検出する場合に，試料をミンクS^+L^-細胞（ATCC CCL-64.1等）に接種し，レトロウイルスに特異的なフォーカスの形成を見る「直接S^+L^-フォーカスアッセイ」がある。また，試料をミンク肺細胞等に接種して，その培養上清をミンクS^+L^-細胞に添加後，培地に置き換えて培養を継続して，レトロウイルスに特異的なフォーカスの形成を観察する「延長S^+L^-フォーカスアッセイ」もある。前者の場合はある程度の定量性が認められ，後者の場合は感度が高くなる。
XCプラークアッセイ	
概要	XC細胞（ラット横紋筋肉腫由来）を指示細胞として，同種指向性（Ecotropic）レトロウイルスの感染により生じたプラーク（細胞がCPEを起こした溶解斑）検出する試験であり，直接XCプラークアッセイと延長XCプラークアッセイの2法がある。
試験例	直接XCプラークアッセイでは，接着培養したSC-1細胞（マウス胚由来）に検体を接種し，培養液を交換して4日間培養後，ウイルスが不活化しない程度の紫外線を照射してSC-1細胞の増殖を止める。このSC-1細胞の上に，XC細胞を重ねるように加えて培養すると，感染性レトロウイルスが存在すれば，XC細胞にプラークが観察される。陽性コントロールとしては，Ecotropic MLV（ATCC VR-1326等）が用いられる。 延長XCプラークアッセイは，SC-1細胞の培養期間を延ばすことで検出感度を増強する方法であり，SC-1細胞に被検試料を加えて4日間培養後さらに2回継代を繰り返して（培養期間を延長して）から紫外線を照射し，XC細胞を加える。

表9-6　抗体産生試験で検出可能なウイルス（ICH Q5Aガイドラインの表を改変）

MAP試験	エクトロメリアウイルス[2,3]，ハンタンウイルス[1,3]，Kウイルス[2]，乳酸脱水素酵素ウイルス[1,3]，リンパ球性脈絡髄膜炎ウイルス[1,3]，マウス微小ウイルス[2,3]，マウスアデノウイルス[2,3]，マウスサイトメガロウイルス[2,3]，マウス脳脊髄炎ウイルス[2]，マウス肝炎ウイルス[2]，マウスロタウイルス[2,3]，マウス肺炎ウイルス[2,3]，ポリオーマウイルス[2]，レオウイルス3型[1,3]，センダイウイルス[1,3]，胸膜ウイルス[2]
HAP試験	リンパ球性脈絡髄膜炎ウイルス[1,3]，マウス肺炎ウイルス[2,3]，レオウイルス3型[1]，センダイウイルス[1,3]，シミアンウイルス[5]
RAP試験	ハンタンウイルス[1,3]，キルハムラットウイルス[2,3]，マウス脳脊髄炎ウイルス[2]，マウス肺炎ウイルス[2,3]，ラットコロナウイルス[2]，レオウイルス3型[1,3]，センダイウイルス[1,3]，唾液腺涙腺炎ウイルス[2]，トーランウイルス[2,3]

1：ヒトまたは霊長類への感染性が知られているウイルス。
2：ヒトへの感染性が知られていないウイルス。
3：ヒトまたは霊長類由来の細胞培養系（in vitro）で複製できるウイルス。

（Rat Antibody Production test）で検出可能なウイルスのリストが記載されている（**表9-6**）。使用する動物種により検出可能なウイルスに差があることから，十分な特性解析が行われていない細胞や原材料に対しては，網羅的な検出を行うためになるべく複数の動物種を選択して抗体産生試験を行うことが望ましい。

（5） ウイルス核酸検出試験

　対象となるウイルス種が明確な場合は，核酸増幅検査（Nucleic acid Amplification Test：NAT）も使用される。NATとは，いわゆるPCR法のように特定の核酸配列を増幅して検出する検査全般を指す用語である。PCR法の知名度と普及度が抜きん出ているが，さまざまな原理のものが開発されている（**表9-7**）。また，PCR法でもリアルタイムPCRやDroplet-digital PCRなど定量性の優れた方法も実用化されている。

　NATのウイルス検出感度は，他の試験法と比較して優れているが（表9-1），感染性のないウイルス（ウイルスゲノムの断片）が残存していても陽性となることがある。そのため，NATで陽性となった場合は，感染性の評価も合わせて行う必要がある。また，検査室や試薬・用具が増幅産物で汚染されていると，ネガティブコントロールにもシグナルが出るという深刻な事態を招くことがあるため，試薬等や試験環境の管理にも注意を払う必要がある。

　ヒト細胞加工製品の製造（特に，患者由来（自己由来）の組織や細胞を原料とする場合）においては，製造従事者および医療従事者のリスクなども考慮して，ウイルス検出試験を求められることも多い。2008年および2012年に厚生労働省から出された通知では，B型肝炎ウイルス，C型肝炎ウイルス，ヒトT細胞白血病ウイルス，ヒト免疫不全ウイルスの検査を自己由来細胞のドナーに対して求めており，他家由来細胞のドナーに対してはこの4種に加え，ヒトパルボウイルスB19の検査，ならびにサイトサイトメガロウイルス，ヒトヘルペスウイルス4型（エプスタイン・バールウイルス），ウエストナイルウイルスの3種を必要に応じて検査するように求められている[45〜51]。また，薬事規制とは異なるが，臓器／細胞移植の現場において移植後の感染症が問題となるウイルス（前述のウイルスに加えて，単純ヘルペスウイルス，ポリオーマウイルス，ヒトヘルペスウイルス，アデノウイルスなど）に対しても，リスクに応じて検査の追加が望ましいとする考えもある。このため再生医療等製品の品質管理においては網羅的なウ

表9-7 主なNAT技術とその原理

核酸増幅法	原理
PCR (Polymerase Chain Reaction)[31, 32]	鋳型DNA上に対象部位に特異的にハイブリダイゼーションするように設計された2本一組のプライマー（20塩基長程度のオリゴDNA）とDNAポリメラーゼを利用して，プライマー間の領域を増幅する方法。プライマーは，増幅対象となる領域（通常，数十塩基〜最大数千塩基程度）を挟むように，それぞれが二本鎖DNAの異なる鎖上に伸長反応が向かい合わせになるように設計される。 一般的には，①鋳型DNAの一本鎖化（95〜98℃に加熱），②プライマーのハイブリダイゼーション（50〜70℃程度に温度を下げる：適切な温度はプライマー配列による），③ポリメラーゼによる伸長反応（72℃：Taqポリメラーゼの場合）の3ステップを繰り返すことにより，2つのプライマー間の領域が指数関数的に増幅される。
LCR (Ligase Chain Reaction)[33, 34]	2本一組のプライマーを用いるが，鋳型DNAの同一鎖上にハイブリダイゼーションされるように設計され，上流側のプライマーの3'端のみリン酸化しておく。上流側のプライマーを起点にポリメラーゼによる伸長反応が起き，もう一方のプライマーの5'端に達した際に，リガーゼによりギャップが埋まり，2つのプライマーとその間の領域が一本のDNA鎖となる。 この反応を相補鎖側でも同様に行う（2組4本のプライマーを用いる）ことで，2ステップ目以降は互いの増幅産物が鋳型になり，PCRのような指数関数的な増幅が行える。2つのプライマー間の距離をゼロ塩基とすることで，ポリメラーゼを使用せず，リガーゼ反応のみで増幅を行うこともできる。
LAMP (Loop-mediated isothermal Amplification)[35, 36, 37]	増幅対象領域の上流および下流にそれぞれ3カ所ずつ計6つの領域組み合わせるようにデザインされた4種類のプライマーを用い，鎖置換反応を利用して増幅する方法。プライマー配列が増幅対象領域の両端でヘアピン状（ループ構造）をとり，それを起点に，DNAポリメラーゼにより伸長反応が起こすことで，増幅産物の断片が連なるようにして増える（したがって，最終的な増幅産物のサイズはさまざまである）。二本鎖DNAが一本鎖となる平衡状態の60〜65℃の定温で反応が進行するため，PCRのようにサーマルサイクラーのような機器を必要とせず，増幅速度が速い。また，複数の領域を組み合わせたプライマー設計となるため特異性が高い。
ICAN (Isothermal and Chimeric primer-initiated Amplification of Nucleic acids)[38, 39]	RNA-DNAキメラプライマー，鎖置換活性と鋳型交換活性を有するDNAポリメラーゼ，RNaseHを用いる等温の遺伝子増幅方法。キメラプライマーが鋳型と結合した後，DNAポリメラーゼにより相補鎖が合成される。その後，RNaseHがキメラプライマー由来のRNA部分を切断し，切断部分から鎖置換反応と鋳型交換反応を伴った伸長反応が起こる。この反応が繰り返し起こることにより遺伝子が増幅される。 反応が定温で行われるため，反応系のスケールアップが容易であり，工業的スケールでのDNA断片の大量生産などが可能である。
3SR (Self-Sustained Sequence Replication) TMA (Transcription Mediated Amplification) NASBA (Nucleic Acid Sequence-Based Amplification)[40〜44]	逆転写酵素，T7 RNAポリメラーゼとT7プロモーター配列を持つプライマーを利用し，RNA断片を*in vitro*で増幅する方法。まず，標的となるRNAを鋳型にプロモーター配列付きプライマーを用いてRNA-DNA二本鎖合成を行い，鋳型RNAは逆転写酵素の持つRNase H活性により分解され一本鎖DNA（cDNA）となる。その後，DNAポリメラーゼ活性により二本鎖DNAが合成される（この時点で二本鎖DNAの片端にはプロモーター配列が付いている）。この二本鎖DNAをもとにRNAポリメラーゼによりRNA転写を起こす。RNA増幅産物の一部は，同様の逆転写工程を経て鋳型二本鎖DNAとなり，さらに多くのRNAが合成される。

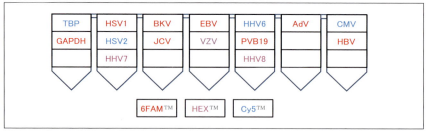

図9-2　ウイルス検出用の固相化ウェルの例
リアルタイムPCR反応用チューブに，HSV-1, HSV-2, HBV, BKV, VZV, HHV-6, HHV-7, HHV-8, AdV, JCV, CMV, EBV, PV B19の13種ウイルス検出用の試薬を固相化した概念図。TBPとGAPDHはハウスキーピング遺伝子（TBP：TATA Box Binding Protein, GADPH：Glyceraldehyde-3-phosphate dehydrogenase）

イルス核酸検出方法も採用され始めており，PCRの実施条件を統一し，同一プロトコールで同時に複数種のウイルスを検出できる方法も開発され，実際の臨床試験で使用されている（**図9-2**）[52]。広範囲なウイルス種を網羅的に検出する方法としては，近年，NGS技術の利用も注目されている。すでに実用化に向けた国際議論が始まっており，本章第3項ではその概要を紹介する。

2．マイコプラズマ否定試験

マイコプラズマ否定試験の基準となる国内公定書として，日本薬局方の参考情報「バイオテクノロジー応用医薬品／生物起源由来医薬品の製造に用いる細胞基材に対するマイコプラズマ否定試験」（第十七改正日本薬局方）[1]があり，主に，マスターセルバンク（MCB），ワーキングセルバンク（WCB）および医薬品製造工程中の培養細胞を対象としている。この内容を受けて日本工業規格にもJIS K 3810-1, 2, 3に記載がある。一方，ウイルスワクチンの製造における規格試験では，生物学的製剤基準[3]の一般試験法「マイコプラズマ否定試験」の準拠による，ろ過前ウイルス浮遊液等のマイコプラズマ否定が義務づけられている（**表9-8**）。

表9-8　日本におけるマイコプラズマ否定試験

公定書	記載されている試験法	対象	備考
日本薬局方参考情報	A. 培養法 B. 指標細胞を用いたDNA染色法 C. 核酸増幅法	バイオテクノロジー応用医薬品／生物起源由来医薬品の製造に使用する細胞基材で細胞バンクを基にするもの（MCB, WCB及び医薬品製造工程中の培養細胞）	日局17（平成28年4月施行）
生物学的製剤基準一般試験法	A. 培養法 B. 指標細胞を用いた核酸染色法 C. 核酸増幅法	ワクチン等，生物学的製剤基準に収載された医薬品	改正（平成28年3月28日）
日本工業規格（JIS K 3810：2003）	1. 培養による直接検出法 2. DNA蛍光染色による間接検出法 3. 二段階PCRによる検出法	細胞培養及び細胞培養に用いられる試薬類並びに細胞培養によって生産された製品	日局17との整合が必要

（1） 日本薬局方におけるマイコプラズマ否定試験

日本薬局方の参考情報では，「A．培養法」，「B．指標細胞を用いたDNA染色法」，「C．核酸増幅法」の3法が記載されている[2]（**表9-9**）。各国公定書は国際調和が進行中であるものの，マイコプラズマ否定試験に関してはまだ調和しているとはいいがたい。日本薬局方の参考情報にはPCR法が国際的にもいち早くマイコプラズマ否定試験に収載（1999年の第十三改正第二追補され，第十五改正第二追補で培養法の好気的条件での培養が廃止された後，第十七改正で，PCR法は核酸増幅法（NAT）として大幅に書き加えられた）された。欧州薬局方は2007年のEP 5.8の改正でNATを採用し，バリデーションに適合することで培養法またはDNA染色法の代替法としてNATを使用可能とした。

日本薬局方ではバイオ医薬品のセルバンクに対し，「A．培養法」と「B．指標細胞を用いたDNA染色法」によるマイコプラズマの否定を求めているが，適切なバリデーションを実施した「C．核酸増幅法（NAT）」はこれらの代替法として用いることができるようになった。

（2） 市販のマイコプラズマ否定試験用キット

国内で市販されているマイコプラズマ否定試験（核酸増幅法）のキット製品について，**表9-10**にまとめた[53]。よく使用されている測定キットは「MycoTOOL PCR Mycoplasma Detection Kit」，「MycoTOOL Mycoplasma Real-Time PCR」，「MycoSEQ™ Mycoplasma Detection kit」などの海外メーカーの製品である。「MycoTOOL PCR Mycoplasma Detection Kit」は，論文で報告された方法に基づき16S rRNA遺伝子の共通配列を用いたPCRキットで，高感度であることと欧州薬局方に準拠したバリデーションを実施していることを売りとしている。DNAの検出には電気泳動を採用している。

国内では，国立医薬品食品衛生研究所，東京医科歯科大学からNATによるマイコプラズマ否定試験について報告がある[54～56]。製品としては，東京医科歯科大学がJSTとAMEDの支援で開発した「Myco Finder」が国内メーカーから発売されている。「Myco Finder」は，日本薬局方に準拠しており，複数のプライマー・プローブを使用することで多くのマイコプラズマ菌種を網羅的・高感度に検出可能となっているが，他の細菌との交差反応性はほとんどみられない。バリデーションデータ，実施例等の情報はWeb上で公開されている[57,58]。なお，NAT試験による検出の場合，国・地域により対象とすべきマイコプラズマ種が異なることがあるので，グローバル開発を行う際には留意する必要がある。

表9-9　日本薬局方（第十七改正）に記載のマイコプラズマ否定試験概要

	A. 培養法	B. 指標細胞を用いたDNA染色法	C. 核酸増幅法（NAT）
試験法の概要	カンテン平板培養法，液体培養法の2つの方法を組み合わせて使用して，マイコプラズマの有無をコロニーにより確認する方法	指標細胞上でマイコプラズマを増殖させた後，DNA蛍光染色により染色された核外蛍光斑点を持つ細胞数を計測してマイコプラズマを間接的に検出する方法	DNAを抽出し，マイコプラズマに特異的なプライマー又はプローブを用いてPCRにより特定領域を増幅させてマイコプラズマを検出する方法。目的とする塩基配列の存在を示すものであり，必ずしも生きたマイコプラズマの存在を意味するものではない。

（次ページに続く）

	A. 培養法	B. 指標細胞を用いたDNA染色法	C. 核酸増幅法(NAT)
	【共通事項】検体採取後24時間以内に試験する時は2〜8℃で，24時間を超える場合は−60℃以下で保存(マイコプラズマは細胞壁がなく細胞膜は浸透圧変化に弱いことから，0℃前後では容易に死滅する。)。		
検体	細胞懸濁液を検体として用いる。平板カンテン培養用：0.2 mL／1枚(1検体当たり2枚以上の培地に接種)液体培養用：10 mL／培地100 mL(1検体当たり1本以上の培地に接種)	細胞培養上清を検体として用いる。0.5 mL／培養ディッシュ1枚(1検体当たり培養ディッシュ2枚以上に接種)	基本的に，細胞懸濁液を検体として用いることが求められる。細胞培養上清を検体とする場合は，細胞を汚染するマイコプラズマを十分に検出できていることの妥当性を示す必要がある。1試験当たりに用いる検体量の規定はない。
感染用細胞	使用しない	Vero細胞又は同等のマイコプラズマ増殖性を有する細胞。<条件> ➤ 適当と認められた細胞保存機関からマイコプラズマが検出されないことを確認したデータと共に入手されていること。 ➤ 細胞ストック作製後，日局マイコプラズマ否定試験法のどれか1つ以上の方法でマイコプラズマの混入を否定してから凍結保存されていること。 ➤ 試験にはストックを解凍して6継代以内のものを使用すること。	通常は使用しない。試験に先立ちマイコプラズマの増殖を行う場合には，Vero細胞を用いて，試験方法欄に記載の方法で行う。
培地	以下の<培地の性能試験>に適合するカンテン平板培地ならびに培養培地IおよびII。ペニシリン(細胞壁合成阻害剤)以外の抗菌剤は，マイコプラズマの発育を阻害することから使用しない。 <培地の性能試験> 試験に用いる培地は，バッチごとに 液体培地I：ブドウ糖分解マイコプラズマ種を100 CFU以下接種して35〜37℃で培養するとき，7日以内に培地が明らかに変色しなければならない(図9-3)。 液体培地II：アルギニン分解マイコプラズマ種を100 CFU以下接種して35〜37℃で培養するとき，7日以内に培地が明らかに変色しなければならない。(図9-3) 平板培地：上記いずれの菌株を100 CFU未満接種した場合に，接種後14日以内にマイコプラズマの集落が観察されなければならない(図9-4)。	10％ウシ胎児血清(マイコプラズマが検出されないことをあらかじめ確認しておく)を含むイーグル最少必須培地	通常は使用しない。試験に先立ちVero細胞によりマイコプラズマの増殖を行う場合には，10％ウシ胎児血清(マイコプラズマが検出されないことをあらかじめ確認しておく)を含むイーグル最少必須培地を用いる。

(次ページに続く)

ウイルス・マイコプラズマ否定試験 第9章

	A. 培養法	B. 指標細胞を用いたDNA染色法	C. 核酸増幅法（NAT）
対照試験	＜陽性対照マイコプラズマ種＞ ブドウ糖分解マイコプラズマ種：*Mycoplasma pneumoniae* ATCC15531, NBRC 14401, 又は，これらと同等の種又は株。 アルギニン分解マイコプラズマ種：*Mycoplasma orale* ATCC 23714, NBRC 14477又は，これらと同等の種又は株。 陽性対象のマイコプラズマ株は，公的または適切と認められた機関より入手し，適切に管理された継代数の低いものを用いる。 ＜判定＞ 陽性対照として，100（CFU又はCCU）以下の2種類のマイコプラズマを検出できること。	＜陽性対照マイコプラズマ種＞ *Mycoplasma hyorhinis* ATCC29052, ATCC 17981, NBRC14858, *Mycoplasma orale* ATCC 23714, NBRC 14477又は，これらと同等の種又は株。 ※実際には，*M. hyorhinis*（ATCC29052）は，カンテン培地での定量は難しく，EPにも記載されている*M. hyorhinis*（ATCC17981）が容易である。また，*M. orale*（ATCC23714）は，100 CFUでの検出は難しい。これらを考慮した種または株の選択が必要になる ＜判定＞ カバーグラスを沈めた培養ディッシュ又は同等の容器に指標細胞を接種し，一日増殖させる。この培養ディッシュ2枚以上に試験検体（細胞培養上清）1 mL以上を接種する。 試験には，陰性（非接種）対照及び2種類のマイコプラズマ陽性対照を置く。陽性対照には，例えば*M. hyorhinis*（ATCC29052, ATCC 17981, NBRC 14858又は同等の種又は株）及び*M. orale*（ATCC 23714, NBRC 14477又は同等の種又は株）100 CFU以下又は100 CCU以下を使用する。細胞は5％炭酸ガスを含む空気中，35〜38℃で3〜6日間培養する。カバーグラス上の培養細胞を固定後，ビスベンズイミド（bisbenzimide）又は同等の染色剤によりDNA蛍光染色し，蛍光顕微鏡（倍率400〜600倍又はそれ以上）でマイコプラズマの存在を鏡検する。陰性対照及び陽性対照と検体を比較しマイコプラズマ汚染の有無を判定する。	＜陽性対照マイコプラズマ種＞ 検出感度のバリデーションにおいて，以下の7種について検討する。なお，この7種はバリデーションのためのものであり，通常の試験でこれら全てが陽性対象として求められるわけではない。 *Mycoplasma laidlawii*（ATCC 23206, NBRC 14400又は同等の株） *Mycoplasma arginini*（ATCC 23838又は同等の株） *Mycoplasma fermentans*（ATCC 19989, NBRC 14854又は同等の株） *Mycoplasma hyorhinis*（ATCC 17981, NBRC 14858又は同等の株） *Mycoplasma orale*（ATCC 23714, NBRC 14477又は同等の株） *Mycoplasma pneumoniae*（ATCC 15531, NBRC14401又は同等の株） *Mycoplasma salivarium*（ATCC 23064, NBRC 14478又は同等の株） ※Vero細胞中でマイコプラズマを増殖させる場合，*Mycoplasma hyorhinis* ATCC 17981, NBRC 14858を使用する。 ＜判定＞ 試験は陽性対照と陰性対照を置き実施する。陽性対照試験に使用するマイコプラズマ株は，公的又は適切と認められた機関より入手後，適切に管理された継代数の低いものにつき，接種単位をあらかじめ設定したうえで使用しなければならない。

（次ページに続く）

	A. 培養法	B. 指標細胞を用いたDNA染色法	C. 核酸増幅法（NAT）
試験方法	1) カンテン平板培地1枚当たり検体（細胞懸濁液）0.2 mL以上を、プレートに均等に広がるように接種する。カンテン平板培地は1検体当たり2枚以上とする。検体を接種した後，カンテン平板培地表面を乾燥し，5〜10％の炭酸ガスを含む窒素ガス中で，適切な湿度の下，35〜37℃で14日間以上培養する。 2) 液体培地1本当たり検体（細胞懸濁液）10 mL以上を，100 mLの液体培地を入れた容器に接種する。液体培地は1検体当たり1本以上とし，35〜37℃で培養する。 3) 培養開始後，2，3日ごとに観察し，液体培地の色調変化を観察した日，及び色調変化がない場合においても，3日，7日，及び14日目の計3回にわたり，それぞれ各液体培地より0.2 mLずつを採取し，カンテン平板培地各2枚以上に接種する。カンテン平板培地での培養は5〜10％の炭酸ガスを含む窒素ガス中で，35〜37℃で14日以上培養する。 4) 全カンテン培地を対象に7日目と14日目に倍率100倍以上の顕微鏡でマイコプラズマの集落の有無を調べる。	1) 細胞培養用ディッシュ（直径35 mm）に滅菌したかバーグラスを無菌的に置く。 2) 培地中にVero細胞が1 mL当たり1×10⁴細胞となるように細胞懸濁液を調製する。 3) Vero細胞懸濁液2 mLを各培養ディッシュに接種する。このときカバーグラスを培地中に完全に沈め，培地表面に浮かないように注意する。細胞がカバーグラスに接着するよう5％炭酸ガスを含む空気中，35〜38℃で一日培養する。 4) 新鮮な培地2 mLと交換した後，試験検体（細胞培養上清）0.5 mLを培養ディッシュ2枚以上に添加する。陰性対照と陽性対照（2種類のマイコプラズマを使用）についても同じ操作を行う。 5) 培養液を5％炭酸ガスを含む空気中，35〜38℃で3〜6日間培養する。 6) 各ディッシュより培地を除去し，メタノール／酢酸（100）混液（3：1）（固定液）2 mLをそれぞれに加え，5分間放置する。 7) 各ディッシュより固定液を除去し，再度各ディッシュに同量の固定液を加え10分間放置する。 8) 固定液を除去し，全てのディッシュを完全に風乾する。 9) 各ディッシュにビスベンズイミド蛍光染色液2 mLを加え，ディッシュに蓋をして室温で30分間静置する。 10) 各ディッシュより染色液を吸引除去し，ディッシュを5％炭酸ガスを含む空気中，35〜38℃で培養。培養期間は，検体添加前に1日，添加後は3〜6日間。蒸留水2 mLで3回洗浄する。カバーグラスを取り出し乾燥する。 11) カバーグラスに封入液を滴加して封入する。余分な封入液をカバーグラスの端より吸い取る。 12) 倍率400〜600倍又はそれ以上の蛍光顕微鏡で観察する。 13) 検体と陰性対照及び陽性対照の顕微鏡像を比較する。 14) 細胞核を囲むように微小な核外蛍光斑点を持つ細胞が1000個のうち5個（0.5％）以上あれば陽性と判定する。	NATとしては様々な手法が利用可能であり，日本薬局方の参考情報では特定のNATの手法を規定していない。使用するNATは，十分な感度と特異性が担保され，核酸抽出手技や反応液組成の僅かな差異により異なる結果が得られることのない頑健性のある手法を用いること。本項に示すバリデーション法により特異性と感度を評価し，その妥当性が立証されるのであれば，どのようなNATの手法を用いることも可能である。 主なNAT技術については表9-7参照。

（次ページに続く）

	A. 培養法	B. 指標細胞を用いたDNA染色法	C. 核酸増幅法（NAT）
バリデーション	A.培養法およびB.指標細胞を用いたDNA染色法を実施する前には，検体がマイコプラズマ発育阻止因子を有するかどうか試験しておく必要がある。発育阻止因子が含まれる場合には，遠心分離，細胞の継代などの適切な方法により発育阻止因子を中和または除去する。 マイコプラズマ発育阻止活性の試験及び除去 （生物学的製剤基準「マイコプラズマ否定試験法」より抜粋・改変） 検体がマイコプラズマ発育阻止活性を持つかどうかの試験は，同一製法の製剤の場合，バッチごとに行う必要はない。試験用菌株には，*Acholeplasma Laidlawii*またはそれよりも発育阻止活性に対して感受性の高いマイコプラズマ株を用いる。 試験用マイコプラズマ株がブドウ糖分解株である場合には液体培地Ⅰ，アルギニン分解株である場合には液体培地Ⅱを用い，10 mLの培地に対し検体0.2 mLを加え，さらに試験用マイコプラズマ株を約100 CFU接種し，35〜37℃で7日間培養する。 培地の色調変化を観察し，マイコプラズマの発育が見られない場合，または検体を加えない対象培地に比べて発育が遅延した場合は，検体にマイコプラズマ発育阻止活性があるものとする。		特異性，検出感度，頑健性の3つについて評価する必要がある。 NAT検査をA.培養法およびB.指標細胞を用いたDNA染色法の代替法とする場合，同等性試験を行う。「対照試験」欄に記載のマイコプラズマ7種についてA.培養法では10 CFU/mL，B.指標細胞を用いたDNA染色法では100 CFU/mLの検出感度が必要である。 市販キットを用いる場合は，キットの製造業者により添付され文書化されたフルバリデーションデータがあれば，使用者のバリデーションの代替として用いることが可能であり，使用者が再度フルバリデーションを行う必要はない。
長所	▶ 培養できるマイコプラズマ種に対しては感度が高く確実 ▶ 生菌の検出により混入菌数，菌種同定が可能。	▶ 人工培地では培養できず細胞依存的にしか増殖できないマイコプラズマ種を検出可能	▶ 数時間程度で結果取得が可能 ▶ 適切な条件設定により培養法を上回る検出感度を得ることも可能
短所	▶ 結果取得までに約4週間かかる ▶ 人工培地では培養しにくいマイコプラズマ種*Mycoplasma hyorhinis*など）の検出感度は低い	▶ 高度な手技が必要とされる ▶ マイコプラズマ以外のDNAも染色されるため，識別に経験を要する	▶ 死んでいるマイコプラズマが残っていても陽性となることがある ▶ 検出できるマイコプラズマ種はプライマー配列に依存する
所要日数	4週間以上	1週間程度	数時間程度

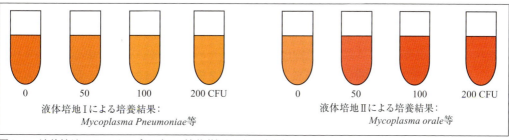

図9-3　液体培地でのマイコプラズマの培養（培地の色調変化）

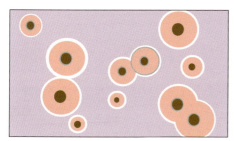

図9-4　カンテン平板培地でのマイコプラズマのコロニー（目玉焼き状集落）

表9-10 市販のマイコプラズマ否定試験キット（核酸増幅法）

製品名		MycoTOOL PCR	MycoTOOL Real-Time PCR	MycoSEQ	CytoCheck	MilliPROBE	Myco Finder
メーカー		Roche Diagnostics		Thermo Fisher Scientific	Greiner Bio-One	Merck Millipore	日水製薬
抽出	推奨検体量	1 mL		10μL～10mL	1 mL	～20 mL	—
	細胞濃度／細胞数上限	5×10^6 cells/mL		1×10^6 cells	上清	細胞と分離後抽出	—
核酸増幅・検出	標的配列	16S rRNA(DNA)		非公開(DNA)	16S-23S rRNA spacer(DNA)	16S rRNA(DNA)	非公開(DNA)
	プライマー・プローブの配列情報	公開	非公開	非公開	非公開	非公開	非公開
	PCR原理	Touch-Down PCR	Real-time Touch down PCR	Real-time PCR	PCR	TMA法	Real-time PCR
	検出法	PAGE	プローブ法	SYBR Green法	DNA-chip	蛍光プローブ	プローブ法
所要時間		6時間以内	5時間以内	約4時間	約4時間	約4時間	1時間以内（増幅～検出のみの時間）
公表検出感度		＜10 CFU/mL(EP準拠)					＜10 CFU/mL（日局準拠）
備考		抽出キットは共通		公表感度は10 mL使用時	菌種を固定可能 専用の装置が必要	専用の装置が必要	核酸抽出試薬はキットに含まれない

3. 次世代シーケンシングによるウイルス・マイコプラズマ検出

　NGSは医療・創薬を含めさまざまな分野ですでに社会実装が進んでいる技術ではあるが，それをバイオ医薬品等のウイルス安全性評価に活用するための議論が，欧米を中心に進められている。また，国内では，本書の著者らを中心にウイルス検出にNGSを利用する際の考え方などの検討を行っている[59～78]。バイオ医薬品等の"ウイルス否定試験"の1つとしてNGSが本格利用される日もそう遠くはないと思われるため，現時点での国内外の動向や留意すべき点などを中心に概説する。

(1) 技術標準化に向けた国内外の動向

　第8章で述べられているように，市販のロタウイルスワクチンへのPCV-1混入を指摘するきっかけとなったのはNGS解析である[77, 79]。NGSは，未知もしくは混入が想定されていないウイルスをも含め，広範囲なウイルス種を網羅的に検出可能な技術であり，迷入ウイルス管理に対するこれまでの考え方を大きく変える可能性を持っている。実際，このPCV-1の混入事例の後に，ウイルス安全性評価におけるNGSの有用性に関するさまざまな議論が国際的に進めら

れることになった[60]（**図9-5**）。

　PCV-1の混入事例を受け，WHOのTechnical Report Series（TRS）No.978 Annex 3では，従来の試験法では検出できていない可能性のある外来性ウイルスをNGSのような新規の分子生物学的技術により検出できる可能性がある旨の一文が記載された（**資料9-2**）。また，この記載にハーモナイズする形で，欧州薬局方9.0以降でもNGSに関する同様の可能性が追記されるこ

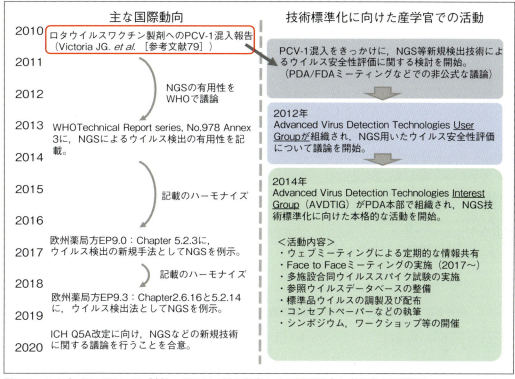

図9-5　ロタウイルスワクチン製剤へのPCV-1混入発覚からの国際動向と産学官の取り組み
2010年の市販ロタウイルスワクチンへのPCV-1混入を受け，WHOのTechnical Report Series（TRS）や欧州薬局方（EP）に，NGSの有用性に関する記載が加えられた。また，PDAなどの学術組織でも，NGSによるウイルス検出について議論が行われるようになり，2014年にはAdvanced Virus Detection Technology Interest Group（AVDTIG）が組織され，産学官連携で技術コンセンサスの醸成に向けた国際活動が行われている。

資料9-2　WHO Technical Report Series No.978 Annex 3におけるNGSに関する記載

5.2 Potential risks and risk mitigation associated with biologicals produced in animal cell cultures
In 2010, NRAs and WHO were made aware of new information regarding the presence of DNA sequences of porcine circovirus in live-attenuated rotavirus vaccines. The detection of these sequences by the use of advanced analytical methods raised complex questions (e.g. the evaluation of the potential risk, specific testing of vaccines, and the general use of these methods for the characterization of vaccine cell substrates). The power of the new methodology that was used (i.e. massively parallel (deep) sequencing (MPS)) may reveal the presence of adventitious agents that might not be detected with current methods. While the implementation for routine use of such methods has benefits as well as challenges and risks, NRAs need to be prepared for similar situations. Consideration should be given to making a risk assessment and potentially introducing risk-mitigation strategies in such circumstances.

NGSを用いることで，既存方法では検出できていなかった外来性ウイルスの存在を明らかにできるかもしれないという一文が追記されている（赤字部分）。

ととなった[60]（資料9-3）。

このような国際動向の中，欧米を中心にバイオ医薬品等のウイルス安全性評価にNGSを利用することに向けた具体的な議論が2012年頃から始まった（図9-5）。2014年にはPDA本部のInterest Groupの1つとして，Advanced Virus Detection Technologies Interest Group（AVDTIG）が組織され，NGSの標準化に向けた議論および検証試験を産学官が合同で実施している[60, 66, 67, 71, 72, 76]。2014年時点では50名程度であったAVDTIGの参加者も，2020年8月現在では160名を超えている[注1]。また，International Alliance for Biological Standardization（IABS）シンポジウムの枠組みで，2017年および2019年には，バイオ医薬品等のウイルス安全性評価技術としてのNGSの標準化に関する国際シンポジウムが開催されるなど，国際的な関心が高まっている[73, 80, 81]。

2019年11月のICH会合では，ICH Q5Aガイドラインの改訂に向けた議論が行われ，新たに追加を検討すべきトピックスとして，NGSのような網羅的ウイルス検出技術があげられている[82]（資料9-4）。このような議論を後押しする背景には，バイオ医薬品等の製造技術の発展と多様化により特性解析が十分ではないさまざまな細胞基材が使用されるようになり，未知のウイルスも含めた対応の必要性が強まったことに加え，特に欧州を中心に実験動物3Rの観点[注2]からin vivo試験の代替法を模索する取り組みを進めていることなどがある。

[注1] 日本国内からも本書の著者らを中心に2017年からAVDTIGの活動に参加している。
[注2] 1959年に提唱された，世界的な動物実験に基準理念。Replacement（代替），Reduction（削減），Refinement（改善）の頭文字を取り，3Rの原則と呼ばれる。

資料9-3　欧州薬局方の改定とNGSに関する記載の追記

EP8.8 ⇒ EP9.0改定時
【該当箇所】
　Chapter 5 General texts;
　　5.2：General text on biological products
　　　5.2.3：Cell substrates for the production of vaccines for human use
【変更内容】
　　⇒WHO TRS978 Annex 3の記載にハーモナイズ
　　⇒外来性ウイルス検出のための新規手法の1つとしてNGSを例示

EP9.2 ⇒ EP9.3改定時
【該当箇所】
　Chapter 2　Methods of Analysis
　　2.6：Biological tests
　　　2.6.16：Tests for extraneous agents in viral vaccines for human use
【変更内容】
　　⇒5.2.3の記載にハーモナイズ
　　⇒新規の外来性ウイルス検出法の1つとしてNGSを例示
【該当箇所】
　Chapter 5 General texts
　　5.2：General text on biological products
　　　5.2.14：Substitution of in vivo methods(s) by in vitro method(s) for the quality control of vaccines
【変更内容】
　　⇒in vivo試験法の代替法について記載
　　⇒網羅的にウイルスを検出可能な手法の1つとしてNGSを例示

資料9-4　ICH Q5Aガイドライン改訂に向けて合意されたトピックス

- バイオテクノロジー製品の新しいクラス（ウイルス様粒子（VLP），サブユニットタンパク質，ウイルスベクター製品）
- ウイルスクリアランスのための工程評価アプローチの追加（モジュール工程評価など）
- 新しいウイルスアッセイと代替分析方法（NGSなど）
- 先進的な製造（連続生産など）のためのウイルスクリアランス工程評価とリスク低減戦略
- Q5A(R1)後に発展・進歩してきたウイルスクリアランス工程評価技術の反映

第41回ICH即時報告会　ICH Q5A(R2)資料　より抜粋
http://www.jpma.or.jp/information/ich/sokuji/pdf/06_ich191218_1.pdf
既存のウイルス検出試験の代替法としてNGSの利用を検討することが，Expert Working Groupにおいて合意された。

　NGSによるバイオ医薬品等のウイルス安全性評価のサービスを提供する受託試験企業も出てきており，受託試験大手のBioRelianceでは，NGSによる細胞基材の特性解析や混入ウイルスの検出試験などのサービスを行っている[70]。また，フランスのパスツール研究所のスピンアウトベンチャーであるPathoQuestは，NGS試験の受託企業としてさまざまなサービスを展開している[64,74]。

　現時点ではNGSによるウイルス検出に関する技術的なガイドラインなどはまだないが，AVDTIGの活動においてNGS解析を行う際の留意点をまとめたコンセプトペーパーが出されている[66,67,83,84]。また，米国FDAでは開発企業とワーキンググループを組織し，個別の品目ごとにNGSの利用に関する議論が行われている。欧州では，EFPIA/EBE参画企業でワーキンググループを組織し，コンセプトペーパーの作成が行われている[85]。

(2) NGS技術概論

　NGSとは，大量の核酸断片の配列を短時間で超並列的に決定する技術のことであり，Massively Parallel Sequencing(MPS)，High Throughput Sequencing(HTS)などと表記されることもある。従来の核酸シーケンシング法であるサンガー法と比較すると，桁違いに多くの塩

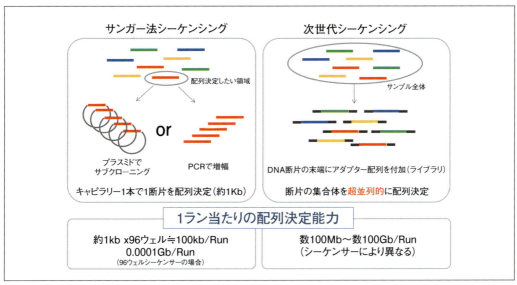

図9-6　サンガー法シーケンシングと次世代シーケンシング

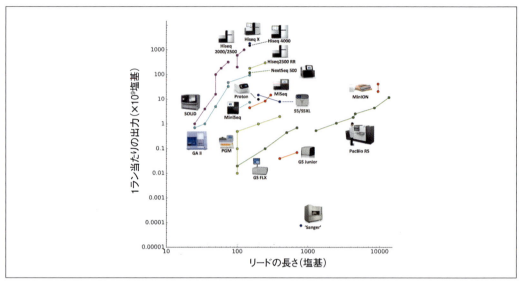

図9-7 主な次世代シーケンサーのリード長と出力
出典：https://flxlexblog.wordpress.com/2016/07/08/developments-in-high-throughput-sequencing-july-2016-edition/
　一般的には，Illumina社のシーケンサー（図中のHiSeq, MiSeq, NextSeqなど）やThermo Fisher Scientific社のシーケンサー（図中のPGM, Proton, S5など）がショートリードシーケンサーと呼ばれ，Oxford Nanopore Technologies社のシーケンサー（図中のMinION）やPacific Biosciences社のシーケンサー（図中のPacBio RS）がロングリードシーケンサーと呼ばれる。Sanger：サンガー法シーケンサー。

基配列を短時間に決定することが可能である[59]（図9-6，図9-7）。シーケンサーから読み出される塩基配列一本一本は「リード（Read）」と呼ばれ，シーケンサーの性能は，出力可能なリードの長さ・本数・クオリティで評されることが多い。

　NGSの配列決定原理は機種ごとにさまざまであり，複数の企業が独自技術を用いた次世代シーケンサーを開発・販売している[59, 78]。また，出力可能なリード長の違いは機種ごとの大きな特徴であり，一般的に数10～数100塩基程度のリードを出力するショートリードシーケンサーと数キロ塩基ものリードを出力可能なロングリードシーケンサーに大別される[59, 78]（図9-7）。理想だけを言えば，解読エラーが少ない長いリードを短時間で大量かつ安価に出力できるシーケンサーがあればそれで十分なようにも思えるが，現実的には機種（原理）ごとに一長一短があり，シーケンサーごとの特徴や解析目的を理解した上で適切に使い分ける（もしくは複数のシーケンサーを組み合わせる）ことが重要となる（後述）。

　リードのデータフォーマットは，各塩基に対してクオリティスコアが付されたFASTQと呼ばれるものが一般的に使用される[62]。データ解析は，リードのクオリティチェック，低クオリティのリードの除去，リードのトリミングなどの一次解析を実施した後に，アセンブリ解析または／およびマッピング解析を行うことが一般的である（図9-8）。なお，NGSにより出力される塩基数（リード数×リード長）は数百メガ～数百ギガ単位にもなるため，解析用コンピュータとデータ保管用ストレージも，目的に応じて適切なスペックを選択することが重要となる[61, 64]。

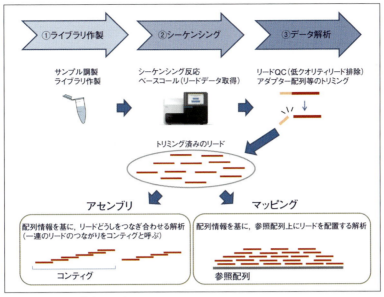

図9-8　NGSの基本ワークフロー

(3) 既存のウイルス否定試験との比較

　既存のウイルス否定試験については第1項で概説したが，NGS解析は，既存のいずれのウイルス否定試験とも特性が被らないと考えられる（表9-1）。NGSのメリットはウイルス種に依らない網羅的な検出が可能である点であり，この点は他のどの既存試験より優れていると言えよう。また，どのような解析プラットフォームを用いるかにもよるが，サンプリングから試験結果取得までも比較的短期間であり，迅速なウイルス検出が可能である（表9-1）。一方，検出のターゲットが核酸であるため，*in vivo*試験／*in vitro*試験のようにウイルスの感染性の有無については評価が困難である。つまり，NGS解析の結果としてウイルスの参照配列と一致する核酸が検出されたとしても，それが不活化されたウイルスに由来していたり，ライブラリ調製に用いる試薬から混入した核酸である可能性も考慮しながら，感染リスクを検証するためのフォローアップ解析が別途必要となる（NGSによる感染リスク評価については後述）。

　検出感度については，いくつかの検証データが報告されている。核酸を検出するPCR法（NAT）との比較では，NGSは同程度の検出感度が見込めることが複数の報告で示されている[69,73,75]。コストや検査時間の面ではPCR法が勝っているが，多種のウイルスを検査項目に含める際は，PCR法をNGSで代替するという考え方も受け入れられるようになるかもしれない。また，*in vitro*試験との比較では，ウイルス種によるが，比較試験で用いたウイルス種のうちの多くはNGSが同程度もしくは勝っているという結果も出ている[69,73]。いずれにせよ，現在公表されている情報のみで結論は出すことはできないため，解析プラットフォームの選択やデータ解析の戦略によっても検出感度は大きく変わり得ることにも留意しつつ，さらなる検証を積み重ねる必要があるだろう。今後は，AVDITGなど国際連携の枠組みを通じた議論により，NGSが他の試験の代替法となり得るかについてのコンセンサスの醸成がなされていくものと思われる。また，検出感度の測定には，純度や濃度，感染力価が既知のウイルス粒子（またはウ

イルス核酸）の標準品が必要となる。NGSによるウイルス検出法のバリデーションを実施するには、そのような解析環境やツールの整備も国際的に進めていく必要があるだろう。

　ここまではウイルス検出を前提に述べたが、マイコプラズマ検出に関しても考え方は同様であり、参照ゲノムデータベースにマイコプラズマゲノムの配列を含めることで、ウイルスとマイコプラズマを同時に検出するというアプローチも可能であろう。検出感度が十分に担保されているのであれば、将来的にはNATの代替法、もしくはNATで得られた試験結果の再確認の手段として利用される可能性もあるだろう。

（4） NGS試験を導入する際の留意事項

　本書の出版時点（2020年末）では、おそらくNGSによるウイルス否定試験を企業が本格導入するという段階ではないかもしれない。しかしながら、AVDTIGをはじめとした国際的な検討グループにより解析環境の整備が進められ、ICH Q5Aなどのガイドラインでの有用性が述べられることになれば、そう遠くない時期に、ウイルス安全性評価にNGSを導入する動きは加速すると思われる。ここでは、実際にNGS試験の導入を検討する際に留意すべき点を簡潔に紹介する。

①シーケンサーの選択

　NGSの原理は多様であると上述したが、選択したシーケンサー機種により、サンプリング方法やライブラリ調製方法、データ解析の方法など、ほぼすべての解析工程のデザインが変わることは認識すべきである。次世代シーケンサーは、ロングリードシーケンサーとショートリードシーケンサーに大別されるが、ショートリードは比較的読み取り精度が高い一方で、ロングリードは現時点では精度は劣るため、そのようなデータ特性を踏まえて解析用の閾値を設定するなどの必要がある。ただし、ロングリードシーケンサーは広い領域を1本のリードで読むことが可能なので、ショートリードと比較してゲノム構造などを正しく把握することが可能という利点がある。

　近年は、ロングリードシーケンサーの1つであるナノポアシーケンサーが実用化され、注目を集めている。Oxford Nanopore社のMinIONは手のひらサイズのシーケンサーであり（図9-9）、場所を選ばないという手軽さと、RNAをダイレクトに読めるという他のシーケンサー

☆ライブラリー調製：10分
☆ランタイム：数分〜48時間（取得データ量による）
☆重量：103g（フローセル含む）
☆サイズ：105×23×33mm

図9-9　Oxford Nanoporeのナノポアシーケンサー
MinIONの外観（左）およびスペシフィケーション（右）
小型でデータ取得までの時間が短く、ロングリードを取得可能であることから、ナノポアシーケンサーを用いたウイルス検出が注目を集めている。

にはない性能から，ウイルス検出においても利用を検討する研究者が増えている[72,73]。

シーケンサーの機種選択においてもう1つ大切なのは，想定する検出感度を担保するためには，どのくらいのリード数の出力が必要かに基づいた，シーケンサーのスループット性である。出力リード数を増やせば，検出感度をある程度上げることは可能かもしれないが，一方でデータ解析の負担は増加する。また，検出感度は核酸回収からライブラリ調製までの工程のデザインに大きく左右される[66,84,89]。シーケンサーのプラットフォーム選択は，検出感度を測定する検証試験を繰り返しながら，総合的な観点から最適なパフォーマンスが出せるかどうかの検討に基づき行われるのが望ましい。

② ライブラリ調製

ライブラリ調製の方法は，選択したシーケンサープラットフォームごとに異なる。一般的に，各シーケンサーを販売する企業が，ライブラリ調製用のキットも合わせて販売しているため，それらを利用することになるであろう。

また，ライブラリ調製に供する核酸の回収方法も解析結果に大きな影響を与える[88,89]。まず，回収する核酸がDNAかRNAにより大きく異なる。ウイルスゲノムはDNAのものとRNAのものがあり，ウイルスゲノムをターゲットとする場合は，どのように核酸を回収するかは慎重に検討する必要がある。細胞内に感染しているウイルスをターゲットとする場合は，転写産物（RNA）を検出するアプローチが有効である可能性が示されている[69,71,73,86,87]。

回収する核酸の量も重要な留意事項である。市販のキットを用いたライブラリ調製には，ライブラリ品質を保つため，供すべき核酸量の目安が設けられている。しかしながら，さまざまな理由により十分な核酸が回収できない場合もあり得る。そのような場合は，回収核酸全体を均等に増幅する技術を用いて，ライブラリ調製に用いる核酸量を増やすことも可能であるが，その場合も，検出感度が担保できるか慎重な確認が必要であろう。

③ 参照ゲノムデータベース

出力されたリード配列がウイルスに由来するか否かを確認するためには，ウイルスの参照ゲノム配列に対しマッピング解析（参照配列の中から一致する配列を探索する解析）を行う。NGSは網羅的なウイルス検出が可能であるが，その検出精度は参照ゲノムデータベースのクオリティに左右されることから，信頼性の高いデータベースを構築する必要がある。AVDTIGでは，その活動において，参照ウイルスデータベース（Reference Viral Data Base：RVDB）の構築・整備を行い公開している[60]（図9-10）。試験実施者が目的に合わせin houseで構築することも可能であり，マイコプラズマや微生物の参照ゲノムを用いるなど，解析対象を自由に設定することも可能である。

理想的な参照ゲノムデータベースは，登録配列が網羅的かつ重複がなく，アノテーション情報が適切に付されていることが必要であるが，登録データの多さは解析時間の増大につながり，アノテーション情報の管理はコスト増大につながる。つまり，解析速度・登録データの品質・登録情報の網羅性は，それぞれ"トレードオフ"の関係にあるため，目的を踏まえたFit-for-purposeなデータベースが構築されることが望ましい（図9-11）。

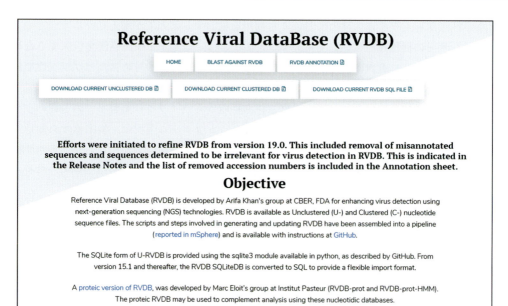

図9-10　参照ウイルスデータベース（RVDB）のウェブサイト
https://rvdb.dbi.udel.edu/

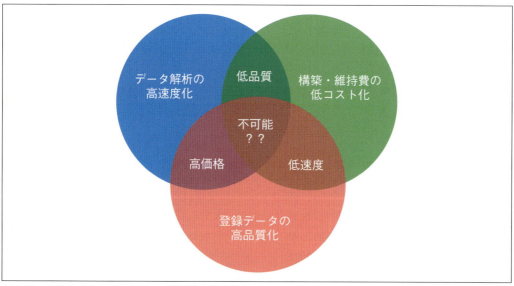

図9-11　参照ウイルスデータベース構築時の考慮事項
データ解析の速度と登録データの品質を両立すると，データベースの構築・維持にかかるコストは高くなる。コストを抑えるには，登録データの品質もしくは解析速度を犠牲にせざるを得ない。参照ウイルスデータベースをデザインする際には，目的に応じて，解析速度，データ品質，コストのバランスを考慮して設計するのが望ましい。

（引用：IABSシンポジウム（2019年11月13，14日）Robert L. Charlebois氏（Sanofi Pasteur）の発表資料を改変）

④情報解析環境および解析パイプライン

　NGSが出力するリードデータは膨大であるため，データ解析用の計算機環境とデータ保管のストレージシステムについても検討が必要である。必要となる解析環境は解析の目的や規模に

よりさまざまであるが，インハウスで保有しなくてもクラウドシステムを利用するなどの方法もあるため，解析目的や実施頻度，出力するデータ量などを考慮しながら解析システムを構築するのが望ましい[61, 62, 67, 84]。

NGSのデータ解析には，通常，複数のプログラムを組み合わせた解析パイプラインが用いられる。同様の目的であっても解析プログラムは複数存在し，それぞれに特徴があるため，仮に同じデータセットを使用したとしても，プログラムやパラメータ等の選択により結果が異なる可能性がある。医薬品の品質管理における試験法としての使用を想定するならば，使用するプログラムやパラメータは，解析の都度選択や変更をするべきではなく，事前に最適な解析パイプラインを検証した上で，固定することが望ましい[61, 67, 84]。

また，いかに計算機の負担を減らし，解析速度を上げるかも解析パイプラインの構築においては重要である。通常，リードデータセットには，宿主細胞などに由来する核酸が大量に含まれていることが想定されるが，例えば，カウンタースクリーニングにより宿主細胞ゲノムと一致するリード配列を先に除去するなど，解析パイプラインのデザインにより，解析効率の向上を行うことも可能である[67, 84]（**図9-12**）。

⑤標準品

検出感度を測定するには，実際にウイルス粒子または核酸の標準品を添加（スパイク）した検体を用いた検証試験を行う必要がある。標準品は，濃度，純度，感染力価などの特性解析がなされており，可能な限り高純度である（そのウイルス以外の核酸が含まれていない）ことが重要である（試薬の欄を参照）。

AVDTIGの活動においては，現時点で5種類のウイルス粒子の標準品の調製・配布を行っている[73, 75, 81]（**図9-13**）。また，NIBSCやNISTなどの生物学試験用の標準品を取り扱う国際的な機関においても，特性解析済みのウイルス粒子や核酸の標準品が調製されており，2019年にはNISTとFDAの共催でNGS解析に用いる標準品に関するワークショップが開催されている[90]。

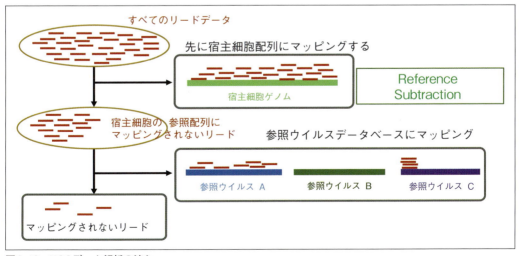

図9-12 NGSデータ解析の流れ

	Particle size (nm)	Envelope	Genome topology	Genome size (bp/b)	Physical chemical resistance
Epstein-Barr virus-1	122-180	YES	ds-DNA circular	172,281	Low to Medium
Feline Leukemia Virus	80-100	YES	ss-RNA dimeric	8,448	Low
Human Respiratory Syncytial Virus-A	150-300	YES	ss-RNA linear	15,158	Low to Medium
Human Reovirus-1	60-80	NO	ds-RNA segmented	1,196 3,915	Medium to High
Porcine Circovirus Type 1	16-18	NO	ss-DNA Circular	1,758	High

図9-13　AVDTIGが整備・配布している標準ウイルス
（引用：Arifa Khan 氏（米国FDA, AVDTIG co-leader）の講演資料）

⑥作業環境

　ライブラリ調製やシーケンシングを行う環境は，試薬や作業者等を介した交叉汚染が防止できる構造設備になっていることが望ましい。また，ウイルス粒子を扱う場合には，そのウイルス種に応じてバイオセイフティーレベル（BSL）が考慮される必要がある。サンプル調製からシーケンシングまでの作業は，作業工程ごとに部屋や作業スペースを分けることが望ましく，検体やライブラリの動線も一方通行にするなどの工夫が必要である[68, 74]。また，作業場が陰圧／陽圧であるか，UVランプなど汚染の拡大を防ぐ設備があるかなども考慮されるべきであろう。

　シーケンサーの流路内に別の検体の核酸が残存していることに由来する交叉汚染もよく起こる。シーケンサー流路内の残存核酸の洗浄バリデーションや，空運転による確認など，作業手順上の工夫も検討する必要がある。

⑦試薬

　ライブラリ作製工程では，さまざまな試薬（組換え酵素等）や用具が使用される。NGSは，検体以外の試薬等からの核酸混入があれば，それも含めて検出してしまうので，試薬等の管理には細心の注意が必要である。実際に，核酸回収用のカラムにウイルス核酸が混入していた事例や，ライブラリ調製工程で使用される試薬等に核酸が混入していた事例も多数報告されている[68]。可能な限り核酸フリーの試薬や用具を使用することが望ましいが，困難である場合は，試薬等に混入している可能性のある核酸の情報は把握しておく必要がある。また，このような試薬等への混入核酸が，検出感度に影響を与える可能性は否定できないことから，使用する試薬等が変更された場合は，再度検証作業を行うことも必要であろう。

⑧規制およびデータ信頼性保証

　NGS解析のデータインテグリティ（データ完全性）に関する議論は，今後進めるべき課題の1つであろう。生データの定義やデータの保管・複製の方法，規制当局に提出する試験報告書の

フォーマットなど，今後コンセンサスを形成していく必要がある検討事項はたくさんある。NGSデータの規制対応について，米国ではFDAが開発企業とワーキンググループを組織して検討していると上述したが，信頼性が保証されたNGSデータとは何かを踏まえ，今後は規制当局，開発企業，受託試験企業などの関係者が合同で議論していく必要があるだろう。なお，規制当局と開発企業がNGSデータについて議論するためのプラットフォームとして，米国では，HIVEという分散サーバを利用したプラットフォームの整備が進められている[91]（https://hive.biochemistry.gwu.edu/home）。

(5) 感染リスク評価

NGSは核酸を検出する技術であるため，ウイルス配列に相同性が高いリードが検出された際には，別途フォローアップ解析による感染リスクの検討が必要と述べた。しかしながら，NGSデータから，感染リスクをある程度考察する試みも行われている。

①マッピングパターンからの推測

ウイルス参照ゲノムにリードをマッピングした際に，もしゲノム全体にマッピングされるのであれば，検体中にも全長ゲノム（ウイルス粒子）が存在している可能性は高いと判断できる。また，逆に，特定の領域にのみ多数のリードがマッピングされるような場合は，PCR産物やプラスミドベクターの混入などを疑ってもよいかもしれない（**図9-14**）。

マッピングされたリード数が少ない場合は，それだけでは判断できない場合はある。その場合は，元の検体を用いて，検出されたリード間の領域がPCRで増幅できるかなどのフォローアップ解析が必要であろう。

②新規転写産物のラベリング

検体がセルバンクなど生細胞である場合に限られるが，細胞内の新規転写産物を選択的に検出する方法がある。ウリジンの誘導体である4-チオウリジン（4sU）を細胞培養中に添加すると，RNA合成の際にウリジンの代わりに4sUが取り込まれる。RNA回収後，RNAをアルキル化処理することで4sUがアルキル化され，cDNA合成を行うとアルキル化4sUのcDNAはグア

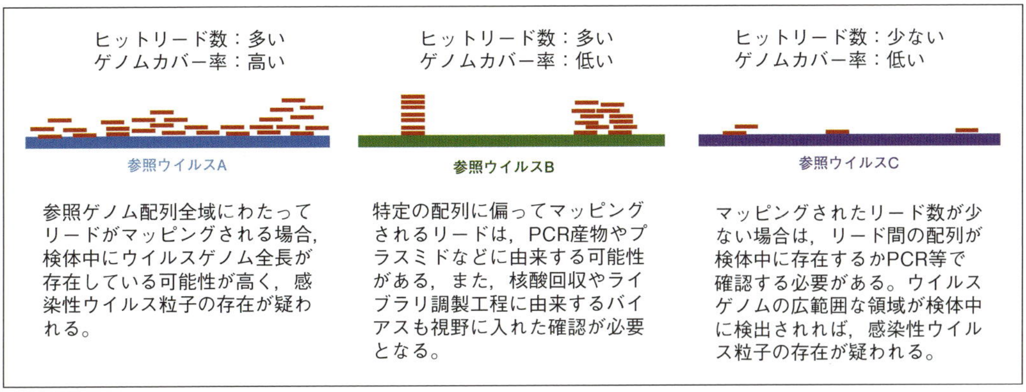

ヒットリード数：多い ゲノムカバー率：高い	ヒットリード数：多い ゲノムカバー率：低い	ヒットリード数：少ない ゲノムカバー率：低い
参照ウイルスA	参照ウイルスB	参照ウイルスC
参照ゲノム配列全域にわたってリードがマッピングされる場合，検体中にウイルスゲノム全長が存在している可能性が高く，感染性ウイルス粒子の存在が疑われる。	特定の配列に偏ってマッピングされるリードは，PCR産物やプラスミドなどに由来する可能性がある，また，核酸回収やライブラリ調製工程に由来するバイアスも視野に入れた確認が必要となる。	マッピングされたリード数が少ない場合は，リード間の配列が検体中に存在するかPCR等で確認する必要がある。ウイルスゲノムの広範囲な領域が検体中に検出されれば，感染性ウイルス粒子の存在が疑われる。

図9-14　マッピングパターンのイメージ図

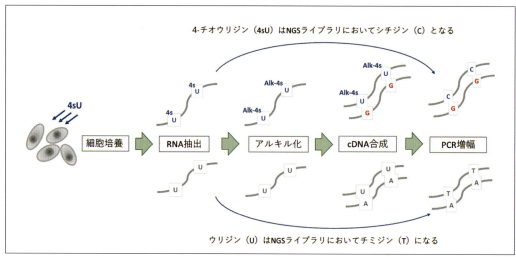

図9-15　4-チオウリジンを用いた新規合成転写産物ラベリング

ニンとなる。結果として，4sUが取り込まれた位置のチミジンはシトシンとなったライブラリが得られることになる。これをNGS解析と，新規に合成されているRNAは，参照配列と比較して一定数「T→C変換」が含まれることになる[69, 71, 87]（図9-15）。

これを利用することで，新規に転写が起こっているウイルス配列を選択的に検出することが可能になる。このようなアプローチであれば，細胞内で増殖しているリスクの高いウイルスと，試薬等から混入した感染性リスクのないウイルス核酸を識別することが可能となる[69, 71, 86, 87]。

③転写産物のストランド解析

転写産物のラベリングと同様に，生細胞が検体である場合に限られるが，ウイルス由来RNAのストランド解析を行うことで，実際にウイルスの転写産物細胞内で合成されているのかを予測評価することも可能である。ライブラリ作製時に，RNAのストランド情報を保持したままcDNA合成をすることが可能であり，シーケンス後に＋鎖／－鎖のどちらに由来するかを調べることで，RNAゲノムのウイルスであっても，細胞内での転写の有無が判別できる[69, 86]。

おわりに

本章では主なウイルス・マイコプラズマ否定試験について概説した。手順等の詳細は，試験施設によって異なる場合もあるが，いずれにせよ，検出感度のバリデーションがなされた試験を定められた手順で実施することが肝要である。試験施設が海外にある場合も多いので，実施に際しては各ガイドラインの内容を理解し，試験施設と十分に意思疎通を図るべきである。また，試験施設のみならず，用いる細胞や動物の管理状況等も確認しておくことが望ましい。

本書第4版では，新たなトピックスとして，NGS技術に関する国際議論を紹介した。近い将来には標準的な試験法となる可能性もあるが，医薬品の試験として採用するには，測定技術の性能や信頼性だけでなく，過去の結果との継続性からの判断や，感染性評価を重視する考え方

も重要になるため,*in vivo*試験／*in vitro*試験を含めて,外来性ウイルス混入リスクを考慮した試験デザインが引き続き重要である。ただし,レトロウイルスベクターを用いた遺伝子治療に必須とされているRCR(Replication competent retrovirus)試験の適用がFDAで見直されていることでもわかるように[93],臨床研究の知見が蓄積されていくことで,必要とされる試験のパッケージ内容は今後も見直されていくはずである。

■参考文献
1) 第十七改正日本薬局方　参考情報「日局生物薬品のウイルス安全性の基本要件」
2) 第十七改正日本薬局方　参考情報「バイオテクノロジー応用医薬品／生物起源由来医薬品の製造に用いる細胞器材に対するマイコプラズマ否定試験」
3) 生物学的製剤基準(厚生労働省告示第106号,改正 平成28年3月28日)
4) Guidance for Industry: Characterization and Qualification of Cell Substrates and Other Biological Materials Used in the Production of Viral Vaccines for Infectious Disease Indications. FDA (February 2010)
5) Recommendations for the evaluation of animal cell cultures as substrates for the manufacture of biological medicinal products and for the characterization of cell banks. WHO/BS/10.2132 (October 2010)
6) WHO Technical report series No.878, 1998 WHO expert committee on biological standardization.
7) WHO Requirements for the Use of Animal Cells as *in vitro* Substrates for the Production of Biologicals. Biologicals, 26: 175-193, 1998
8) 医薬審第329号通知「ヒト又は動物細胞株を用いて製造されるバイオテクノロジー応用医薬品のウイルス安全性評価」について(平成12年2月22日,ICH Q5A ガイドライン)
9) ICH Harmonized Tripartite Guideline Q5A, (5 March 1997) Viral Safety Evaluation of Biotechnology Products derived from Cell Line of Human or Animal origin.
10) 早川堯夫:バイオ医薬品の開発と品質・安全性確保　エル・アイ・シー(2007)
11) 山口照英:先端バイオ医薬品の評価技術　シーエムシー出版(2010)
12) EMEA CPMP/ICH/295/95 (October 1997). Note for Guidance on quality of Biotechnological Products: Viral Safety Evaluation of Biotechnology Products Derived from Cell Lines of Human or Animal.
13) FDA, (May 1993). Points to Consider in the Characterization of Cell Lines Used to Produce Biologicals.
14) Elbal. Weber, Lucia B. De Guerrero and Martha C. Boxaca: MRC-5 Cells, a Model for Junin Virus Persistent Infection. J. gen. Virol. (1985), 66, 1179-1183.
15) A. S. Tyms and J. D. Williamson: Polyamine Metabolism in MRC-5 Cells Infected with Human Cytomegalovirus. J. gen. Virol. (1980), 48, 183-191.
16) S. Tyms, Elizabeth Scamans and J. D. Williamson: Polyamine metabolism in MRC5 cells infected with different herpesviruses. Biochemical and Biophysical Research Communications (1979) 86(2), 312-318
17) Chia-Chyi Liu, Shiang-Chi Lee, Michael Butler, Suh-Chin Wu: High Genetic Stability of Dengue Virus Propagated in MRC-5 Cells as Compared to the Virus Propagated in Vero Cells. PLoS One (2008) 3(3) e1810
18) Rahul Singhvi, Julia F. Markusen, Bonnie Ky, Brian J. Horvath and John G. Aunins: Assessment of virus infection in cultured cells using metabolic monitoring. Cytotechnology (1996) 22(1), 79-85,
19) 篠原美千代,内田和江,島田慎一,瀬川由加里,広瀬義文:エンテロウイルス・アデノウイルス分離におけるMRC-5細胞の有用性,感染症学雑誌(2002) 76(6), 432-438
20) Sylvia Eash, William Querbes, and Walter J. Atwood: Infection of Vero Cells by BK Virus Is Dependent on Caveolae. Journal of Virology, (2004), 78(21) 11583-11590,
21) Robert Rustigian, S. H. Winston, R. W. Darlington: Variable Infection of Vero Cells and Homologous Interference After Co-Cultivation with HeLa Cells with Persistent Defective Infection by Edmonston Measles Virus. Infection and Immunity (1979) 23(3) 775-786.
22) Leighton Greenham, Morag Ferguson and David Peacock: SSPE measles virus: Non-productive and productive infection in vero cells and suckling mice Medical Microbiology and Immunology 160 (2-3), 201-208,
23) Patricia M. Davis and R. J. Phillpotts: Susceptibility of the VERO line of African green monkey kidney cells to human enteroviruses. Journal of Hygiene (1974), 72(1): 23-30
24) WHO Technical report series No.237 (1962) Requirements for Biological substances.
25) WHO Technical report series No.878 (1998) Requirements for the use of animal cells as *in vitro* substrates for the production of Biologicals.

26) Gombold J, Karakasidis S, Niksa P, Podczasy J, Neumann K, Richardson J, Sane N, Johnson-Leva R, Randolph V, Sadoff J, Minor P, Schmidt A, Duncan P, Sheets RL., Systematic evaluation of *in vitro* and *in vivo* adventitious virus assays for the detection of viral contamination of cell banks and biological products., Vaccine.(2014)32(24):2916-26.
27) G.D. Hsiung', Caroline K.Y. Fong, and Marie L.Landry: Hsiung's Diagnostic Virology 4th Edition.(1993)
28) Khan AS, Muller J, Sears JS., Early detection of endogenous retroviruses in chemically induced mouse cells, Virus Res.(2001)79(1-2):39-45.
29) B. A. Arnold, Hepler R. W., Keller P. M.: One-step fluorescent probe product-enhanced reversetranscriptase assay, Biotechniques 1998, 25:98-106.
30) Bassin,R.H., Tuttle,N., Fischinger, P.J.: Rapid Cell Culture Assay Technique for Murine Leukemia Viruses. Nature(1971)229:565-566
31) Mullis KB, Faloona FA., Specific synthesis of DNA *in vitro* via a polymerase-catalyzed chain reaction, Methods Enzymol,(1987)155:335-50.
32) サーモフィッシャーサイエンティフィック株式会社　ウェブサイト「PCR教室」(https://www.thermofisher.com/jp/ja/home/life-science/cloning/cloning-learning-center/invitrogen-school-of-molecular-biology/pcr-education.html)
33) Barany F., Genetic disease detection and DNA amplification using cloned thermostable ligase., Proc Natl Acad Sci U S A. 1991；88(1):189-193.
34) 国立研究課発法人産業技術総合研究所　研究成果（2003年9月10日付）「世界最高の熱安定性を示す遺伝子診断用酵素（DNAリガーゼ）の開発に成功」(https://www.aist.go.jp/aist_j/press_release/pr2003/pr20030910/pr20030910.html)
35) Notomi T, Okayama H, Masubuchi H, Yonekawa T, Watanabe K, Amino N, Hase T., Loop-mediated isothermal amplification of DNA, Nucleic Acids Res., 2000；28(12):E63.
36) 高野弘、酒井栄一、佐々木泰治、「医学検査のあゆみ；LAMP (Loop-mediated isothermal amplification) 法の原理と応用」、モダンメディア、60巻、7号（2014年）pp.211-231.
37) 栄研化学株式会社　ウェブサイト「LAMP法の原理」(http://loopamp.eiken.co.jp/lamp/principle.html)
38) Uemori T, Mukai H, Takeda O, Moriyama M, Sato Y, Hokazono S, Takatsu N, Asada K, Kato I., Investigation of the molecular mechanism of ICAN, a novel gene amplification method., J Biochem. 2007；142(2):283-92.
39) タカラバイオ株式会社　NEWS RELEASE（平成15年5月19日付）「等温遺伝子増幅法（ICAN法）の基本特許を日本で取得」(https://www.chem-t.com/fax/images/030519bio.doc)
40) Fahy E, Kwoh DY, Gingeras TR, Self-sustained sequence replication (3SR): an isothermal transcription-based amplification system alternative to PCR, PCR Methods Appl., 1991；1(1):25-33.
41) 前田平生,「輸血検査メモ：TMA法」、検査と技術 25巻7号（1997）pp194
42) ホロジックジャパン株式会社　ウェブサイト「TMA (Transcription Mediated Amplification) 法とは？」(https://hologic.co.jp/products/diagnostics/apparatus/panther/abouttma.html)
43) Compton J., Nucleic acid sequence-based amplification., Nature. 1991；350(6313):91-2.
44) Malek L, Sooknanan R, Compton J., Nucleic acid sequence-based amplification (NASBA)., Methods Mol Biol. 1994；28:253-60.
45) ヒト（自己）由来細胞や組織を加工した医薬品又は医療機器の品質及び安全性の確保について（平成20年2月8日　薬食発第0208003号）
46) ヒト（同種）由来細胞や組織を加工した医薬品又は医療機器の品質及び安全性の確保について（平成20年9月12日　薬食発第0912006号）
47) ヒト（自己）体性幹細胞加工医薬品等の品質及び安全性の確保について（平成24年9月7日　薬食発0907第2号）
48) ヒト（同種）体性幹細胞加工医薬品等の品質及び安全性の確保について（平成24年9月7日　薬食発0907第3号）
49) ヒト（自己）iPS（様）細胞加工医薬品等の品質及び安全性の確保について（平成24年9月7日　薬食発0907第4号）
50) ヒト（同種）iPS（様）細胞加工医薬品等の品質及び安全性の確保について（平成24年9月7日　薬食発0907第5号）
51) ヒトES細胞加工医薬品等の品質及び安全性の確保について（平成24年9月7日　薬食発0907第6号）
52) 清水則夫、外丸靖浩、渡邊健、森尾友宏：再生医療のための細胞製造ハンドブック　紀ノ岡正博監修　第7章　培養細胞の微生物安全性 p.159-170, 2015.
53) 内田恵理子、古田美玲、山口照英：再生医療・細胞治療製品のマイコプラズマ検査, BIO INDUSTRY (2016)33(9), 4-14
54) 清水則夫：ウイルス・マイコプラズマ否定試験への運用、医薬品医療機器レギュラトリーサイエンス, (2016)47(4), 254-260
55) 内田恵理子：生物薬品委員会の検討課題　－マイコプラズマ否定試験の改正によるNATの積極的活用－　医薬品医療機器レギュラトリーサイエンス, 46：698-708, 2015
56) 内田恵理子ほか：平成24年度「日本薬局方の試験法等に関する研究」研究報告　細胞基材に対するマイコプラズマ否定試験のPCR法の見直しに関する研究　医薬品医療機器レギュラトリーサイエンス, 45：442-451, 2015

57) マイコプラズマ遺伝子検出キット　Myco Finder　バリデーションデータ (https://cosmokai.com/img/recommend_pdf/myco_2016_1.pdf)
58) マイコプラズマ遺伝子検出キット Myco Finder (https://cosmokai.com/recommend/mycofinder)
59) 日本PDA製薬学会バイオウイルス委員会NGS分科会 (平澤竜太郎ほか), 連載「次世代シーケンシングによるバイオ医薬品の安全性評価」；第1回「次世代シーケンシングとは」, Pharm Tech Japan 34 (3), 491-497, 2018
60) 日本PDA製薬学会バイオウイルス委員会NGS分科会 (平澤竜太郎ほか), 連載「次世代シーケンシングによるバイオ医薬品の安全性評価」；第2回「国内外の動向と標準化に向けた活動」, Pharm Tech Japan 34 (4). 839-845, 2018
61) 中村昇太, 連載「次世代シーケンシングによるバイオ医薬品の安全性評価」；第3回「ウイルス検出のためのNGS解析のデザインと運用」, Pharm Tech Japan 34 (8). 1539-45, 2018
62) 上村泰央, 連載「次世代シーケンシングによるバイオ医薬品の安全性評価」；第4回「NGSデータ解析の基礎とウイルス検出への応用」. Pharm Tech Japan 34 (9), 1887-1895, 2018
63) 古田里佳, 連載「次世代シーケンシングによるバイオ医薬品の安全性評価」；第5回「次世代シーケンシングを用いた血液製剤安全性評価の試み」, Pharm Tech Japan 34 (10), 2156-2162, 2018
64) 築山美奈, 連載「次世代シーケンシングによるバイオ医薬品の安全性評価」；第6回「受託試験機関PathoQuest社の取り組み」, Pharm Tech Japan 34 (13), 2759-2764, 2018
65) 木本舞, 連載「次世代シーケンシングによるバイオ医薬品の安全性評価」；第7回「次世代シーケンスを使用したウイルス関連解析」, Pharm Tech Japan 35 (1), 97-104, 2019
66) 平澤竜太郎, 連載「次世代シーケンシングによるバイオ医薬品の安全性評価」；第8回「サンプリングおよびライブラリ調製の考え方」, Pharm Tech Japan 35 (3), 603-610, 2019
67) 平澤竜太郎, 連載「次世代シーケンシングによるバイオ医薬品の安全性評価」；第9回「ウイルス検出のデータ解析パイプラインについての検討」, Pharm Tech Japan 35 (9), 1757-1770, 2019
68) 菅原敬信, 連載「次世代シーケンシングによるバイオ医薬品の安全性評価」；第10回「核酸の混入がNGS解析に与える影響」, Pharm Tech Japan 36 (5), 851-859, 2020
69) 平澤竜太郎, 河野健, 連載「次世代シーケンシングによるバイオ医薬品の安全性評価」；第11回「感染リスクのあるウイルスの選択的な検出」, Pharm Tech Japan 36 (15), 2403-2411, 2020
70) 平澤竜太郎, JASIS2018特集「ウイルス由来核酸の検出に用いる理化学機器」Pharm Tech Japan 34 (10), 2091-2096, 2018
71) 平澤竜太郎, 連載「次世代シーケンシングによるバイオ医薬品の安全性評価」；番外編1「第19回医薬品等ウイルス安全性シンポジウム参加報告」, Pharm Tech Japan 35 (5), 903-906, 2019
72) 河野健, 連載「次世代シーケンシングによるバイオ医薬品の安全性評価」；番外編2「2019 PDA Virus Safety Forum参加報告」, Pharm Tech Japan 35 (10), 2087-2092, 2019
73) 平澤竜太郎, 連載「次世代シーケンシングによるバイオ医薬品の安全性評価」；番外編3「AVDTIG Face to Faceミーティング参加報告」, Pharm Tech Japan 36 (4), 669-674, 2020
74) 平澤竜太郎, 連載「次世代シーケンシングによるバイオ医薬品の安全性評価」；番外編4「IABSシンポジウム参加報告」, Pharm Tech Japan 36 (7), 1165-1176, 2020
75) 平澤竜太郎, 連載「次世代シーケンシングによるバイオ医薬品の安全性評価」；番外編5「NGS受託試験企業PathoQuest社訪問記」, Pharm Tech Japan 36 (9), 1575-1579, 2020
76) 河野健, 連載「次世代シーケンシングによるバイオ医薬品の安全性評価」；番外編6「PDA Europe Virtual Conference - Virus Forum参加報告」, Pharm Tech Japan 36 (12), 2139-2147, 2020
77) 日本PDA製薬学会バイオウイルス委員会NGS分科会 (平澤竜太郎ほか), 第9章「バイオ医薬品の連続生産－コスト評価及びウイルス安全性の観点から―」；3. NGSとウイルス安全性」, Pharm Tech Japan 34 (6), 1202-1212, 2018
78) 日本PDA製薬学会バイオウイルス委員会NGS分科会 (井上隆昌ほか), 第2章「バイオ医薬品等のウイルス安全性を考える；2. NGSによるウイルス安全性評価」, Pharm Tech Japan 36 (6), 989-996, 2020
79) Joseph G. Victoria, Chunlin Wang, Morris S. Jones, et al.：Viral nucleic acids in live-attenuated vaccines：Detection of minority variants and an adventitious virus. Journal of Virology, 84：6033-6040, 2010
80) Khan AS, Benetti L, Blumel J, Deforce D, Egan WM, Knezevic I, Krause PR, Mallet L, Mayer D, Minor PD, Neels P, Wang G., Report of the international conference on next generation sequencing for adventitious virus detection in biologicals., Biologicals；55：1-16, 2018.
81) Khan AS, Blümel J, Deforce D, Gruber MF, Jungbäck C, Knezevic I, Mallet L, Mackay D, Matthijnssens J, O'Leary M, Theuns S, Victoria J, Neels P., Report of the second international conference on next generation sequencing for adventitious virus detection in biologics for humans and animals., Biologicals, S1045-1056 (20) 30063-4., 2020
82) 第41回ICH即時報告会　ICH Q5A (R2) (http://www.jpma.or.jp/information/ich/sokuji/pdf/06_ich191218_1.pdf)
83) Ng SH, Braxton C, Eloit M, Feng SF, Fragnoud R, Mallet L, Mee ET, Sathiamoorthy S, Vandeputte O, Khan AS., Current Perspectives on High-Throughput Sequencing (HTS) for Adventitious Virus

Detection : Upstream Sample Processing and Library Preparation. Viruses. 10(10) : 566, 2018

84) Lambert C, Braxton C, Charlebois RL, Deyati A, Duncan P, La Neve F, Malicki HD, Ribrioux S, Rozelle DK, Michaels B, Sun W, Yang Z, Khan AS., Considerations for Optimization of High-Throughput Sequencing Bioinformatics Pipelines for Virus Detection., Viruses ; 10(10) : 528, 2018
85) EBE-EFPIA Position Paper on Next Generation Sequencing (NGS) (https://www.efpia.eu/media/412288/ebe-efpia-position-paper-ngs_final_09102018.pdf)
86) Brussel A, Brack K, Muth E, Zirwes R, Cheval J, Hebert C, Charpin JM, Marinaci A, Flan B, Ruppach H, Beurdeley P, Eloit M., Use of a new RNA next generation sequencing approach for the specific detection of virus infection in cells., Biologicals. 2019 ; 59 : 29-36.
87) Cheval J, Muth E, Gonzalez G, Coulpier M, Beurdeley P, Cruveiller S, Eloit M., Adventitious Virus Detection in Cells by High-Throughput Sequencing of Newly Synthesized RNAs : Unambiguous Differentiation of Cell Infection from Carryover of Viral Nucleic Acids., mSphere. 2019 ; 4(3). pii : e00298-19.
88) Khan AS, Ng SHS, Vandeputte O, Aljanahi A, Deyati A, Cassart JP, Charlebois RL, Taliaferro LP., A Multicenter Study To Evaluate the Performance of High-Throughput Sequencing for Virus Detection., mSphere. 2017 ; 2(5). pii : e00307-17.
89) Sathiamoorthy S, Malott RJ, Gisonni-Lex L, Ng SHS., Selection and evaluation of an efficient method for the recovery of viral nucleic acids from complex biologicals [corrected] . NPJ Vaccines. 2018 ; 3 : 31.
90) Cleveland MH, Anekella B, Brewer M, Chin PJ, Couch H, Delwart E, Huggett J, Jackson S, Martin J, Monpoeho S, Morrison T, Ng SHS, Ussery D, Khan AS., Report of the 2019 NIST-FDA workshop on standards for next generation sequencing detection of viral adventitious agents in biologics and biomanufacturing., Biologicals. 2020 ; 64 : 76-82.
91) Simonyan V and Mazumder R. High-performance Integrated Virtual Environment (HIVE) Tools and Applications for Big Data Analysis. Genes, 2014 ; 5(4) : 957-981.
92) Simonyan V, Chumakov K, Dingerdissen H, Faison W, Goldweber S, Golikov A, Gulzar N, Karagiannis K, Vinh Nguyen Lam P, Maudru T, Muravitskaja O, Osipova E, Pan Y, Pschenichov A, Rostovtsev A, Santana-Quintero L, Smith K, Thompson EE, Tkachenko V, Torcivia-Rodriguez J, Voskanian A, Wan Q, Wang J, Wu TJ, Wilson C, Mazumder R. High-performance integrated virtual environment (HIVE) : a robust infrastructure for next-generation sequence data analysis. Database (Oxford). 2016 ; 20166 : baw022.
93) Draft Guidance for Industry : Testing of Retroviral Vector-Based Human Gene Therapy Products for Replication Competent Retrovirus During Product Manufacture and Patient Follow-up. July 2018(https://www.fda.gov/downloads/BiologicsBloodVaccines/GuidanceComplianceRegulatoryInformation/Guidances/CellularandGeneTherapy/UCM610800.pdf)

第10章 血液製剤と血漿分画製剤

本章では,「Ⅰ 輸血用血液製剤」,「Ⅱ 血漿分画製剤」,および「Ⅲ 組換え血液製剤」について,歴史も含め概説する。

Ⅰ 輸血用血液製剤

はじめに

輸血用血液製剤は,工業的加工などを施さず,基本的にそのまま輸血されるもので,1つの移植ともいわれる。全血製剤と赤血球製剤,血小板製剤と新鮮凍結血漿(Fresh Frozen Plasma:FFP)などの血液成分製剤から成る。一方,血漿分画製剤は,血漿からタンパク質を取り出して製剤化したもので,人免疫グロブリン製剤,アルブミン製剤,血液凝固因子製剤などから成る。

1. 輸血の歴史 [1, 2]

輸血が人の命を救う医療行為として有効ではないか,とする考えは,今から400年ほど前のイギリスの医師ハーベイ(Harvey)による「血液体内循環理論」に端を発する。ハーベイは,体内には赤い液体成分が流れ,この液体成分の全身をめぐる現象が,生命の恒常性維持には不可欠であることを理解していた。この理論を受けて,1665年にはフランスの医師ドニ(Denis)による「異種輸血」が報告されている。これは当時の疾病傷者に対して羊の血を輸血するというものであった。当然受血者は激しい副作用に苦しみ,受血者のほとんどは亡くなった。以来,さまざまな研究・試みが繰り返され1818年にはブランデル(Blundell)による「同種輸血」の実施が報告されるが,今日の輸血の根幹を支える大発見がなされるまでには,なお80余年という長い歳月を待たねばならなかった。

1900年,オーストリアの医学者ランドシュタイナー(Landsteiner)によって,ABO式血液型が発見された。ランドシュタイナーはこの発見によって1930年ノーベル生理学・医学賞を受賞した。ちなみにAB型は少し遅れて1902年に,デカステロ(Decastello)によって発見された。また,1915年にはクエン酸ナトリウムに血液凝固阻止作用のあることが発見された。これらの発見が契機となり,輸血医療は世界中で急速に受け入れられていくこととなった。

今でこそ常識であるが,輸血によって伝播する感染症のあることが明らかとなったのは,そう昔のことではなかった。日本では,輸血が医療として定着すると,輸血を求める医療機関は一気に増え,供血者の確保が追いつかない状態が続いた。戦後の混乱から平穏を取り戻ししば

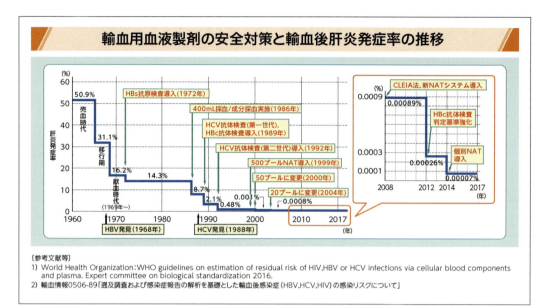

図10-1　日本における輸血後肝炎発症率の推移　出典：厚生労働省 令和元年度版 血液事業報告

らくすると，国全体が貧しいながらも輸血医療が着実に進展していく時代を迎えた。そのような社会的背景の中で，自分の血液を売って収入を得る「売血者」が多く出現した。当時，日本国民の栄養状態は劣悪であり，また金銭目的の供血行為ということで，供血も頻回となり，得られる血液が「黄色い血液」と蔑称されることもあった。しかし，当時の輸血医療を支え，多くの患者の命をつなぎとめたのも歴然とした事実であった。ところが時を経て，供血のあり方を根本から改めさせられる出来事，「ライシャワー事件」が発生した。1964年，当時のアメリカ駐日大使であったライシャワー(Reischauer)が暴漢に襲われ重傷を負った。大使は一命をとりとめたものの，日本で受けた輸血が原因となってC型肝炎ウイルス(HCV)に感染し，肝硬変，肝がんを発症し，事件から20数年後に亡くなった。この事件が契機となって，供血は移行期間を経て，当時多数あった民間経営の血液銀行から日本赤十字社に一本化され，「売血」から「献血」へと代わっていった。輸血用の血液が100％献血でまかなわれている国は，わが国を含め，決して多くはない。「献血は，受血者を思いやる無償の行為」，という考え方が浸透している証である。

　供血のしくみが整備されたことで，また，血液を介して感染するウイルスの検査が徹底されたことで，今日では，輸血後肝炎の発生はまれである(**図10-1**)[3]。しかしながら，歴史が示すとおり，血液製剤には感染性因子混入のリスクがつきまとう。このリスクを「極力減じる」ための対策を講じる一方で，100％のウイルス安全性を担保できるものではないことを，受血者に対して十分説明することが求められる。

2．輸血用血液製剤ができるまで

　採血は，全国の血液センター，献血ルームや血液センター出張所などで行われる。また，全

表10-1　献血時に行われる検査

- 血液型検査：ABO血液型検査，Rh血液型検査，不規則抗体検査，HLA検査（一部）
- 抗原・抗体検査：梅毒血清学的検査，B型肝炎ウイルス検査（HBs抗原，HBs抗体，HBc抗体），C型肝炎ウイルス検査（HCV抗体），ヒト免疫不全ウイルス（HIV）検査（HIV-1，2抗体），HTLV-1抗体検査，ヒトパルボウイルスB19検査
- 核酸増幅検査：B型肝炎ウイルス検査，C型肝炎ウイルス検査，E型肝炎ウイルス検査*，HIV検査
- 生化学検査
- 血球計数検査（成分献血・400mL献血者）

＊：2020年8月5日より検査項目に追加された。

国には数多くの移動採血車が稼動しており，職場や学校，街頭での採血も行われる。全血献血では採血量として200mLと400mLの2種類があるが，400mL採血のほうが，受血者にとっては献血者の数が少なくなることから輸血副作用に関するリスクが低くなる。献血の手順として，①献血受付（本人確認），②質問への回答記入（問診票への記入），③問診および血圧測定，④ヘモグロビン濃度測定，血液型事前判定，が行われ，それらの結果に基づき，医師によって献血可否の判断がなされる。また献血基準として，男性では体重45kg（成分献血および200mL全血献血）あるいは50kg以上（400mL全血献血），女性では40kg（成分献血および200mL全血献血）あるいは50kg以上（400mL全血献血），さらに年齢制限や年間献血回数なども，製剤ごとに細かく決められている。これらの基準をすべてクリアすることで，はじめて献血が可能となる。献血された血液は，検査施設のある血液センターに集められ，血清学的検査などが行われる。この検査項目には，血液型検査，抗原・抗体検査，生化学検査，血球計数検査，核酸増幅検査（NAT）などが含まれる（**表10-1**）[4]。検査に合格した原料血液は，副作用の原因となる白血球を除去（Leukocyte Reduction：LR）するため，140cmの落差によって白血球除去フィルターを通過させる。これが，全血製剤「人全血液-LR」となる。さらに遠心分離で赤血球を濃縮したものが「赤血球濃厚液-LR」であるが，用途に応じて「洗浄赤血球-LR」や「解凍赤血球-LR」，また「合成血-LR」が製造される。

　1990年代ごろより，成分採血が広く行われるようになっている。これは，必要な血液成分だけを採る採血方法であり，献血者の体への負担が少ない。この方法によって「濃厚血小板-LR」，「濃厚血小板HLA-LR」などが製造される。なお輸血用血液製剤の製造過程（全血採血，成分採血とも）において，「新鮮凍結血漿-LR」が得られるが，この一部は血漿分画製剤用原料血漿としても供給される。全血製剤，赤血球製剤，血小板製剤については「移植片対宿主病（Graft-Versus-Host Disease：GVHD）」と総称される免疫反応を避けるため，15～50グレイの放射線を照射した製剤を供給することも可能である。このような製造過程を経て供される輸血用血液製剤であるが，血液は本来，体の恒常性維持に必要なさまざまな機能を有する多種細胞成分の混和物である。そのため基本的に，血小板減少症状を呈する患者には血小板のみを，貧血や赤血球の機能の低下した場合では赤血球のみを，血液凝固因子の欠乏などによって「特定の」血漿分画製剤ではまかなうことのできない，例えば複数の凝固因子の欠乏が原因と考えられる場合には新鮮凍結血漿によって，という考え方に則り，必要な成分だけを必要量速やかに輸注することが重要である。これを全血製剤でまかなうには大量の輸血が必要となり，多くの供血者に献血のお願いをすることになる。何よりも供血者・受血者双方に対する負担は甚大

である。この点からも，成分採血・成分輸血は大変重要である。

3. 輸血用血液製剤の感染症対策

　従来，ウイルス検査は，ウイルスに対する抗体やウイルス抗原を検出する方法で行われてきた。しかし，ウイルス感染後，体内に抗ウイルス抗体が作られるまでにはある程度の時間を要する。ウイルス感染しているにもかかわらず，検査で陽性とならない期間のことを「ウインドウピリオド」と呼ぶ。血清学的検査のウインドウピリオドは，ウイルスごとに異なり，HBVでは59日，HCVでは82日，HIVでは22日とされていた。ウインドウピリオドの間に採血が行われた場合，検査合格として血液が出荷される可能性があったため，1999年にNATが導入された。NATは，ウイルス遺伝子に特異的な一部分を指数的に増幅させることで，血清学的検査よりも早期に，ウイルス感染の有無を把握することができる。当初は複数の献血をひとつのサンプルとしてプールして測定していたが感度の向上を図るためにプールサイズを小さくする努力が行われ，最終的に2014年8月には，献血者1人分の血液ごとに行う「個別NAT」となった[5]。この個別NAT導入によりウインドウピリオドは大幅に短縮された。現在では世界各国において，供血血液に対するスクリーニングは血清学的検査にNATを加えて行われている。対象とするウイルスや，核酸抽出方法，検出方法に国による多少の違いはあるものの，わが国におけるNATの感度は世界最高水準である。繰り返しになるが，検査には限界があり検出限界以下のウイルスの混入や，われわれの知らないウイルスが含まれている可能性が残り，これらのウイルスや細菌，原虫などの感染の可能性を，残念ながら完全に否定することはできない。したがって，輸血用血液製剤を介した感染症の発生を防ぐため，世界での感染症に関する情報（発生国，患者数，症状，重篤度，感染経路，ヒトへの伝播の可能性など）収集を継続することが肝要である。特定生物由来製品および生物由来製品を製造する企業には，感染症定期報告が義務づけられており[6]，有効成分ごと半年に一度，当局に新しく入手した感染症情報を取りまとめて報告する。このような情報収集による安全対策もとられている。

　近年になってもさまざまなウイルスが現れ続けている（**表10-2**）。国内で初めて輸血によるE型肝炎ウイルス（HEV）感染が2002年に報告された。陽性率が高い北海道では試行的にHEV-NATが実施されていたが，国内献血者におけるHEVの感染状況，病態，臨床経過等の調査の結果，2020年8月5日より国内すべての献血血液に対しHEVの個別NATスクリーニングが導入された[7]。

　血液により伝播する可能性のあるウイルスは他にも確認されている。2014年に国内では，約70年ぶりに蚊が媒介するデングウイルス（Dengue virus）の感染が報告された。この時，問診等による対応がとられ輸血による伝播の報告はなかった。2015年には，ブラジルでジカウイルス（Zika virus）のアウトブレイクが発生し輸血による感染も認められた。日本ではジカウイルスの感染報告はないが，このようなウイルスに対しては継続的な情報監視などの対応が不可欠である。

　2019年12月には新型コロナウイルス（SARS-CoV-2）が中国湖北省武漢市で出現し，その後，世界的なアウトブレイクとなりこれまでの日常を一変させた。同じコロナウイルスである

表10-2　新興再興感染症（一部）

ウイルス名	分離年または注目された年
エボラウイルス	1976
ハンターンウイルス	1976
ヒトTリンパ球向性ウイルス	1981
ヒト免疫不全ウイルス	1983
ヒトヘルペスウイルス6型	1986
C型肝炎ウイルス	1989
ハンタウイルス	1993
ヒトヘルペスウイルス8型	1994
ヘンドラウイルス	1994
トリインフルエンザウイルス（A型）	1997
ニパウイルス	1999
ウエストナイルウイルス	1999
ヒトメタニューモウイルス	2001
E型肝炎ウイルス	2002：国内で輸血後感染が確認された
SARSコロナウイルス（SARS-CoV）	2003
新型インフルエンザA（H1N1pmd09）	2009
MERSコロナウイルス	2012
SFTSウイルス	2012
デングウイルス	2014：国内で約70年ぶりに感染者が確認された
ジカウイルス	2015：ブラジルでアウトブレイクが発生
新型コロナウイルス（SARS-CoV-2）	2019：中国武漢市でアウトブレイクは発生し，その後，世界的なアウトブレイクとなる

　SARSやMERS，またH1N1インフルエンザのような呼吸器に感染するウイルスは，輸血による伝播は世界で一例も報告されていない[8]。同様にSARS-CoV-2もこれまでのところ血液を介した伝播の報告は確認されていない。しかし，感染性の有無は不明であるもののCOVID-19患者の血中からSARS-CoV-2のRNAが検出されている[9,10]。また武漢市の血液センターによる調査では4名の献血者から同RNAが検出されている[11]。なお，これらの献血血液から製造された血液製剤はすべて回収されており，検出されたRNAはいずれも極めて低濃度であったとされている。

　SARS-CoV-2は，血液を介した伝播の報告を認めていないが，実際にその感染リスクがゼロであることの証明は非常に困難である。そのため感染伝播の可能性を完全には否定できないことを念頭に置き，安全対策が実施されている。SARS-CoV-2のリスク評価については，さらなる研究結果を待たなければならない。

おわりに

　本項では，輸血用血液製剤に焦点をあて，その歴史や問題点などを概説した。輸血の安全性は格段に向上したものの，本項で紹介したもの以外の新たな感染症因子の出現が十分に想定される。また，ここではほとんど論じることはできなかったが，輸血用血液製剤による副作用についても解決すべき問題は残る。輸血用血液製剤は，古くからある生物由来製品であり，さま

ざまな経験を経てきた。この歴史の中で経験した教訓が，新しいバイオ医薬品のために生かされることを願うばかりである。そして本項が，輸血用血液製剤の一端を理解するうえで，資するところとなれば，大変な幸せである。

II 血漿分画製剤

はじめに

　第I項では，血液製剤のうち，輸血用血液製剤に焦点をあて，その歴史や医療行為としての位置づけ，さらに副作用に至るまで，幅広く紹介した。第II項では，血漿分画製剤について，その歴史，感染事例，種類と製造法，品質管理試験ならびにウイルス安全性対策を中心に概説する。

　血液製剤は「輸血用血液製剤」と「血漿分画製剤」に大別され，前者はさらに「全血製剤」と「血液成分製剤（血漿，血小板，赤血球製剤）」に，後者はアルブミン製剤，人免疫グロブリン製剤および血液凝固因子製剤などに分類される。血漿分画製剤も人体の一部である血液から作られる製剤であり，その使用は一種の臓器移植と考えることができる。善意の献血により得られた血漿は有限であることを考えると，血漿分画製剤の使用に当たっては慎重な適応対象の選択と評価を常に行っていく必要がある。1970年代半ば以降普及してきた成分輸血（血液を成分に分けて輸血）は現在ではすっかり定着しているが，血漿分画製剤の使用にはさらに「不必要な成分の混入が少なく，それにより輸血副作用が低減される」など，製剤として，輸血用血液製剤にはない，有利な特性を兼ね備えている（**表10-3**）。近年，血漿に含まれるタンパク質の単離・精製技術やウイルス不活化／除去技術はめざましく進歩しており，現在では高度に純化された安全性の高い製剤が治療の場で使用されている。一方で，原料として血漿を使用するという特殊性から，既知・未知を問わずウイルスなどの感染因子混入リスクへの対策が不可避であり，血漿分画製剤での治療は疾病の治療上の必要性を特に十分検討した上で行われている。

表10-3　血漿分画製剤の優れた特性

1．同じ原料血漿からさまざまな製剤が製造できる（血液の有効利用）
2．血液型に関係なく投与できる（使用の拡大）
3．高純度であり，不必要な成分を低減できる（副作用の低減）
4．ウイルス不活化／除去処理を施すことができる（ウイルス安全性の向上）
5．製剤化によりタンパク質の安定性が高まる（有効期間の延長）

1．血漿分画製剤の歴史[12]（図10-2）

　1900年にランドシュタイナー（Landsteiner）によるABO式血液型の発見により，輸血の歴史が始まり，その後，1936年にアメリカで血液を血球と血漿に分けて投与する成分輸血が試みられるようになった。さらに1939年には血漿の凍結乾燥製剤化による利便性が図られ，ほどなく

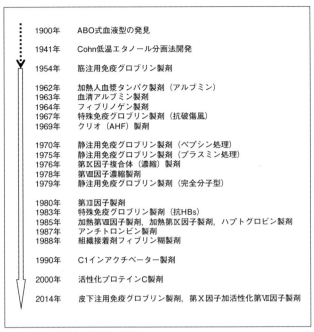

図10-2 血漿分画製剤の開発

して，血漿中の有用なタンパク質を個別に分離・精製した血漿分画製剤の開発が開始された。世界大戦をきっかけとして1941年にハーバード大学のEdwin. J. Cohnらにより開発された低温エタノール分画法はpH，イオン強度，エタノール濃度，タンパク質濃度および温度（Cohnの5変数）を変化させることにより，免疫グロブリンやアルブミンに代表される血漿タンパク質を次々に分離することが可能な優れた方法であり，現在でも主要な血漿分画製剤メーカーによって採用されている[13]（**図10-3**）。

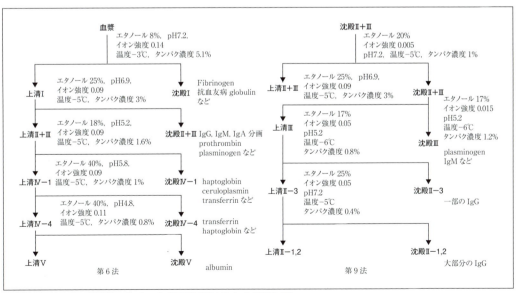

図10-3 Cohnの低温エタノール分画法（第6法および第9法）

わが国で輸血が盛んに行われるようになったのは1945年（第2次世界大戦）以降であり，院内輸血（いわゆる枕元輸血）が普及した。血漿分画製剤では，1954年から1963年にかけて筋注用人免疫グロブリン製剤とアルブミン製剤が順次市販されたのがはじめである。1975年頃から医療の高度化に伴い，アルブミン製剤が汎用されだし，続いて静注可能な酵素（ペプシン，プラスミン）処理人免疫グロブリン製剤が市販され医療に大きく貢献するようになった。さらに1979年から完全分子型（インタクト）人免疫グロブリン製剤が登場した。インタクト製剤は酵素処理製剤（不完全分子型）のデメリット（Fc部分がないため，血中半減期が短いなど）を補い，多くのメリットがあることから使用頻度はさらに高まることとなった。

アルブミン製剤，人免疫グロブリン製剤と並ぶ群として血液凝固因子製剤があるが，代表的なものは，血友病Aの患者に投与される第Ⅷ因子濃縮製剤と血友病B患者用の第Ⅸ因子（複合体）製剤である。日本では，1976年に第Ⅸ因子複合体製剤，1978年に第Ⅷ因子濃縮製剤が販売され，血友病AおよびB患者への補充療法で使用されたことにより，血友病患者の生活の質は改善された。しかしながら，当時の血液凝固因子製剤では，製造工程でのウイルス不活化／除去が不十分であり，肝炎の伝播をはじめ，その後のHIVのようなウイルス感染への対策という大きな問題が残されていた。この問題は，1985年に加熱第Ⅷ因子製剤と加熱第Ⅸ因子製剤が市販されたことにより，安全確保に向けて大きく前進することになった。その後も，他の分画製剤と同様にSolvent/Detergent処理（以下，S/D処理）やウイルス除去膜などに代表されるウイルス不活化／除去工程の導入を通じて安全性の向上が図られている。

その他の製剤では，血液凝固反応を阻害し制御する働きを持つアンチトロンビンⅢ製剤が1987年に，血液凝固の最終相で形成されるフィブリンの膠着性を利用したフィブリノゲンを主成分とするフィブリン糊製剤が1988年に市販されるなど，現在多種の血漿分画製剤が医療現場で疾患の治療に供されている。

なお，わが国では献血による血漿分画製剤の国内自給化が進行中であり，ウイルス安全性に対しても原料血漿でのウイルス検査，ウイルス不活化／除去工程の積極的な導入とその評価，さらに工程の持つウイルス不活化／除去効果（総ウイルスクリアランス指数）に具体的な数値目標を設定するなど，安全確保に重点を置いた対策がとられている。

2. 血漿分画製剤の感染事例

血漿分画製剤は1バッチあたり，原料として数千から数万人分の血漿を使用することから，既知のウイルスであっても十分に検出できない量や，未知のウイルスの混入を否定することができないため，ウイルスなどの感染性因子が混入するリスクへの対策が必須である。現在では輸血用血液製剤の安全対策に加え，後述の原料血漿の貯留保管，製造工程でのウイルス不活化・除去処理，最終製品のNATが実施されており，感染症に対する安全性は格段に向上している。しかしながら，原因ウイルスが同定・発見され，検査方法が確立される以前には感染事例が報告されている。

HIV，HCVの感染事例は，ともに当時ウイルスを不活化するための加熱処理が行われていなかった非加熱の凝固因子製剤，フィブリノゲン製剤の使用によるものであり，これらは薬害

として知られている。

　また，1994年米国において人免疫グロブリン製剤によるHCV感染事例が発生した[14]。HCVに対しては抗体検査が実施されており，当時スクリーニング方法の向上により原料血漿から抗HCV抗体がすべて除かれるようになった。しかし，微量のHCVの混入を防ぐことはできていなかった。そのため，原料血漿にHCVが混入した場合，ウイルスは中和されず，また製造工程でも除去されなかったことから感染事例に至ったと考えられている。もしスクリーニング方法が抗原検査であったら，この事例は起きなかったかもしれない。

　その他に混入の可能性があり，1990年代後半に感染事例が報告されたウイルスとして，伝染性紅斑の原因ウイルスとして知られるヒトパルボウイルスB19 (PVB19)がある。PVB19は上述3ウイルス (HBV，HIVおよびHCV)とは異なり致命的ではなく，また日本人の過半数が感染既往を示す抗体陽性である。しかし，妊婦に感染した場合，胎児水腫や死産のリスクがあることから，原料血漿のスクリーニング対象となっている。さらにスクリーニングの基準も他の3ウイルスとは異なる。他の3ウイルスはNATで検出できないことを前提としたスクリーニングであるのに対し，PVB19では，化学発光免疫測定法 (CLIA)によるカットオフ値を定めた抗原スクリーニングを実施している。これは，PVB19が多くの国民で感染既往であるため，NATのように検出感度の高い検査システムですべての血漿を排除すると原料血漿が不足し，製剤を供給できなくなるためである。なお，各血漿分画製剤の製造工程には不活化，除去工程が含まれ，最終製品はNATでPVB19が検出されないことを確認して出荷されている。

　なお，感染事例とその対策については，日本PDA製薬学会バイオウイルス委員会によりまとめられ，Pharm Tech Japan 29(7)：1257-1262, 2013に報告されている。

3. 血漿分画製剤の種類と製造工程

　工業規模でプール血漿から臨床的に有用なタンパク質を分画する方法としては，前述のCohnの低温エタノール分画法が代表的である。この分画法で得られた血漿タンパク質の画分に対し，純度を上げるための処理，例えばポリエチレングリコール (PEG)処理，各種クロマトグラフィー (ゲルろ過，イオン交換，アフィニティークロマトグラフィー)等を施し，さらにウイルスに対する安全性を向上させるため，ウイルス不活化／除去工程を導入した上で最終製剤とする。代表的な血漿分画製剤とその製造法について以下に概説する。

(1) アルブミン製剤

　原料血漿からCohnの低温エタノール分画法で得られるアルブミン製剤は，最終的な純度により，「加熱人血漿タンパク」と「人血清アルブミン」の2種類に分類される。加熱人血漿タンパク製剤は，アルブミンの純度が総タンパク質の80％以上で，製剤中のアルブミン濃度は4.4％のみ，一方の人血清アルブミンでは，アルブミンの純度が総タンパク質の96％以上であり，製剤中のアルブミン濃度も5，20，25％の製剤がある。主な機能としては，①血中膠質浸透圧の維持，②各種金属物質 (カルシウム，銅，ニッケルなど)の運搬，③栄養素 (アミノ酸，脂肪酸)の運搬があげられる。一方でウイルス安全性対策として，後に述べる原料血漿のスク

リーニングに加え，幅広いウイルスに有効な液状加熱（60℃，10時間）が施される。アルブミン製剤は1940年代から使用されているが，明らかなウイルス感染の報告はない[15]。Cohnの低温エタノール分画法により，血漿からアルブミン画分（沈殿V，図10-3参照）を得る工程で種々のエタノール濃度（8〜40％）で分画を繰り返すことが高いウイルス除去または不活化効果の一因という見方もできる。アルブミン製剤については，低栄養状態へのタンパク源の補給や検査値の補正のみを目的とした根拠の明確ではない使用が問題とされたが，「血液製剤の使用適正化基準（1986年）」から「血液製剤の使用指針（1999年策定，2005，2017年改訂，2018年一部改訂）」に至る指針により，適正使用が推進されている。また，当該指針の中で，アルブミン製剤の国内自給の推進においてアルブミンの適切な使用が重要である旨も言及されている。

（2）人免疫グロブリン製剤

免疫グロブリンの生体内での役割は感染症の予防と治療への過程における生体防御活性の発現があげられる。人免疫グロブリンには，IgG，IgA，IgM，IgDおよびIgEの5つのクラスが存在するが，全体の80％を占めるIgGが製剤として精製する対象である。その製造法は原料血漿からCohnの低温エタノール分画法により，沈殿Ⅱ（沈殿Ⅱ-1，2およびⅡ-3）として回収される画分に精製のためのさまざまな処理を施すことによる。静注用グロブリン製剤は筋注用グロブリン製剤のデメリット（投与時の疼痛，速効性がない，大量投与ができない）を補うために開発された経緯があるが，それでも静注の際にわずかに含まれる不純物や免疫グロブリンの凝集物により補体の活性化を介したアナフィラキシー様症状を呈することがある。この現象を改善するため，処理法の異なる製剤が種々開発されている（**図10-4**）。酵素処理法（ペプシン，プラスミン）はIgGとその凝集物のFc部分を消化分解する方法であり，化学的処理法（スルホ化，アルキル化）は完全分子型のままで鎖間ジスルフィド結合を修飾することにより抗補体作用を減

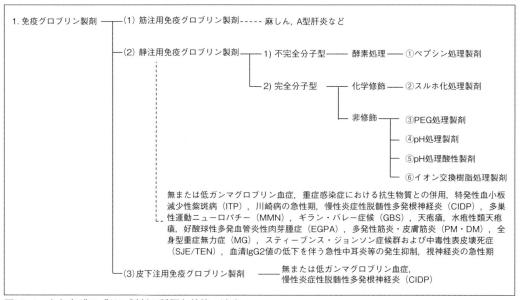

図10-4 人免疫グロブリン製剤の種類と効能，適応

弱させる方法である。またIgG凝集物の少ない精製法としてポリエチレングリコール(PEG)処理法やイオン交換樹脂処理法がある。皮下注用グロブリン製剤は，利便性向上を主目的として開発された比較的新しいグロブリン製剤である(図10-2)。静注用製剤と比較し高濃度であり，在宅での自己注射も可能となっている。ウイルス安全性対策として，原料血漿のスクリーニングに加え，加熱処理，ウイルス除去膜処理，S/D処理，低pHインキュベーション処理などのウイルス不活化／除去工程が導入されており，その工程も製剤によりさまざまである。PEG処理工程や酵素消化処理工程は本来の目的とは別にウイルス除去または不活化効果を有するという報告もあり，過去から現在に至るまで，人免疫グロブリン製剤は高いウイルス安全性を確保した製剤であるといえる。

　2019年に中国武漢市で発生後，世界中でパンデミックを引き起こした新型コロナウイルス(SARS-CoV-2)によるCOVID-19の治療薬として，COVID-19回復者の血漿から分離される特殊人免疫グロブリン製剤(SARS-CoV-2に対するポリクローナル高度人免疫グロブリン製剤)の有効性が検討されている。COVID-19回復者血漿の確保，迅速な開発・製造，およびグローバルな流通を目的に，血漿分画製剤メーカーを中心にアライアンス(CoVIg-19 Plasma Alliance)が構築されている(2020年7月現在)。

(3) 血液凝固因子製剤

　血液凝固因子の遺伝的な欠損症や異常症の中で最も多いのが，血液凝固第Ⅷ因子の欠乏症である血友病A，次いで血液凝固第Ⅸ因子の欠乏症である血友病Bである。現時点において，献血血漿を原料とする血友病A補充療法製剤として第Ⅷ因子製剤が3製剤，血友病B補充療法製剤として第Ⅸ因子製剤が3製剤，販売されている。新鮮凍結血漿(全血を6時間以内に遠心分離し−30℃で凍結した血漿)を冷融解後，遠心分離により上清(クリオ上清)と沈殿(クリオ)に分け，第Ⅸ因子製剤はクリオ上清から，また第Ⅷ因子製剤はクリオから精製することで製造されている。1985年以降は製剤投与によるHBV，HCVおよびHIVなどのウイルス感染対策として，後述する献血時のウイルス検査や工程へのウイルス不活化／除去工程(S/D処理，加熱処理，ウイルス除去膜処理など)が導入され，これらにより上記3ウイルスにとどまらずウイルス安全性は格段に向上した。なお，血友病A患者に反復して第Ⅷ因子製剤を輸注した結果として，第Ⅷ因子に対する中和抗体(インヒビター)が発生することがある。また，血友病B患者においても，同様にインヒビターが発生する。インヒビターが出現すると通常の補充療法では止血効果が著しく低下するため，インヒビターにより失活する第Ⅷ(Ⅸ)因子を経由せずに迂回して止血させるバイパス療法剤が用いられる(図10-5)。

図10-5　血液凝固因子製剤の種類とその適応

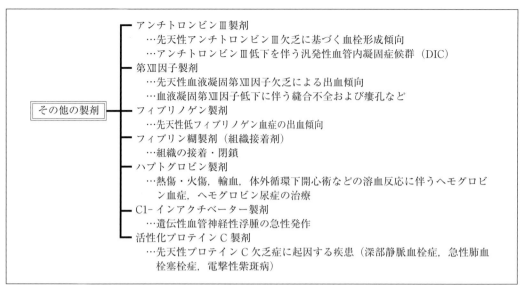

図10-6 その他の血漿分画製剤とその効能

(4) その他の血漿分画製剤

その他の血漿分画製剤の種類と効能を図10-6にまとめた。ウイルス感染対策として，献血時のウイルス検査やウイルス不活化／除去工程が積極的に導入されており，現在の技術水準に照らして安全性が確保されている点はアルブミン製剤，免疫グロブリン製剤および血液凝固因子製剤と同様である。

4. 血漿分画製剤の品質管理試験

血漿分画製剤の上市品は，医薬品として，製造管理・品質管理にかかわる法規であるGMPの基準に従っているが，生物学的製剤基準としての基準が別途設けられ，内容の充実が図られてきた歴史がある。血液製剤を含む生物学的製剤に対する基準として，「生物学的製剤基準」が昭和46年7月に公示された。その後，生物学的製剤に関する科学技術の進展，各種新試験法の開発，ヒトまたは動物の生物由来原料を用いた製品の安全性確保に対する関心の高まり等の状況に対処し，昭和60年，平成5年，平成16年と改正がなされている。平成16年の全面改正では，生物由来原料基準（平成15年厚生労働省告示第210号）および日本薬局方ならびにWHO基準等の国際的な基準との整合性も図られた。

生物学的製剤基準は，医薬品各条に掲載されたワクチン，血液製剤等の生物学的製剤医薬品について，その製法，性状，品質，貯法等に関する基準を定めたものである。人全血液以下の血液製剤には，生物学的製剤基準の「通則」の適用に加え，生物由来原料基準の「第2血液製剤総則」（血液製剤総則）が適用される。当該医薬品の適否は，通則，血液製剤総則，医薬品各条および一般試験法の規定によって判定される。

血漿分画製剤の品質管理試験は，前記基準のみならず，各製剤の承認書による規定や製剤メーカーが独自に設けた内部基準に基づき実施されている。血漿分画製剤は人血漿を原料とす

る生物学的製剤であるという特殊性を有するため、その活性単位（力価）を規定する試験方法は、次項で述べるウイルス検査にかかわる試験と同様、特に重要となる。血漿分画製剤の力価試験は生物学的製剤基準の医薬品各条に記載があるが、力価は、標準品があるものについては、それぞれの標準品と比較して求めた単位として定められる。また、WHOの国際標準品のあるものは、国際単位の1単位と同等の力価を持つ参照品を設定し、それを1単位としている。

5. 血漿分画製剤のウイルス安全性

血漿分画製剤では、献血時の問診に始まり、ウイルス検査（血清学的検査およびNAT）、製造工程への積極的なウイルス除去・不活化工程の導入、さらに最終製品でのウイルス検査まで、一貫したウイルス安全性対策が施されている。これは過去に経験した血液製剤によるウイルス感染問題を教訓として、二度と繰り返さないという強い姿勢の表れであり、これらにより高いレベルでウイルス安全性が保たれている。以下のうち①から③は日本赤十字社、④から⑥は製剤メーカーでの対応となる。

①献血時の問診および診察

血液製剤の安全性はどのような供血者から採血するかによるところが大きい。問診はスクリーニング検査を実施していない感染症や、検査を実施しても検出できない感染初期（ウインドウピリオド）の血液を除外する有効な手段である。

②ウイルス検査（血清学的検査およびNAT）

問診を経て採血された血液に対してHBV、HCVおよびHIVの血清学的検査（抗原または抗体）および個別NATが実施される。個別NATの導入により、ウインドウピリオドが短縮され、原料血漿へのウイルス混入の可能性が大幅に低減される。

③原料血漿での貯留保管

ウイルス検査をパスした原料血漿は、その後2カ月の間、貯留保管される。NATの導入により、HBV、HCVおよびHIVのウインドウピリオドは短縮されたが、検査時にウインドウピリオドであった可能性を完全には否定できないため、当該期間内に再献血時の検査結果や過去の供血歴から血液製剤等への混入の可能性が認められた場合（献血者からの情報）や副作用感染症報告により、使用した血液製剤等で受血者または患者への病原体感染が疑われた場合（医療機関からの情報）には、原料血漿から除外される。

④原料プールでのNAT

「血漿分画製剤のウイルス安全対策について」（薬食審査発第1107001号、薬食安発第1107001号、薬食監発第1107001号、薬食血発第1107001号 平成15年11月7日）では貯留保管を経て、日本赤十字社から製剤メーカーに移された原料血漿について原料プールを製造した段階でHBV、HCVおよびHIVに対するNAT（検出限界100 IU/mLの精度）実施を要求している。このNATで、

いずれかのウイルス陽性となった原料プールは使用されることはない。一方で，遡及調査等により原血漿にNATで陽性となった血液の混入が判明した場合，「混入したウイルスの種類および量（理論的な上限値を含む）が特定され，かつ，製造工程において当該ウイルスが十分に除去・不活化されることが確認されれば，個別の分離血漿の段階にある原血漿を除き，当該製剤（ロット）を回収する必要はないものとすること」が明確に提示されている。具体的にはHBV，HCVおよびHIVの総ウイルスクリアランス指数として9以上（混入したウイルスを$1/10^9$以下まで不活化／除去する能力を検証すること）が要求されている。この値は当時献血後に日本赤十字社で実施されていたミニプールでのNATの検出感度からウイルスの混入量を算出し，さらに安全閾値として3乗分を上乗せすることで設定されたもので（**表10-4**），9以上であれば，販売後の遡及調査により，原料血漿に当該ウイルスの混入が疑われる場合であっても回収の必要はないとされている。これらはわが国の血漿分画製剤の製造工程あるいはウイルスクリアランス工程を設計する上で重要な指標とされている。

⑤ウイルス不活化／除去工程の導入

原料プールでのNATをすり抜けたHBV，HCVおよびHIV，さらにその他のウイルス（未知ウイルスを含む）の原料プールへの混入を想定し，ウイルスを積極的に不活化／除去する工程（**表10-5**）を製造工程に導入し，ウイルスクリアランス試験により，製造工程の持つウイルスクリアランス能力を評価することが義務づけられている（「血漿分画製剤のウイルスに対する安全性確保に関するガイドラインについて」医薬発第1047号，平成11年8月30日）。ウイルスクリアランス試験はウイルス不活化／除去を目的に導入した工程以外にも，効果の期待できる精製工程（エタノール分画工程，カラムクロマトグラフィー工程等）も加え実施され，総ウイルスクリアランス指数は製剤ごとにまとめられている。ウイルスクリアランス試験については第8章で詳細に述べられている。

表10-4　総ウイルスクリアランス指数の目標レベル

ウイルス	NAT検出感度	ミニプールサイズ[※2]	個別バッグ容量	安全閾値
HBV	100copies/mL[※1]	50[※2]	200mL	10^3
HCV				
HIV				
100 copies/mL×50ミニプール×200mL×10^3（安全閾値）＝10^9

※1：HCVの単位はIU/mL
※2：2014年8月から個別NATが実施されている
（HBV：4.3 IU/mL，HCV：3.0 IU/mL，HIV：18.0 IU/mL）

表10-5　ウイルス不活化／除去工程の種類

ウイルスクリアランスのメカニズム	処理法	具体例
不活化	加熱処理	液状加熱，凍結乾燥加熱，他
	化学処理	S/D処理，低pH処理，他
除去	ろ過	ウイルス除去膜処理，他
	カラムクロマトグラフィー	イムノアフィニティークロマトグラフィー，イオン交換クロマトグラフィー，他
分配／除去	沈殿分画法	エタノール分画，硫安分画，PEG処理，等

血液製剤と血漿分画製剤 第10章

⑥**最終製品でのウイルス検査（血清学的検査およびNAT）**

①〜⑤を経て製造された製品に対し，最終の安全性確認として再度ウイルス検査（NAT等）が実施される。

6. 新興再興感染症について

　新興再興感染症で特に輸血と関連づけられるものとして，HEV，デングウイルスやジカウイルスがあげられたことは，前項「輸血用血液製剤」の中で紹介した。輸血用血液製剤では，これらのウイルスが輸血により感染する可能性が明らかとなった場合，いち早く情報を整理し，対策をとることが重要であり，この点は血漿分画製剤も同様である。一方で異なる点として，血漿分画製剤ではその製造工程で極めて高率にウイルスが不活化／除去され，さらにウイルスクリアランス試験結果から各製剤の安全性（ウイルス混入を想定した場合の製造工程による不活化／除去効果）をある程度予想することができるため，それらが具体的な対策を行う上での有力な情報となる。ただし前提としてウイルスの基本的な情報（サイズ，エンベロープの有無，物理化学的耐性など）が必須となる。例えば，COVID-19の原因ウイルスであるSARS-CoV-2のRNAは感染者の血液中から微量検出されることが報告されている[10,11,16〜18]。しかしながら，エンベロープウイルスであることとそのサイズからS/D処理とウイルス除去膜により極めて効果的にSARS-CoV-2は不活化・除去できると予想される。さらに，同属のウイルスであるSARS-CoVが液状加熱処理により効果的に不活化されることから[19]，液状加熱処理も有効と考えられる。ただし，どんな対策も感染の可能性を完全に否定するものではないことに留意するべきである。

　血漿分画製剤のみならず生物由来製品については，ウイルスを含む感染症に対する安全性確保に限界があるという考えから，GVP（Good Vigilance Practice）に基づく感染症の情報監視が行われている。製造販売業者は，製品からの感染症の伝播が否定できない症例の報告を医療機関から受けた場合は，15日以内に当局へ報告することなどが義務づけられている。これは医薬品からの感染症の伝播に対して遅滞なく対応するための仕組みであり，過去の感染事例が契機となって定められた。

　プリオン病への対策として，血液製剤では感染の原因とされる異常プリオンの混入を極力回避するため，献血時の問診による献血者の選定（海外渡航歴など）を行っており，血漿分画製剤では製造工程の持つ異常プリオン除去効果をスパイク実験により検証することが規制当局からも要求されている（「ウシ等由来物及び人由来物を原料として製造される医薬品，医療用具等の品質及び安全性確保の強化について」薬食審査第0725001号，薬食血発第0725002号，平成15年7月25日）。現在までに血漿分画製剤の投与によりvCJDに感染したという確かな報告はなく，加えて製造工程のエタノール分画やウイルス除去膜処理（小孔径）により異常プリオンが低減されるという文献は多数報告されている[20〜22]。一方で血中での存在形態など不明な点も多く，血漿分画製剤による伝播のリスクが完全に排除されていないことから，添付文書にはその旨が記載されており，投与の際に注意の喚起を促している。今後の課題としては，血中での異常プリオンの存在形態の解明とクリアランス試験条件（スパイク材料，分析法）の標準化などがあげ

られる。

おわりに

　血漿分画製剤について，その種類，製造法，品質管理試験ならびにウイルスに対する安全性を中心に概説した。

　血漿分画製剤はヒトの血液を原料として製造されたものであり，その供給は貴重で有限な血液の量に依存している。したがって，安定供給に対する十分な考慮が必要であり，血液の有効利用と適正な使用が重要となる。また，血液に由来するウイルス等の感染因子への安全対策が欠かせず，血漿分画製剤の安全性確保のためのさまざまな対応がとられている。これにより，血漿分画製剤のウイルス等の感染因子に対する安全性は飛躍的に向上した。しかしながら，血漿分画製剤の安全対策に終わりはないため，科学技術の進歩を反映して，常に更新されることが求められている。

　貴重な血液を無駄にしないという観点から，血漿分画製剤の安全性評価に当たっては，過剰な懸念だけを先行させることなく，科学的で合理性に基づいた実態把握と検証が必要とされる。

Ⅲ　組換え血液製剤

はじめに

　第Ⅰ項および第Ⅱ項で述べたように，血液製剤，なかでも血漿分画製剤の安全性は，原料段階でのスクリーニング，NATならびに製造工程におけるウイルス除去・不活化を通して格段に高まっている。しかしながら，そのような安全対策を施した血漿分画製剤であっても，その感染リスクを「完全に」なくすことは理論的に困難かつ実証できないため，血液を原料とせず，遺伝子組換え技術を応用した組換え血液製剤に寄せる社会的要請は高い。本項では，血友病に関連した止血治療用製剤を取り上げ，その構成タンパク質の構造と機能，ならびにその組換え製剤の種類と課題について概説する[23,24]。なお，本項で取り上げなかった既承認および臨床開発中の遺伝子組換え血液製剤，抗体医薬，さらには新しいモダリティによる治療法に関する状況（2020年8月現在）を**表10-6**にまとめたので適宜，ご参照いただきたい。

1．血友病と血液凝固系

　血友病の止血治療用製剤は，血漿分画製剤の中でも最初に組換え製剤化され，また研究開発が今なお活発である。企業がこの疾患に注目する背景には，まず血友病が生命に関わる疾患であり社会的意義が大きいこと，血漿分画製剤による過去の感染事例から可能な限り安全な製剤を求める要望が多いこと，投与するタンパク質量が少ない（抗体医薬の1/10〜1/100，すなわち製造設備に対する投資が比較的少なく済む）こと，有効性が証明されたタンパク質の組換え製

表10-6 遺伝子組換え血液製剤の開発状況（参考として遺伝子治療薬および核酸医薬も含む）

適応症・分類	成分名	上市・開発品目	販売または開発会社名	開発・承認状況	備考（特徴など）
血友病A	第VIII因子	Kogenate	Bayer	1993年US・EU・日本	安定剤アルブミンフリーとなるKogenate FS（2001年）
		Helixate FS	CSL Behring	1993年US・EU	安定剤アルブミンフリーとなるHelixate FS（2001年）
		Recombinate	Shire	1992年US 1993年EU 1996年日本	―
		Refacto	Pfizer	1998年EU 2000年US	Bドメイン欠失，安定剤アルブミンフリー
		Advate	Shire	2003年US 2004年EU 2006年日本	Recombinateの後継品．安定剤アルブミンフリー，培地中に動物由来成分を使用しない製法（※これ以降に承認された製剤は第3世代の製剤となっている）
		Xyntha	Pfizer	2007年US	Bドメイン欠失，非生物由来のペプチドリガンドを使用
		Greengene F	Green Cross：韓国	2008年韓国	Bドメイン欠失
		Novoeight	Novo Nordisk	2013年US・EU 2014年日本	Bドメイン欠失
		Eloctate	Biogen	2014年US・日本 2015年EU	Bドメイン欠失，Fc融合rFVIII（Swedish Orphan Biovitrumと共同）
		Nuwiq	Octapharma	2014年EU 2015年US	Bドメイン欠失，ヒト細胞由来（HEK293）
		Adynovate	Shire	2015年US 2016年日本	Advateの後継品，PEG化分子（Nektar Therapeuticsと共同研究）
		Kovaltry	Bayer	2015年US 2016年EU・日本	Kogenate FSの後継品，培地中に動物由来成分を使用しない製法
		Afstyla	CSL Behring	2016年US 2017年日本・EU	Bドメイン欠失，一本鎖分子
		Jivi	Bayer	2018年US・日本・EU	Bドメイン欠失，Cys残基PEG化分子
		Esperoct	Novo Nordisk	2019年US・日本・EU	Bドメイン欠失，糖PEG化分子
		BIVV001（rFVIII Fc-VWF-XTEN）	Sanofi	フェーズIII	VWFのD'D3領域がFc領域を介し付加されているXTEN配列融合rFVIII Bioverativ（現；Sanofiグループ）開発
	遺伝子治療	TAK-754（SHP 654/BAX 888）	Takeda	フェーズI/II	―
		Giroctocogene fitelparvovec（PF-07055480）	Pfizer	フェーズII	Sangamoと共同
		Valoctocogene roxaparvovec（BMN 270）	BioMarin	フェーズIII	―
		SPK-8011	Spark Therapeutics	フェーズI/II	―
		BAY 2599023（DTX 201）	Bayer	フェーズI/II	Ultragenyx pharmaceuticalと共同
	抗FIXa/FX抗体	HEMLIBRA	中外製薬	2017年US 2018年EU・日本	FVIII様の活性をもつBispecific抗体
		NXT 007	中外製薬	フェーズI/II	活性増強・半減期延長型Bispecific抗体
		Mim8	Novo Nordisk	フェーズI	次世代型Bispecific抗体
血友病B	第IX因子	BeneFIX	Pfizer	1997年EU・US 2009年日本	―
		Rixubis	Shire	2013年US・EU 2014年日本	―
		Alprolix	Biogen	2014年US・日本 2016年EU	Fc融合rFIX（Swedish Orphan Biovitrumと共同）

（次ページに続く）

適応症・分類	成分名	上市・開発品目	販売または開発会社名	開発・承認状況	備考（特徴など）
血友病B	第IX因子	IXinity	Cangene bioPharma	2015年US	開発名IB1001：Inspiration BiopharmaceuticalsとIpsenとの共同開発。2011年EU申請も抗CHO由来タンパク質抗体の産生が認められたことから、EUの勧告を受け2013年申請取下げ。その後に再開発。
		Idelvion	CSL Behring	2016年US・EU・日本	アルブミン融合rFIX
		Refixia	Novo Nordisk	2017年US・EU 2018年日本	糖PEG化rFIX
		Dalcinonacog alfa（DalcA）	Catalyst Biosciences	フェーズII	皮下投与が可能な製剤として開発
	遺伝子治療	Fidanacogene elaparvovec（SPK-9001/PF-06838435）	Pfizer	フェーズIII	遺伝子治療製剤，Spark therapeuticsと共同
		Entranacogene dezaparvovec（AMT-061）	CSL Behring	フェーズIII	遺伝子治療製剤，Uniqureと共同
		FLT180a	Freeline Therapeutics	フェーズI/II	遺伝子治療製剤
		TAK-748（SHP 648/AskBio009/BAX335）	Takeda	フェーズI/II	遺伝子治療製剤
VWD	VWF	Vonvendi	Shire	2015年US 2018年EU 2020年日本	rVWF
血友病インヒビター	活性化第VII因子	NovoSeven	Novo Nordisk	1996年EU 1999年US 2000年日本	―
		Sevenfact	LFB	2020年US	トランスジェニックウサギ乳汁
		Marzeptacog Alfa（activated）〔MarzAA〕	Catalyst Biosciences	フェーズII	皮下投与が可能な製剤として開発
		MOD-5014（FVIIa-CTP）	OPKO Biologics	フェーズI/II	carboxy-terminal peptide（CTP）で修飾されたrFVIIa
	第VIII因子	Obizur	Shire	2014年US 2015年EU	ブタrFVIII（開発名OBI-1：InspirationBiopharmaceuticalsとIpsenとの共同開発）適応は，血友病Aインヒビターと後天性インヒビター
	抗TFPI抗体	Concizumab（NN7415）	Novo Nordisk	フェーズIII	インヒビターを保有しない血友病A，B患者に対しても開発が進行中
		Marstacimab（PF-06741086）	Pfizer	フェーズII	
		BAY-1093884	Bayer	フェーズII	
	アンチトロンビン標的siRNA	Fitusiran（ALN-AT3）	Sanofi	フェーズIII	抗アンチトロンビンsiRNA治療製剤（Alnylam pharmaceuticalsと共同）インヒビターを保有しない血友病A，B患者に対しても開発が進行中
止血	Thrombin	Recothrom	Baxter	2008年US	Zymogeneticsが開発
欠損症	第XIII因子	NovoThirteen	Novo Nordisk	2012年EU 2013年US 2015年日本	A2サブユニット分子
	ADAMTS 13	TAK-755	Takeda	フェーズIII	―
血栓症・DIC	アンチトロンビン	Atryn	rEVO Biologics	2009年US	トランスジェニックヤギ乳汁
		アコアラン	協和キリン	2015年日本	フコース欠失型
血管性浮腫（水腫）	C1-Inhibitor	Ruconest（旧名称：Rhucin）	Pharming	2014年US・EU	Santarusと共同
欠損症	α1-Antitrypsin	INBRX-101	Inhibrx	フェーズI	Fc融合組換えα1-Antitrypsin
		ALN-AAT02	Alnylam pharmaceuticals	フェーズI/II	α1-antitrypsin Z型遺伝子変異に対するsiRNA治療製剤
		ARO-AAT	Arrowhead Pharmaceuticals	フェーズII	

2020年8月時点での各社の公表資料やニュース等をもとに日本PDA製薬学会バイオウイルス委員会にて作成

剤化であり開発リスクが少ないこと，すなわち薬剤開発の費用対効果が相対的に高いことなどが考えられる。一方，患者にとって生涯を通じて使用する製剤であることから，企業には供給責任に対する強い自覚が求められる。

図10-7に，血液凝固系の模式図とこれに関わる因子を示した。血友病は，性染色体「X」上の血液凝固第Ⅷ因子または第Ⅸ因子をコードする遺伝子に異常があり，正常な第Ⅷ因子または第Ⅸ因子を合成できないため発症する先天性の凝固異常症である。性染色体Xに異常があることから，発病するのはほとんどが男性で，女性は保因者となって血友病の遺伝子を子孫に伝える（遺伝様式は，伴性の劣性遺伝）。第Ⅷ因子，第Ⅸ因子の異常症をそれぞれ血友病A，および血友病Bと呼ぶ。血友病患者は，関節や筋肉内出血を好発し，重篤な頭蓋内出血を起こした場合には死亡することもあるが，欠乏している第Ⅷ因子または第Ⅸ因子の濃縮製剤を補充することで，適切に止血管理される。血友病の患者数（令和元年度，国内）は，血友病Aが5,410人，Bが1,186人と報告されている[25]。

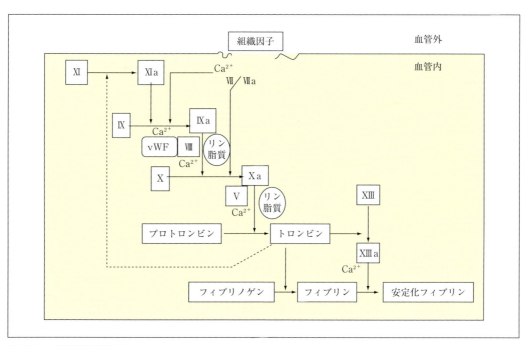

図 10-7　血液凝固機構[12]
血液凝固機構は，血液中に存在する多数の凝固因子が連鎖的に反応し，最終的に可溶性のフィブリノゲンを不溶性のフィブリン（「かさぶた」の役目を担う）に転換する反応である。凝固因子の多くはセリンプロテアーゼの前駆体として存在し，いったん活性化されるとタンパク質分解酵素として次の因子を活性化し，次々に反応が進む。また，凝固因子濃度はより後の因子ほど高く，反応が進むほど増強されていく。このため比喩的に「凝固カスケード（滝）」とも言われる。さらに，生成したトロンビンは上流の凝固因子を活性化（フィードバック）して，凝固反応を一層増強する。凝固因子にはローマ数字の番号が付与され，活性化した場合は小文字のaを付けて表現する。

2. 第Ⅷ因子

　第Ⅷ因子は主に肝臓で合成され，血中ではフォンヴィレブランド因子（VWF）と複合体を形成して存在し，血漿中の濃度は0.1μg/mLである。2,332アミノ酸からなり，重鎖（A1-A2-Bドメイン：90～210 kDa）と軽鎖（A3-C1-C2ドメイン：80 kDa）がカルシウムイオンを介して結合した構造をとる。トロンビンや活性化第Ⅹ因子によって限定分解を受けると活性化し，コファクター活性を高めて血液凝固反応を飛躍的に促進させる。したがって，第Ⅷ因子（遺伝子）に欠損や機能異常があると血液凝固能が極度に低下する。

　第一世代の組換え第Ⅷ因子製剤は，CHO細胞やBHK細胞を宿主とした全長分子型であった（1992～1993年）。次に，活性にはほとんど影響しないBドメインを欠失させることで，発現量を増加させたBドメイン欠失（B-domain deleted；BDD）型分子が開発され，この製剤は，安定剤のヒト血清アルブミンを排除した製剤処方の先駆けとなった（第二世代，1999年）。その後，さらなる感染因子対策として，できるだけ生物由来原料に頼らないとの観点から，培地中の生物由来原料を排除した第三世代の製剤が登場した（2003年）。これ以降に承認された製剤は，第三世代製剤として開発されているが，マウスモノクローナル抗体を用いることが一般的なアフィニティークロマトグラフィー工程においても非生物由来のペプチドリガンドを用いる製剤が登場している（2007年）。

　近年では，さまざまな技術を駆使して，より生体内半減期の長い製剤の開発が活発である。これは半減期を長くして投与回数を減らし，患者への身体的負担を軽減しようとの開発コンセプトによるものである。Biogen 社は，IgG の Fc 領域を遺伝子レベルで融合した製剤を[注1]，Shire 社は，ポリエチレングリコール（PEG）を直接付加した製剤を製造販売している。また，Bayer 社と Novo Nordisk 社は，それぞれ Cys 残基，あるいは糖鎖に PEG を付加した製剤を開発した。残念ながら，これらのヒトでの半減期は，動物実験で得られた結果ほど延長せず，従来製剤の1.4～1.7倍程度であることから，投与回数を1週間に1回へ減らしたいという期待に沿うものではなかった[26]。Shire 社では糖鎖にポリシアル酸を付加した製剤を開発したが，1週間に1回の投与では設定した第Ⅷ因子の活性を維持することができず開発は中止となっている[27,28]。

> [注1] 抗体の半減期は約20日前後と長い。これは，抗体がそのFc領域を介して血管内皮細胞や単球・マクロファージ上の受容体（FcRn）に結合すると，細胞内へ取り込まれても一部が分解されずにリサイクルされるためであり，Fc領域融合製剤はこのしくみを利用して血中半減期が延長するとされている。なお，半減期の長いアルブミンも同じリサイクル経路をたどることから，第Ⅸ因子や第Ⅶ因子でアルブミン融合タンパク質の開発を進めている企業もある。「第12章 抗体医薬」に関連情報を記載する。

　他の試みとして，Octapharma社は細胞基材をヒト由来のHEK293細胞とすることで，CHO細胞やBHK細胞を細胞基材とした既存の製剤よりも，糖鎖やチロシン残基の硫酸化などの翻訳後修飾がより血漿由来製剤に近い製剤を開発した（製品名：Nuwiq®，承認年月：2014年7月（欧州），2015年9月（米国））[29][注2]。

　上述のように第Ⅷ因子はVWFと複合体を形成することから，投与される組換え第Ⅷ因子製剤の半減期の上限が内在性のVWFに依存してしまうことが長年の課題となっていた。Sanofi

グループのBioverativ社は，独自のFc融合技術によりVWFのD'D3領域をあらかじめ第Ⅷ因子へ付加することにより，内在性のVWFと複合体を形成しない新規の組換え第Ⅷ因子製剤(BIVV001)を開発した[30]。BIVV001には半減期延長のためXTENポリペプチドも融合されており，一般的な組換え第Ⅷ因子製剤の半減期が13時間であるのに対し，BIVV001は37時間を達成している[31]。また，中外製薬は，抗体に第Ⅷ因子の機能を代替させることをコンセプトとした血友病Aインヒビター製剤を開発した(製品名：HEMLIBRA®，承認年月：2017年11月(米国)，2018年2月(欧州)，2018年3月(日本))。本製剤は，独自の抗体技術を駆使して創製された，活性化第Ⅸ因子と第Ⅹ因子の双方に特異性を有する二重特異性抗体(ACE910/emicizumab)であり(「第12章　抗体医薬」参照)，これが第Ⅷ因子と類似の補酵素活性(第Ⅹ因子の活性化，図10-7参照)を発揮することを利用し止血効果を得るものである。この製剤は抗体であることから，半減期が長く皮下投与も可能であり，インヒビターを保有しない血友病A患者に対しても適応が拡大されている(承認年月：2018年10月(米国)，2018年12月(日本)，2019年3月(欧州))。

> [注2)] BHK細胞，CHO細胞，HEK293細胞で発現させた遺伝子組換え第Ⅶ因子(rFⅦ)の性状を血漿由来の第Ⅶ因子(pdFⅦ)と比較したBöhmらの報告[32]では，Gla化率はいずれもpdFⅦの6割程度，糖鎖構造もHEK293細胞がpdFⅦにより近いわけではなく，むしろ末端のシアル化率に劣ることから，CHO細胞が最適とされている。ターゲットごと，用途ごとに最適な細胞基材を選ぶ必要がある。

3. 第Ⅸ因子

　第Ⅸ因子は415アミノ酸からなる約57 kDaの一本鎖糖タンパク質で，肝臓で合成，前駆体として血漿中に分泌され，その濃度はおよそ3～5μg/mLである。第Ⅸ因子は，活性化第Ⅺ因子または組織因子／活性化第Ⅶ因子複合体によって，活性化ペプチドと呼ばれるAla146-Arg180が限定分解で切除されて活性化する。第Ⅸ因子の欠損，異常症ではそれ以降の凝固カスケード反応が進まなくなり血液が凝固しなくなる。

　第Ⅸ因子を含むいくつかの凝固因子関連タンパク質は，ビタミンK依存性凝固因子[注3)]と呼ばれる。これらのタンパク質は，細胞のリン脂質膜に結合し，局所で機能するために必須の翻訳後修飾(グルタミン酸残基のγカルボキシル化(Gla化))を受けていることを特徴とする。第Ⅸ因子の遺伝子は凝固因子の中で最も早くクローニングされ，組換え製剤としても比較的早期に開発された(1997年)。この製剤はCHO細胞で発現され，培地にビタミンKを添加することでGla化効率を上昇させ，血漿由来第Ⅸ因子とほぼ変わらない比活性を達成している。また，無血清培地で生産され，精製にイムノアフィニティーを利用せず，安定剤にもヒト血清アルブミンなどの生物由来成分を含んでいないなど，安全性の面では第Ⅷ因子製剤と同様に第三世代の製剤となっている。この製剤の半減期は血漿由来製剤とほぼ同じであるが，バイオアベイラビリティが50～80%程度と低く[33]，血漿由来製剤よりも用量を増やす必要がある。生体回収率が低い原因は，Tyr155の硫酸化，もしくはSer158のリン酸化修飾がないため，あるいは糖鎖修飾の違いなどの報告があるが詳細は不明である。

　第Ⅸ因子製剤においても，半減期の延長を意図したさまざまな改変分子の研究開発が進めら

れている。Biogen 社は，Fc 領域を融合した製剤を（製品名：オルプロリクス®（Alprolix®），承認年月：2014 年 3 月（米国），2014 年 7 月（日本），2016 年 5 月（欧州）），CSL Behring 社はアルブミンを融合した製剤を（製品名：イデルビオン®（Idelvion®），承認年月：2016 年 3 月（米国），2016 年 5 月（欧州），2016 年 9 月（日本）），また Novo Nordisk 社は PEG 修飾製剤を開発した（製品名：レフィキシア®（Refixia®），承認年月：2017 年 5 月（米国），2017 年 6 月（欧州），2018 年 7 月（日本））。これらの製剤では，半減期が血漿由来製剤の 3 ～ 5.8 倍に延長するため，10 ～ 22 日間に 1 回程度の投与間隔で＞ 1％以上の活性が維持できるという[27]。一方で，これらの製剤間では，バイオアベイラビリティに最大で 2 倍程度の差異があり，細胞基材や培養条件に起因する翻訳後修飾が影響している可能性が考えられる。このように半減期の延長した第 IX 因子製剤であっても投与方法は静脈投与に限られ，患者に負担を強いることが課題となっている。この課題解決のため，Catalyst Biosciences 社では皮下投与可能な第 IX 因子製剤の開発を進めている。

血友病治療では"Rebalance coagulation"コンセプトによる新しい治療法[注4]や遺伝子治療[注5]の進歩が著しい。適宜，表10-6 をご参照いただきたい。

> [注3] グルタミン酸の γ カルボキシル化反応にはビタミン K が必須なため，γ カルボキシグルタミン酸（Gla）を含有している凝固因子は"ビタミン K 依存性凝固因子"と呼ばれる。ビタミン K が不足すると，凝固活性が極度に低下した不完全なビタミン K 依存性タンパク質（protein induced by VK absence or antagonists：PIVKA）が発現し，出血傾向を呈する。Gla 残基は細胞膜表面のリン脂質にカルシウムイオンを介して結合する際に必須であり，局所における凝固反応に重要な役割を果たしている。ビタミン K 依存性凝固因子には，第 IX 因子のほか，第 II 因子，第 VII 因子，第 X 因子がある。
>
> [注4] 凝固因子の欠乏により生じた凝固因子と抗凝固因子の不均衡を血液凝固因子の補充により是正することが現在の血友病治療の主流であるが，"Rebalance coagulation"コンセプトによる治療法ではこの不均衡を，抗凝固因子の低下により再度平衡化（Rebalance coagulation）する[34]。siRNA を利用した抗アンチトロンビン治療製剤と Tissue factor pathway inhibitor（TFPI）に対する抗体製剤が開発され，現在臨床試験中である（表10-6 参照）。前者ではアンチトロンビンの発現を遺伝子レベルで抑制し，トロンビン産生を亢進することで出血予防・止血を行う[35]。後者では活性化第 VII 因子による第 X 因子の活性化を抑制する TFPI の機能を抗 TFPI 抗体により阻害し，第 X 因子の活性化を亢進することで出血予防・止血を行う[36,37]。
>
> [注5] 遺伝子治療では 1 回の治療介入により長期の出血予防が期待できる。実際に Biomarin 社の開発した血友病 A の遺伝子治療製剤では，3 年間の追跡調査により，単回投与後第 VIII 因子が 3 年にわたり発現し，関節の出血エピソードが大幅に減少することが報告されている[38]。他にもさまざまな遺伝子治療製剤が開発中である（表10-6 参照）。

4．VWF

VWF は，2,050 アミノ酸からなる糖タンパク質で，主に血管内皮細胞，骨髄巨核球で合成され，血漿中の濃度は 10 μg/mL である。翻訳後修飾の過程で分子間にジスルフィド結合が形成され，C 末端と C 末端（tail-to-tail），N 末端と N 末端（head-to-head）が結合した分子量 20 ～ 30 × 10^6 の巨大高分子として循環血中に分泌される。この巨大分子は血中で ADAMTS13[注6] によって分解され，分子量 0.5 ～ 20 × 10^6 の不連続なマルチマー（多量体）として循環している。VWF は，血小板膜タンパク質やコラーゲンなど結合組織への結合を通じて一次止血（血小板血栓形成）に寄与する。なお，この活性は分子量に依存しており，より高分子量のマルチマーほど血小板粘着・凝集活性が高い。また，第 VIII 因子と複合体を形成し，第 VIII 因子の安定化に寄与している。

VWFを欠損した病態はフォンヴィレブランド病（VWD）と呼ばれ，国内での患者数は1,363人と報告されている[25]。患者では，血友病同様皮膚や関節から出血が見られるが，重度の場合，VWF製剤の補充が必要となる。血漿由来第VIII因子製剤にはVWFを含むものがあり（コンファクトF：KMバイオロジクス），VWDの止血管理に用いられる。

　このような複雑かつ巨大なタンパク質を遺伝子組換え技術で作出するハードルは相当高いと考えられたが，Shire社は技術的問題を克服し，組換えVWF製剤を開発した。CHO細胞を宿主として第VIII因子と共発現させ，培養上清に分泌された第VIII因子-VWF複合体からVWFを分離精製する技術を確立した。血漿由来のVWF製剤に比べてより高分子量のVWFマルチマーを含有しているため，VWFの機能指標であるリストセチン凝集活性[注7]で血漿由来VWFを上回る，さらに生物由来原料を用いないなどの利点がある。組換えVWF製剤は世界で初めて米国で承認取得（2015年12月）後，EU，スイス，カナダに続き日本においても2020年3月に承認を取得し，同年6月より国内で「ボンベンディ®静注用1300」として販売されている。

> [注6] ADAMTS13（a disintegrin and metalloproteinase with a thrombospondin type 1 motif, member 13）の略。VWF切断酵素とも呼ばれる。この因子の遺伝子異常は，先天性の血栓性血小板減少性紫斑病TTPであるUpshaw-Schulman症候群と呼ばれ，血小板減少と溶血性貧血を繰り返す。この先天性欠損症に対して，rADAMTS13製剤（TAK-755）の開発が行われている。
> [注7] VWDでは，リストセチンによる血小板凝集能が低下することが知られており，この性質を利用してVWF活性を評価する。

5. 活性化第VII因子

　第VII因子は406アミノ酸からなる約50 kDaの一本鎖糖タンパク質で，他のGla残基を持つタンパク質同様肝臓で合成され，その血漿中の濃度はおよそ0.5 μg/mL，その約1%（5 ng/mL）は活性化第VII因子として存在する（分子内のArg152-Ile153結合が限定分解を受け2本鎖の活性化第VII因子に変換される）。活性化第VII因子のプロテアーゼ活性は低いが，コファクターである組織因子と複合体を形成するとその活性が高まる。血管内皮の傷害によって，内皮下に存在する組織因子が露呈し，活性化第VII因子と結合することにより凝固反応が開始され，基質の第IX因子や第X因子の活性化反応へと続く。上述のTFPIは活性化第VII因子と組織因子の複合体による第X因子の活性化反応を阻害する。

　さて，上述のように血友病患者のQOL（quality of life）は第VIII因子，もしくは第IX因子製剤の補充を基本とした止血管理によって飛躍的に改善した。しかし，本来生体内に発現していないタンパク質を繰り返し投与することによって，免疫系がそれら因子を異物と認識して中和抗体（インヒビター）を発現させ，止血効果を著しく減弱させる場合がある（第VIII因子投与患者の10〜15%）。インヒビター価が低い場合は投与量を増量することで止血できるが，インヒビター価が高い場合は単なる増量では止血が困難なことから，第VIII因子および第IX因子が関与する凝固経路を迂回（バイパス）することで止血を行う。このような製剤は，「バイパス（迂回路）製剤」と呼ばれ，血漿由来の活性化プロトロンビン複合体製剤（ファイバ®（FEIBA®）：Shire社）や，組換え活性化第VII因子製剤（ノボセブン®（NovoSeven®）：Novo Nordisk社）が使われている。ノボセブン®は唯一の組換えバイパス製剤という点で画期的であるが，十分

な止血効果が得られにくい患者がいることや，血中半減期が短く頻回投与が必要であることなどから，より良い製剤の登場が待望されていた。Novo Nordisk社とBayer社はこれらの欠点を補う新しい製剤として，アミノ酸残基の改変，またはさらに修飾を合わせることで半減期を延長した製剤を開発中であったが，抗体の発現により開発はそれぞれ中止となった。他にも糖PEG化，アルブミン融合，改変または修飾型製剤が開発されたが，開発は現在中止となっている。背景に，異なる作用機序によってインヒビター保有血友病患者に対しても適応可能な製剤が開発されていることがあり，将来の上市が期待される（表10-6参照）。一方，わが国では血漿由来の第Ⅶa因子と第X因子を混合した画期的なバイパス製剤（バイクロット®（Byclot®）：KMバイオロジクス株式会社）が開発された。臨床評価では高い止血効果が認められている[39]。本製剤の組換え化を期待したい。

6. 組換え血液製剤の課題と対策

血漿分画製剤を組換え化する上での課題の第一は，翻訳後修飾である（詳細については「第7章 バイオ医薬品の特性解析」を参照）。本項で述べたように組換え凝固因子製剤はバイオアベイラビリティが血漿分画製剤に劣る場合がある。血中半減期を長くするFc融合やPEG化といった技術で解決が図られつつある一方で，タンパク質の翻訳後修飾は糖鎖を含め実にさまざまで，何がどのようにそのタンパク質の機能や特性に影響しているかは，まだ十分には解明されていない。

第二は高い薬剤費である。組換え製剤に対する一般的な期待は，"大量に安く"であったが（特に遺伝子組換え技術黎明期の1990年代初頭），最先端の遺伝子組換え技術や高度な規制要件に対応するための培養・精製設備に対する投資，臨床開発費用などにより，多くの場合，組換え製剤の価格は，血漿由来製剤に比べて高い。

第三は，一般化できないかも知れないが，宿主細胞由来不純物である。Inspiration Biopharmaceuticals社が開発していた組換え第Ⅸ因子製剤（IXinity®）は，投与患者の26％に宿主細胞由来タンパク質に対する抗体産生が認められたことから，欧州で承認を受けることができなかった[40]。その後，事業を引き継いだCangene bioPharma社は精製法を改良し，IXinity®は，2015年4月，米国で承認された。組換え製剤に求められる最も基本的な部分であると再認識された事例である。

第四は，血漿分画製剤の定期的な静脈投与である。定期補充療法は患者の関節内出血を予防して生活の質を向上させる一方，頻回で静脈投与する必要があり，患者や家族への負担が多いのが現状であった。この課題の解決策として，静脈投与を回避した皮下投与があげられる。中外製薬の抗体製剤ヘムライブラ®（HEMLIBRA®）は皮下注射用製剤であり患者への負担が軽減されている。また，抗TFPI抗体（concizumab）も皮下注射用製剤として開発が進められている。

血漿分画製剤の組換え化においては，過去の開発事例を踏まえ，ターゲットとする製剤の特性や使用状況，そして技術的な課題などをよく把握した上で着手する必要がある。

おわりに

　本項では，血漿タンパク質製剤がどのように遺伝子組換え製剤として展開されているか，とりわけ製剤化が活発な血友病に関連した製剤を取り上げ概説した．細胞基材の品質保証を確実にし，培地や精製工程，安定剤などからあらゆる生物由来原料を排除した製剤が主流となってきており，原材料に由来する感染性因子の迷入のリスクはかなり低下した．一方で，翻訳後修飾やコストの面で課題の残る製剤もあり，それら課題に対してどのように取り組みがなされているかについても述べた．本項では触れなかったが，ATryn®に続いて世界で2番目となる組換えアンチトロンビンⅢ（ATⅢ）製剤（アコアラン®）が協和キリン株式会社により開発され，2015年7月，わが国で承認された．本製品には，ポテリジェント（Potelligent®）技術が応用されており，ヒト血漿由来ATⅢと同様，付加されたN-結合型糖鎖の還元末端にはフコースがない（「第12章　抗体医薬」参照）．その意味で，通常のCHO細胞を用いる場合よりもヒト型により近い糖鎖構造が実現されている．今後も，多くの血漿分画製剤が遺伝子組換え製剤に置き換わっていくという大きな流れに変化はないと思われる．その中で，血漿由来製剤と同等の有効性を有した上で，血漿由来製剤にない優れた特性（利便性）を持つような，さらなる技術開発が期待される．一方で，血液を原料として，供給量も制限される血漿分画製剤とは異なり，高いウイルス安全性と安定的な供給に対応するという初期の目標を達成するかたわらで，安価な製剤という目標は達成されていない．近い将来，医療制度の経済的危機を回避することができるような，安価な製剤を供給可能とする技術のイノベーションが待たれる．

■参考文献

1) 秋山暢夫：臓器移植をどう考えるか，講談社，1991
2) 霜山龍志：今日の輸血，北海道大学図書刊行会，1997
3) 日本赤十字社：輸血情報1804-059，輸血用血液製剤の安全対策の導入効果と輸血によるHBV, HCV及びHIV感染のリスク（http://www.jrc.or.jp/mr/relate/info/pdf/yuketsuj_1804_159c.pdf）
4) 日本赤十字社：検査，日本赤十字社HP（http://www.jrc.or.jp/activity/blood/flow/test/）
5) 日本赤十字社：輸血用血液製剤のさらなる安全対策として新しい検査方法に切り替わります！〜8月1日より"個別NAT"全国一斉スタート〜（プレスリリース），2014年（http://www.jrc.or.jp/press/140728_001962.html）
6) 厚生労働省医薬・生活衛生局長通知：再生医療等製品及び生物由来製品に関する感染症定期報告制度について（薬生発0428第1号，平成29年4月28日）
7) 日本赤十字社：HEV-NAT導入による輸血用血液製剤の更なる安全対策の実施について（http://www.jrc.or.jp/mr/product/information/pdf/info_202007.pdf）
8) WHO Maintaining a safe and adequate blood supply during the pandemic outbreak of coronavirus disease (COVID-19). 20 March 2020. (https://www.who.int/publications/i/item/maintaining-a-safe-and-adequate-blood-supply-during-the-pandemic-outbreak-of-coronavirus-disease-(covid-19))
9) Huang C, Wang Y, Li X, et al. Clinical features of patients infected with 2019 novel coronavirus in Wuhan, China. Lancet. 395(10223): 497-506, 2020. doi: 10.1016/S0140-6736(20)30183-5
10) Zhang W, Du RH, Li B, et al. Molecular and serological investigation of 2019-nCoV infected patients: implication of multiple shedding routes. Emerg Microbes Infect. 9(1): 386-389, 2020. Published 2020 Feb 17. doi: 10.1080/22221751.2020.1729071
11) Chang L, Zhao L, Gong H, et al. Severe Acute Respiratory Syndrome Coronavirus 2 RNA Detected in Blood Donations. Emerg Infect Dis. 26(7): 1631-1633, 2020. doi: 10.3201/eid2607.200839
12) 一般社団法人　日本血液製剤協会ホームページ（http://www.ketsukyo.or.jp/）
13) 大谷明監修：続医薬品の開発，第20巻，血液製剤（廣川書店）

14) Centers for Disease Control and Prevention (CDC). Outbreak of hepatitis C associated with intravenous immunoglobulin administration--United States, October 1993-June 1994. MMWR Morb Mortal Wkly Rep. 43(28): 505-509, 1994
15) Tabor E. The epidemiology of virus transmission by plasma derivatives: clinical studies verifying the lack of transmission of hepatitis B and C viruses and HIV type 1. Transfusion. 39(11-12): 1160-1168, 1999. doi: 10.1046/j.1537-2995.1999.39111160.x
16) Corman VM, Rabenau HF, Adams O, et al. SARS-CoV-2 asymptomatic and symptomatic patients and risk for transfusion transmission. Transfusion. 60(6): 1119-1122, 2020. doi: 10.1111/trf.15841
17) Peng L, Liu J, Xu W, et al. SARS-CoV-2 can be detected in urine, blood, anal swabs, and oropharyngeal swabs specimens [published online ahead of print, 2020 Apr 24]. J Med Virol. 2020; 10.1002/jmv.25936. doi: 10.1002/jmv.25936
18) Wang W, Xu Y, Gao R, et al. Detection of SARS-CoV-2 in Different Types of Clinical Specimens [published online ahead of print, 2020 Mar 11]. JAMA. 323(18): 1843-1844, 2020. doi: 10.1001/jama.2020.3786
19) Yunoki M, Urayama T, Yamamoto I, Abe S, Ikuta K. Heat sensitivity of a SARS-associated coronavirus introduced into plasma products. Vox Sang. 87(4): 302-303, 2004. doi: 10.1111/j.1423-0410.2004.00577.x
20) Stucki M, Boschetti N, Schäfer W, et al. Investigations of prion and virus safety of a new liquid IVIG product. Biologicals. 2008; 36(4): 239-247. doi: 10.1016/j.biologicals.2008.01.004
21) Poelsler G, Berting A, Kindermann J, et al. A new liquid intravenous immunoglobulin with three dedicated virus reduction steps: virus and prion reduction capacity. Vox Sang. 2008; 94(3): 184-192. doi: 10.1111/j.1423-0410.2007.01016.x
22) Lee DC, Stenland CJ, Miller JL, et al. A direct relationship between the partitioning of the pathogenic prion protein and transmissible spongiform encephalopathy infectivity during the purification of plasma proteins. Transfusion. 2001; 41(4): 449-455. doi: 10.1046/j.1537-2995.2001.41040449.x
23) 松田道生，鈴木宏治編：「止血・血栓・線溶」中外医学社，東京，1994年
24) 一瀬白帝編：「図説　血栓・止血・血管学」中外医学社，東京，2005年
25) エイズ予防情報ネット「血液凝固異常症全国調査」令和元年度報告書 https://api-net.jfap.or.jp/image/data/blood/r01_research/r01_research.pdf
26) Carcao M. Changing paradigm of prophylaxis with longer acting factor concentrates. Haemophilia. 2014; 20 Suppl 4: 99-105. doi: 10.1111/hae.12405
27) https://www.xeneticbio.com/news-media/press-releases/detail/61/xenetic-biosciences-receives-program-update-from-partner
28) https://www.xeneticbio.com/news-media/press-releases/detail/84/xenetic-biosciences-inc-announces-publication-of-data
29) Kannicht C, Ramström M, Kohla G, et al. Characterisation of the post-translational modifications of a novel, human cell line-derived recombinant human factor VIII. Thromb Res. 2013; 131(1): 78-88. doi: 10.1016/j.thromres.2012.09.011
30) Seth Chhabra E, Liu T, Kulman J, et al. BIVV001, a new class of factor VIII replacement for hemophilia A that is independent of von Willebrand factor in primates and mice. Blood. 2020; 135(17): 1484-1496. doi: 10.1182/blood.2019001292
31) https://www.sanofi.co.jp/-/media/Project/One-Sanofi-Web/Websites/Asia-Pacific/Sanofi-JP/Home/press-releases/PDF/bioverativ/pdf/2018/20180529-01.pdf?la=ja
32) Böhm E, Seyfried BK, Dockal M, et al. Differences in N-glycosylation of recombinant human coagulation factor VII derived from BHK, CHO, and HEK293 cells. BMC Biotechnol. 2015; 15: 87. Published 2015 Sep 18. doi: 10.1186/s12896-015-0205-1
33) Ewenstein BM, Joist JH, Shapiro AD, et al. Pharmacokinetic analysis of plasma-derived and recombinant F IX concentrates in previously treated patients with moderate or severe hemophilia B. Transfusion. 2002; 42(2): 190-197. doi: 10.1046/j.1537-2995.2002.00039.x
34) 嶋緑倫，血友病治療の新展開，血栓止血誌, 28(4): 488-491, 2017
35) Pasi KJ, Rangarajan S, Georgiev P, et al. Targeting of Antithrombin in Hemophilia A or B with RNAi Therapy. N Engl J Med. 2017; 377(9): 819-828. doi: 10.1056/NEJMoa1616569
36) Hilden I, Lauritzen B, Sørensen BB, et al. Hemostatic effect of a monoclonal antibody mAb 2021 blocking the interaction between FXa and TFPI in a rabbit hemophilia model. Blood. 2012; 119(24): 5871-5878. doi: 10.1182/blood-2012-01-401620
37) Chowdary P, Lethagen S, Friedrich U, et al. Safety and pharmacokinetics of anti-TFPI antibody (concizumab) in healthy volunteers and patients with hemophilia: a randomized first human dose trial. J Thromb Haemost. 2015; 13(5): 743-754. doi: 10.1111/jth.12864
38) Pasi KJ, Rangarajan S, Mitchell N, et al. Multiyear Follow-up of AAV5-hFVIII-SQ Gene Therapy for Hemophilia A. N Engl J Med. 2020; 382(1): 29-40. doi: 10.1056/NEJMoa1908490
39) Shirahata A, Fukutake K, Takamatsu J, et al. A Phase II clinical trial of a mixture of plasma-derived

factor VIIa and factor X (MC710) in haemophilia patients with inhibitors : haemostatic efficacy, safety and pharmacokinetics/pharmacodynamics. Haemophilia. 2013 ; 19(6) : 853-860. doi : 10.1111/hae.12205
40) European Medicines Agency Home Page Withdrawn Applications : http://www.ema.europa.eu/ema/index.jsp?curl=pages/medicines/human/medicines/002349/wapp/Initial_authorisation/human_wapp_000167.jsp&mid=WC0b01ac058001d128 accessed 2016-7-15

第11章 ワクチン

はじめに

ワクチン（予防接種）は，天然痘の根絶をはじめ，ポリオ，百日咳，ジフテリア，麻しんの流行抑制など，多くの感染症のコントロールに大きな成果をあげてきた。感染症が蔓延し，多くの患者が発生していた時代はもはや過去のものとなったが，一方で特にわが国では，まれに起こるワクチンの副反応のみがクローズアップされ，ワクチンの有用性・重要性がともすれば軽視される時代もあった。ところが，高病原性トリインフルエンザ（HPAI）（1997年〜），SARS（2002〜2003年），MERS（2012年〜）のアウトブレイク，パンデミックインフルエンザ（2009年〜）などが契機となり，予防医学，特にワクチンへの関心が高まり，国内でも大手製薬会社

表11-1　日本で接種可能なワクチン

定期接種	生ワクチン	BCG
		麻しん風しん混合（MR）
		麻しん（はしか）
		風しん
		水痘
	不活化ワクチン	DPT-IPV，DPT，DT
		日本脳炎
		インフルエンザ（65歳以上，一部60〜64歳の対象者）
		肺炎球菌（13価結合型，23価多糖体）
		インフルエンザ菌b型（Hib）
		HPV（2価，4価）
		B型肝炎（2016年10月〜）
任意接種	生ワクチン	おたふくかぜ（流行性耳下腺炎）
		黄熱
		ロタウイルス（1価，5価）
		帯状疱疹（2016年3月〜，50歳以上，水痘ワクチンに帯状疱疹予防の効能追加）
	不活化ワクチン	インフルエンザ
		破傷風トキソイド
		成人用ジフテリアトキソイド
		A型肝炎
		狂犬病
		髄膜炎菌（4価）
		帯状疱疹
国家事業	生ワクチン	痘そうワクチン
	不活化ワクチン	沈降インフルエンザワクチン（H5N1）
		乳濁細胞培養インフルエンザHAワクチン（H5N1）
		沈降細胞培養インフルエンザワクチン（H5N1）
		細胞培養インフルエンザワクチン（H5N1）

DPT：百日咳・ジフテリア・破傷風混合，IPV：不活化ポリオ，HPV：ヒトパピローマウイルス
国立感染症研究所HPを一部改変（2020年1月現在）。

がワクチン開発に参入を始めた。古い世代からみると，最近のワクチンへの関心の高まりは隔世の感がある。そして2019年末に始まった新型コロナウイルス(SARS-CoV-2)による世界的大流行(パンデミック)により，あらためてワクチンへの期待が高まっている。

表11-1に現在わが国で使用可能なワクチンを示した。また，**表11-2**には，それらのワクチンを取り扱う会社を示した。最近，わが国で使用可能となったワクチンの多くが欧米のメーカーで開発されたものであることがわかる。

現行ワクチンの改善・改良とともに，世界的に通用する新しいワクチンの研究・開発がわが国で進むことを期待したい。

本章では，ワクチンの歴史を振り返るとともに，製造と品質管理の事例として，風しんワクチンおよび卵由来インフルエンザワクチンを，ワクチンの開発事例として，細胞培養日本脳炎ワクチンおよび細胞培養インフルエンザワクチンを紹介する。また，ヒトの健康にも関わる動物用ワクチンについて紹介する。合わせてパンデミックの事例として，パンデミックインフルエンザ2009に対するわが国の対応とその後に行われた検証作業について紹介する。なお，現在世界で猛威を振るっている新型コロナウイルスに対しては，さまざまなタイプのワクチンが開発されており，これらの開発状況について最後に触れる。

1．ワクチンの歴史[1〜4]

ワクチンの歴史は，人類の感染症との戦いの歴史でもある。1796年，イギリスのEdward Jennerが開発した種痘法がワクチンの始まりである。その後1885年にはフランスのLouis Pasteurが，狂犬病の病原体をウサギの脊髄に接種して発病させ，この脊髄をすりつぶして次の健康なウサギに接種を繰り返すことにより，病原体の感染力を弱めることに成功し，弱毒狂犬病ワクチンの開発に成功した。

1876年にはRobert Kochによる炭疽菌の発見が最初の病原細菌の発見となり，病原細菌学が台頭することになる。1880年にはLouis Pasteurにより炭疽菌ワクチンが開発され，1884年にはLoefflerがジフテリア菌の純粋培養に成功，次いでRouxとYersinによりジフテリア菌毒素が発見され，1890年にはBehringと北里により血中抗毒素，すなわち抗体が発見された。1921年にはGlennyらにより，ジフテリア菌毒素をホルマリン処理して無毒化したトキソイドが開発された。これら一連の知見を応用して，1930年にはRamonらによって破傷風トキソイドが開発された。

1933年にはSmithらによってヒトからインフルエンザウイルスが分離され，1943年にはFrancisらにより不活化インフルエンザワクチンが開発された。1937年にはTheilerにより黄熱病ウイルスをマウス脳とニワトリ胚に継代して弱毒化した17D株が作出され，黄熱病に対する生ワクチンが開発された。日本では，1954年，北岡，安藤らにより，マウス脳で培養した日本脳炎ウイルスをホルマリンで不活化した不活化日本脳炎ワクチンが開発された。

1949年にはJohn Endersらが動物細胞のガラス容器内での培養に成功し，組織培養によるワクチン開発が加速することになる。1954年にはJonas Salkらによりアフリカミドリザル腎細胞を用いた不活化ポリオワクチンが開発された。この成功を契機に，その後，生ウイルスワクチ

表11-2 国内で販売されているワクチン等と取り扱い会社(2019年4月現在)

ワクチンの名称	一般的名称	取り扱い会社名
DPT-IPV四種混合ワクチン	沈降精製百日せきジフテリア破傷風不活化ポリオ(セービン株)混合ワクチン	KMB, 阪大微研, 田辺三菱, Meiji
	沈降精製百日せきジフテリア破傷風不活化ポリオ(ソークワクチン)混合ワクチン	第一三共, サノフィ
DPT三種混合ワクチン	沈降精製百日せきジフテリア破傷風混合ワクチン(DPT)	阪大微研, 田辺三菱
DT二種混合トキソイド	沈降ジフテリア破傷風混合トキソイド(DT)	武田, KMB, 阪大微研, 田辺三菱, Meiji
ジフテリアトキソイド	成人用沈降ジフテリアトキソイド	阪大微研, 田辺三菱
破傷風トキソイド	沈降破傷風トキソイド	武田, KMB, 阪大微研, デンカ, 田辺三菱, Meiji
ポリオワクチン	不活化ポリオワクチン(ソークワクチン)	サノフィ
麻しん(はしか)風しん混合ワクチン	乾燥弱毒生麻しん風しん混合ワクチン(MR)	第一三共, 武田, 阪大微研, 田辺三菱, 北里薬品
麻しん(はしか)ワクチン	乾燥弱毒生麻しんワクチン	第一三共, 武田, 阪大微研, 田辺三菱, 北里薬品
風しんワクチン	乾燥弱毒生風しんワクチン	第一三共, 武田, 阪大微研, 田辺三菱, 北里薬品
日本脳炎ワクチン	乾燥細胞培養日本脳炎ワクチン	KMB, 阪大微研, 田辺三菱, 武田, Meiji
BCGワクチン	乾燥BCGワクチン	日本BCG
季節性インフルエンザワクチン	インフルエンザHAワクチン	第一三共, KMB, 阪大微研, デンカ, MSD, 田辺三菱, 北里薬品, 武田, Meiji, アステラス
おたふくかぜワクチン	乾燥弱毒生おたふくかぜワクチン	第一三共, 武田, 北里薬品
水痘(みずぼうそう)ワクチン	乾燥弱毒生水痘ワクチン	阪大微研, 田辺三菱, 武田
B型肝炎ワクチン	組換え沈降B型肝炎ワクチン	KMB, MSD, Meiji
A型肝炎ワクチン	乾燥組織培養不活化A型肝炎ワクチン	KMB, Meiji
狂犬病ワクチン	乾燥組織培養不活化狂犬病ワクチン	KMB, Meiji, GSK
【肺炎球菌ワクチン】23価肺炎球菌多糖体ワクチン	肺炎球菌ワクチン	MSD
【肺炎球菌ワクチン】13価肺炎球菌結合型ワクチン	沈降13価肺炎球菌結合型ワクチン	ファイザー
黄熱ワクチン	黄熱ワクチン	サノフィ
ヒブ(Hib)ワクチン	インフルエンザ菌b型(Hib)ワクチン	サノフィ
HPVワクチン	組換え沈降2価ヒトパピローマウイルス様粒子ワクチン	GSK
	組換え沈降4価ヒトパピローマウイルス様粒子ワクチン	MSD
ロタウイルスワクチン	経口弱毒生ヒトロタウイルスワクチン	GSK
	5価経口弱毒生ロタウイルスワクチン	MSD
髄膜炎菌ワクチン	4価髄膜炎菌ワクチン(ジフテリアトキソイド結合体)	サノフィ
抗毒素	乾燥ガスえそウマ抗毒素	KMB
	乾燥ジフテリアウマ抗毒素	KMB
	乾燥まむしウマ抗毒素	KMB, Meiji
	乾燥はぶウマ抗毒素	KMB
	乾燥ボツリヌスウマ抗毒素	KMB
水痘抗原	水痘抗原	阪大微研, 田辺三菱
ツベルクリン	精製ツベルクリン	日本BCG

KMB:KMバイオロジクス株式会社(旧化血研)　　　　(日本ワクチン産業協会HPより引用, 一部改変)

ンの開発が進み，1957年にはA.B. Sabinによる経口弱毒生ポリオワクチン，1960年にはEndersらや，わが国においては奥野と松本による麻しん生ワクチン，1967年にはおたふくかぜワクチン，1969年には風しんワクチンなど，多くのウイルスワクチンが開発された。

また1970年代からは，培養細胞が用いられるようになり，1970年代にヒト二倍体細胞を用いた細胞培養不活化狂犬病ワクチン[5]が，1984年には高橋らによる水痘生ワクチン[6]が実用化された。さらに1995年には森次ら[7]によって樹立されたアフリカミドリザル腎臓由来のGL37細胞を使った乾燥組織培養不活化A型肝炎ワクチン[8]が実用化された。

なお，培養細胞を用いたワクチン開発では，安全性が保証された細胞基材を使用することが必須であり，その材料の1つとしてVero細胞が広く用いられている。Vero細胞は，1962年にわが国の安村[9]によって樹立され，無条件で世界中の研究機関に分与された。以降，数々のウイルス，細菌毒素の研究やワクチンの研究に広く使用され現在に至っている[10]。Vero細胞は，国立研究開発法人 医薬基盤・健康・栄養研究所が運営するJCRB（Japanese Collection of Research Bioresources）細胞バンク，ATCC（American Type Culture Collection），ECACC（European Collection of Authenticated Cell Cultures）などより購入できる。ワクチンの製造が目的であれば，特性解析がなされたVero細胞の分与をWHOより受けることも可能である。WHOのポリオ専門家会議は，WHOに寄託されたVero細胞バンクを用いたポリオワクチン製造のための基準を公表している[11]。

病原体がわかっていながら，その病原体の培養が動物や培養細胞で困難であり，ワクチン開発ができないものもある。B型肝炎がその一例で，培養が困難であったため，B型肝炎ウイルス（hepatitis B virus：HBV）保因者の血液を原料とし，この血液中の感染防御抗原（HBs抗原）を分離精製して不活化した抗原をワクチンとして用いた時代がある（1980年代）。しかし原料（感染者の血液）の供給量に限りがあること，製造従事者に感染のリスクがあること，安全性試験が困難などの問題があった。これらの問題点を克服するため，当時の最新技術である遺伝子組換え技術の応用が試みられ，1983年に米国のMerck社と日本の一般財団法人化学及血清療法研究所（化血研；現 KMバイオロジクス株式会社）がほぼ同時に，HBVの表面抗原（HBs）をコードする遺伝子を酵母菌に導入した組換え酵母の作出に成功し[12]，臨床試験を経て世界初となる遺伝子組換えB型肝炎ワクチンを開発，わが国では1988年に承認された[13]。

表11-3に，1985年以降，現在までに日本および米国で導入されたワクチンを示す。1990年代半ば以降，日本の出遅れが顕著となっている。米国では，新規なワクチンばかりでなく，数種類のワクチンを混合し，1回の接種でいくつもの感染症に対応できるワクチンが開発され，接種者への負担軽減が図られている。さらに最近では，組換え技術を応用したロタウイルスワクチンやHPVワクチンも導入された。

2000年代，「日本はワクチン後進国」と揶揄されることもあった。そこに至るまでの背景には，ワクチンの副作用訴訟での国の敗訴とそれによる審査姿勢の慎重化，ワクチンの製造や開発を取り巻く規制環境の高度化と開発費用の高額化，わが国におけるワクチン市場の伸び悩みによるビジネスとしての魅力の縮小化と医薬品メーカーの開発意欲の低下などの連鎖，すなわち負のスパイラルがあった。しかしながら，2005年4月に組織された「ワクチンの研究開発，供給体制等の在り方に関する検討会」において，「我が国は今，ワクチンの研究開発，製造体

表11-3 日本と米国におけるワクチンの導入時期

導入年	日本	米国
1985	B型肝炎ワクチン（米国は1982）	
1986		遺伝子組換えB型肝炎ワクチン
1987	水痘生ワクチン	インフルエンザ菌b型(Hib)ワクチン 不活化ポリオワクチン(IPV)
1988	成人用23価肺炎球菌ワクチン（米国は1977） 遺伝子組換えB型肝炎ワクチン 麻疹／おたふくかぜ／風疹(MMR)ワクチン[注1]（米国は1971）	
1991		無細胞百日咳(aP)ワクチン（日本から導入）
1992		ジフテリア／破傷風／百日咳(DTaP)ワクチン（日本は1981年） 日本脳炎ワクチン（日本は1956年）
1993		DTaP-Hibワクチン
1994		ペストワクチン
1995	乾燥不活化A型肝炎ワクチン	水痘生ワクチン
1996		Hib-B型肝炎ワクチン 不活化A型肝炎ワクチン
2000		小児用7価肺炎球菌ワクチン
2001		A型肝炎-B型肝炎ワクチン
2002		DTP-IPV-B型肝炎ワクチン
2003	水痘生ワクチン（帯状疱疹予防用として高齢者〔50歳以上〕に接種）	経鼻インフルエンザ生ワクチン 成人用DTPワクチン
2005	麻疹／風疹(MR)ワクチン	MMR-水痘ワクチン
2006		ロタウイルスワクチン ヒトパピローマウイルス(HPV)ワクチン(4価) 水痘生ワクチン（帯状疱疹予防用として高齢者〔60歳以上〕に接種）
2007	Hibワクチン 沈降インフルエンザワクチンH5N1	インフルエンザワクチンH5N1
2008		DTaP-IPV-Hibワクチン DTaP-IPVワクチン ロタウイルスワクチン(1価)
2009	乾燥細胞培養日本脳炎ワクチン HPVワクチン(2価) 小児用7価肺炎球菌ワクチン	HPVワクチン(2価) 細胞培養日本脳炎ワクチン
2010		小児用13価肺炎球菌ワクチン 4価髄膜炎菌ワクチン
2011	HPVワクチン(4価) ロタウイルスワクチン(1価)	
2012	ロタウイルスワクチン(5価) DTaP-IPVワクチン	細胞培養インフルエンザワクチン（季節性）
2013	小児用13価肺炎球菌ワクチン	遺伝子組換えインフルエンザワクチン（季節性）
2015	4価髄膜炎菌ワクチン	
2016	水痘生ワクチン（帯状疱疹予防用として50歳以上に接種）	組換え経口生コレラワクチン
2017		帯状疱疹ワクチン（組換え，アジュバント）
2018	帯状疱疹ワクチン（組換え，アジュバント）	

第1回厚生科学審議会感染症分科会予防接種部会資料より引用改変。
[注1] 日本においては1993年，使用中止。

制を維持できるかどうかの岐路に立たされている」との認識のもと，産官学共同で検討が重ねられ，2007年3月，ワクチン産業ビジョンが策定・公開された（http://www.mhlw.go.jp/shingi/2007/03/dl/s0322-13d.pdf）。同時にワクチン産業ビジョン推進委員会がスタートし，ビジョンに掲げられたアクションプランの推進が図られた。2009年12月には予防接種部会なども組織され，特に重要な8つのワクチン（Hib，HPV，水痘，B型肝炎，ポリオ，肺炎球菌，おたふくかぜ，百日咳）についての詳細な検討と提言が行われた。これらの施策と認識の高まりにより，2007年にはインフルエンザ菌b型（Hib）ワクチン，2009年には乾燥細胞培養不活化日本脳炎ワクチン，HPVワクチンおよび小児用7価肺炎球菌ワクチンが導入され，2010年度には1,085億円が補正予算として計上され，HPVワクチン，Hibワクチンおよび小児用7価肺炎球菌ワクチンについて，公的な助成措置[14]も講じられた。2011年にはロタウイルスワクチン，2012年にはDPT-IPVワクチン，2015年には髄膜炎菌ワクチンが導入され，ワクチン後進国と揶揄された状況は脱した。現在，わが国で行われている定期および任意でのワクチン接種については，国立感染症研究所のホームページに掲載されているのでぜひご確認いただきたい（https://www.niid.go.jp/niid/ja/vaccine-j/2525-v-schedule.html）。

2. ワクチンの製造と品質管理

　本項では，ワクチンの製造と品質管理の事例として，「風しんワクチン」（生ワクチン）と「インフルエンザワクチン」（不活化ワクチン）について概説する。

　不活化ワクチンは，ワクチンの原料となる微生物そのもの，あるいは取り出した構成成分や産生された毒素などを薬剤（ホルマリン，β-プロピオラクトンなど）や紫外線などで処理して感染性を失わせつつ，かつ免疫原性（生体に投与した際に免疫反応を惹起させ，感染（あるいは発症）防御機能を発揮させる能力）を保つ程度に"不活化"して作られる。毒性や感染性がないのでワクチンの接種により病気を起こす心配はないが，効果が長続きしないので，適当な間隔でワクチン接種を繰り返さなくてはならない。また，投与する抗原量が比較的多く，副反応を起こしやすい。

　これに対して生ワクチンは，文字通り"生きた"微生物でつくられる。第1項で記したように宿主を変えて継代を繰り返したり，より積極的には薬剤等で突然変異を誘発するなどして，病原性は弱く生体に投与した際に適度な増殖性を保持し，しかも自然感染に近い免疫を付与できる株（弱毒株）を選び出して用いる。

　生ワクチンの効果は一般的に長く続き，投与する抗原量が少なく副反応は少ないが，弱毒化されているとはいえ生きているので，免疫不全の子供に投与されることがないよう注意しなければならない。体の中でワクチン株が増殖し病気を起こす可能性がある。また，頻度は非常に低いが，投与後の体内で，あるいは体外に排出された後，病原性のある状態に逆戻りする変異を起こすことがある。

（1）風しんワクチン

　風しんウイルスが，ParkmanらおよびWellerらによってそれぞれ独自にヒトから分離された

のは1962年である。わが国では1970年に「風しんワクチン研究会」が発足，国内分離株を弱毒化した生ワクチンの開発が進められた。当時，弱毒の程度と免疫原性のレベルを測る実験室的手段がなく，やむなく唯一感受性のあるヒトに接種して確認された。研究会に供試された10種類のワクチンから，北里研究所（現 第一三共バイオテック株式会社）の高橋株，一般財団法人阪大微生物研究会（株式会社BIKEN）の松浦株，武田薬品工業株式会社のTO-336株，千葉血清研究所（2002年に閉所）のTCRB19株，化血研（現 KMバイオロジクス株式会社）の松葉株の5種類が適合と判定された。それぞれ1975年から1980年にかけて承認を取得したが，現在は，高橋株，松浦株，TO-336株の3種類が単味あるいは麻しんとの混合ワクチン（MRワクチン）として，定期接種に用いられている。

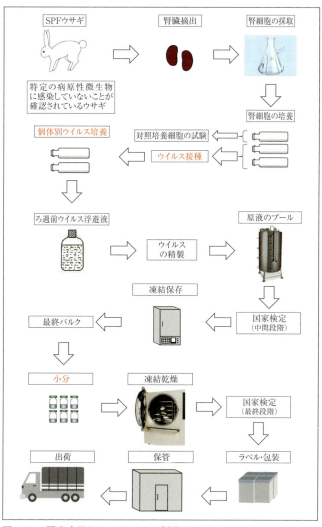

図11-1　弱毒生風しんワクチンの製造フロー

①風しんワクチンの製造

乾燥弱毒生風しんワクチンの製造フローを**図11-1**に示す。細胞基材であるウサギ腎培養細胞は、**表11-4**に示す規格に適合したSPF (Specific Pathogen Free) ウサギの腎臓から調製する。細胞基材のウイルス安全性は、対照細胞の試験（**表11-5**）を個体ごとに実施することで担保する。また、ウイルス浮遊液の試験も個体ごとに実施する。ウイルス浮遊液は安定剤を加えてろ過前ウイルス浮遊液とする。ろ過前ウイルス浮遊液は、細胞除去後、混合し原液とする。原液について安全性と有効性を確認するために自家試験を行う。自家試験に合格した原液は、国家検定（中間段階）に供される。検定期間中の原液は、封緘された状態で凍結保存される。国家検定合格後、原液の濃度調整を行い、これを最終バルクとする。最後に、最終バルクをバイアルに分注・凍結乾燥を行い、これを小分製品とする。小分製品は、有効性および凍結乾燥状態を確認するために自家試験を行う。自家試験に合格した小分製品は、国家検定（最終段階）に供される。検定期間中の小分製品は、封緘された状態で保管される。国家検定合格後、小分製品を包装し、最終製品とする。最終製品は、表示確認試験に供され、合格後に出荷可となる。

②風しんワクチンの品質管理

乾燥弱毒生風しんワクチンの製造に用いるウイルス株は、シードロットシステムにより管理されている。マスターおよびワーキングシードが作製され、あらかじめ定めた有効性・安全性試験に適合することが確認されている。製造にはワーキングシードを用いる。継代による特性の変化を防ぐため、生物学的製剤基準では「乾燥弱毒生風しんワクチンに含まれるウイルスは、その株が適当と認められた後、定められた培養条件の下で継代を行い、かつ、その継代数が5代を超えてはならない」とされており、製造方法は継代数が5代を超えないように設計されている。

ワクチン製造に使用するSPFウサギは、病原菌が定期的に監視された閉鎖コロニーで維持・生産されたものを用いる。7日間以上の健康観察を行って発熱や他の異常を認められなかった個体について腎臓を摘出して使用する。また、剖検時にサルモネラ症、結核、仮性結核および

表11-4　SPFウサギの規格（微生物モニタリング）の例

生物学的製剤基準解説（2007）	日本エスエルシー株式会社*	
	検査項目	検査項目
サルモネラ	*Salmonella spp.*	○
	Salmonella typhimurium	□
動物パスツレラ症病原菌	*Pasteurella multocida*	○
気管支敗血症菌	*Bordetella bronchiseptica*	○, □
マイコプラズマ	*Mycoplasma pulmonis*	○, ■
外部寄生虫	*Eimeria spp.*	●
	Psoroptes cuniculi	●
その他	*Pseudomonas aeruginosa*	○
	Clostridium piliforme	■
	Sendai virus	■

○：培養検査、●：寄生虫検査、□：血清反応（凝集法）、■：血清反応（ELISA or IFA）
*同社のホームページより許諾を受けて引用
本表に記載した検査項目は、1つの例としてとらえていただきたい。WHO Technical Report Series, No. 840. Annex 3: Requirements for measles, mumps and rubella vaccines and combined vaccine (live)では、Rabbitpox virusやHerpesvirus cuniculiの検査なども推奨されている。

表11-5　乾燥弱毒生風しんワクチンの品質試験項目

工程	試験項目	備考
対照細胞	培養観察	対照培養細胞を、ウイルスを接種することなく、ウイルス培養と同じ条件で培養するとき、外来性ウイルスによる細胞変性を認めてはならない。また、観察期間中、対照培養細胞の20%以上が非特異的または偶発的事由により観察できなくなってはならない。
	ヒト培養細胞接種試験	外来性ウイルスによる細胞変性を認めてはならない。
	ウサギ腎培養細胞接種試験	外来性ウイルスによる細胞変性を認めてはならない。
ウイルス浮遊液	無菌試験	菌の発育を認めないこと。
	マイコプラズマ否定試験	マイコプラズマの増殖を認めない。
	ヒト培養細胞接種試験	外来性ウイルスによる細胞変性を認めてはならない。
	ウサギ腎培養細胞接種試験	外来性ウイルスによる細胞変性を認めてはならない。
ろ過前ウイルス浮遊液	無菌試験	菌の発育を認めないこと。
	マイコプラズマ否定試験	マイコプラズマの増殖を認めない。
	結核菌培養否定試験	結核菌の発育を認めない。
原液	無菌試験	菌の発育を認めないこと。
	成熟マウス接種試験	いずれの動物も外来性ウイルスによる感染を示してはならず、また動物の80%以上は生き残らなければならない。
	乳飲みマウス接種試験	20匹以上のいずれの乳飲みマウスも外来性ウイルスによる感染を示してはならず、またその80%以上は生き残らなければならない。
	モルモット脳内接種試験	いずれの動物も外来性ウイルスによる感染を示してはならず、また動物の80%以上は生き残らなければならない。
	ウサギ接種試験	いずれの動物も外来性ウイルスによる感染を示してはならず、また動物の80%以上は生き残らなければならない。
	ヒト培養細胞接種試験	外来性ウイルスによる細胞変性を認めてはならない。
	ウサギ腎培養細胞接種試験	外来性ウイルスによる細胞変性を認めてはならない。
	同定試験	試料を適当な培養細胞を用いて増殖させるとき、その増殖は、抗風しんウイルス免疫血清によって中和されなければならない。
	神経毒力試験	乾燥弱毒生風しんワクチンの製造に適当と認められたウイルス株から由来した製剤の連続5回の製品において神経毒力がないことが確認された場合は、当該ウイルス株由来の以後の製品については本試験を省くことができる。
	マーカー試験	体重300〜400gのモルモット10匹以上に、1匹当たり検体1,000〜10,000 PFU、FFUまたは$CCID_{50}$を皮下に注射する。35日後に採血して血中抗体を測定するとき、動物の80%以上は風しんに対する抗体を発現してはならない。
	ウイルス含量試験	適当な培養細胞を用いて検体0.5mL中のウイルス量をPFU、FFUまたは$CCID_{50}$で測定する。
最終バルク	無菌試験	菌の発育を認めないこと
	ウイルス含量試験	適当な培養細胞を用いて検体0.5mL中のウイルス量をPFU、FFUまたは$CCID_{50}$で測定する。
	異常毒性否定試験	観察期間中、いずれの動物も異常を示さない。
小分製品	含湿度試験	3.0%以下
	無菌試験	菌の発育を認めないこと
	力価試験	適当な培養細胞を用いて検体0.5mL中のウイルス量をPFU、FFUまたは$CCID_{50}$で測定する。
	表示確認試験	適当な培養細胞に検体を接種し培養した後、蛍光抗体法等によって行う。

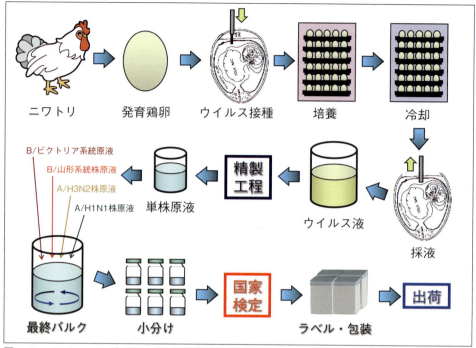

図11-2　インフルエンザHAワクチンの製造方法と検定・出荷

粘膜腫症および他の病変がないことを確認する。

　外来性ウイルス等を否定する試験（ヒト培養細胞接種試験，ウサギ腎培養細胞接種試験，成熟マウス接種試験，乳のみマウス接種試験，モルモット脳内接種試験およびウサギ接種試験）では，必要があれば検体中の風しんウイルスをあらかじめ抗血清で中和後に実施する。したがって，製造工程中でのヒトからの迷入およびウサギ由来の感染性因子を否定するためには，理論上，これらに対する抗体を持たない動物で抗血清を作製する必要がある。抗血清は，ヒツジなどげっ歯類以外(念のためサルも使用されない)の動物で作製される。

　乾燥弱毒生風しんワクチンの品質試験項目は，生物学的製剤基準に示されている(表11-5)。生物学的製剤基準で定められた試験項目は，最低限実施しなければならないminimal requirementsであり，各製造業者は，これらの試験以外に独自の試験／規格を設定し，ワクチンの安全性を担保している。

(2) インフルエンザワクチン [15]

　インフルエンザウイルスが，Wilson Smithらによってヒトから分離されたのは1933年である[16]。1930年代後半にはインフルエンザウイルスが発育鶏卵でよく増殖することがわかり，1941年にはGeorge K. Hirstにより，インフルエンザウイルスがニワトリの赤血球を凝集させる（赤血球凝集反応：hemagglutination）ことが発見され，ウイルスの定量や抗体価の測定が可能となった。そして1943年にはFrancisらにより不活化インフルエンザワクチンが開発された。わが国では，1957年のアジアかぜの大流行以後，インフルエンザワクチンが本格的に導入された。当時のワクチンは，濃縮ウイルスをホルマリンで不活化した全粒子ワクチンであり，副反

応が強かったことから，精製度の向上と合わせてエーテル処理により脂質を取り除いたワクチン（エータースプリットワクチン）が開発され，1972年より実用化された。わが国で使われているインフルエンザワクチンの基本的な製法は現在も変わっていない。**図11-2**に，このエータースプリット型インフルエンザワクチンの製造方法の流れを示す。

①ワクチン株の選定

インフルエンザワクチンの有効性を確保する上で，流行ウイルスとワクチン株との抗原性を合致させることが重要である。WHOは，世界各国のインフルエンザセンターから流行情報を集めるとともに，分離ウイルスをWHOインフルエンザ協力センターに送付して詳細な抗原解析と遺伝子解析，およびヒト血清中の抗体との反応性などを考慮し，次シーズンの流行ウイルスを予測してワクチン推奨株を決定している。わが国では，国立感染症研究所内にインフルエンザウイルス研究センターがあり，そこに国内の地方衛生研究所などで分離されたウイルスが集められ，抗原解析や遺伝子解析などを行い，またWHOから提供された情報も参考にして，日本独自のワクチン株を選定している。**表11-6**に，1990年からの日本におけるインフルエンザワクチン製造株の変遷を示す。A型はH1N1とH3N2からそれぞれ1株ずつ，B型は山形系統あるいはビクトリア系統より1株（3価）または2株（4価）が選択されている。H1N1については，2009年のパンデミック後のシーズン（2010/2011）から，パンデミックを起こした株が採用されている。B型については，永らく山形系統あるいはビクトリア系統のいずれかが流行するパターンであったが，最近は2つの系統が混在して流行する傾向があり，WHOは2013/2014シーズンからB型について2株を推奨している。米国では2013/2014シーズンから3価ワクチンと並行して4価ワクチンの供給が始まっており，日本では，2015/2016シーズンから4価ワクチンへの変更が行われた。

②ワクチンの製造

日本国内で承認されているインフルエンザHAワクチンは，発育鶏卵由来のワクチンである。少なくともワクチン製造開始6カ月前に雛を導入し，厳密な飼育衛生管理を行った上で育雛，成鶏に育てて，受精卵を供給できる体制を整えなければならない。そして産卵された受精卵を厳密に管理し，10〜12日間孵卵した発育鶏卵を準備して，その後品質検査に適合したものだけを，ワクチン製造用卵として使用する。なおWHOのインフルエンザワクチンのminimum requirementにおいては[17]，ワクチン製造には，健康なニワトリ由来の発育鶏卵を使用することが推奨されている。

ワクチン株ごとに原液製造を行い，でき上がった4株の原液を最終バルクで混合，その後小分けし，4価の不活化インフルエンザHAワクチンとする（図11-2）。

ワクチン株のマスターシードが，国立感染症研究所から分与され，これを基に発育鶏卵を用いてワーキングシードを作製する。作製されたワーキングシードを，10〜12日間孵卵した発育鶏卵に接種し，約2日間培養する。培養後冷却し，インフルエンザウイルスが増殖した尿膜腔液を採取し，物理的化学的な方法で精製し，その後，ショ糖密度勾配遠心法によりウイルスを精製・濃縮し，ウイルス画分を採取する。この工程液を電子顕微鏡で観察すると，多数のウイ

表11-6　日本におけるインフルエンザHAワクチン製造株の変遷

シーズン	A/ソ連型(H1N1)	A/香港型(H3N2)	B型
1990/1991	A/山形/32/89	A/貴州/54/89	B/愛知/5/88, B/香港/22/89
1991/1992	A/山形/32/89	A/北京/352/89	B/バンコク/163/90
1992/1993	A/山形/32/89	A/北京/352/89	B/バンコク/163/90
1993/1994	A/山形/32/89	A/北京/352/89	B/バンコク/163/90
1994/1995	A/山形/32/89	A/北九州/159/93	B/三重/1/93
1995/1996	A/山形/32/89	A/北九州/159/93	B/三重/1/93
1996/1997	A/山形/32/89	A/北九州/159/93	B/三重/1/93
1997/1998	A/北京/262/95	A/武漢/359/95	B/三重/1/93, B/広東/05/94
1998/1999	A/北京/262/95	A/シドニー/5/97	B/三重/1/93
1999/2000	A/北京/262/95	A/シドニー/5/97	B/山東/7/97
2000/2001	A/ニューカレドニア/20/99	A/パナマ/2007/99	B/山梨/166/98
2001/2002	A/ニューカレドニア/20/99	A/パナマ/2007/99	B/ヨハネスバーグ/5/99
2002/2003	A/ニューカレドニア/20/99	A/パナマ/2007/99	B/山東/7/97
2003/2004	A/ニューカレドニア/20/99	A/パナマ/2007/99	B/山東/7/97
2004/2005	A/ニューカレドニア/20/99	A/ワイオミング/3/2003	B/上海/361/2002
2005/2006	A/ニューカレドニア/20/99	A/ニューヨーク/55/2004	B/上海/361/2002
2006/2007	A/ニューカレドニア/20/99	A/広島/52/2005	B/上海/361/2002
2007/2008	A/ソロモン諸島/3/2006	A/広島/52/2005	B/マレーシア/2506/2004
2008/2009	A/ブリスベン/59/2007	A/ウルグアイ/716/2007	B/フロリダ/4/2006
2009/2010	A/ブリスベン/59/2007	A/ウルグアイ/716/2007	B/ブリスベン/60/2008
2009/2010	A/カリフォルニア/7/2009pdm		
2010/2011	A/カリフォルニア/7/2009pdm	A/ビクトリア/210/2009	B/ブリスベン/60/2008(ビクトリア系統)
2011/2012	A/カリフォルニア/7/2009pdm	A/ビクトリア/210/2009	B/ブリスベン/60/2008(ビクトリア系統)
2012/2013	A/カリフォルニア/7/2009pdm09	A/ビクトリア/361/2011	B/ウィスコンシン/1/2010(山形系統)
2013/2014	A/カリフォルニア/7/2009(X-179A)pdm09	A/テキサス/50/2012(X-223)	B/マサチューセッツ/2/2012(BX-51B)(山形系統)
2014/2015	A/カリフォルニア/7/2009(X-179A)pdm09	A/ニューヨーク/39/2012(X-233A)	B/マサチューセッツ/2/2012(BX-51B)(山形系統)
2015/2016	A/カリフォルニア/7/2009(X-179A)pdm09	A/スイス/9715293/2013(NIB-88)	B/プーケット/3073/2013(山形系統)
2016/2017	A/カリフォルニア/7/2009(X-179A)pdm09	A/香港/4801/2014(X-263)	B/プーケット/3073/2013(山形系統)
2017/2018	A/シンガポール/GP1908/2015(IVR-180)pdm09	A/香港/4801/2014(X-263)	B/テキサス/2/2013(ビクトリア系統)
2018/2019	A/シンガポール/GP1908/2015(IVR-180)pdm09	A/シンガポール/INFIMH-16-0019/2016(IVR-186)	B/プーケット/3073/2013(山形系統)
2019/2020	A/ブリスベン/02/2018(IVR-190)pdm09	A/カンザス/14/2017(X-327)	B/メリーランド/15/2016(NYMC BX-69A)(ビクトリア系統)
2020/2021	A/広東-茂南/SWL1536/2019(CNIC-1909)	A/香港/2671/2019(NIB-121)	B/プーケット/3073/2013(山形系統) B/ビクトリア/705/2018(BVR-11)(ビクトリア系統)

国立感染症研究所HP(https://www.niid.go.jp/niid/ja/vaccine-j/249-vaccine/584-atpcs002.html)より引用
pdm：2009年にパンデミックを起こしたH1N1株

ルス粒子が観察される(**図11-3**)．次いで同液にエーテルを加えて撹拌処理し，ウイルスの脂質を除去し，HA画分を採取する．このエーテル処理工程を**図11-4**に示す．なおこのHA画分には，インフルエンザウイルスの感染防御の主要抗原であるHA以外にも，ウイルス構成タンパク質が含まれる．さらに，ホルマリンを添加することにより安定化させ，必要に応じて保存

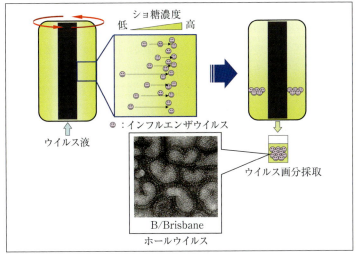

図11-3　インフルエンザHAワクチンの精製工程：ショ糖密度勾配遠心法

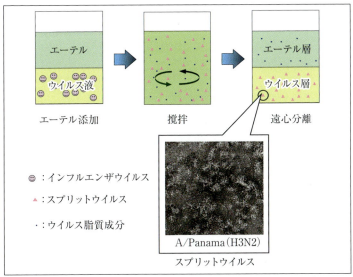

図11-4　インフルエンザHAワクチンの精製工程：エーテル処理工程

剤を添加しワクチン原液とする．ワクチン原液を電子顕微鏡で観察すると，HAが凝集したロゼット状を形成する（図11-4）．

　4株の原液を濃度調整して混合し，最終バルクを調製の後，これをバイアルに小分けし，小分製品とする．小分製品は，メーカー独自の品質管理試験や生物学的製剤基準に従った試験（自家試験）の後，国家検定を受ける．国家試験に合格した小分製品は包装され，表示確認試験を行った後に出荷される．

③インフルエンザHAワクチンの品質管理

　作製されたワーキングシードは，無菌性もさることながら，マスターシードと抗原性が違わないことを確認した上で製造に使用する．

ウイルス培養に使用する発育鶏卵は，生物由来原料に位置づけられるため，一定の品質管理が重要になるとともに，発育鶏卵の管理は，品質が良く，安定したワクチン製造を行う上では重要なポイントとなる。品質の良い発育鶏卵を調達するためには，養鶏業者と品質上の取り決めを行うことが重要であるし，季節的な変動要因も大きく影響する。

インフルエンザHAワクチンの品質管理項目は，生物学的製剤基準[18]に示されている。**表11-7**に，生物学的製剤基準で定められているインフルエンザHAワクチンの試験項目と解説[19]を示した。4価化に対しては，2015年3月に生物学的製剤基準の一部が改正され，小分製品の規格（タンパク質含量）が，240μg/mL以下から400μg/mL以下に変更された。生物学的製剤基準で定められた試験項目は，最低限実施しなければならない試験内容であり，各製造業者は，表に示した試験以外に独自の試験／規格を設定し，ワクチンの安全性を担保している。なお，

表11-7　インフルエンザHAワクチンの品質試験項目

工程	試験項目	備考
原液	分画試験	エーテル処理によりウイルスの脂質膜成分が除去され，ウイルス粒子が分解されたことを，ショ糖密度勾配遠心法によって分析／確認する。
	無菌試験	適合しなければならない。
	発熱試験	エンドトキシンやウイルス由来の発熱活性の否定を目的として実施するが，WHOでは規定されていない。エーテル処理でウイルスの脂質膜成分を除去することによって，発熱活性は明らかに減少する。
	マウス白血球数減少試験	残存しているかもしれないウイルス毒性の否定を目的として実施するが，WHOでは規定されていない。また，臨床上の副反応等との関連性は不明である。本活性についても，エーテル処理でウイルスの脂質膜成分を除去することによって，明らかに減少する。
	ウイルス含量試験	従来，赤血球凝集活性を指標とするCCA（chicken red cell agglutination）価で測定されてきたが，ウイルス株によって変動することから，現在は採用されていない。現在は，一元放射免疫拡散試験（SRD試験）により，HA含量を測定する。
小分製品	pH試験	6.8～8.0と規定
	分画試験	原液の試験を参照
	エーテル否定試験	嗅覚に基づく官能試験であり，エーテル臭が残存しないことと規定
	タンパク質含量試験	タンパク質含量を，400μg/mL以下と規定
	チメロサール含量試験	保存剤としてチメロサールを用いる場合実施し，濃度を0.012w/v%以下と規定
	ホルムアルデヒド含量試験	ホルムアルデヒド濃度を，0.01w/v%以下に規定
	無菌試験	適合しなければならない。
	不活化試験	インフルエンザウイルスが完全に不活化されていることを，受精卵を用いて確認する。
	異常毒性否定試験	特定の物質を検出対象とする試験ではない。生物学的製剤特有の試験で，網羅的にモルモットの反応性を把握する試験である。
	マウス白血球数減少試験	原液の試験を参照
	ウイルス含量試験	原液の試験を参照
	力価試験	一元放射免疫拡散試験または卵中和試験を行う。
	マウス体重減少試験	エンドトキシンが混在することを否定することが主目的であるとともに，インフルエンザウイルス自体のマウス体重減少作用を否定することを目的として実施する。本活性についても，エーテル処理でウイルスの脂質膜成分を除去することによってほとんど喪失する。
	表示確認試験	赤血球凝集活性を確認し出荷判定する。

生物学的製剤基準に示された試験項目の中には，日本独特のものもある。原液の試験項目の1つである発熱試験は，WHOの基準には設定されていない。エンドトキシンを否定することを目的として本試験が設定されているが，インフルエンザウイルスに由来する発熱活性も否定可能である。本基準が定められた当時は，発育鶏卵の品質は現在と比べると低いと考えられるが，現在では発育鶏卵の品質が高く維持されているとともに，ウイルスの精製技術の向上により，発熱活性が認められることはほとんどない。もし認められたとしても，品質管理試験により確認でき，原液として使用されることはない。

④多様化するインフルエンザワクチン

表11-8に，欧米で2019～2020年シーズンに販売されたインフルエンザワクチンを示した。剤形としては，スプリット／サブユニット，全粒子，組換え，生，アジュバントがあり，培養基材としては，発育鶏卵，培養細胞(MDCK，昆虫細胞)が用いられており，投与経路としては，筋注，皮下，皮内，ジェットインジェクション，経鼻がある。また，3価製剤と4価製剤が併売されている。わが国のインフルエンザワクチンは，スプリット／発育鶏卵／皮下の4価製剤であるが，複数のワクチンが開発中であり，数年のうちに欧米と同じ状況，すなわち市場に多様なワクチンが混在し，少なからず混乱が生じる可能性が考えられる。個人レベルでは，選択肢が増える一方で選ぶための情報と知識が必要となり，開業医のレベルでは，接種希望者の要望に応えるための品揃えが必要となるのかも知れない。インフルエンザワクチンは有効期間が短く，売れ残りは返品・廃棄となり，全体としては無駄の多い仕組みとなってしまう。欧米の状況を調査し，無駄の少ないシステムを考えておく必要がある。

3. ワクチンの開発事例

本項では，ワクチンの開発事例として組換え帯状疱疹ワクチン，細胞培養日本脳炎ワクチンおよび細胞培養インフルエンザワクチンについて，特にウイルス安全性確保の観点より概説を試みる。

（1） 組換え帯状疱疹ワクチン

CHO細胞を培養基材とした組換え帯状疱疹ワクチン(シングリックス®筋注用)(以下，本剤)が，GSKによって開発され，2018年3月にわが国で承認された(米国では2017年10月，欧州では2018年3月承認)。

帯状疱疹の原因ウイルスは，ヘルペスウイルス科(herpesviridae)に属するDNAウイルスの1つ水痘・帯状疱疹ウイルス(VZV；varicella zoster virus)[20]で，初感染では水痘(水ぼうそう)を発症させ，その後は脊髄後根神経節や脳神経節に潜伏感染する。加齢，疲労，ストレス，抗がん剤治療，免疫抑制剤の使用等の誘因による細胞性免疫機能の低下に伴って再活性化し，神経分布領域の皮膚に帯状疱疹を発症させる。疼痛を伴い，QOLは大きく低下する。70歳代を中心に毎年約60万人が発症し，80歳までに3人に1人が帯状疱疹を発症すると推定されており[21]，2013年10月開催の第5回厚生科学審議会予防接種・ワクチン分科会研究開発および生

表11-8 欧米で販売されているインフルエンザワクチン（2019-2020シーズン）

A. 米国で販売されているインフルエンザワクチン

メーカー	製品名		細胞基材	投与法	種類	適応	備考
Seqirus	Afluria Quadrivalent	0.25 mL single-dose/PFS	発育鶏卵	筋注	不活化	6～35カ月	
		0.5 mL single-dose/PFS				3歳以上	
		5.0 mL multi-dose vial				6～35カ月	
		5.0 mL multi-dose vial				3歳以上	18～64歳はjet injector
	Flucelvax Quadrivalent	0.5 mL single-dose/PFS	MDCK	筋注	不活化	4歳以上	
		5.0 mL multi-dose vial					
	Fluad	0.5 mL single-dose/PFS	発育鶏卵	筋注	不活化	65歳以上	アジュバントワクチン
GlaxoSmithKline	Fluarix Quadrivalent	0.5 mL single-dose/PFS	発育鶏卵	筋注	不活化	6カ月以上	
	FluLaval Quadrivalent	0.5 mL single-dose/PFS	発育鶏卵	筋注	不活化	6カ月以上	製造はID Biomedical Corp.（カナダ）
		5.0 mL multi-dose vial					
AstraZeneca	Flumist Quodrivalent	0.2 mL single-use spray	発育鶏卵	経鼻	生	2～49歳	ACIPの勧告により，2017-2018シーズンについては使用中止
Sanofi Pasteur	Flublok Quadrivalent	0.5 mL single-dose/PFS	昆虫細胞	筋注	遺伝子組換え	18歳以上	抗原量は1価当り45μg
	Fluzone Quadrivalent	0.25 mL single-dose/PFS	発育鶏卵	筋注	不活化	6～35カ月	
		0.5 mL single-dose/PFS				3歳以上	
		0.5 mL single-dose vial					
		5.0 mL multi-dose vial				6～35カ月	
		5.0 mL multi-dose vial				3歳以上	
	Fluzone High-Dose	0.5 mL single-dose/PFS				65歳以上	抗原量はFluzoneの4倍. Total 180μg

Quadrivalent：4価，他は3価，PFS：prefilled syringe，MDCK：Madin-Darby canine kidney. イヌ腎臓由来の細胞株

出典：Prevention and Control of Seasonal Influenza with Vaccines：Recommendations of the Advisory Committee on Immunization Practices – United States, 2019-20 Influenza Season. MMWR, 68(3), 2019

B. 欧州で販売されているインフルエンザワクチン

メーカー	製品名		細胞基材	投与法	種類	適応	備考
AstraZeneca	Fluenz tetra（Flumist Quodrivalent）	0.2 mL single-dose prefilled intranasal spreyer	発育鶏卵	経鼻	生	24カ月～17歳	販売は，Austria, Finland, Germany, Norway, Sweden, UK
GlaxoSmithKline	Fluarix	0.5 mL single-dose/PFS	発育鶏卵	筋注/皮下	不活化/スプリット	6カ月以上	
	Fluarix Tetra	0.5 mL single-dose/PFS		筋注			
Abbot Biologicals/Mylan Products Ltd.	Xanaflu Tetra	0.5 mL single-dose/PFS	発育鶏卵	筋注	不活化/スプリット	3歳以上	6～35カ月は0.25mL. Imuvacの販売は英国のみ
	Imuvac	0.5 mL single-dose/PFS				6カ月以上	
Mylan Products Ltd.	Influvac/Xanaflu	0.5 mL single-dose/PFS				6カ月以上	
	Influvac Tetra	0.5 mL single-dose/PFS				3歳以上	
Seqirus	Flucellvax	0.5 mL single-dose/PFS	MDCK	筋注	不活化/サブユニット	9歳以上	
	Agrippal	0.5 mL single-dose/PFS				6カ月以上	
	Fluad	0.5 mL single-dose/PFS	発育鶏卵			65歳以上	アジュバント（MF59）を含む。販売は，Germany, Italy, Spain, Sweden, UK
Pfizer/Seqirus	Afluria	0.5 mL single-dose/PFS	発育鶏卵	筋注	不活化/スプリット	5歳以上	
Fluart Innovative	3Fluart	0.5 mL/Ampoule	発育鶏卵	筋注	不活化/全粒子	3歳以上	アジュバント（アルミゲル）を含む。販売は，Hungary
Sanofi Pasteur	Trivalent Influenza Vaccine High dose	0.5 mL single-dose/PFS	発育鶏卵	筋注	不活化/スプリット	65歳以上	
	Vaxigrip/Istivac	0.5 mL single-dose/PFS		筋注/皮下		6カ月以上	
	Vaxigrip Tetra	0.5 mL single-dose/PFS					

Tetra：4価，他は3価，PFS：prefilled syringe，MDCK：Madin-Darby canine kidney. イヌ腎臓由来の細胞株

出典：European Centre for Disease Prevention and Controlのホームページ（https://www.ecdc.europa.eu/en/seasonal-influenza/prevention-and-control/vaccines/types-of-seasonal-influenza-vaccine）

産・流通部会において，開発優先度の高いワクチンの1つとして帯状疱疹ワクチンが選定されている。わが国では，1974年，大阪大学微生物病研究所の高橋理明によって開発された水痘生ワクチンが1986年に水痘予防として承認され，2016年3月には「50歳以上の者に対する帯状疱疹の予防」の効能・効果が追加承認されている。しかしながら，同ワクチンは生ワクチンであることから，「明らかに免疫機能に異常のある疾患を有する者および免疫抑制をきたす治療を受けている者」は接種不適当者とされている。一方，本剤は，VZVの糖タンパク質E(gE)をCHO細胞を用いて発現・精製した遺伝子組換えサブユニットワクチン（アジュバントとしてAS01Bを含む）であり，生ワクチンで接種不適当とされた対象者にも接種可能と考えられる。

(2) 細胞培養日本脳炎ワクチン

わが国では初となる株化細胞を培養基材とした細胞培養日本脳炎ワクチンが，一般財団法人阪大微生物病研究会および化血研（現 KMバイオロジクス株式会社）によって開発され，それぞれ2009年2月および2011年1月に承認された。前者（ジェービックV）は2009年6月より，後者（エンセバック）は2011年4月より，市販されている。培養基材は，いずれの製品も安村[22]によってわが国で作出されたVero細胞である。株化細胞の使用が可能になったことで，ワクチンの安定した大量製造が容易になり，また，膨大な数の動物や卵を用いる場合に比べて，事前にウイルス安全性を徹底的に調べた細胞を用いる製法では，感染性因子のコントロールがより容易になった。

日本脳炎は，蚊が媒介する感染症の1つで，極東から東南アジア・インドにかけて広く分布しており，これらの地域では，年間3～4万人の患者が発生している。南への広がりも確認されており，1998年にはオーストラリアに達した。原因ウイルスである日本脳炎ウイルス（JEV: japanese encephalitis virus）は，1935年にわが国で分離されたものである[23]。当時，日本脳炎は"夏脳炎"と呼ばれており，1935年の流行では180名の患者が発生した。死亡した患者から5名分の脳組織を採取し，すり潰してマウスの脳内に接種したところ，2名（5歳の女児，60歳の男性）の試料でマウスが発症し，ウイルスが分離された。これら2つの株は，性状もマウスでの致死量も同等であり，感染マウスの脳乳剤を5,000万倍に希釈しても，マウスを発症・死亡させた。

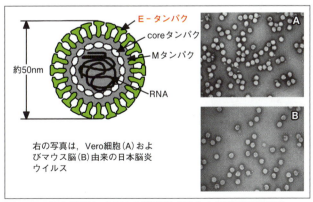

図11-5　日本脳炎ウイルスの構造模式図および電子顕微鏡像

JEVは直径約50 nmの球状エンベロープウイルスであり(**図11-5**)，ウイルス表面のEタンパク質が感染防御抗原となる。ウイルスは，主にコガタアカイエカによって媒介され，自然界ではブタがウイルスの増幅動物になっている。ブタの集団の中にウイルスを保有した蚊が侵入すると，吸血→感染・増幅→別の蚊が吸血，のサイクルが繰り返され，ウイルスを保有した蚊が一気に増える。これらの蚊がヒトの生活圏内に侵入してヒトを吸血することで感染する。ウイルスの侵潤状況を把握するために，毎年ブタの抗体保有率が調べられており，結果が国立感染症研究所のホームページ上に公開されている(http://idsc.nih.go.jp/yosoku/JEmenu-sw.html)。食用のブタは，通常，生後約6カ月で出荷されるので，抗体を持たない仔ブタがいつも集団の中に供給されていることになる。したがって，ブタの抗体価を定期的に測定することで，ウイルスの侵潤状況を把握することができる。これらのデータによれば，JEVは，毎年，春先に日本列島に現れ，四国・九州から北上して初秋に北海道に達し，冬には姿を消す様子がわかる。冬に姿を消したウイルスが，春先に再び現れるしくみについては長い間謎であったが，最近，ウイルスを保有した蚊が南から風に乗って渡ってくるとの説が提唱され，注目されている[24, 25]。

　わが国では1954年にワクチンが実用化され，接種率の向上や生活環境の改善とともに患者数は激減した(**図11-6**)。現在の年間患者数は10人に満たないが，典型的な症例(数日間の高い発熱〔38～40℃あるいはそれ以上〕，頭痛，悪心，嘔吐，めまい)以外に，単なる発熱を示す症例や髄膜炎を示す症例も報告されており，実際の患者数はもっと多い可能性がある。Konishiら[26]は，2004年から2008年にかけて熊本と東京で集めた2,245名分の血清についてJEVに対する抗体を調査し，年間の自然感染率は熊本と東京の間で差はなく，2.6%と報告している。この報告は，わが国が依然としてJEVの感染リスクの高い地域であることを示したものであり，ワクチン接種の必要性があらためて確認された。

　さて，1954年に開発されたワクチンは，生きたマウスの脳を培養基材としたものである。生後数週間のマウスの脳内にウイルスを接種し，発症したマウスより脳を集めて，これに緩衝液

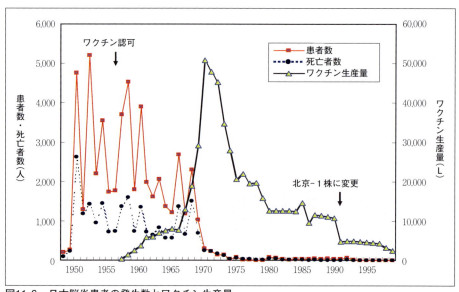

図11-6　日本脳炎患者の発生数とワクチン生産量

を加えてすり潰した脳乳剤からウイルスを精製し，これにホルマリンを加えて不活化し，ワクチンとする。ワクチンは高度に精製されており，安全性の高いワクチンではあるが，理論上，マウス脳由来の不純物がわずかに残っており，急性散在性脳脊髄炎（ADEM：acute disseminated encephalomyelitis）との因果関係が否定できないこと，マウス由来の感染性因子の混入リスクを否定できないこと，動物愛護などの観点より，培養基材をマウス脳からVero細胞へ変更した細胞培養ワクチンが開発された。前述のとおり，現在，2社が製造を行っており，いずれもマイクロキャリアーを用いた浮遊培養でVero細胞を大量培養し，これにJEVを感染させた培養上清より精製したウイルス粒子をホルマリンで不活化したものである。いずれの製品も，剤形は凍結乾燥製剤である（図11-7）。

　紙面の都合上，細胞培養日本脳炎ワクチンの製法の詳細については割愛した。興味のある読者は，石川ら[27]，菅原ら[28]の報告やジェービックVおよびエンセバックの審議結果報告書[29,30]などを参照いただきたい。

補足：わが国では，Vero細胞が樹立された3年後の1965年に，「日本脳炎ワクチン研究会」が結成され，細胞培養によるワクチン開発が検討されたが，当時，ワクチン製造用の培養基材としては初代培養細胞しか認められず実用化に至らなかった。一方，フランスでは，同時期にVero細胞を用いたワクチン開発が開始され，1980年代にPasteur Merieux Connaught社が不活化ポリオワクチン，生ポリオワクチン，不活化狂犬病ワクチンを実用化している。当時，"もし"Vero細胞がワクチン用の培養基材として認められていれば，わが国のワクチンを取り巻く状況は，現在とは大きく変わっていたかもしれない。歴史に"もし"はないが，教訓の1つとすべきではないだろうか。

（3）　細胞培養インフルエンザワクチン

　前項で紹介したように，現行のインフルエンザワクチンは，発育鶏卵を培養基材として製造されている。ワクチンは，毎年，3月から7月にかけて製造されるが，発育鶏卵の準備は前年の夏，親鳥を準備することから始まっており，このためのリードタイムが必要となる。現在の鶏卵培養法では，全国民分のパンデミックインフルエンザワクチンの製造に1年半～2年を要

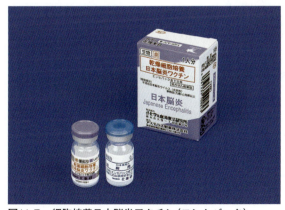

図11-7　細胞培養日本脳炎ワクチン（エンセバック）
　　　　（左）凍結乾燥した細胞培養日本脳炎ワクチン。（右）それを溶解するための注射用水。

するとされている。2009年に発生したパンデミックインフルエンザの場合は、発生した時期が4月であったことから、季節性インフルエンザ用発育鶏卵の流用と追加で、発生から3カ月後の7月より製造を開始し、半年後の10月から、順次、ワクチンを出荷できたが、供給量は5,400万名分にとどまった。

もう1つの懸念事項として、HPAIの広がりがある。わが国では、2004年に山口、大分、京都で発生して以来、散発的な発生が続いていたが、2011年に入ってからは、各地でHPAIが発生し、養鶏産業に大きな被害をもたらしている。野鳥の感染例が増加していることは憂慮すべき事態であり、今後、感染がさらに拡大することが懸念される。インフルエンザワクチン用の発育鶏卵については、複数の農場から供給を受ける、各農場では厳重な感染防止対策を施す、などの対策が行われているが、発育鶏卵の安定供給に対して、年々リスクが高まっている状況は認識せざるを得ない。そして最大の懸念事項は、HPAIがヒトの世界に侵入し、パンデミックを起こすことである。H5N1については、2003年から2019年7月23日までに、エジプトを中心に861名が感染し、うち455名が死亡している（図11-8）。H5N1については各国での封じ込め対策が功を奏し、2017年からは一桁台の感染者数で推移している。代わって、中国を中心にH7N9トリインフルエンザウイルスの感染が広がっていたが（2013年3月から2019年6月24日までの報告数：1,568）、2013年から毎年流行が見られていたものが、2018年から感染者がほとんど報告されていない。今のところこの理由は不明であるが、今後も警戒は必要である（図11-9）。

わが国では、複数のメーカーが10年以上前より、株化細胞を用いたインフルエンザワクチンの開発に着手している。その目的は、季節性インフルエンザワクチンの安定供給とパンデミッ

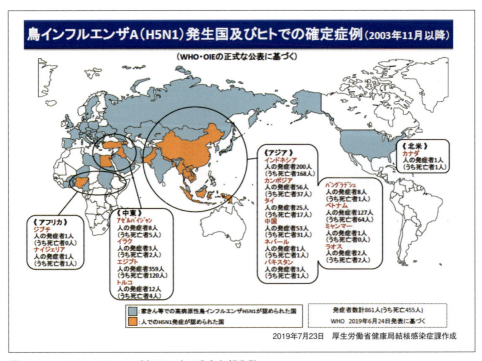

図11-8　トリインフルエンザ（H5N1）の分布と報告数

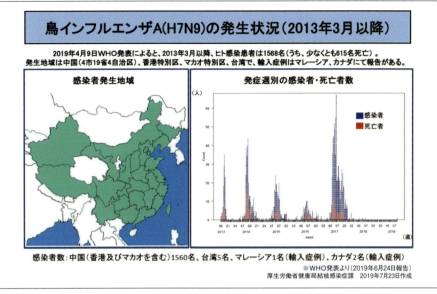

図11-9　トリインフルエンザ（H7N9）の分布と報告数

クインフルエンザ発生時には，できるだけ早期にワクチンを製造・供給することである。培養基材としては，Vero細胞，MDCK細胞，EB66細胞などが用いられている。マイクロキャリアーを用いた浮遊培養などで細胞を大量培養し，これにインフルエンザウイルスを感染させた培養上清よりウイルスを精製し，β-プロピオラクトン（BPL）などで不活化後，界面活性剤やエーテルでウイルス粒子を破壊して，感染防御抗原であるヘマグルチニン（HA）を取り出したものである。前述のノバルティス社のワクチンでは，同社が作出した浮遊化MDCK細胞を，さらに無タンパク質培地に馴化した細胞を用いている。ちなみに，ノバルティス社は，米国政府の支援を受けてNorth Carolina州Holly Springsに，細胞培養インフルエンザワクチン工場を建設し（投資額は10億ドル），2013年より稼動している。製造能力については，3株を混合する季節性インフルエンザで年間5,000万ドーズとされている。欧州では，ノバルティス社に加えて，Baxter社もVero細胞を用いた季節性インフルエンザワクチン（Preflucel，www.baxter.co.jp/news_room/news_releases/2011/20110308.html）を開発している[注1]。

[注1] ノバルティス社およびBaxter社は，2014年にワクチン事業から撤退した。ノバルティス社のワクチン部門はCSL社に売却され，新しく設立されたSeqirus社が事業を承継した。

日本政府も，パンデミックインフルエンザの発生から半年以内に全国民分のワクチンを製造する体制を構築する方針を掲げており，さまざまな施策の一環として，平成22年7月，6所社に対して，開発資金の援助を行った（www.mhlw.go.jp/stf/houdou/2r9852000000bqo4-img/2r9852000000bqvf.pdf）。平成23年8月には，実生産施設の整備のため，4所社に対して，さらに総額1,000億円の支援を行った（www.mhlw.go.jp/stf/houdou/2r9852000001miil-att/2r9852000001mimt.pdf）。

紙面の都合上，細胞培養インフルエンザワクチンの製法の詳細については割愛した。興味の

ある読者は，成瀬ら[31]の報告やノバルティス社のMDCK細胞由来インフルエンザワクチンの審議結果報告書[32]などを参照いただきたい。

(4) 細胞培養ワクチンのウイルス安全性

独立行政法人医薬品医療機器総合機構のホームページ上に公開されたジェービックV，エンセバックおよびMDCK細胞由来インフルエンザワクチンの審議結果報告書より，各社が実施した製造に用いるウイルスおよび培養基材のウイルス安全性に関して概説する。

① ウイルスシードのウイルス安全性
1）日本脳炎ウイルス

国立感染症研究所より分与されたJEV北京株を，Vero細胞で増殖させて，ウイルスバンクが作製されている。外来性ウイルス否定試験としては，培養細胞（Vero細胞，L-929［マウス］細胞，MRC-5［ヒト二倍体］細胞など）を用いた*in vitro*ウイルス否定試験，PCRによるウイルス否定試験（Xenotropic murine leukaemia virus [MuLV]，Minute virus of mice [MVM]，Bovine polyomavirus [BPyV]，Bovine circovirus [BCV]，Porcine circovirus [PCV]，Porcine parvovirus[PPV] など），逆転写酵素活性否定試験（FPERT法）などが実施されている。もちろん，無菌試験，マイコプラズマ否定試験，および特性試験（ウイルス含量〔感染価〕試験，塩基配列確認試験）も実施されている。

2）インフルエンザウイルス

ワーキングシードウイルス（WSV）は，米国疾病予防管理センター（Centers for Disease Control and Prevention：CDC）から入手したA/California/7/2009株を，MDCK細胞で増殖させて作製されている。マスターシードウイルスは作製されていない。

表11-9にWSVの試験項目を示した。

表11-9　ワーキングシードウイルスの試験項目

HA価（赤血球凝集試験）
確認試験（HA，NA 塩基配列解析）
ウイルス含量[※1]
無菌試験（メンブレンフィルター法）
マイコプラズマ否定試験 （培養法および指標細胞を用いたDNA染色法）
外来性ウイルス否定試験1 （単純ヘルペスウイルス，JCウイルス，BKウイルス，ヒトアデノウイルス，ヒトエンテロウイルス，ヒトRSウイルス，パラインフルエンザウイルス：PCR法）
外来性ウイルス否定試験2（哺乳類オルトレオウイルス：PCR法）

※1　付着MDCK細胞への接種による50%感染希釈率を測定。

②培養基材のウイルス安全性
1) Vero 細胞

　セルバンクの試験としては，レトロウイルス否定試験（電子顕微鏡観察，逆転写酵素活性試験），in vitro試験（Vero細胞，MRC-5［ヒト二倍体］細胞，RK13細胞，FRhL2細胞など），in vivo試験（マウス，モルモット，ウサギ，発育鶏卵など），PCR（ヒト免疫不全ウイルス［HIV；Human immunodeficiency virus］1型および2型，ヒトT細胞白血病ウイルス［HTLV；Human T-cell leukemia virus］1型および2型，BPyV，BCV，PCV，SIV），ブタパルボウイルス否定試験，およびウシ睾丸細胞とウシ鼻甲介細胞を用いたウシ由来ウイルスの否定試験が実施されている。これらのほかに，無菌試験，結核菌培養否定試験，マイコプラズマ否定試験，特性試験（形態観察，同定試験〔核型分析，アイソエンザイム分析〕，造腫瘍性，ウイルス感受性）も実施されている。

2) MDCK 細胞

　表11-10に，セルバンクの試験項目と方法を示した。MDCK細胞の起源であるイヌ由来のウイルス，細胞確立後の継代で用いられた原料（ウシ血清，ウマ血清，ブタ由来トリプシン）由来のウイルス，およびヒトウイルスについて，徹底した検査が行われている。

表11-10　セルバンクの試験項目と方法

試験項目	試験方法	セルバンク MCB	WCB	EoP
無菌試験	直接法	◎	◎	○
	直接法による静菌性／静真菌性	◎	−	−
マイコプラズマ否定試験	DNA染色法	◎	◎	○
In vivo外来性ウイルス否定試験	成熟マウス，モルモット，乳飲みマウスおよび発育鶏卵	◎	◎	○
In vitro外来性ウイルス否定試験	MRC-5細胞，Vero細胞，MDCK細胞（ATCC）	◎	◎	○
ウシウイルス否定試験	In vitro法（ウシ鼻甲介細胞）	◎	−	−
	9CFR113.53のウシウイルス検出試験	◎	−	−
	RT-PCR法[*1]	○	−	−
ブタウイルス否定試験	In vitro法（ブタ腎初代培養細胞（PPK細胞）（9CFR変法）	◎	−	−
	ブタパルボウイルスIn vitro法（ブタ精巣細胞）	◎	−	−
	In vitro法（PPK細胞）	○	−	−
透過型電子顕微鏡観察	細胞の形態およびウイルス様粒子の観察	○	−	○
レトロウイルス否定試験	逆転写酵素活性高感度検出法（PERT法）	◎	−	○
外来性ウイルス否定試験	縮重PCR法[*2]	○	−	−
好酸菌否定試験	培養法（Mycobacterium spp.）	○	−	−
イヌウイルス否定試験	In vitro法[*3]	○	−	−
ウマウイルス否定試験	In vitro法[*4]	○	−	−
	RT-PCR法[*5]	○	−	−
ヒトウイルス否定試験	RT-PCR法[*6]	○	−	−
げっ歯類ウイルス否定試験	マウス抗体産生試験（MAP）	○	−	−
	RT-PCR法[*7]	○	−	−

[*1]：ウシ／ブタサーコウイルスおよびウシポリオーマウイルス，[*2]：ヘルペスウイルスおよびポリオーマウイルス，[*3]：イヌ由来ウイルス（canine distember, canine parvovirus, canine cornavirus），[*4]：ウマ由来ウイルス（rabies virus, vesicular stromatitis virus, equine herpesvirus 1,2,3,4, equine arteritis virus, equine infectious anemia virusほか），[*5]：ボルナウイルスおよび西ナイルウイルス，[*6]：以下に示す人病原性ウイルス等（HCV，HBV，HIV-I,II，HTLV，HHV-6,7,8，EBV，hCMV，SV40，herpes simplex virus，HSRV-A,B，varicella zoster，adenovirus，measles，parainfluenza-1,2,3，enterovirus，influenza-C等），[*7]：リンパ球性脈絡髄膜炎ウイルス（LCMV）
◎：規格試験，○：特性解析，−：試験実施せず，EoP：End of production cell

ノバルティス社のMDCK細胞については，Gregersen[33]によって，外来性ウイルスのリスク評価が行われている。27種のウイルスについて，同社のMDCK細胞での増殖性を評価し，high growthであった3種(Parainfluenzavirus 3, Simian virus 5, HSV-1)，slow/low growthであった2種(Mammalian reovirus type 3, Avian reovirus)についてリスク評価を行っている(他の22種は増殖しなかった)。また，マイコプラズマおよびクラミジアについても増殖性を評価しており，無血清培地ではいずれも増殖していない。

③精製工程のウイルス安全性
1) 日本脳炎ワクチン

いずれの製品も，ホルマリンによる不活化工程についてウイルスクリアランス能の評価が実施されており，JEVそのものに加えて，モデルウイルスとして，Influenza virus, Herpes simplex virus 1 (HSV-1), Human poliovirus Sabin 1, Bovine viral diarrhea virus (BVDV), Bovine parvovirus (BPV)などが用いられている。

2) インフルエンザワクチン

ウイルスクリアランス能の評価は，BPLによる不活化工程および臭化セチルトリメチルアンモニウム(CTAB)処理によるスプリット化工程で実施されており，以下に示す12種のDNAウイルス，18種のRNAウイルス，クラミジア(*Chlamydia trachomatis*)およびマイコプラズマ(*Mycoplasma hyorhinis*)が用いられている。

DNAウイルス：MVM, Canine parvovirus (CPV), PCV, Simian polyomavirus 40 (SV40), Human polyomavirus (HPyV), Avian polyomavirus (APV), Human herpesvirus (HHSV), Pseudorabies virus (PRV), Human adenovirus (HAdV), Canine adenovirus (CAdV)

RNAウイルス：Mammalian reovirus (MReoV), Avian reovirus (AReoV), Avian birnavirus (ABV), Coronavirus (CoV), SARS-Coronavirus (S-CoV), Poliovirus (PV), Echovirus (EchV), Coxsackievirus A (CxA), Coxsackievirus B (CxB), Rhinovirus (RV), Simian parainfluenza/parainfluenza virus 3 (sPIV), Respirtory synycial virus A (RSV A), Respirtory synycial virus B (RSV B), Avian C-type retrovirus (ARV)

4. パンデミックインフルエンザ

人類は，これまでたびたびA型インフルエンザの汎流行(パンデミック)を経験してきた。1918年のスペイン風邪(H1N1)では，世界で数千万人が死亡した。その40年後の1957年にアジア風邪(H2N2)が，次いで9年後の1968年にホンコン風邪(H3N2)が，そしてこの40年後の2009年に再びH1型のパンデミックが発生した。記録では1697年頃までさかのぼることができ[34]，2009年までの300年間で約10回のパンデミックが起こっている[注2]。

> [注2] 1977年にソ連風邪(H1N1)が発生しているが，これはパンデミックとは扱われていない。1950年代に流行した株に近いこと，温度感受性であること[35,36]などから，研究室からの漏出や開発中の生ワクチンを起源とする説などがある[37]。

(1) 2009パンデミックインフルエンザ

① 2009パンデミックインフルエンザの発生から終息（表11-11）

2009年3月，メキシコにおいて，数千人規模のインフルエンザ様患者の発生が報告された。4月に入ると，米国でも急速に流行が拡大し，4月14日と17日には，カリフォルニア州南部の子どもから，A/ソ連型とは異なる新規なブタ由来のインフルエンザウイルス（A/H1N1）が分離された[38,39]。4月24日には，メキシコのケースも同じウイルスであることが確認された。

WHOは，継続的なヒトへの感染拡大を受けて，4月27日，流行の警戒水準を「フェーズ3」から「フェーズ4」に引き上げ，さらに北米地域で急速に流行が拡大し始めた4月29日，「フェーズ5」を宣言した。わが国では，WHOが「フェーズ4」を宣言した時点で水際対策強化が実施され，5月8日，成田空港で最初の2009パンデミックインフルエンザウイルス（A/

表11-11　2009パンデミックインフルエンザの発生から終息

年月日	内容
2009.3	Mexican pressに数千人規模のインフルエンザ様患者の発生が報道
2009.4.14, 4.17	4月14日と4月17日には，米国カリフォルニア州南部の子どもから，A/ソ連型とは異なる新規なブタ由来のインフルエンザウイルス（A/H1N1）の分離が確認
2009.4.24	メキシコのケースでも，ブタ由来の新型インフルエンザウイルス（A/H1N1）であることが確認
2009.4.24	WHO国際緊急事態を宣言，厚労省より都道府県へ情報提供，4月25日検疫強化
2009.4.27	WHO「フェーズ4」宣言
2009.4.29	WHO「フェーズ5」宣言
2009.5.8	成田空港で最初の患者を捕捉
2009.5.16	日本で最初の国内患者発生
2009.6.11	WHO「フェーズ6」宣言
2010.6.10	WHO「ポスト・フェーズ6」宣言

赤字：日本の対応

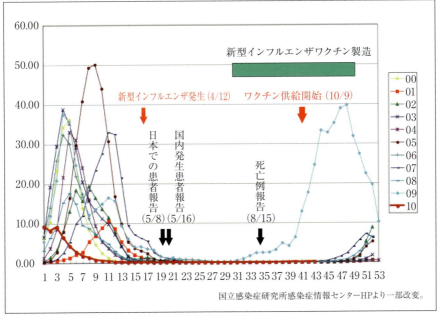

図11-10　過去10年間の流行状況（定点あたり報告数）

H1N1）の輸入感染者が発見された。5月16日には，最初の国内発生患者が確認されるとともに，関西地区を中心として感染が拡大し，5月18日，厚労省は，大阪府と兵庫県に全中学・高等学校の臨時休校を要請した。その後，いったんは急速に終息するように見えたが，6月上旬，流行が再発し，関西以外の地区にも感染域が拡大した。

　この頃には，南半球のオーストラリアにも感染が拡大し，持続的な感染拡大が複数の国で確認されたことから，WHOは，6月11日，「フェーズ6」への引き上げ，すなわちパンデミック（汎流行）を宣言した。日本では，新型インフルエンザウイルスの本格的な流行は10月以降となり，例年のインフルエンザの流行パターンとは異なった様相を呈した（**図11-10**）。その後2010年3月時点で，ようやく全世界的な流行は終息に至り，6月10日，WHOは，「ポスト・フェーズ6」を宣言した。なお，2010年8月1日時点で，214カ国・地域で流行が確認され，確定死者数は約1万8,000人以上にのぼった。わが国での感染者数は約2,000万人と推定されたが，抗ウイルス薬の早期投与などが効を奏し，人口比あたりの死者数は世界で最も少なかった。

（2）パンデミックインフルエンザへの備え

　1997年，香港でH5N1 HPAIのヒトへの感染による最初の死亡例が報告された。WHOの集計では，2018年5月28日の時点で860の感染例が確認され，うち454名が死亡している（致死率：52.8％）。2009年のパンデミックインフルエンザ発生の際，対策が過剰との指摘・反省があったが，これは，あらかじめ策定されていたガイドラインがH5N1を想定していたことによる。幸いなことに2009年のパンデミックインフルエンザは，抗原性は大きく異なるものの，季節性インフルエンザワクチンにも入っている（＝通年流行している）H1型であり，一定のクロスプロテクションが働いたと考えられること[注3]，あらかじめ体制が整えられていたことで想定されていたほどの被害はでなかった。

> [注3] 2009年のパンデミックインフルエンザ発生時，わが国は季節性インフルエンザワクチンと同じ製法（エーテルスプリット）で製造したワクチンを，季節性と同じ用法・用量（15μg／ドーズ×1回接種（13歳未満は2回接種））で使用した。株は，欧米と同じ A/California/7/2009pdm（X-179A）株である。1回接種で多くの人は十分な抗体を産生したが，その要因としては，日本人の多くがインフルエンザの既往歴があり，また季節性インフルエンザワクチンの接種歴があることから，体内にH1型インフルエンザウイルスに対する免疫記憶を持っていたことがあげられる。一方，H5型の試作ワクチンで行われた臨床試験では，抗体価がほとんど上がらず，剤形，用法・用量の工夫が必要であることが明らかとなった。現在備蓄されているH5N1プレパンデミックワクチンでは，剤形を全粒子＋アジュバント（アルミゲル）とし，用法・用量は15μg／ドーズ×2回接種とされている。

　次のパンデミックインフルエンザへの備えは，細胞培養インフルエンザワクチンの製造体制構築（3項），抗インフルエンザ薬およびプレパンデミックワクチンの備蓄，プロトタイプワクチンの開発が対策の柱になっている。プレパンデミックワクチンは，「パンデミックを起こす可能性があると考えられるウイルス株について，前もって製造・備蓄するワクチン」であり，わが国では，「パンデミックワクチンの開発・製造には発生後の一定の時間がかかるため，それまでの間の対応として，医療従事者や国民生活及び国民経済の安定に寄与する業務に従事する者等に対し，感染対策の一つとして，プレパンデミックワクチンの接種を行えるよう，その原液の製造・備蓄（一部製剤化）を進める」とされている。平成18（2006）年度から1,000万人分の備蓄が維持される体制がとられている。ウイルスは抗原性が変化するので，それに合わせて

ワクチン株も，平成18年度はベトナム株(A/Vietnam/1194/2004(NIBRG-14))とインドネシア株(A/Indonesia/5/2005(IDCDC-RG2))，平成19年度はアンフィ株(A/Anhui/1/2005(IBCDCRG-5))，平成20年度はチンハイ株(A/Bar headed goose/Qinghai/1A/2005(SJRG-163222))のように随時変更されている。流行状況の変化に合わせて，平成31(2019)年度の備蓄株はH5からH7N9株(A/Guangdong/17SF003/2016(IDCDC-RG56N))に変更された。株名のRGは，RG(reverse genetics)法で作製された株であることを表す[40]。プロトタイプワクチンは，「製造のモデルとなるウイルス株を用いて，非臨床・臨床試験を経て開発されたワクチン」であり，あらかじめ承認を得ていることで，パンデミックインフルエンザ発生時には，同等の製造方法および品質管理方法に基づいてパンデミックインフルエンザワクチンを迅速に製造・供給することが可能となる。武田薬品(2014年3月)および(一財)化血研(現 KMバイオロジクス株式会社)(2015年3月)がプロトタイプワクチンの承認を取得している。

① 2009 パンデミックインフルエンザのワクチン株

今回のパンデミックインフルエンザウイルス(A/H1N1)は，約10年間にわたりブタ間で受け継がれながら，散発的にヒトへの感染を起こし，再度ブタでの遺伝子再集合によって，ヒト

表11-12 2009パンデミックインフルエンザワクチン供給の経過

年月日	厚労省	感染研	製販業者
2009.4.27	製販業者へ，新型インフルエンザワクチン生産体制の整備等につき協力を依頼		ワクチン生産体制の整備等の協力要請を受ける
5.30〜6.2		製造候補株入手	
6.8〜6.9		製販業者に候補株供与	製造候補株入手
6.19	季節性インフルエンザワクチンの生産を昨年実績の約8割とする		季節性から新型への変更準備
6.24		候補株を選定	
7.6	ワクチン候補株決定通知		ワクチン候補株決定通知受け
7.14	対製販業者 生産体制が整い次第，速やかな製造開始を依頼		順次，製造開始
7.22	ワクチンの組成確定(単抗原，スプリット)		
9.15		第1回国家検定受付	第1回国家検定提出
10.1	ワクチン接種の基本方針策定		
10.2	県課長会議「供給計画」提示	第1回国家検定通知	
10.6	海外企業との輸入契約成立(G社3,700万人分，N社1,250万人分)		
10.9			国産ワクチン供給開始
10.16			輸入ワクチン承認申請
2010.1.20			輸入ワクチン特例承認
2.3			輸入ワクチン供給開始

第1回総括会議資料より一部改変

への感染能力を獲得し，生まれたとされている[41, 42]。米国疾病予防管理センター（CDC）は，2009年4月時点で，A/California/4/2009株を分離し，その後ワクチン製造用にA/California/7/2009株を樹立し，WHOはこの株をワクチン製造用株として推奨した。国内では，厚労省が7月6日，A/California/7/2009株のリアソータント株であるA/California/7/2009pdm（X-179A）株を，ワクチン製造用株に決定した。

② 2009パンデミックインフルエンザワクチンの緊急製造および輸入

2009パンデミックインフルエンザワクチンの供給の経過を**表11-12**に示した。

国内生産に関しては，2009年4月27日，厚労省からインフルエンザワクチンの製販業者に対し，パンデミックインフルエンザワクチン生産体制の整備などの協力が要請された。この要請を受けた製販業者は，季節性インフルエンザワクチンの生産と並行して，新型ワクチンの生産準備を開始した。6月19日，厚労省は，季節性インフルエンザワクチンの生産量を，昨年実績の約8割（2,140万本）とすることを決定した。製販業者は同決定に従い，季節性インフルエンザワクチンの生産を終えると同時に，パンデミックワクチンの製造を7月から随時開始した。なお最終的な製造目標量は，2,700万本（1mL換算，1mLは大人の2人分に相当する）と設定された。7月22日，ワクチンの組成を単株のスプリットワクチンにすることが決定され，9月15日には第1回目の国家検定提出，10月2日に検定合格，そして10月9日から供給が開始された（**図11-11**）。

政府は，全国民分のワクチンを準備するとの方針を決め，8月24日，国内生産ではまかないきれない不足量のワクチンを緊急輸入すると発表した。医薬品を海外から輸入する場合は，医薬品医療機器法上，通常は国内で安全性等を確認する十分な臨床試験が不可欠であるが，今回の緊急輸入にあたっては，最小限の臨床試験で特例承認された。ただし，安全性と有効性に関する追加報告などが承認条件として付記された。

当時輸入されたグラクソ・スミスクライン社とノバルティス社の新型インフルエンザワクチン2品目は，いずれもアジュバントを含んでおり，また，1品目はわが国では実績のないMDCK細胞を用いるなど，国産ワクチンと製造方法が異なっており（**表11-13**），安全性の面から物議を醸すことになった。これら輸入ワクチンは，合わせて9,900万回分の契約がなされ，

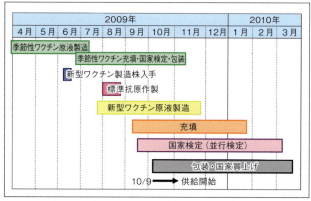

図11-11　国産パンデミックワクチンの生産の推移

表11-13 パンデミックインフルエンザワクチンの特徴比較（輸入ワクチン VS 国産ワクチン）

	輸入		国内産
名称	アレパンリックス（H1N1）筋注	乳濁細胞培養A型インフルエンザHAワクチンH1N1「ノバルティス」筋注用	国産H1N1ワクチン
製造販売業者	グラクソ・スミスクライン株式会社	ノバルティスファーマ株式会社	(4社)
製造方法	鶏卵培養	細胞培養	鶏卵培養
投与経路	筋肉内注射	筋肉内注射	皮下注射
アジュバント	あり	あり	なし
用法・用量	6カ月〜9歳 0.25mL 1回 10歳以上 0.5mL 1回	3〜17歳 0.25mL 2回 18〜49歳 0.25mL 1回 50歳以上 0.25mL 2回	1歳未満 0.1mL 2回 1〜6歳 0.2mL 2回 6〜13歳未満 0.3mL 2回 13歳以上 0.5mL 1回
接種間隔	—	少なくとも3週間	1週間から4週間 （4週間置くことが望ましい）

厚生労働省HPより引用

2010年2月3日から供給が開始されたが，流行が終息に向かう時期であったこともあり，ほとんど使用されなかった。

③ 2009パンデミックインフルエンザウイルスの季節性インフルエンザワクチン製造株への導入

2009年9月23日，WHOはパンデミックインフルエンザウイルス（A/H1N1）の大流行が続いているこの時点で，2010年シーズン南半球の季節性インフルエンザワクチン製造株を，A/ソ連型（A/H1N1）に代えて，大流行の原因ウイルスであるA/California/7/2009株を推奨した。以降，WHOの推奨株のH1N1型は，パンデミックインフルエンザウイルス（A/H1N1）に置き換えられている。

・2010年シーズン南半球：A/California/7/2009（H1N1）-like virus, A/Perth/16/2009（H3N2）-like virus, B/Brisbane/60/2008-like virus（http://www.who.int/csr/disease/influenza/recommendations2010south/en/index.html）
・2010年/2011年シーズン北半球：A/California/7/2009（H1N1）-like virus, A/Perth/16/2009（H3N2）-like virus, B/Brisbane/60/2008-like virus（http://www.who.int/csr/disease/influenza/recommendations2010_11north/en/index.html）
・2011年シーズン南半球：A/California/7/2009（H1N1）-like virus, A/Perth/16/2009（H3N2）-like virus, B/Brisbane/60/2008-like virus（http://www.who.int/csr/disease/influenza/recommendations2011south/en/index.html）
・2011年/2012年シーズン北半球：A/California/7/2009（H1N1）-like virus, A/Perth/16/2009（H3N2）-like virus, B/Brisbane/60/2008-like virus（http://www.who.int/csr/disease/influenza/recommendations_2011_12north/en/index.html）

④ 2009パンデミックインフルエンザ対策の検証

　国では，2010年3月に「新型インフルエンザ（A/H1N1）対策総括会議」を設置して専門家による検証作業を行った。同会議は7回の会議の後，2010年6月に報告書を公開した（http://www.mhlw.go.jp/bunya/kenkou/kekkaku-kansenshou04/dl/infu100610-00.pdf）。全体としては，「我が国の死亡率は他の国と比較して低い水準にとどまっており，死亡率を少なくし，重症化を減少させるという当初の目標は，概ね達成できた」と総括されたが，対策のベースとなった行動計画およびガイドライン（2005年12月策定，2009年2月改定）は，病原性の高いトリインフルエンザ（H5N1）を念頭に置いたものであり，病原性がそれほど高くなかった今回の新型インフルエンザに対しては過剰な部分があったなど明らかとなった課題への提言も盛り込まれた。これを受けて2013年6月，「新型インフルエンザ等対策ガイドライン」および「新型インフルエンザ等対策政府行動計画」が改定され公開された（http://www.cas.go.jp/jp/seisaku/ful/keikaku/pdf/gl_guideline.pdf, http://www.kantei.go.jp/jp/kakugikettei/2013/__icsFiles/afieldfile/2013/06/20/20130607-03.pdf）。各自治体（県・市）でも検証と行動計画の改定が実施された（「新型インフル　検証●●県△△市」で検索可能）。熊本県では，自治体とは別に幼稚園から大学までの教育機関，医療機関，ワクチンメーカー，報道機関がそれぞれの対応を振り返り検証を行った内容が書籍として発刊されている[43]。

　1918年のスペイン風邪（H1N1），1957年のアジア風邪（H2N2），1968年のホンコン風邪（H3N2）はいずれもトリ由来であった。そのため次のパンデミックインフルエンザウイルスもトリ由来のH5やH7，あるいはH9と想定して，水鳥とブタとヒトが物理的に密な環境が多い東南アジアを中心にモニタリングと警戒体制を構築し，ワクチンなどの備えを行ってきた。そこに虚を突く形でブタ由来の2009パンデミックインフルエンザ（A/H1N1）が出現した。Trovaoら[44]が，最近，興味深い考察を行っている。北米型のブタインフルエンザウイルスとユーラシア型のブタインフルエンザウイルスがどのようにして交雑したか疑問に感じていたが，この論文で合点がいく。ウシ，ブタ，ニワトリといった経済動物が生きたまま世界中で取引されて（飛び交って）いるというのである。大陸をまたいだブタインフルエンザウイルスの交雑が可能状況をわれわれ自身が作り出している。今後は，ブタインフルエンザウイルスの動向にも警戒が必要である。

5. 動物ワクチン[45, 46]

　わが国では，2017年8月現在，ブタ用として10所社より18の疾患に対して62品目，ニワトリ用として11所社より17の疾患に対して123品目，ウシ用として7所社より24の疾患に対して35品目，魚用として7所社より8つの疾患に対して23品目が製造販売されている。このように動物用のワクチンは，"わが国の食の安全と安心"に大きく貢献している。ペット用としても，イヌ用として9所社より8つの疾患に対して23品目，ネコ用として5所社より6つの疾患に対して12品目が製造販売されている。また，ウマ用のワクチンとして3所社より7つの疾患に対して13品目が製造販売されている（出典：動薬手帳2018年版（一般社団法人全国動物薬品器材協会））。

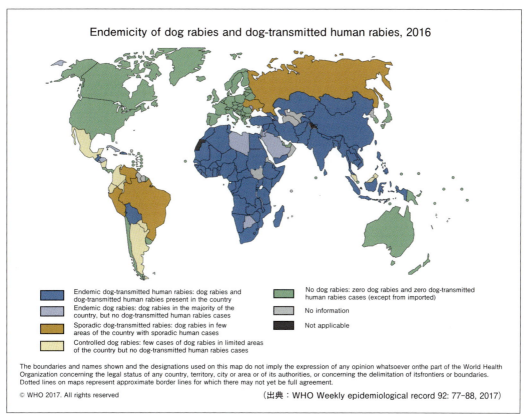

図11-12　狂犬病の国別リスク

ヒトの健康を守る動物用ワクチン

①狂犬病ワクチン

　狂犬病は，ヒトを含めたすべての哺乳類が感染し，発病すると100％死亡する極めて危険なウイルス性の人獣共通感染症である。本病は紀元前から知られており，現在も世界中で年間約6万人が発症しており，その95％が狂犬病に感染したイヌによる咬傷が原因である。**図11-12**に2016年時点での世界における狂犬病の国別リスクを示した。

　"No dog rabies（イヌの狂犬病もイヌ由来のヒトの狂犬病もない国）"とされているのは，日本，韓国，ニュージーランド，オーストラリア，北米，欧州の他，南太平洋およびカリブ海の島々などであり，アフリカ，中東，東南アジア，中国，モンゴルでは，依然，猛威を振るっている。WHOは，2030年までにイヌを介した狂犬病の死者をなくすことを目標とした行動計画を2010年に策定し，これを2018年に更新している[47]。

②ニワトリ用のサルモネラワクチン

　サルモネラは，グラム陰性の通性嫌気性桿菌で腸内細菌科に属し，自然界では，哺乳類，鳥類，爬虫類，両生類などあらゆる生物が保菌している。特に家畜（ブタ，ニワトリ，ウシ）では，サルモネラは腸管内の常在菌であることが知られており，腸炎ビブリオ菌，腸管出血性大腸菌

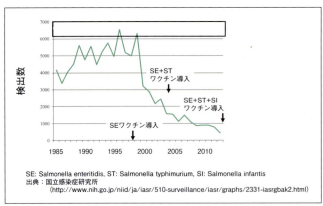

図11-13　食中毒事例でのサルモネラ検出数

などとともに，代表的な食中毒の原因菌である。わが国では，1980年代より鶏卵を介したサルモネラによる食中毒の事例が増えてきたことが契機となり，鶏卵のサルモネラ汚染を防止する目的でワクチンが開発され，1998年より養鶏場などで使用されている。導入当初は，*Salmonella enteritidis*のみであったが2004年に*S. typhimurium*を加えた2価ワクチンが，2013年にはさらに*S. infantis*を加えた3価ワクチンが開発されている。ワクチン導入後，**図11-13**に示す通り，食中毒事例でのサルモネラの検出数は減少している。

③動物用の日本脳炎ワクチン

ブタは日本脳炎ウイルスの増幅動物であり，蚊→ブタ→蚊→ヒトの感染環を絶つためには，ブタへの日本脳炎ワクチンの接種は有効な対策と考えられる。わが国では，3所社より動物用の日本脳炎ワクチンが販売されているが，目的は"日本脳炎による豚の死産予防"であり，接種対象は母ブタのみである。「3.（2）細胞培養日本脳炎ワクチン」で記載したとおり，増幅動物は毎年生まれる仔ブタであるため，母ブタへのワクチン接種の効果は限定的と言わざるをえない。冒頭の目的のためには，母ブタに加えて仔ブタへのワクチン接種が必要と考えられる。

④ウシ用のO157ワクチン

腸管出血性大腸菌O157による食中毒が，しばしば問題となる。原因はO157が産生する志賀（Vero）毒素である。ウシは志賀毒素に対する受容体を持たないことから，保菌していても症状を現さない。保菌ウシが屠殺・処理される過程で糞便を介して牛肉の汚染が起こり，これを食することで食中毒を起こす。あらかじめウシに本ワクチンを投与しておくことで，腸管内での大腸菌O157の数を減少させることができる。本ワクチン（Econiche™/Bioniche Life Sciences Inc., Epitopix/Pfizer Animal Health）は，2008年（カナダ）と2010年（英国），および2012年（米国）で承認されている。

表11-14 臨床試験段階にある新型コロナウイルス(SARS-CoV-2)ワクチン

種類	開発番号等	機関名(国)	開発段階 (臨床試験登録番号*)	Note
ウイルスベクター	rAd26-S＋rAd5-S(Gam-COVID-Vac)	Gamaleya Research Institute(露)	2020.8.11承認 Ph 3 (NCT04530396)	筋注, 2回(0, 21 days) Sタンパク質を発現する組換えアデノウイルス26型で初回免疫, 追加免疫に同5型を使用
ウイルスベクター	ChAdOx1-S (AZD1222)	University of Oxford/AstraZeneca(英)	Ph 3 (ISRCTN89951424)	チンパンジー由来のアデノウイルスベクター 筋注, 1回
ウイルスベクター	Ad5-nCoV	CanSino Biological Inc./Beijing Institute of Biotechnology(中)	Ph 3 (NCT04526990)	筋注, 1回
ウイルスベクター	Ad26COVS1	Janssen Pharmaceutical Companies(白)	Ph 3 (NCT04505722)	筋注, 2回(0, 56 days)
ウイルスベクター	GRAd-COV2	ReiThera/LEUKOCARE/Univercells(伊, 独, 白)	Ph 1 (2020-002835-31)	ゴリラ由来のアデノウイルスベクター 筋注, 1回
ウイルスベクター	—	Institute Pasteur/Themis/Univ. of Pittsburg CVR/Merck(仏, 米)	Ph 1 (NCT04497298)	麻疹ウイルスベクター 筋注, 1 or 2回(0, 28 days)
ウイルスベクター	Ad5-nCoV	Institute of Biotechnology, Academy of Military Medical Sciences, PLA of China(中)	Ph 1 (NCT04552366)	筋注, 2回(0, 28 days)
ウイルスベクター	MVA-SARS-2-S	Ludwig-Maximilians-University of Munich(独)	Ph 1 (NCT04569383)	筋注, 2回(0, 28 days)
ウイルスベクター	—	Beijing Wantai Biological Pharmacy/Xiamen University(中)	Ph 1 (ChiCTR2000037782)	Intranasal flu-based-RBD
ウイルスベクター	—	Vaxart(米)	Ph 1 (NCT04563702)	Sタンパク質を発現する組換えアデノウイルス5型＋adjuvant, 経口, 2回(0, 28 days)
不活化	CoronaVac	Sinovac Biotech Co., Ltd.(中)	Ph 3 (NCT04456595)	＋adjuvant(alum), 筋注, 2回(0, 14 days)
不活化	—	Wuhan Institute of Biological Products/Sinopharm(中)	Ph 3 (ChiCTR2000034780)	筋注, 2回(0, 14 or 0, 21 days)
不活化	—	Beijing Institute of Biological Products/Sinopharm(中)	Ph 3 (NCT04560881)	筋注, 2回(0, 14 or 0, 21 days)
不活化	—	Bharat Biotech(印)	Ph 1/2 (NCT04471519)	筋注, 2回(0, 14 days)
不活化	—	Institute of Medical Biology, Chinese Academy of Medical Sciences(中)	Ph 1/2 (NCT04470609)	筋注, 2回(0, 28 days)
不活化	—	Research Institute for Biological Safety Problems(哈)	Ph 1/2 (NCT04530357)	筋注, 2回(0, 21 days)
不活化	—	Beijing Minhai Biotechnology Co., Ltd.(中)	Ph 1 (ChiCTR2000038804)	筋注, 1 or 2 or 3回
mRNA	mRNA-1273	Moderna, Inc./NIAID(米)	Ph 3 (NCT04470427)	＋LNP, 筋注, 2回(0, 28 days)
mRNA	BNT162	BioNTech/Fosun Pharma/Pfizer(独, 中, 米)	Ph 3 (NCT04368728)	＋LNP, 筋注, 2回(0, 28 days)
mRNA	—	CureVac(独)	Ph 2 (NCT04515147)	筋注, 2回(0, 28 days)
mRNA	LUNAR-COV19	Arcturus/Duke-NUS(米, 新)	Ph 1/2 (NCT04480957)	筋注
mRNA	LNP-nCoVsaRNA	Imperial College London(英)	Ph 1 (ISRCTN17072692)	＋LNP, 筋注, 2回
mRNA	—	PLA Academy of Military Sciences/Walvax Biotech(中)	Ph 1 (ChiCTR2000034112)	筋注, 2回(0, 14 or 0, 28 days)

(次ページに続く)

種類	開発番号等	機関名(国)	開発段階 (臨床試験登録番号*)	Note
サブユニット	NVX-CoV2373	Novavax, Inc.(米)	Ph 3(2020-004123-16)	+adjuvant(Matrix M), 筋注, 2回(0, 21 days)
	—	Anhui Zhifei Longcom Biopharmaceutical/Institute of Microbiology, Chinese Academy of Sciences(中)	Ph 2(NCT04466085)	rRBD-dimer+adjuvant 筋注, 2回(0, 28 days)or 3回(0, 28, 56 days)
	—	Kentucky Bioprocessing Inc(米)	Ph 1/2(NCT04473690)	植物由来, RBD-based, 筋注, 2回(0, 21 days)
	—	Sanofi Pasteur/GSK(仏, 英)	Ph 1/2(NCT04537208)	Baculovirus, 筋注, 2回(0, 21 days)
	SCB-2019	Clover BioPharmaceuticals Inc./GSK/Dynavax(中, 英, 米)	Ph 1(NCT04405908)	+adjuvant(Dynavax's CpG 1018) 筋注, 2回(0, 21 days)
	COVAX-19	Vaxine Pty Ltd/Medytox(濠, 韓)	Ph 1(NCT04453852)	+adjuvant(Advax™), 筋注
	—	University of Queensland/CSL/Seqirus(濠)	Ph 1(ACTRN 12620000674932p)	+adjuvant(MF59), 筋注, 2回(0, 28 days)
	—	Medigen Vaccine Biologics/NIAID/Dynavax(台, 米)	Ph 1(NCT04487210)	S-2P+CpG 1018, 筋注, 2回(0, 28 days)
	—	Instituto Finlay de Vacunas(玖)	Ph 1(IFV/COR/04)	RBD+adjuvant, 筋注, 2回(0, 28 days)
	—	FBRI SRC VB VECTOR, Rospotrebnadzor, Koltsovo(露)	Ph 1(TBD)	Peptide, 筋注, 2回(0, 21 days)
	—	West China Hospital/Sichuan University(中)	Ph 1(ChiCTR2000037518)	RBD(baculovirus, Sf9), 筋注, 2回(0, 28 days)
	—	University Hospital Tuebingen(独)	Ph 1(NCT04546841)	SARS-CoV-2 HLA-DR peptides, 皮下, 1回
	UB-612	COVAXX/DASA(米, 伯)	Ph 1(NCT04545749)	S1-RBD-synthetic peptide, 筋注, 2回(0, 28 days), COVAXXはUnited Biomedical Inc.(米)の子会社。DASAはブラジルを拠点とする診断薬メーカー
DNA	INO-4800	Inovio Pharmaceuticals/International Vaccine Institute(米)	Ph 1/2(NCT04447781)	皮内, 2回(0, 28 days), +electroporation
	—	Osaka University/AnGes/Takara Bio(日)	Ph 1/2(NCT04463472)	+adjuvant, 筋注, 2回(0, 14 days)
	ZyCoV-D	Cadila Healthcare Limited(印)	Ph 1/2(CTRI/2020/07/026352)	皮内, 3回(0, 28, 56 days)
	GX-19	Genexine Consortium(韓)	Ph 1/2(NCT04445389)	筋注, 2回(0, 28 days)
VLP	—	SpyBiotech/Serum Institute of India(印)	Ph 1/2(ACTRN 12620000817943)	RBD-HBsAg, 筋注, 2回(0, 28 days)
	—	Medicago Inc.(加)	Ph 1(NCT04450004)	植物由来, 筋注, 2回(0, 21 days) Medicago社は田辺三菱製薬の子会社

＊：複数の臨床試験が並行して進んでいる。本表にはその一部を記載した。
Ad5：adenovirus type 5, ChiCTR：Chinese Clinical Trial Registry, LNP：lipid nanoparticle, NIAID：National Institute of Allergy and Infectious Disease, PLA：People's Liberation Army, VLP：Virus-like particle, 哈：カザフスタン, 玖：キューバ, 新：シンガポール, 伯：ブラジル, 白：ベルギー
151 candidate vaccines in preclinical evaluation
出典：Landscape of COVID-19 candidate vaccines, 2 October 2020(WHO)

おわりに

　2019年12月に中国で報告された新型コロナウイルス（SARS-CoV-2）は，またたく間に世界中へ伝播し，3月にはWHOがパンデミックを宣言，各国は懸命の封じ込め策を講じているが，本稿執筆時点（2020年10月10日）で全世界の感染者数は3,700万人を突破し（Johns Hopkins University, Coronavirus Resource Center, https://coronavirus.jhu.edu/map.html），終息までには相当の期間を要すると思われる。死者数も2009年の新型インフルエンザの推定死者数38万人[48]をすでに大きく上回り，107万人に達している。ワクチンについては，10月2日時点で42品目が臨床試験の段階にある（**表11-14**）。従来型の不活化ワクチンやサブユニットワクチンばかりでなく，ウイルスベクター，mRNA，プラスミドDNAなど，あらゆる技術と英知が投入されている。一日も早く実用化されて世界の隅々まであまねくいきわたり，COVID-19が終息することを願うばかりである。

　関係者が注視するなか，8月11日，ロシアはPh 1/2段階のワクチン（Gam-COVID-Vac）を承認した。アデノウイルスをベースとした組換えワクチンは世界的にみても実績がなく，圧倒的にデータが不足している中での承認に対して安全性を懸念する声があがっている[49]。

用語

感染防御抗原：ヒトに投与した時に，感染防御能を持つ抗体を産生させることのできるウイルスや細菌の構成成分

培養基材：医薬品の製造（培養）工程で用いるマウス，発育鶏卵，培養細胞などの素材。培養基材の中で，細胞については，cell substrate の日本語訳である「細胞基材」という用語が用いられる。

Vero細胞：千葉大学医学部（当時）の安村美博博士によって，1962年にアフリカミドリザルの腎臓より樹立された株化細胞。さまざまなウイルスが感染し，これらをよく殖やすことから，また細胞の変化（円形化，細胞膜の肥厚，細胞の崩壊）でウイルスが感染し増殖していることを肉眼で容易に見分けられることから，ウイルスの研究やワクチンの生産で広く用いられる。

MDCK（Madin-Darby canine kidney）細胞：1958年に，カリフォルニア大学でイヌの腎臓より樹立された株化細胞

EB66細胞：Vivalis社（現 Valneva社）が開発したアヒル胚由来の株化細胞

急性散在性脳脊髄炎：ウイルス感染後やワクチン接種後に生じるアレルギー性の脳脊髄炎

■参考文献

1) 日本ワクチン学会編：ワクチンの事典，朝倉書店（2004）
2) 大谷明，三瀬勝利：ワクチンと予防接種の全て，金原出版（2009）
3) 大隈邦夫：ウイルスワクチン製造における培養法の変遷と今後の展開．黎明，14:1-18（2005）
4) 山崎修道監修：日本のワクチン-開発と品質管理の歴史的検証-．医薬ジャーナル社（2014）
5) Wiktor, T.J. et al.: J. Immunol., Cultivation of rabies virus in human diploid cell strain WI-38. 93, 353-366（1964）
6) Takahashi, M., Otsuka, T., Okuno, Y.: Live vaccine used to prevent the spread of varicella in children in hospital. Lancet, 2, 1288-1290（1974）
7) 森次保雄，戸塚敦子：A型肝炎ワクチン．臨床とウイルス 14:264-267, 1986
8) 尾堂浩一：A型肝炎ワクチン．黎明，5:1-17（2005）
9) 安村美博，川喜田愛郎：組織培養によるSV40の研究，日本臨床，21, 1201-1215（1963）
10) 清水文七：ウイルスの正体を捕らえる：ヴェーロ細胞と感染症，朝日新聞社（2000）
11) WHO bank of Vero cells for production of biologicals and requirements for poliomyelitis vaccine（oral）, In WHO Expert Committee on Biological Standarization, Geneva, WHO, 1990. WHO Technical Report Series No.800（1990）

12) Miyanohara, A., et al.: Expression of hepatitis B surface antigen gene in yeast. Proc. Natl. Acad. Sci. USA, 80, 1-5 (1983)
13) 菅原敬信，横手公幸，塩先巧一，足立聡，宮田和正，宮津嘉信，野崎周英，溝上寛，見明史雄，濱田福三郎：酵母生産HBs抗原の性状，ウイルス，37, 111-120 (1987)
14) 参考資料3（子宮頸がん等ワクチン接種緊急促進臨時特例交付金）平成22年12月9日全国都道府県担当者会議：http://www.mhlw.go.jp/stf/shingi/2r9852000000vgo6-att/2r9852000000vgtx.pdf
15) 丸山裕一，菅原敬信，高橋克仁，山村倫子：生物薬品 (Biologics) の製造と品質管理（開発から上市品まで）を学ぶ – 第12回ワクチンの製造と品質管理 – インフルエンザワクチンを例に –. PHARM TECH JAPAN, 27 (4), 159-168 (2011)
16) Smith W., Andrewes, C.H., Laidlaw, P.P.： A virus obtained from influenza patients. The Lancet, 66-68 (1933)
17) Recommendations for the production and control of influenza vaccine. WHO Technical Report Series, No.927 (2005)
18) 生物学的製剤基準（改正 令和2年7月21日，厚生労働省告示第274号）
19) 渡遺治雄編集：生物学的製剤基準 解説 (2007年版)，じほう (2007)
20) 金井亨輔，山田壮一，井上直樹．水痘帯状疱疹ウイルス (VZV)．ウイルス 60: 197-208, 2010
21) 国立感染症研究所 帯状疱疹ワクチン ファクトシート (2017/02/10)（https://www.mhlw.go.jp/file/05-Shingikai-10601000-Daijinkanboukouseikagakuka-Kouseikagakuka/0000184909.pdf）
22) 清水文七：ウイルスの正体を捕らえる：ヴェーロ細胞と感染症，朝日新聞社 (2000)
23) R. Kawamura, M. Kodama, T. Ito, T. Yasaki, Y. Kobayakawa: Studies concerning the virus of epidemic encephalitis, Japanese type. The Kitasato Archives of Experimental Medicine 13, 281-327 (1936)
24) Takeshi Nabeshima, Hyunh Thi Kim Loan, Shingo Inoue, Makoto Sumiyoshi, Yasuhiro Haruta, Phan Thi Nga, Vu Thi Que Huoung, Maria del Carmen Parquet, Futoshi Hasebe, Kouichi Morita: Evidence of frequent introductions of Japanese encephalitis virus from south-east Asia and continental east Asia to Japan. J. Gen. Virol., 90, 827-832 (2009)
25) 古田彩：海を渡る日本脳炎ウイルス．日経サイエンス, 8, 38-43 (2009)
26) Eiji Konishi, Yoko Kitai, Yukiko Tabei, Koichi Nishimura, Seiya Harada: Natural Japanese encephalitis virus infection among humans in west and east Japan shows the need to continue a vaccination program. Vaccine 28, 2664-2670 (2010)
27) 石川豊数，奥野良信：乾燥細胞培養日本脳炎ワクチン．臨床と微生物, 37, 241-246 (2010)
28) 菅原敬信，西山清人，石川優二，堀川義兼，阿部元治，園田憲吾，武田堅吾，本田臣孝，上田謙二，後藤修郎，田嶋義高，葛原祥二，城野洋一郎，水野喬介，溝上寛：Vero細胞を用いた日本脳炎ウイルスの大量調製と性状解析．黎明, 12, 45-60 (2003)
29) 乾燥細胞培養日本脳炎ワクチン（ジェービックV）審議結果報告書 (2009年2月)：www.info.pmda.go.jp/shinyaku/P200900014/63014400_22100AMX00439_A100_2.pdf
30) 乾燥細胞培養日本脳炎ワクチン（エンセバック）審議結果報告書 (2010年12月)：www.info.pmda.go.jp/shinyaku/P201100014/20001100_22300AMX00412_A100_1.pdf
31) 成瀬毅志，城野洋一郎：次世代ワクチンの産業応用技術，p134-144（6. 細胞培養インフルエンザワクチン），シーエムシー出版 (2010)
32) 乳濁細胞培養A型インフルエンザHAワクチンH1N1「ノバルティス」筋注用 審議結果報告書 (2009年12月)：www.info.pmda.go.jp/shinyaku/g100120/300242000_22200AMX00249_A100_1.pdf
33) Jens-Peter Gregersen: A quantitative risk assessment of exposure to adventitious agents in a cell culture-derived subunit vaccine. Vaccine, 26, 3332-3340 (2008)
34) David M. Morens and Anthony S. Fauci. The 1918 Influenza Pandemic: Insights for the 21st Century. J. Inf. Dis. 195: 1018-1028 (2007)
35) H.C. Kung, K.F. Jen, W.C. Yuan, S.F. Tien, and C.M. Chu. Influenza in China in 1977: recurrence of influenza virus A subtype H1N1. Bull. World Health Organ. 56: 913-918 (1978)
36) L. Ja. Zakstelskaja, M.A. Yakhno, V.A. Isacenko, E.V. Molibog, S.A. Hlustov, I.V. Antonova, N.V. Klitsunova, G.K. Vorkunova, A.G. Bukrinskaja, A.F. Bykovsky, G.G. Hohlova, V.T. Ivanova, and V.M. Zdanov. Influenza in the USSR in 1977: recurrence of influenza virus A subtype H1N1. Bull. World Health Organ. 56: 919-922 (1978)
37) Michelle Rozo, Gigi Kwik Gronvall. The reemergent 1977 H1N1 strain and the Gain-of-Function debate. mBio 6: e01013-15 (2015)
38) Center for Disease Control and Prevention (CDC)： Swine influenza A (H1N1) infection in two children-Southern California. MMWR Morb. Mortal. Wkly. Rep., 58, 400-402 (2009)
39) Novel swine-origin influenza A (H1N1) virus investigation team: Emergence of a novel swine-origin influenza A (H1N1) virus in humans. N. Engl. J. Med., 360, 2605-2615 (2009)
40) 菅原敬信：ウイルスの人工合成（第3回），Pharm Tech Japan, 34 (10)：167-171 (2018)
41) 杉田繁夫：インフルエンザの世界的広がり，インフルエンザ, 11, 31-48 (2010)

42) G.J.D. Smith, D. Vijaykrishna, J. Bahl, S.J. Lycett, M. Worobey, O.G. Pybus, S.K. Ma, C.L. Cheung, J. Raghwani, S. Bhatt, J.S.M. Peiris, Y. Guan, A. Rambaut.: 080-6749-5935Origins and evolutionary genomics of the 2009 swine-origin H1N1 influenza A epidemic. Nature 459：1122-1126（2009）
43) 高等教育コンソーシアム熊本・インフルエンザ対策検証プロジェクトチーム：検証：新型インフルエンザ 2009－そのとき学校は，地域社会は，行政はどう対応したか－．成文堂（2012）
44) N.S. Trovao, M.I. Nelson. When pigs fly： Pandemic influenza enters the 21st century. PLoS Pathog 16：e1008259（2020）
45) 動物用ワクチン－その理論と実際－．動物用ワクチン・バイオ医薬品研究会編，文永堂出版（東京）（2011）
46) 山内一也, 三瀬勝利：ワクチン学. 岩波書店（東京）（2014）
47) K.L. O'Brien, T. Nolan, on behalf of the SAGE WG on Rabies. The WHO position on rabies immunization? 2018 updates. Vaccine 37：A85-A87（2019）
48) F.S. Dawood, A.D. Iuliano, C. Reed, M.I. Meltzer, D.K. Shay, et al. Estimated global mortality associated with the first 12 months of 2009 pandemic influenza A H1N1 virus circulation： a modelling study. Lancet Infect Dis 12：687-695（2012）
49) E. Callaway. Russia's fast-track coronavirus vaccine draws outrage over safety. Nature 584：334-335（2020）

第 12 章

抗体医薬 "Antibody Drug"

はじめに

　バイオ医薬品の中でも特に抗体医薬の伸びには，目を見張るものがある。抗ヒトCD20抗体のRituxan®（一般名：Rituxmab）が2005年に初めて世界医薬品の売上高ランキング上位10位入りして以来，抗体医薬の市場は着実に拡大し，現在の医薬品市場で大きな位置を占めている[1]。国内でも市場が拡大しており，2009年の1,850億円から2018年には5.4倍の9,930億円（Fc領域融合蛋白質製剤の1,700億円を含む）に増大している（**表12-1**）。わが国では，2020年8月時点で76品目が承認されており（**第3章　表3-1**），抗ヒトTNFα抗体のHumira®（一般名：Adalimumab），ヒト化抗ヒトPD-1モノクローナル抗体のKeytruda®（一般名：Pembrolizumab），ヒトTNFレセプターとFc領域を融合させたEnbrel®（一般名：Etanercept），ヒト型抗ヒトIL-12/23p40モノクローナル抗体Stelara®（一般名：Ustekinumab）などが市場を牽引している。国内メーカーにより開発されたものは，ヒト化抗F.IXa，抗F.X二重特異性抗体Hemlibra®（一般名：Emicizumab），ヒト化抗CD20モノクローナル抗体Gazyva®（一般名：Obinutuzumab），ヒト抗ヒトFGF23抗体のCrysvita®（一般名：Burosumab），カンプトテシン

表12-1　国内のバイオ医薬品市場（遺伝子組換え技術応用品）　　　　　　　　　　（単位：億円）

製品	2018年市場	2017年市場	2016年市場
抗体医薬	7,320	7,270	6,550
ヒト用ワクチン（非組換えを含む）	2,610	2,600	2,560
融合蛋白質製剤	1,700	1,670	1,550
エリスロポエチン	1,070	1,070	1,100
組換えヒトインスリン	800	850	910
組換えヒト成長ホルモン	720	720	700
血液凝固因子製剤（組換え）	710	680	650
治療用酵素	570	550	530
組換えその他ホルモン	500	500	530
顆粒球コロニー刺激因子	300	280	245
グルカゴン（組換え分）＋組換えGLP1製剤	300	250	145
血液系遺伝子組換え蛋白質製剤（凝固因子を除く）	150	150	140
遺伝子組換えヒト卵胞刺激ホルモン	105	95	100
インターフェロンβ	85	90	83
ナトリウム利尿ペプチド	45	58	60
線維芽細胞成長因子	43	41	40
遺伝子組換え組織プラスミノーゲン活性化因子（TPA）	42	41	40
再生医療等製品	36	30	18
インターフェロンα	10	20	35
インターロイキン2	5	5	8
インターフェロンγ	1	1	1
計	17,122	16,971	15,995

GLP-1：インスリン様ペプチド1　　　　　　　　　　　　　　　（日経バイオ年鑑2018より一部改変）

誘導体修飾ヒト化抗HER2抗体のEnhertu®(一般名：Trastuzumab Deruxtecan)，抗IL-6抗体のActemura®(一般名：Tocilizumab)，抗CCR4抗体のPoteligeo®(一般名：Mogamulizumab)，抗PD-1抗体のOpdivo®(一般名：Nivolumab)の7品目である。

本章では，このように拡大し注目されている抗体医薬について概説する。また，4項と5項では，抗体薬物複合体およびFc領域融合タンパク質製剤についても概説する。

1. 抗体医薬

抗体医薬(抗体医薬品)とは，生体防御に関わる因子の1つである抗体の特徴を利用した医薬品である。抗体医薬について概説するにあたって，まず抗体医薬の本体である抗体について説明し，その特徴と医薬品への利用，さらには抗体医薬の長所，短所についても考えてみたい。

(1) 抗体

生体内に細菌や毒素など異物が侵入すると，その異物を排除しようとして生体防御のしくみ(免疫系)が働き始め，免疫細胞の1つであるB細胞が異物(抗原)の刺激に反応して分化・増殖した抗体産生細胞よりタンパク質が産生される。これが抗体である。抗体は，その抗原だけに結合する性質(特異性)や抗原に容易に結合する性質(親和性)を有し，結合することによって免疫担当細胞の認識の目印となったり，抗原である細菌を溶解したり，毒素を中和するなどして生体を防御する。抗体は，免疫グロブリン(immunoglobulin)とも呼ばれ，IgG，IgM，IgA，IgD，IgEの5つのクラスに分けられ，それぞれが異なる免疫機能を担っている。通常，免疫グロブリンは2本のH鎖(heavy chain)と2本のL鎖(light chain)の計4本のポリペプチド鎖より成る[注1]。その構造を**図12-1**に示す。抗体はY字型の構造をしており，H鎖とL鎖，H鎖とH鎖は，それぞれジスルフィド結合(S-S結合)で結合している。Y字の縦の部分はFc領域(Fragment, crystallizable)と呼ばれる免疫担当細胞に認識される部分であり，付け根部分に糖鎖が結合している。Y字の上部の両側部分はFab領域(Fragment, antigen binding)と呼ばれ，この先端部分で抗原と結合する。また，4本のポリペプチド鎖にはアミノ酸配列が非常に高い類似性を示

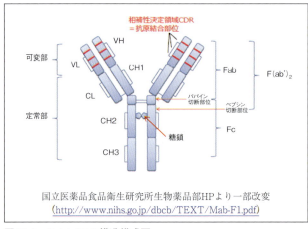

図12-1 ヒトIgG1の構造模式図

す定常領域と，アミノ酸配列の類似性が低い可変領域が存在し，Fab領域の先端部分がこの可変領域にあたる。

> 注1) ラクダ科の動物は，「重鎖抗体」と呼ばれる特殊な抗体を持っている。通常のIgGに存在するL鎖が存在せず，重鎖（H鎖）のみから成る。また，H鎖にはC$_H$1ドメインがない。

（2） モノクローナル抗体とその種類

上述したように，生体内に異物が侵入すると，その異物に対して反応する抗体が産生される。抗体はB細胞より分化した抗体産生細胞により産生されるが，B細胞は多数の細胞集団から成り立っており，これらの1つひとつが固有の抗原を認識する抗体産生能力を有している。通常，抗原に対して複数のB細胞がそれぞれ異なる抗体を産生し，血液中には複数の異なる抗体が存在する（ポリクローナル抗体）。1個のB細胞は1種類の抗体だけを産生し，その抗体はエピトープと呼ばれる抗原上の部位を1種類だけ認識する。この1つのB細胞由来の単一の細胞集団より産生される均一な抗体をモノクローナル抗体と呼ぶ。

刺激を受けたB細胞は生体内では増殖し抗体を産生するが，これを生体外で継代・培養することはできなかった。これを可能にしたのが，1975年にKöhlerとMilsteinが開発したハイブリドーマ法[2]である（1984年ノーベル生理学・医学賞受賞）。ハイブリドーマとは，盛んな増殖能を持った細胞（ミエローマ細胞）と，抗体を産生しているB細胞とを融合させることにより作り出された，増殖能と抗体産生能の2つを兼ね備えた雑種細胞のことである。ハイブリドーマ法の確立により，生体外での継代・培養が可能となり，単一の特異性を持つ抗体（モノクローナル抗体）を大量に得ることが可能となった。

早速，このモノクローナル抗体を用いた臨床試験が実施されたが，期待されたほどの結果は

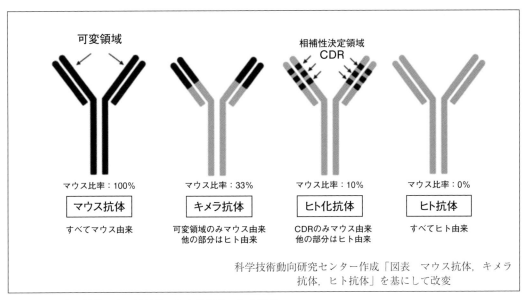

図12-2　マウス抗体，キメラ抗体，ヒト化抗体，ヒト抗体

表12-2 抗体医薬の一般名の付け方

期間	SubstemA	SubstemB	Stem
2017年4月まで	血清アミロイドタンパク／アミロイド症 -am(i)- バクテリア -b(a)- 心臓血管系 -c(i)- 真菌 -f(u)- 骨格筋量関連成長因子及び受容体 -gr(o)- インターロイキン類 -k(i)- 免疫調節 -l(i)- 神経系 -n(e)- 骨 -s(o)- 毒素 -tox(o)- 腫瘍 -t(u)- ウイルス -v(i)-	ラット -a- ラットーマウス -axo- ハムスター -e- 霊長類 -i- マウス -o- ヒト -u- 家畜用 -vet- キメラ -xi- キメラーヒト化 -xizu- ヒト化 -zu-	-mab
2017年5月以降	血清アミロイドタンパク／アミロイド症 -ami- バクテリア -ba- 心臓血管系 -ci- 真菌 -fung- 骨格筋量関連成長因子及び受容体 -gros- インターロイキン類 -ki- 免疫調節 -li- 神経系 -ne- 骨 -so- 毒素 -toxa- 腫瘍 -ta- 家畜用 -vet- ウイルス -vi-	2017年5月以降，サブステムAのみとなりサブステムBは名称として廃止された。注2)	-mab

名称例 注3)
Dezamizumab，（血清アミロイドタンパク／アミロイド症），Edobacomab，（バクテリア），Idarucizumab（心臓血管系），Efungumab（真菌），Domagrozumab（骨格筋量関連成長因子及び受容体），Canakinumab（インターロイキン類），Adalimumab（免疫調節），Denosumab（骨），Bezlotoxumab（毒素），Rituximab（腫瘍），Palivizumab（ウイルス）

注2) Revised monoclonal antibody(mAb)nomenclature scheme. INN Working Doc. 17 416 May 2017 [5)]
注3) 各サブステム名称例を示す。例にあげた抗体はすべて旧ルールで命名されたため由来を示すサブステムBを名称に含む。「薬の名前 続：ステムを知れば薬がわかる（第2回）」PHARM TECH JAPAN Vol.34 No.8(2018)53(1487) [6)]

抗体薬物複合体		抗体の名称の後に薬物名を記す 例 ibritumomab tiuxetan：イブリツモマブにキレート剤のチウキセタンを結合したもの 　　gemtuzumab ozogamicin：ゲムツズマブに細胞毒性を有するオゾガマイシンを結合したもの
PEG化抗体		抗体の名称の後にpegolと記す 例 certolizumab pegol：セルトリズマブにPEGを結合したもの
Fc融合タンパク質	受容体+Fc	セプトを付ける 例 Aflibercept, Etanercept, Abatacept
	サイトカイン+Fc	スチムを付ける 例 Romiplostim
	ペプチド+Fc	チドを付ける 例 Dulaglutide
	血液凝固因子+Fc	エフに始まりコグで終わる 例 Efraloctocog alfa, Eftrenonacog alfa
	酵素+Fc	ーゼを付ける 例 Asfotase alfa
バイオ後続品		○○○○○○（遺伝子組換え）[××××××後続1] 「××××××」は，先行バイオ医薬品の一般的名称のうち「（遺伝子組換え）」を除いたもの。 例 インフリキシマブ（遺伝子組換え）[インフリキシマブ後続1]

得られなかった。それは，この抗体がマウス抗体であり，ヒトに投与した場合，異物として認識され，当該マウス抗体に対する抗体が誘導されて，マウス抗体が体内から排除されてしまうためであった[3]。

　この問題は，その後，抗体工学技術の進展により解決されることとなる。まず，マウス抗体の定常領域をヒト由来の構造に置き換えたキメラ抗体が作製された。これは，マウス抗体が異物とみなされたのは，主に定常領域部分が関係していると判明したためだった。このキメラ抗体は可変領域のみマウス由来であり，その比率は33％程度である。さらに，キメラ抗体に残存するマウス由来の抗原性を減少させる目的で作製されたのがヒト化抗体である。ヒト化抗体は，抗原結合部位である相補性決定領域（Complementarity Determining Region：CDR）のみマウス由来の構造を残し，ほかをヒト由来の構造に置き換えた抗体である。ヒト化によって，マウス由来の比率は10％程度にまで減少した。そして1990年代には，すべてがヒト由来である完全ヒト抗体（ヒト抗体）の作製が可能となったことにより，ヒトに対する抗原性が低下し，安全性がさらに高まることとなった（**図12-2**）[4]。ちなみに抗体医薬品にはネーミングルールがあり，**表12-2**に示すように，サブステムおよびステムの組み合わせにより，名称から抗体の種類を知ることができる。本ルールは2017年5月に改訂されている。

（3）抗体の特徴を生かした抗体医薬

　上述したように，抗体は独特の特徴を有する。特に，抗原に対する高い特異性，抗体依存性細胞傷害作用（Antibody-Dependent Cellular Cytotoxicity：ADCC）および補体依存性細胞傷害性（Complement-Dependent Cytotoxicity：CDC）などは特徴的である。抗体医薬は，これら抗体の持つ特徴を利用して，医薬品としている。

①抗原への特異性・親和性の利用

　抗体は，抗原認識の特異性が非常に高い。また，遺伝子工学的手法によって，親和性の高い（抗原への結合力の強い）抗体を創り出すことも可能である。抗体医薬は，基本的にこの抗原認識という抗体の特徴を利用した医薬品といえる。具体例としては，以下のようなものがある。

　受容体（レセプター）とその受容体に結合して作用する物質（リガンド）との結合を阻害することで薬効を示すタイプの抗体医薬がある。代表的なものに，血管内皮成長因子（Vascular Endothelial Growth Factor：VEGF）に対する抗体，アバスチン®（Avastin®）がある。毛細血管を増殖させる働きを持つ因子（VEGF）に対する抗体を投与すると，血液中のVEGFは抗体と結合し，その受容体との結合が阻害され，がん細胞の増殖が抑制されるというものである。受容体に対する抗体として，関節リウマチ治療薬であるアクテムラ®（Actemra®）がある。これは，炎症に関与するサイトカインであるインターロイキン6（IL-6）の受容体に抗体が結合することによりIL-6とIL-6受容体の結合を阻害し，IL-6の活性が抑制され薬効を発揮するものである。

　また，結合阻害とは異なり，細胞表面の受容体に結合して，細胞内への情報伝達を促す，アゴニスト抗体と呼ばれる抗体医薬の研究も進んでいる。

　一方，がん細胞の表面に存在する特定のタンパク質を抗原とする抗体を作製し，その抗体に抗がん剤などを結合させて，がん細胞を狙い撃ちする，いわゆる『ミサイル療法』などもある。

例えば，急性骨髄性白血病治療薬であるマイロターグ®（Mylotarg®，一般名：Gemtuzumab Ozogamicin）は，白血病細胞表面にあるCD33分子を認識する抗体と抗がん剤カリケアマイシンの複合体である．静脈注射されたマイロターグ®は，CD33分子を特異的に認識し，白血病細胞に抗がん剤を特異的に集積させて破壊する．同様に，抗がん剤の代わりに放射性同位元素を抗体に結合させた抗体医薬もある．悪性リンパ腫治療薬であるゼヴァリン®（Zevalin®，一般名：Ibritumomab Tiuxetan）は，がん化したBリンパ球表面のCD20分子を認識する抗体とイットリウム-90（^{90}Y）の複合体である．静脈注射されたゼヴァリン®は，放射性同位元素^{90}Yをがん化したBリンパ球に運び，そのβ線によりがん細胞を攻撃する．なおゼヴァリン®-^{90}Yの投与に際しては，イットリウムの代わりにインジウム-111（^{111}In）を結合させたゼヴァリン®-^{111}Inを投与して「集積部位の確認を行うこと」とされている．

② ADCC/CDC の利用

　抗体は，抗原と特異的に結合する特性以外に，Fc領域を介したADCC活性，補体が関与するCDC活性を有する．ADCCとは，抗体が結合した細胞に対して，抗体のFc領域を認識するナチュラルキラー細胞（NK細胞）などのエフェクター細胞が攻撃・排除する作用である．また，CDCとは，補体分子による同様な細胞傷害作用である．これらの作用を利用した抗体医薬として乳がん治療薬である抗HER2抗体，ハーセプチン®（Herceptin®）がある．ハーセプチン®は増殖の要因となる乳がん細胞表面のHER2受容体に結合し，その増殖を阻害するだけでなく，ADCCおよびCDCにより乳がん細胞を攻撃するというものである．また，悪性リンパ腫治療薬である抗CD20抗体，リツキサン®（Rituxan®）などもADCCおよびCDC活性を利用した抗体医薬である．さらに進めて，抗体の構造に工夫を加えることでADCCやCDC活性を増強する技術がわが国で開発された．ポテリジェント（Potelligent®）技術とコンプリジェント（Complegent®）技術である[7, 8]．Potelligent®技術は，糖鎖合成酵素の1つ，α-1,6-fucosyltransferaseの遺伝子（FUT8）の活性を低下または欠損させたCHO細胞を用いて，糖鎖コア部分のfucoseを低下または欠損させたN-結合型糖鎖を有する抗体を産生させる技術である．FUT8$^{-/-}$のCHO細胞で発現した抗体のADCC活性は，野生型のCHO細胞で発現した抗体よりも100倍強いと報告されている．図12-3に典型的なN-結合型糖鎖の構造を示した．Fc領域にはAsn^{297}に1カ所N-型糖鎖が結合しているが，糖鎖コアのfucoseがなくなることでエフェクター細胞表面のFcγⅢaレセプターとFcとの結合が改善されることがADCC活性が高まる理由と考えられる．本技術を用いた製品としてはPoteligeo®がある．

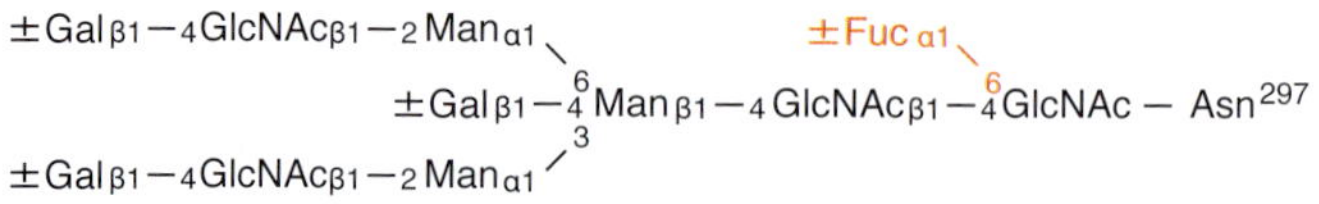

α-1,6-fucosyltransferase遺伝子をknock-outしたCHO細胞では，赤字で示すフコースが欠損する．
Gal: ガラクトース, GlcNAc: N-アセチルグルコサミン, Man: マンノース, Fuc: フコース, Asn: アスパラギン

図12-3　Fc領域の典型的なN-結合型糖鎖の構造

Complegent®技術は，IgG1のFc領域（図12-1のCH2とCH3）をIgG3のそれに置換することで，CDC活性を増強する技術である。置換後の抗体のCDC活性は，もとのIgG3あるいはIgG1よりもunexpectedlyに強いと報告されている。置換によりFc領域への補体C1qの結合が改善されたことが原因と考えられる。

③免疫チェックポイントシステムの利用

　免疫チェックポイントシステムとは，生体に備わった免疫システムの1つで，T細胞の活性化を抑制して過度の免疫反応を制御するしくみである。活性化したT細胞に発現するPD-1やCTLA-4が代表的な分子である（他にTIM-3，LAG-3，B7-H3，B7-H4，BTLA，VISTAなどがある）。PD-1は，1992年にIshidaら[9]によって発見された分子で，主に腫瘍細胞表面上のPD-L1に応答する。CTLA-4は主に樹状細胞など抗原提示細胞のCD80/86分子に応答する。これらの反応の阻害剤が免疫チェックポイント阻害剤である（**図12-4**）。細胞表面にPD-L1を発現して抑制スイッチPD-1を"ON"にすることでがん細胞はT細胞からの攻撃を逃れていると考えられる。抗PD-1抗体によりPD-1に蓋をしてスイッチを押せなくすることで，活性化したT細胞ががん細胞を攻撃・死滅させることを狙っている。抗PD-1抗体としては，わが国で開発され2014年7月に世界に先駆けわが国で承認されたオプジーボ®（Opdivo®）のほか，同じく2014年に米国で承認されたキイトルーダ®（Keytruda®，一般名：Pembrolizumab）がある。レセプター（PD-1）ではなくリガンド（PD-L1）に対する抗体としては，2016年5月に米国で承認されたテセントリク®（Tecentriq®，一般名：Atezolizumab），2017年3月に米国，同年9月にわが国で承認されたBavencio®（一般名：Avelumab）および2017年5月に米国，2018年7月にわが国で承認されたImfinzi®（一般名：durvalumab）に加え，これまでにバベンチオ®（Bavencio®，一般名：Avelumab）およびイミフィンジ®（Imfinzi®，一般名：durvalumab）が承認されている。また，抗CTLA-4抗体としては，ヤーボイ®（Yervoy®，一般名：ipilimumab）がある。

（4）抗体医薬の長所

　抗体医薬品に関しては，従来の医薬品（低分子医薬品）と比較して，特徴的な長所が存在する。

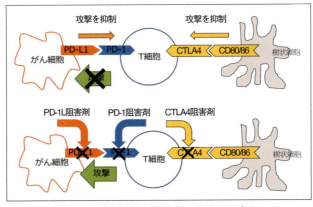

図12-4　免疫チェックポイント阻害剤の作用のしくみ

以下に，その長所に関して述べる。

抗体医薬の長所

1） 標的（抗原）に対する高い特異性

特異的に標的（抗原）に結合するため，ターゲットを絞り込んだ効果的な開発が可能となる。高い特異性を利用して，受容体へのリガンドの結合を阻害したり，標的の細胞を攻撃したりするため，その効果の判定が容易である。さらに，その特異性の高さを利用して，難治性のがんや，今まで有効な治療法が見つからなかった難病などの治療にも活路を見出せる可能性がある。

2） 低い副作用と高い生体内安定性

抗体は，もともと生体内に存在するタンパク質であり，抗体工学技術の進展によりヒト由来部分の比率が増加した現在では抗抗体が産生される可能性は低くなった。また，目的の標的（抗原）に特異的に作用するため，従来の低分子医薬品と異なり，本来の標的とは異なる分子に作用を及ぼす可能性は小さく副作用も低いと考えられる。そのため，副作用が原因で臨床試験を開始した後に中止になるリスクも少なくなる。抗体は，もともと血液中に存在するものであるから，血液中での安定性は高い分子である。通常の抗体の血中半減期は数週間程度であり，そのため従来の低分子医薬品と比較して抗体医薬品は投与回数を少なくすることが可能である。

3） 抗体生産方法の共通性

抗体の基本構造はほぼ同じであり，物理的化学的性質は共通するところが多い。そのため，1つの抗体を基本に生産方法を確立することにより，他の抗体においても同一の生産方法を用いることが可能となる（プラットホーム化）。また，遺伝子工学の進展により，その生産への道のりも確立され年々進歩している。現在，抗体医薬において世界的に広く利用されている生産系はCHO細胞を宿主とするものである。そして，精製法においては抗体を特異的に吸着するアフィニティー樹脂であるProtein A樹脂が広く利用されている。これらの共通する生産システムを用いることにより，自社のみならず，委受託製造も含めた戦略が容易となる。抗体医薬の製造方法の詳細に関しては，「第4章」を参照されたい。

2. 抗体医薬の品質管理

抗体医薬品の品質・安全性評価については，バイオ医薬品に適用されてきたガイドラインに基づいている。抗体医薬品も他のバイオ医薬品と同じように，セルバンクを構築し，そのセルバンクから作製されたワーキングセルバンクを用いて実際の培養を行う。セルバンクの品質・安全性評価に関しては，「第3章」を参照されたい。そして，抗体医薬品の品質確保は，抗体の特性・品質解析，安定性の検討と製造工程から由来する原材料や添加物の除去を含むプロセス検討の2つで実施される。これらについては，「第6章」および「第7章」を参照されたい。このように，複雑な抗体分子で構成される抗体医薬品の開発には高度な品質コントロールが必要となる。

抗体医薬品の安全性評価においては，前臨床段階での薬効や毒性試験に使用する動物種に対

する検討が実施される。抗体医薬においては意図するエピトープを発現し，前もって行う in vitro の試験においてヒト組織と類似した交差反応性を示す動物が選択される。免疫原性については，抗抗体の出現率，中和抗体等の特性を見極め，薬理と毒性学的変化の関連性を検討することが重要となる。あわせて不純物，分解物，類縁物質に関する検討も必要となる。特に，データを解釈する際には，抗抗体の産生が薬物動態／薬物力学的パラメーター，副作用の発現率・重篤度，補体の活性化または新しい毒性の発現にどう影響するかについても考慮すべきである。なお，動物での抗体産生の誘導は，ヒトにおける抗体産生を予測するものではない。さらに抗体医薬品では，感染性因子などバイオ医薬品特有のリスクへの対応は不可欠である。これらバイオ医薬品特有のリスクについては，「第8章」および「第9章」を参照されたい。

3. 抗体医薬の課題

抗体医薬品には前述の長所に反して特徴的な短所も存在し，その短所が課題となってくる。以下にその課題に関して述べる。

現在，抗体医薬品の多くは，組換えCHO細胞等を用いて大規模に生産されているため，その製造コストは非常に高い。また，その臨床投与量も同じバイオ医薬品のサイトカインなどの生理活性物質がμgオーダーで薬効を示すのと異なり，一般的に抗体医薬品の臨床投与量はmgオーダーと，投与量が多いため，必要量も増加している。したがって，大量の抗体医薬品を低コストで供給するために，高産生株の樹立，高産生培養技術の確立といった生産面での進展が抗体医薬品の安定供給やコスト面で重要となってくる。

大腸菌を宿主としてコスト削減にチャレンジした例として，抗TNF-α抗体であるシムジア®（Cimzia®）がある。本品は抗原の結合部分であるFabに合成高分子のPEG（ポリエチレングリコール）を付加して半減期を延長したものである。大腸菌の発現系は抗体分子の全構造を発現させることは困難であり，また糖鎖も付加されないが，抗原の中和のみを目的としてFabを発現させる場合においては有用かもしれない。また，種々のトランスジェニック動植物を用いた抗体医薬品の実用化研究も各所で進められている。今後の展開を見守る必要がありそうである。

バイオ医薬品については，関連する特許が多岐にわたり互いの関連性が複雑であることも大きな課題である。抗体医薬品を開発し生産に至るまでの過程には遺伝子組換え技術のみならず，さまざまな技術が関与しており，そこには多くの特許が関連してくる。バイオにおいては類似の出願が複数存在することも珍しくなく，さらに抗体の標的となる抗原や抗原遺伝子に対する特許や，その用途に対する特許も広く出願されていて，その権利関係は複雑である。こうした抗体医薬品を製造する際の権利ライセンスに対する対価も高コストの一因となっている。

また，製造設備の問題も深刻である。開発段階の抗体医薬品を安定に供給できる製造能力が世界規模で不足している。この需要に対して受託製造会社も製造設備の拡充を行ってはいるが，抗体医薬品の製造設備は特殊で大規模であるため，建設に莫大な費用が必要であり，需要に供給が追いついていない状況である。

一方で，昨今ステンレススチール製のバイオリアクターのような従来の固定設備に代わって，

比較的少ない初期投資で導入可能なシングルユース製品の導入が増加している。設備洗浄・滅菌の省力化による製品切り替え期間の短縮の観点からも優位性があり，製品に対応してカスタマイズ可能なシングルユース技術の導入によって，多品種少量生産に対応することが可能である[10]。シングルユース製品については「第5章」も参照されたい。

こうした状況の中，抗体医薬品を開発する各社は製造設備を自社に持つのか，それとも受託製造会社を活用するのか，その判断が分かれるところである。製造設備を自社に持つ場合，用地確保から設計，建設，施設のバリデーション，医薬品製造設備としての許認可の取得など，多大な時間，経費，労力が必要となる。その一方で，自社に建設する場合は，自社技術が確立され，製品が安定供給されるなどのメリットが生まれることはいうまでもない。製造設備として受託製造会社を活用する場合には，自社の生産方法と受託製造会社の設備がどの程度適合するのか（Facility fit），どの開発段階まで委託製造が可能であるのか（治験段階だけでなく商業生産まで等），また，そのリスクマネジメントなどの課題がある。こうした背景から生産におけるパートナーシップを重視した企業間のアライアンスが活発になっている[11]。生産設備だけでなく抗体医薬製造設備に精通した専門家の不足も同時に課題となっている。

品質管理の難しさも抗体医薬品の課題である。品質管理に関しては，「第6章」にて述べたが，抗体医薬品はタンパク質であるために，従来の低分子医薬品と比較して，その品質管理も難しい。

また，製造場所を変更する場合や工程そのものを変更する場合に，同等性／同質性の評価（Comparability）が重要となってくる。同等性／同質性とは製造変更の前後において，その製品が品質特性における高い類似性を示し，製品の安全性，有効性に影響がないことを意味する。品質特性の結果によっては，同等性／同質性を検証するための追加の臨床試験を求められる場合がある。したがって，変更に当たっては，この追加臨床試験の可能性を計画段階から考慮しておく必要がある[12]。

4. 抗体薬物複合体製剤

（1） 抗体薬物複合体とは

薬剤をリンカーを介して抗体に結合させ（主に抗体は標的細胞への薬剤の運び屋として機能），効率良く疾患部位に薬剤を届けることを目的とした治療薬が，抗体薬物複合体（Antibody Drug Conjugate：ADC）である。現在，開発中および承認済みのADCは，ほとんど腫瘍に対する治療薬であり，腫瘍細胞表面に存在する特定のタンパク質を認識する抗体に強力な細胞傷害性の薬剤（cytotoxic drug）を結合したものである。そのコンセプトは100年以上も前のドイツ人免疫学者であるPaul Ehrlich[13]のMagic bulletに遡ることができる。その後，約50年が経過した1950年代に白血病細胞をターゲットにした抗体にMethotrexateを結合させたADC[14]が作製された。動物モデルを用いた研究が開始され，1972年には悪性黒色腫に対する抗体に抗腫瘍剤Chlorambucilを結合させたADCがヒトに投与されている[15]。1975年のKöhlerとMilsteinらによるハイブリドーマ法[2]の開発により，マウスモノクローナル抗体が大量製造できるようになり，ADC開発が加速されたが，マウス抗体に対する抗体出現[3]により，異物として認識され体

内から速やかに排除されてしまうことが明らかとなった。キメラ化，ヒト化，完全ヒトの各抗体[16]製造技術により，この課題は解決されたが，抗体に結合させた薬剤の効力が弱い，標的細胞以外の正常細胞にADCが結合する，薬剤が抗体から標的細胞以外で遊離するといった問題点は残されていた。

2000年，CD33陽性の急性骨髄性白血病治療薬としてマイロターグ®（Mylotarg®）が，ADCとして，初めてFDAで承認（条件付）された（日本での承認取得は2005年）。しかし，市販後の臨床的有益性を確認する試験を実施した結果，生存率の延長が認められなかったため，2010年にファイザー社は自主的に米国での承認を取り下げた（日本では販売継続）。わが国では，2013年にカドサイラ®（Kadcyla®，一般名：Trastuzumab Emtansine）がHER2陽性の乳がん治療薬として，2014年にアドセトリス®（Adcetris®，一般名：Brentuximab Vedotin）がCD30陽性のホジキンリンパ腫および未分化大細胞リンパ腫治療薬として2018年にベスポンサ®（Besponsa®，一般名：Inotuzumab Ozogamicin）が再発または難治性のCD22陽性の急性リンパ性白血病の治療薬として承認された（FDA承認：2011年Adcetris®，2013年Kadcyla®，2017年Besponsa®）（**表12-3**）。現在，さらに数多くの開発プロジェクトが進行している。後期開発段階の抗体薬物複合体製剤の例を**表12-4**に示す。

腫瘍細胞をターゲットとした抗体医薬品を作製しても，十分な薬効を示さないことも多く，抗体に強力な細胞傷害性の薬剤を結合させることにより，その効果が発揮される可能性がある。そのため抗体医薬品では有効性が認められなかった症例に対し，ADCはその効果が期待されており，アドセトリス®はその1つの成功例である。

表12-3 わが国で承認されている抗体薬物複合体製剤

承認年	商品名	一般名	分子量	構造	産生細胞	薬価（円）(2020)	効能又は効果	メーカー
2005	マイロターグ® Mylotarg®	ゲムツズマブ オゾガマイシン gemtuzumab Ozogamicin	約153,000	ヒト化抗CD33モノクローナル抗体にカリケアマイシン誘導体である細胞傷害性抗腫瘍抗生物質オゾガマイシンをリンカーを介して結合させた抗体薬物複合体	NS0	252,576/5mg	再発又は難治性のCD33陽性の急性骨髄性白血病	ファイザー株式会社
2013	カドサイラ® Kadcyla®	トラスツズマブ エムタンシン trastuzumab Emtansine	約151,000	抗HER2ヒト化モノクローナル抗体（トラスツズマブ）に平均3.5個のエムタンシン（DM1）をリンカーを介して結合させた抗体薬物複合体	CHO	23,582/100mg 375,077/160mg	HER2陽性の手術不能又は再発乳癌	中外製薬株式会社
2014	アドセトリス® Adcetris®	ブレンツキシマブ ベドチン brentuximab vedotin	約153,000	抗ヒトCD30キメラモノクローナル抗体にベドチン（MMAE）をリンカーを介して結合させた抗体薬物複合体	CHO	474,325/50mg	再発又は難治性のCD30陽性のホジキンリンパ腫および未分化大細胞リンパ腫	武田薬品工業株式会社
2018	ベスポンサ® Besponsa®	イノツズマブ オゾガマイシン Inotuzumab Ozogamicin	約159,000	抗ヒトCD22ヒト化モノクローナル抗体の平均6個のLys残基にオゾガマイシンのリンカーを介して結合させた抗体薬物複合体	CHO	1,307,092円/1mg	再発又は難治性のCD22陽性の急性リンパ性白血病	ファイザー株式会社
2020	エンハーツ® Enhertu®	トラスツズマブ デルクステカン Trastuzumab Deruxtecan	約157,000	HER2に対するヒト化モノクローナル抗体とトポイソメラーゼI阻害作用を有するカンプトテシン誘導体を，リンカーを介して結合させた抗体薬物複合体	CHO	165,074円/100mg	再発の胃癌／化学療法歴のあるHER2陽性の手術不能又は再発乳癌	第一三共株式会社

DM1：メイタンシン誘導体，HER：human epidermal growth factor receptor，MMAE：モノメチルアウリスタチンE
参考：ハーセプチン（トラスツズマブ）の薬価：18,307円／60mg, 42,543円／150mg

表12-4 ADC開発パイプライン

名称	Target	リンカー薬剤	対象疾患	フェーズ	メーカー
PSMA ADC	PSMA	MMAE	前立腺がん	PhaseⅢ	Progenics/Seattle Genetics
Polatuzumab vedotin (RG7596/DCDS4501A)	CD79b	MMAE	非ホジキンリンパ腫	PhaseⅢ	Genentech/Roche
AGS-16C3F	ENPP3	MMAF	腎細胞がん	PhaseⅢ	Agensys/Astellas
Anetumab ravtansine (BAY 94-9343)	Mesothelin	SPDB-DM4	Mesothelin発現腫瘍	PhaseⅡ	Bayer HelthCare
SAR408701	CEACAM5 (CD66e)	SPMB-DM4	固形がん	PhaseⅢ	Sanofi
Labetuzumab govitecan (IMMU-130)	CEACAN5	CL2A-SN38	転移性大腸がん	PhaseⅢ	Immunomedics
ADC ARX788	HER2	MMAF	乳がん	PhaseⅡ	Zhejiang Meddicine/Ambex
SAR40870	CEACAM5	DM4	悪性腫瘍	PhaseⅡ	Sanofi
U3-1402	HER3 (Patritumab)	DXd	乳がん	PhaseⅡ	Daiichi Sankyo
BT-062, Indatuximab ravtansine	CD138(nBT062)	DM4	多発性骨肉腫	PhaseⅡ	ImmunoGen/Bioset
GSK2857916	BCMA	MMAF	多発性骨肉腫	PhaseⅠ	GlaxoSmithKine
ABBV-838	SLAMF7	MMAE	多発性骨肉腫	PhaseⅠ	Abbvie
ASG-22ME, AGS-22M6E, Anti-nectin-4 ADC, Enfortumab vedotin	Nectin-4 (AGS-22M6)	MMAE	粘液がん	PhaseⅢ	Astellas Pharma
SGN-LIV1A,anti-LIV-1	LIV1(hLIV22)	MMAE	転移性乳がん	PhaseⅡ	Seattle Genetics
Anti-TENB2 ADC	TENB2	MMAE	前立腺がん	PhaseⅠ	Seattle Genetics

MMAE：monomethyl auristatin E(MMAE), MMAF：monomethyl auristatin F(MMAF), SPDB-DM4：N-hydroxysuccinimidyl 4-(2-pyridydithio)butanoate-N2-Deacetyl-N2-(4mercapto-4-methyl-1-oxopentyl)-maytansine DM4, CL2A-SN38：CL2A-7-ethyl-10-hydroxy camptothecin, Dxd：1N〔(1S,9S)〕-9-ethyl-5-flolo-2,3,9,10,13,15-hrxusahydro-9-hydroxi-4-methyl-10,13-dioxy1H,12H benzo〔de〕pyrano〔3,4：6,7〕indolizino〔1,2-b〕quinoline1-yl-2-Hydroxyacetamide　　　　　　　　　　　　　　　　　（参照文献17）より抜粋引用）

（2） ADC化技術

Adcetris®やKadcyla®などのADC製造に用いられているSeattle Genetics社およびImmunoGen社のADC化反応スキームを**図12-5**に示す[18]。Seattle Genetics社の反応スキームは，抗体のジスルフィド結合を部分還元し，チオール（SH）基に薬剤とリンカーを結合させる。一方，ImmunoGen社は抗体のリジンのイプシロン（ε）-アミノ基にリンカーを結合させた後，そのリンカーの末端に薬剤を結合させている。どちらも薬剤が抗体に0から8個結合したものが存在しており（Drug to Antibody Ratio：DAR0からDAR8）[19]，薬剤が多く抗体に結合したほうがin vitroでは活性が高いが，in vivoでは抗体当たり薬物が4個結合したADC（DAR4）と8個結合したADC（DAR8）とでは，ほとんど同じであった。これはDAR8の血中半減期がDAR4の約半分であり[20]，薬物が抗体に多く結合するほど体内でのクリアランスが高くなるためである。

ADCの主な作用機序は，**図12-6**に示すようにADCが標的細胞表面の抗原に結合した後，エンドサイトーシスにより細胞内に取り込まれた後，抗体から薬剤が遊離されて，薬効を示す。薬剤を遊離するメカニズムは，a）細胞内のプロテアーゼにより，リンカー内のペプチド結合が切断されて抗体から薬剤が遊離，b）細胞内でのpH低下により，リンカー内のヒドラゾンが切断されて抗体から薬剤が遊離，c）細胞内の還元条件下でリンカーのジスルフィド結合が開裂し

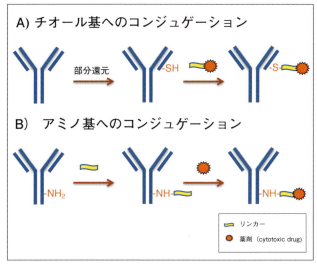

図12-5　ADC化反応スキーム

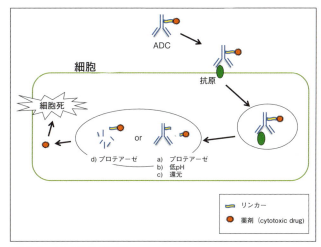

図12-6　ADCの作用機序

て薬剤が遊離する，d) 細胞内のプロテアーゼにより，抗体がペプチド断片に分解されて薬剤が遊離する，などである。

　細胞傷害性の薬剤としてAdcetris®にはMonomethylauristatin E（MMAE），Kadcyla®にはMaytansine誘導体DM1が用いられており，どちらの薬剤も腫瘍細胞内のチューブリンに作用してアポトーシスを誘導する。これら以外にDNAを切断するCalicheamichinも薬剤として用いられている。

　MMAEの元となるAuristatinは1981年，Pettitら[21]によってアメフラシ科に属する軟体動物であるDolabella auriculariaから発見されたDolastatinが起源であり，さらにPettitら[22]によって誘導体が合成され，Seattle Genetics社のDoronina[23]によってADC用の薬剤として開発された。一方，DM1の元となるMaytansineは植物のMaytenus ovatusから1972年，Kupchanら[24]によって発見され，1992年，ImmunoGen社のChariら[25]によって誘導体が合成されてADC化に使用さ

れた。Calicheamichinはバクテリアである*Micromonospora echinospora calichensis*から単離された抗腫瘍抗生物質[26]でMylotarg®に使用されていた。なお，抗体に比べてこれらの薬剤の分子量は非常に小さく，投与したADCのうち約1％程度の薬剤が標的細胞に届くことになる。そのため，これらの薬剤の細胞傷害活性は既存の抗腫瘍薬の約100〜1,000倍強力である。

Adcetris®およびKadcyla®は抗体1分子当たり0〜8個の薬剤が結合しており，不均一性が生じており，それぞれの分子種で体内動態や薬効が異なる原因の1つとなっている[20]。治療指数（Therapeutic index）を改善するため，抗体のある特定の部位に決まった数の薬剤をつなげた均一なADCを製造する技術開発が行われている。

Genentech社は抗体の一部のアミノ酸をシステインに置換し，そのシステインに薬剤を結合させている[27, 28]。システインを導入する位置は抗体のエフェクター機能に影響しないFab領域から選出しており，2カ所および4カ所にシステインを導入した2種類の抗体（THIOMAB）を作製している。動物（CHO）細胞に改変した抗体を発現させると導入したシステインに細胞内でシステインあるいはグルタチオンが付加するため，部分還元した後，リンカーを介して抗体の2カ所あるいは4カ所に薬剤を結合させている。

Ambrx社は非天然アミノ酸であるp-acetylphenylalanine（pAcPhe）を抗体の2カ所に導入し，末端にalkoxyamineが付いたAuristatinとのoxime結合によりADC化を行っている[29]。

Catalent社はシステイン-X-プロリン-X-アルギニン（X：セリン，トレオニン，アラニンあるいはグリシン）の配列を抗体に導入し，さらにこの配列のシステイン残基をフォルミルグリシンに変換する酵素を生産細胞内に共発現させることにより，抗体に2カ所フォルミルグリシンが導入された抗体を調製している。末端にヒドラジン基を持ったMaytansineとのアルキル化を行っている[30]。

Sanofi-Genzyme社では抗体に付加している糖鎖の末端にシアル酸を転移酵素により結合させ，さらにシアル酸を過ヨウ素酸で酸化してアルデヒド基を導入している。このアルデヒド基と末端にアミノキシ基を持ったAuristatinとのoxime結合によりADC化を行っており[31]，さまざまなバイオベンチャーやバイオ企業で，均一なADCを製造する技術開発が行われている。

(3) 製造プロセスおよび設備

抗体に結合させる薬剤は高活性化合物であるため，管理された封じ込め設備内（例：職業曝露限界（Occupational Exposure Limit：OEL）が，0.1〜1 $\mu g/m^3$）で取り扱われる。結晶あるいは粉末の薬剤は溶媒で溶解した後，封じ込め設備内に設置された抗体溶液の入った反応容器に送液されてコンジュゲーション反応が行われる。抗体の分子量は約15万，薬剤の分子量は約1千であるため，コンジュゲーション反応を行った後，分画分子量1万〜3万の限外ろ過膜で濃縮／バッファー交換を行う。バッファー交換時に低分子量の製造工程由来不純物が除去されるが，コンジュゲーション反応時に高分子量の凝集体等の不純物が生成する場合は，クロマト工程による除去も必要となる（図12-7）。

(4) 品質管理

ADCは抗体に低分子量の化学合成品が結合したものである。そのため，ADC原薬は，含量，

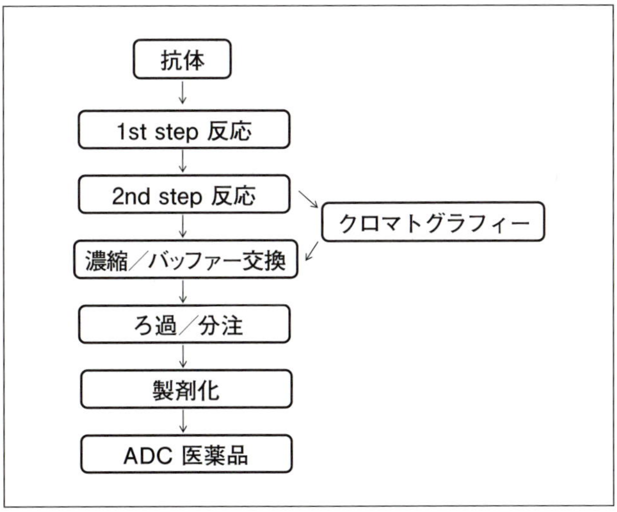

図12-7 ADC医薬品製造フロー

性状，確認試験，pH，純度試験，エンドトキシン，微生物限度試験，タンパク質含量および生物活性などの抗体の試験項目に加えて残留溶媒，薬物関連物質および薬物結合数分布等の分析も必要となる。なお，抗体の品質管理については「第6章」を参照されたい。

(5) 今後のADC開発

ADCの研究開発が1950年代にはじまり，約半世紀を経て，アドセトリス®およびカドサイラ®が実用化された。効果が認められなかった抗体医薬品もADC化により有効性が確認できる可能性は高く，今後も開発は拡大していくものと考えられる。

5. Fc領域融合タンパク質製剤

Fc領域融合タンパク質製剤は，受容体やサイトカイン，酵素などをFc領域と融合させることで，血中半減期の延長による薬効の向上と投与量の低減，融合による安定性や溶解性の向上，FcとProtein A/Gとのアフィニティーを利用することでの精製の容易さなどを期待して人工的に設計された分子である。わが国では表12-5に示す9品目が承認されており，本項ではこれらについて概説する。図12-8にはそれぞれの構造を示した。

①エンブレル®（Enbrel®）

エンブレル®（一般名：エタネルセプト（Etanercept））は，米国のImmunex社（2002年にAmgen社が買収）が開発した関節リウマチを適応症とする完全ヒト型可溶性TNFα／LTαレセプター製剤で，1998年11月に米国，2000年2月に欧州，2005年1月にわが国で承認された。ヒトIgG1のFc領域とヒト腫瘍壊死因子Ⅱ型受容体（TNFR-Ⅱ）の細胞外ドメイン2分子からなる糖タンパク質（分子量約150,000）で，TNFレセプター部がTNFαおよびLTαを捕捉して細胞表面のレセプターとの結合を阻害することで抗リウマチ作用と抗炎症作用を発揮すると考えら

表12-5 わが国で承認されているFc領域融合タンパク質製剤

承認年	商品名	一般名	分子量	構造	産生細胞	薬価(円)(2020)	効能又は効果	メーカー
2005	エンブレル® Enbrel®	エタネルセプト etanercept	約150,000	ヒト腫瘍壊死因子Ⅱ型受容体(TNFR-Ⅱ)の細胞外ドメインとヒトIgG1 Fcドメインからなる糖タンパクのダイマー	CHO	6,426/10mg 13,658/25mg 12,739/25mgシリンジ 12,861/25mgペン 25,317/50mgシリンジ 25,171/50mgペン	関節リウマチ	ファイザー株式会社
2010	オレンシア® Orencia®	アバタセプト abatacept	約92,000	ヒト細胞傷害性Tリンパ球抗原-4とヒトIgG1由来改変型Fcドメインからなる融合糖タンパクのダイマー	CHO	55,677/250mg 28,375/125mgシリンジ 28,633/125mgオートインジェクター	関節リウマチ	ブリストル・マイヤーズ株式会社
2011	ロミプレート® Romiplate	ロミプロスチム romiplostim	59,085	ヒトトロンボポエチン受容体結合配列を含む41アミノ酸残基のペプチドとヒトIgG1 Fcドメインからなる融合糖タンパクのダイマー	E.coli	71,209/250μg	血小板減少性紫斑病	協和キリン株式会社
2012	アイリーア® Eylea®	アフリベルセプト aflibercept	約115,000	ヒトVEGF受容体1の第2Igドメイン、ヒトVEGF受容体2の第3Igドメインおよびヒト IgG1 Fcドメインからなる融合糖タンパクのダイマー	CHO	137,292/2mg	加齢黄斑変性	参天製薬株式会社／バイエル薬品株式会社
2014	イロクテイト® Eloctate®(Elocta)	エフラロクトコグアルファ (Efmoroctocog alfa)	約225,000	ヒト血液凝固第Ⅷ因子とヒトIgG1 Fcドメインの融合糖タンパク	HEK	24,803/250IU 45,838/500IU 68,663/750IU 88,032/1,000IU 125,763/1,500IU 163,892/2,000IU 234,184/3,000IU 303,956/4,000IU	FⅧ欠乏患者における出血傾向の抑制	サノフィ株式会社
2014	オルプロリクス® Alprolix®	エフトレノナコグアルファ eftrenonacog alfa	約109,000	ヒト血液凝固第Ⅸ因子とヒトIgG1 Fcドメインからなる融合糖タンパク	HEK	51,823/250IU 105,474/500IU 212,839/1,000IU 420,137/2,000IU 627,508/3,000IU 833,329/4,000IU	FⅨ欠乏患者における出血傾向の抑制	サノフィ株式会社
2015	トルリシティ® Trulicity®	デュラグルチド dulaglutide	約63,000	改変型ヒトグルカゴン様ペプチド1(GLP-1)と改変型ヒトIgG4 Fcドメインとの融合糖タンパクのダイマー	CHO	3,396/0.75mg	2型糖尿病	大日本製薬株式会社／日本イーライリリー株式会社
2015	ストレンジック® Strensiq®	アスホターゼアルファ asfotase alfa	約180,000	ヒト組織非特異型アルカリホスファターゼ触媒ドメイン、ヒトIgG1 Fcドメインおよび10個のアスパラギン酸残基からなる融合糖タンパクのダイマー	CHO	134,301/12mg 201,451/18mg 313,369/28mg 447,669/40mg 895,340/80mg	低ホスファターゼ症	アレクシオンファーマ合同会社
2016	ザルトラップ® Zaltrap®	アフリベルセプトベータ Aflibercept beta	115,000	ヒトVEGFR1の第2IgドメインとVEGFR2の第3Igドメインを融合し、さらにそれをヒトIgGのFcドメインに融合した糖タンパク質ダイマー	CHO	76,856/100mg 149,081/200mg	治癒切除不能な進行・再発の結腸・直腸がん	サノフィ株式会社

VEGF：vascular endothelial growth factor(血管内皮増殖因子)，HEK：ヒト胎児由来腎細胞

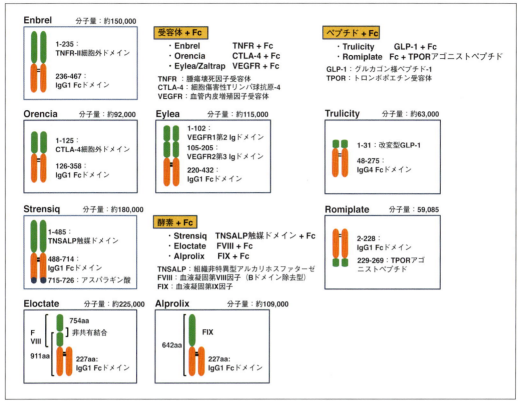

図12-8 Fc領域融合タンパク質製剤の構造

れている。

②オレンシア®（Orencia®）

　オレンシア®（一般名：アバタセプト（Abatacept））は，米国のBristol-Myers Squibb社が開発した関節リウマチを適応症とする製剤で，2005年12月に米国，2007年5月に欧州，2010年7月にわが国で承認された。ヒトIgG1のFc領域とヒト細胞傷害性Tリンパ球抗原-4（CTLA-4；Cytotoxic T-lymphocyte antigen-4）の細胞外ドメインからなる糖タンパク質（分子量約92,000）で，CTLA-4が抗原提示細胞表面のCD80/CD86に結合することでCD28を介した共刺激シグナルを阻害する結果，関節リウマチの発症に関与するT細胞の活性化およびサイトカイン産生が抑制され，さらに他の免疫細胞の活性化あるいは関節中の結合組織細胞の活性化によるマトリックスメタロプロテアーゼおよび炎症性メディエーターの産生を抑制することで，関節リウマチの症状，身体機能，QOLの改善作用を発揮すると考えられる。

③アイリーア®（Eylea®）

　アイリーア®（一般名：アフリベルセプト（Aflibercept））は，米国のRegeneron Pharmaceuticals Inc.が開発した加齢黄斑変性を適応症とする眼科用VEGF阻害剤で，2011年11月に米国，2012年9月に日本，2012年11月に欧州で承認された。ヒトVEGFR1の第2Ig様C2ドメインと

VEGFR2の第3Ig様C2ドメインを融合し，さらにそれをヒトIgGのFcドメインと融合することで作製された二量体糖タンパク質（分子量約115,000）で，可溶性のデコイ受容体として，滲出型加齢黄斑変性等の眼疾患にみられる病的な血管新生および血管漏出に関与すると考えられているVEGF-A，VEGF-Bおよび胎盤増殖因子に，本来の受容体よりも高い親和性で結合してその作用を阻害することで薬効を発揮すると考えられる。

④ ストレンジック® (Strensiq®)

　ストレンジック®（一般名：アスホターゼ アルファ(Asfotase alfa)）は，カナダのEnobia Pharma社（2012年にAlexion Pharmaceuticals社が買収）が開発した低ホスファターゼ症を適応症とする酵素補充療法剤で，2015年6月に日本，2015年8月に欧州，2015年10月に米国で承認された。ヒトIgG1のFc領域とヒト組織非特異型アルカリホスファターゼ(TNSALP)触媒ドメインおよび10個のアスパラギン酸ペプチドからなる糖タンパク質（分子量：約180,000）で，C末端のアスパラギン酸ペプチドドメインがハイドロキシアパタイトに対して高い親和性を示すため，皮下投与されたストレンジック®は骨組織に局在し，有効性を発揮すると考えられている。

⑤ イロクテイト® (Eloctate®)

　イロクテイト®（一般名：エフラロクトコグ アルファ(Efraloctocog alfa)）は，米国のSyntonix社（現 Biogen Idec社）が開発した先天性血液凝固第Ⅷ因子欠乏症（血友病A）を適応症とする酵素補充療法剤で，2014年6月に米国，2014年12月に日本，2015年11月に欧州で承認された。ヒトIgG1のFc領域とBドメイン除去型ヒト血液凝固第Ⅷ因子からなる糖タンパク質（分子量約225,000）で，既存の第Ⅷ因子製剤よりも血漿中消失半減期を延長させ，投与回数を減少させることを目的として開発された。Fc領域はneonatal Fc受容体(FcRn)との作用を介してリソソーム分解を受けずに循環血液中に再循環されることで，半減期の延長に寄与している。

⑥ オルプロリクス® (Alprolix®)

　オルプロリクス®（一般名：エフトレノナコグ アルファ(Eftrenonacog alfa)）は，米国のSyntonix社（現 Biogen Idec社）が開発した先天性血液凝固第Ⅸ因子欠乏症（血友病B）を適応症とする酵素補充療法剤で，2014年3月に米国，2014年6月に日本，2016年5月に欧州で承認された。ヒトIgG1のFc領域とヒト血液凝固第Ⅸ因子からなる糖タンパク質（分子量約109,000）で，Eloctate®と同様，FcとFcRnとの作用により既存の第Ⅸ因子製剤よりも血漿中消失半減期を延長させ，投与回数を減少させることを目的として開発された。

⑦ トルリシティ® (Trulicity®)

　トルリシティ®（一般名：デュラグルチド(Dulaglutide)）は，米国のEli Lilly社が開発した2型糖尿病を適応症とする持効型GLP-1受容体作動薬で，2014年9月に米国，2014年11月に欧州，2015年7月にわが国で承認された。ヒトIgG4のFc領域と改変型ヒトグルカゴン様ペプチド-1(GLP-1)からなる糖タンパク質（分子量約63,000）で，膵β細胞のGLP-1受容体に結合して細胞内cAMP濃度を上昇させ，グルコース濃度依存的にインスリン分泌を亢進して薬効を発揮す

ると考えられている。アミノ酸置換（$Ala^8 \rightarrow Gly^8$）によりDPP-4（Dipeptidyl peptidase-4）による分解を抑制するとともに，分子量の増加により吸収速度および腎クリアランスが低下することで作用が持続する。また，$Arg^{36} \rightarrow Gly^{36}$によりT-cellエピトープを消失させ免疫原性を低下させている。

⑧ロミプレート®（Romiplate®）

ロミプレート®（一般名：ロミプロスチム（Romiplostim））は，米国のAmgen社が開発した慢性特発性血小板減少性紫斑病（特発性血小板減少性紫斑ITP：Idiopathic Thrombocytopenic Purpura）を適応症とする受容体アゴニスト製剤で，2008年8月に米国，2009年2月に欧州，2011年1月にわが国で承認された。内因性TPO（eTPO）と相同性がない41アミノ酸からなるペプチド鎖2本とヒトIgG1のFc領域からなるタンパク質（分子量59,085）である。

ヒトトロンボポエチン（TPO：Thrombopoietin）は，1994年にキリンビール株式会社（現 協和キリン株式会社）が遺伝子のクローニングに成功した[32]。同社はPEG化組換えTPOを用いて慢性ITPなどの臨床開発に着手したが，血小板の増加作用は確認されたものの中和抗体の発現や同抗体によるeTPOへの交差反応により一部の被験者で重篤な血小板減少が発生したことから開発は中止された。ロミプレート®は，この経緯を踏まえてeTPOに対する自己抗体を誘導しない次世代のTPO受容体作動薬として開発された。

⑨ザルトラップ®（Zaltrap®）

ザルトラップ®（一般名：アフリベルセプト ベータ（Aflibercept beta））は，米国のRegeneron Pharmaceuticals社で創製されたVEGFと細胞表面に存在するVEGFRとの相互作用を阻害することで薬理作用を示す薬剤で，2012年8月に米国，2013年2月に欧州，2016年9月にわが国で承認された。ヒトVEGFR1の第2Ig様C2ドメインとVEGFR2の第3Ig様C2ドメインを融合し，さらにそれをヒトIgGのFcドメインに融合することに作製された二量体糖タンパク質（分子量約115,000）である。治癒切除不能な進行・再発の結腸・直腸がん患者を対象とした第Ⅲ相臨床試験（VELOUR試験）において，オキサリプラチン主体の一次治療後の二次治療として，FOLFIRIレジメンと併用することで，全生存率期間延長が認められた最初のVEGF阻害薬である。なお，本剤はアイリーア®と同一のafliberceptとしてINNに収載されているが，開発領域により異なる会社にて開発され原薬に関する公開情報がないことから同一性が証明されていない。そのため，開発が後になった本剤の一般名にはBetaを付けてAflibercept betaとして区別されている。

6. バイスペシフィック抗体製剤

通常，抗体分子は1種類の抗原を認識し結合するが，バイスペシフィック抗体は2種の異なる抗原やエピトープと結合できるよう設計された分子である。複数の受容体への結合やタンパク質複合体の形成もしくは細胞間相互作用を促進するなど，これまでの抗体医薬品では実現できなかった効果が期待されることから，抗体薬物複合体製剤とともに次世代の抗体医薬品の1

つとして期待されている。

バイスペシフィック抗体の種類には，Fc領域の有無などの分子構造の違いのほか，製造時に有利になるような改変を施したものなど，さまざまなタイプが存在している。図12-9に現在，わが国で承認されているバイスペシフィック抗体の構造を示した。

バイスペシフィック抗体は2009年に初めてRemovab®（一般名：Catumaxomab）が標準的治療に抵抗性を有する癌性腹膜炎の治療薬として，欧州で承認された（現時点では上市取下げ）。その後，ビーリンサイト®（Blincyto®）（一般名：ブリナツモマブ（Blinatumomab））が，再発又は難治性のB細胞性急性リンパ性白血病の治療薬として，2014年米国，2015年欧州に続きわが国でも2018年に承認された。ビーリンサイト®はCD19とCD3に二重特異性を有し，B細胞系の細胞表面に発現するCD19およびエフェクターT細胞の表面に発現するCD3の双方に結合する。T細胞を標的細胞近傍に誘導し，T細胞を介した殺作用により対象となるがん細胞を消滅させるよう創薬されている。また，血友病Aを対象疾患として血液凝固第Ⅷ因子の機能を代替可能な作用を有するヘムライブラ®（Hemlibra®）（一般名：エミシズマブ（Emicizumab））が2017年に米国で，2018年に欧州とわが国でそれぞれ承認されている（表12-6）。

血友病Aは，血液凝固因子第Ⅷ因子の先天的欠損または機能異常に起因する出血性疾患であり，これまでは第Ⅷ因子製剤を用いた補充療法が主な治療法であったが，その投与頻度や第Ⅷ因子活性を中和する自己抗体が出現することなどが課題となっていた。ヘムライブラ®はバイ

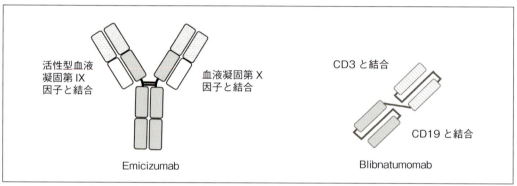

図12-9　バイスペシフィック抗体製剤の構造例

表12-6　わが国にて承認されているバイスペシフィック抗体製剤

承認年	商品名	一般名	分子量	構造	産生細胞	薬価（円）(2020)	効能又は効果	メーカー
2018	ヘムライブラ® Hemlibra®	エミシズマブ Emicizumab	約148,000	ヒト活性型血液凝固第Ⅸ因子およびヒト血液凝固第Ⅹ因子を認識するFabを1つずつ有し，ヒトIgG4の定常部からなるヒト化二重特異性モノクローナル抗体	CHO	1,344,343/150mg 981,775/105mg 857,075/90mg 599,582/60mg 325,524/30mg	血液凝固第Ⅷ因子に対するインヒビターを保有する先天性血液凝固第Ⅷ因子欠乏患者における出血傾向の抑制	中外製薬株式会社
2018	ビーリンサイト® Blincyto®	ブリナツモマブ Blinatumomab	約54,000	ヒトCD19とヒトCD3を認識する領域（マウスモノクローナル抗体のL鎖およびH鎖可変領域）を1つずつ有し，504個のアミノ酸残基からなる一本鎖抗体（scFv-scFv）	CHO	28,6336	再発又は難治性のB細胞性急性リンパ性白血病	アステラス・アムジェン・バイオファーマ株式会社

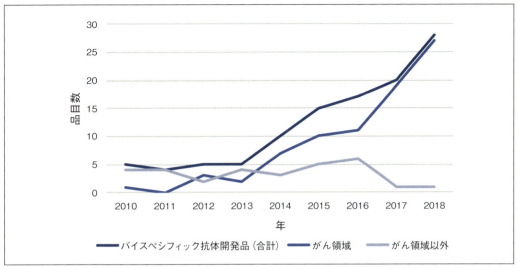

図12-10　バイスペシフィック抗体開発品目数の推移

スペシフィック抗体により第Ⅸ因子と第Ⅹ因子に同時に結合することで，第Ⅷ因子と同様の機能を発揮するように創薬されている．本剤は皮下投与であることから，週2～3回の静脈内注射を必要とする従来の製剤に比べて，患者および臨床現場（特に小児）の負担が大幅に軽減される．

現在，がん領域を中心にさまざまな疾患に対してバイスペシフィック抗体の特徴を活かした多くの開発プロジェクトがグローバルに進行しており，この傾向は今後も続くと考えられる（図12-10）[33]．

これら増加するバイスペシフィック抗体開発の流れを受け，FDAから2019年にバイスペシフィック抗体の開発に関してドラフトガイダンス[34]が公表されている．製造における品質管理については多くの側面で既存の抗体開発と同様の考え方が使用できると考えられる一方で，CD3などを介してエフェクター細胞を引き込むように設計されたバイスペシフィック抗体などではホモダイマーが作用することによるサイトカインリリースの懸念があることから，それら分子種の含量についてアセスメントが必要とされるなど，薬剤に合わせた注意が必要であることが記載されている．

おわりに

近年のめざましい抗体医薬の市場拡大に伴い，抗体医薬の市場に注目する企業が増えている．そして各企業が抗体医薬を開発するに当たって，その戦略は大きく2つの方向へと分かれつつある．「ベストインクラス」，「ファーストインクラス」と呼ばれる開発戦略である．

ベストインクラスの戦略は，既存の抗体医薬と同じ抗原に対する抗体であるが，その抗体そのものの付加価値をより高める戦略である．例えば，ADCC活性を高めるポテリジェント技術，抗体に抗がん剤や放射性同位元素などを結合させた抗体，抗体を低分子化させたり，抗体を

PEG化して血中半減期を延長させたり，バイオシミラーによる低価格化などもこれに含まれる。

　これに対して，ファーストインクラスの戦略は，新規の抗原に対する抗体を探索し抗体医薬とするものである。例えば，新規の抗原や抗体を取得するのが困難だった抗原に対する抗体を抗体ライブラリーや新規技術を利用して，新たに作製したりすることが含まれる。

　まだまだ拡大が続くであろう抗体医薬の市場において，いずれの戦略を選択するにせよ，各企業が特徴を出しつつ，いかに高品質の抗体医薬を安定的に作り出していくかが重要である。

■参考文献

1) 抗体医薬．平成26年度　特許出願技術動向調査報告書（概要），特許庁（平成27年3月）(https://www.jpo.go.jp/shiryou/pdf/gidou-houkoku/26_11.pdf)
2) Köhler G. and Milstein D.: Continuous cultures of fused cells secreting antibody of predefined specificity. Nature, 256：495-497, 1975
3) Petersen B.H. et al.: The human immune response to KS1/4-desacetylvinblastine (LY256787) and KS1/4-desacetylvinblastine hydrazide (LY203728) in single and multiple dose clinical studies. Cancer Res., 51：2286-2290, 1991
4) 関根進：抗体医薬の現状と課題．科学技術動向，2009年10月号
5) Revised monoclonal antibody (mAb) nomenclature scheme. INN Working Doc. 17 416 May 2017
6) 川崎ナナ，田辺光男，宮田直樹．薬の名前 続：ステムを知れば薬がわかる（第2回）．PHARM TECH JAPAN 34(8)：53-59, 2018
7) 協和キリン株式会社HP (https://www.kyowakirin.co.jp/antibody/kyowakirin_antibody/enhanced_ab.html)
8) Natsume A., et al.: Improving effector functions of antibodies for cancer treatment: Enhancing ADCC and CDC. Drug Design, Development and Therapy, 3：7-16, 2009
9) Ishida Y., et al.: Induced expression of PD-1, a novel member of the immunoglobulin gene superfamily, upon programmed cell death. The EMBO Journal, 11：3887-3895, 1992
10) Shukla AA, et al.: Single-use disposable technologies for biopharmaceutical manufacturing. Trends Biotechnol.,31：147-154, 2013
11) 土屋正幸：抗体医薬品の研究戦略，2003年1月21日
12) バイオ医薬品の開発と品質・安全性確保，株式会社エル・アイ・シー，2007
13) Schwartz R. S.: Paul Ehrlich's magic bullets. N. Engl. J. Med., 350：1079-1080, 2004
14) Mathe G.: Effet sur la leucemie L1210 de la souris d'une combinaison par diazotation d'A-methopterine et gamma-globulines de hamsters porteur de cette leucemie par heterogreffe. C. R. Acad. Sci., 246：1626-1628, 1958
15) Ghose T., et al.: Immunochemotherapy of cancer with chlorambucil-carrying antibody. Br. Med. J., 3:495-199, 1972
16) Riechmann L, et al.: Reshaping human antibodies for therapy. Nature, 332：323-332, 1983
17) Antibody-Drug Conjugates：Possibilities and Challenge, Avicenna Journal of Medical Biotechnology, Vol.11 No.1, January-March 2019
18) Sochaj A.M., et al.: Current methods for the synthesis of homogeneous antibody-drug conjugates. Biotechnol. Adv., 33：775-784, 2015
19) Peter C. et al.: Antibody-drug conjugates as novel anti-cancer chemotherapcutics. Biosci. Rep., 35, e00225, 2015
20) Hamblett K.J., et al.: Effects of drug loading on the antitumor activity of a monoclonal antibody drug conjugate. Clin. Cancer Res., 10：7063-7070, 2004
21) Pettit G.R., et al.: Marine animal biosynthetic constituents for cancer chemotherapy. J Nat Prod., 44：482-485, 1981
22) Pettit G.R., et al.: Antineoplastic agents 365. Dolastatin 10 SAR probes. Anticancer Drug. Des., 13：243-277, 1998
23) Doronina S.O., et al.: Development of potent monoclonal antibody auristatin conjugates for cancer therapy. Nat Biotechnol., 21：778-784, 2003
24) Kupchan S.M., et al.: Maytansine, a novel antileukemic ansa macrolide from Maytenus ovatus, J. Am. Chem. Soc., 94：1354-1356, 1972
25) Chari R.V., et al.: Immunoconjugates Containing Novel Maytansinoids: Promising Anticancer Drugs. Caner Res., 52：127-131, 1992

26) Lee M.D., et al.: Calichemicins, a novel family of antitumor antibiotics. 1. Chemistry and partial structure of calichemicin .gamma.1I. J. Am. Chem. Soc., 109：3464-3466, 1987
27) Junutula J.R., et al.: Site-specific conjugation of a cytotoxic drug to an antibody improves the therapeutic index, Nat. Biotechnol., 26：925-932, 2008
28) Pillow T.H., et al.: Site-specific trastuzumab maytansinoid antibody-drug conjugates with improved therapeutic activity through linker and antibody engineering. J. Med. Chem., 57：7890-7899, 2014
29) Axup J.Y., et al: Synthesis of site-specific antibody-drug conjugates using unnatural amino acids. Proc Natl. Acad. Sci. USA., 109：16101-16106, 2012
30) Drake, P.M., et al.: Aldehyde tag coupled with HIPS chemistry enables the production of ADCs conjugated site-specifically to different antibody regions with distinct in vivo efficacy and PK outcomes. Bioconjug. Chem., 25：1331-41, 2014
31) Zhou Q., et al.: Site-specific antibody-drug conjugation through glycoengineering. Bioconjug. Chem., 25：510-520, 2014
32) Sohma Y., et al.:Molecular cloning and chromososmal localisation of the human thrombopoietin gene. FEBS Letter, 353：57-61, 1994
33) Aran F. Labrijn, et al.：Bispecific antibodies：a mechanistic review of the pipeline. Nat Rev Drug Discov., 18(8)：585-608, 2019
34) Bispecific Antibody Development Programs Guidance for Industry U.S. Food & Drug Administration 2019

第13章 バイオシミラー

はじめに

　第12章でも述べたように，抗体医薬品を含むバイオ医薬品は，自己免疫疾患やがんなどの治療が難しかった疾患領域で，これまでになかった著しい治療効果をもたらしている。バイオ医薬品は使用の増加に伴い世界における売上高が増加しており，2016年には約2,012億ドル（バイオ医薬品比率31.5％）に達し，2022年には約3,249億ドル（バイオ医薬品比率37.5％）に達すると予測されている。同様に，日本におけるバイオ医薬品の売上高も増加しており，2016年では約1兆4,219億円（バイオ医薬品比率13.6％）に達し，売上高の見込みは公表されていないが今後も増加することが予測される。

　一方，バイオ医薬品は化学合成医薬品に比べて一般的に薬価が高額であり，医療財政の圧迫要因となっている。そのため，先発の製剤と同等／同質の品質，有効性および安全性を有し，例えば日本において薬価が先発の製剤の約70％であるバイオシミラーは医療費の大きな削減効果が期待されている。特にバイオ医薬品のなかでも売上げに占める割合の高い抗体医薬品の特許切れが2015年前後から現在まで続いており，これらのバイオシミラーの開発，承認申請および承認が増加している。これに関連し，バイオシミラーの世界市場の大きさは2018年に59.5億ドルから2023年には236.3億ドルに増加することが予測され，その年間成長率は31.7％である。そこで本章ではこのように注目を集めているバイオシミラーの日・欧・米における現状と課題について，最近の規制動向なども含めて概説する。なお，本章の内容の一部は筆者の総説[1,2]を参考にした。

1. バイオシミラーとは

　わが国におけるバイオ後続品の定義は，2009年3月に当局より示された「バイオ後続品の品質・安全性・有効性確保のための指針」において，「国内で既に新有効成分含有医薬品として承認されたバイオテクノロジー応用医薬品と同等／同質の品質，安全性，有効性を有する医薬品として，異なる製造販売業者により開発される医薬品」とされている。一方，2020年2月に当局より示された同指針の改正版の「1. はじめに」では「バイオ後続品は，一般的にバイオシミラーと言われており」の記載が追加されている。そこで，本章では日本の指針を引用する場合を除き「バイオシミラー」を原則として使用する。また，日本の指針を引用する場合を除き「先行バイオ医薬品」の代わりに「先発の製剤」を原則として使用する。

　一方，バイオセイムと呼ばれる有効成分や製法などが先発の製剤と同一である医薬品がバイオシミラーと同じ薬価で2018年に世界で初めて日本で承認された。バイオセイムの出現は製薬

業界に大きな波紋を呼んでおり，バイオセイムの優位性により採算が合わないとして，新たにバイオシミラーに参入する製薬企業の減少や他のバイオシミラー開発の停滞につながり，結果的に日本におけるバイオ医薬品産業全体の成長に悪影響を及ぼす可能性が懸念されている。

2. バイオシミラーの開発

　図13-1にバイオシミラー開発の要約を示す。最初のステップでバイオシミラーの品質特性を先発の製剤と比較しつつ詳細に解析する。その結果，品質特性に何らかの差異が見出された場合は，その影響を非臨床試験，臨床試験で順次確認することにより，先発の製剤と同等／同質の安全性，有効性を示すことを立証する。なお，バイオ後続品では新有効成分含有医薬品の申請に必要な項目の中で特に非臨床試験のいくつかの項目が不要あるいは個々の医薬品により判断となっている。

3. 薬局レベルにおける先発の製剤からバイオシミラーへの変更

(1) 用語と定義など

① EU

　EUで使用される用語では，自動的な"substitution"が該当し，「処方医に相談しないで薬局レベルである医薬品の代わりに別の同等あるいは"interchangeable"な医薬品を調剤する行為である」と定義されている。なお，"interchangeability"は「ある医薬品を同じ臨床効果が期待される別の医薬品に"exchanging"する可能性を指す」と定義されている。

② 米国

　米国で使用される用語では，"interchangeable"あるいは"interchangeability"が該当し，「先発の製剤を処方した医療供給者の介入なしで先発の製剤に対して生物学的製剤を"substitution"してもよいことを意味する」と定義されている。

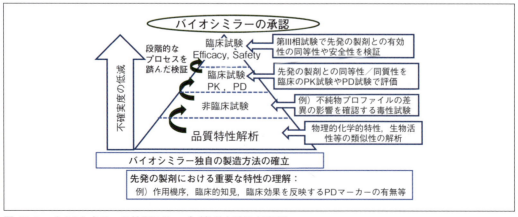

図13-1　バイオシミラーの検証ステップ（参考文献5を改変）

なお"interchangeable"な生物学的製剤の基準は以下のとおりである。
・先発の製剤に対するバイオシミラーである。
・どの患者においても先発の製剤と同じ臨床結果が期待される。
・各患者に対して1回以上投与される製剤で，製剤と先発の製剤の使用の間の安全性あるいは有効性の低下に関するリスクはそのような"alternation"あるいは"switching"を伴わずに先発の製剤を使用するリスクより高くない。

③日本

2009年に発出され，その後2020年に改正された日本における「バイオ後続品の品質・有効性・安全性確保のための指針」では，上記に該当する用語について公式には定義されていない。日本薬学会の薬学用語解説で，代替調剤"substitution"とは，「保険薬局において，処方医に事前確認することなく，別の同等もしくは互換性のある医薬品を調剤する行為を意味する」と定義されている。一方，"interchangeability"については，世界的に統一されていないとしながら，一般的に「同じ臨床効果が期待されるほかの医薬品へ交換できること」と定義されている。

(2) 決定の権限と現状

① EU

EMAがバイオシミラーの科学的な審査を実施する場合，その評価にはバイオシミラーが先発の製剤と"interchangeable"かどうか，すなわちバイオシミラーは先発の製剤と"switching"あるいは"substitution"可能かどうかに関する勧告は含まれない。先発の製剤とバイオシミラーの"interchangeable"な使用および"substitution"を認めるかどうかの決定はEU加盟国レベルで実施される。現在までに，欧州で"substitution"が実施されている国はない。一方，2019年ドイツは「医薬品の供給におけるより安全性のための法律」(GSAV)を発効した。この法律では薬局による"substitution"のガイダンスを2022年までに連邦合同委員会が制定することが義務づけられ，その中には薬局で"substitution"できるバイオシミラーのリストの導入が含まれる。

② 米国

2019年2月時点で45の州とプエルトリコは，薬局レベルでの"substitution"の実施を規制しており，処方された生物学的製剤と"interchangeable"であるとFDAにより承認されたバイオシミラーを薬剤師が自動的に"substitution"できる法律を通過させている。その場合，薬剤師は患者と処方医に"substitution"を通知する必要がある。なお，現状では薬局レベルでの"substitution"は実施されていない。

③ 日本

薬局レベルにおける先発の製剤からバイオシミラーへの変更について，特に言及した公式文書はないが，禁止はされていない。関連する情報については，「5.(3)日本．④指針の改正」

を参照されたい。

4. 医師による先発の製剤からバイオシミラーへの変更

医師による"switching"は標準的な医療行為であり，各患者にバイオシミラーを含む適切な医薬品を選択することは各処方医に委ねられる。この医療行為は日・欧・米に関わらず通常法律により拘束されず，"substitution"あるいは"interchangeability"とは無関係である。

5. 普及の現状，施策など

(1) 欧州

①普及の現状

欧州では2020年2月時点で16品目のバイオシミラーが承認され，その製品のほとんどが販売されている。2017年のEUにおけるバイオシミラーの市場における占有率は，Epoetin (67%)，Filgrastim (91%)，Somatropin (41%)，InfliximabおよびEtanercept (43%)，Follitropin alfa (18%)，Insulin (5%)，Rituximab (11%) であった。

②施策

このように，欧州において品目によりばらつきはあるがおおむねバイオシミラーの普及が進んでいる理由は，例えば以下のように各国における積極的な施策によるところが大きい。フランスでは，いくつかのクラスの処方薬剤の支出を低くし病院と提供者の利益配分を介した財政上のインセンティブの増加により，バイオシミラーの使用の増加を求め公共支出を低下させる施策が実施されている。イギリスでは，患者が同意する場合にはバイオシミラーの投与を受けること，および普及の目標がcommissioning intentionsで設定されている。また，費用対効果の良い製剤への処方により得られたコストの削減分を臨床委託グループと病院の間で分配が行われている。ドイツでは，バイオシミラーの処方箋割り当てのシステムがあり，地域の医師会と公的健康保険制度の間において1年単位で合意されている。ノルウェーでは，薬剤調達団体が製薬企業と値段を交渉し，病院で調剤される医薬品の推奨リストを作成できる。

(2) 米国

①普及の現状

米国では2020年4月時点で10品目29製品のバイオシミラーが承認されているが，そのうち9製品が販売されていない。2017〜2018年の米国におけるバイオシミラーの市場における占有率は，Infliximab (2.3%)，Filgrastim (15〜20%) であった。

②課題

米国でバイオシミラーの普及が進まない主な原因は以下のとおりである。1番目の原因は，先発の製剤の製薬企業が通常に設定された薬価に対して支払者である保険会社および公的医療

保険にリベートを支払うという形で値引き販売を行い，それと引き換えに自社製剤の独占的使用を保証させ，結果的にバイオシミラーの使用が排除されていることである．2番目の原因は，医師と患者はバイオシミラーの有効性と安全性についてかなり不信感を持っており，それが場合によっては特定の先発の製剤のスポンサーにより助長されていることである．3番目の原因は，先発の製剤の製薬企業がバイオシミラーの製薬企業に対して特許を侵害しているとして訴訟を起こし，バイオシミラーの参入が阻止されていることである．

③施策

FDAは「先発の生物学的製剤とバイオシミラーの販売促進用資料と広告において考慮すべき事柄　質疑応答」と題する企業向けのガイダンスを2020年2月に公表した．また，2019年5月，FDAは「先発の製剤との"interchangeability"を立証する際に考慮すべき事項」と題する企業向けのガイダンスを公表し，"interchangeable"であると提案する製剤の承認申請に必要な具体的な要件が示された．このガイダンスの重要な点は，"interchangeable"として提案される製剤と先発の製剤に対して2回以上"alternating"した曝露の結果，生じた治療の変化を評価する"switching"試験の必要性が示されたことである．なお，現在までに"interchangeable"としてFDAにより承認された製剤はない．この追加の臨床試験の要求は米国のみで行われ，欧州では要求されていない．

（3）日本

①普及の現状

日本で承認されたバイオシミラーは，2017年の時点では5品目であったが，2020年4月1日の時点では13品目に増加し，そのほとんどが販売されている．2017年までの日本におけるバイオシミラーの市場における占有率は，Somatropin，Epoetin，Filgrastim，Infliximabおよび Insulinで，それぞれ9.3％，90.2％，60.5％，4.2％および31.6％であった．バイオシミラーの医療費適正化効果額・金額シェアは，2015年では56億円・11％であったが，2020年では226億円・19.5％に増加した．また，2020年および2022年におけるバイオシミラーの市場は2018年の実績と比較するとそれぞれ2倍および3倍増加することが予測されている．

②アンケート調査

2016年に行われた厚生労働科学研究費補助金事業のバイオシミラー使用促進のための課題解決に向けた調査研究で，医師，薬剤師，一般国民・患者に対するアンケート調査が実施された[3]．

医師の約90％は，「バイオシミラーを積極的に処方する，または，薬の種類・患者・今後の使用実績等によっては積極的に処方する」と回答した．バイオシミラーの気になる点についての主な回答は，「前臨床試験および臨床試験における先行品との有効性および安全性における同等性，販売会社の定期的な情報提供があるかどうか」であった．

病院薬剤師の約60％は，「バイオシミラーを積極的に採用する，薬の種類によっては積極的に採用するまたは医師からの要望があれば採用する」と回答した．バイオシミラーの採用にあ

たって心配な点に対する主な回答は，「先行品からバイオシミラーの使用に切り替えた際，同等の有効性および安全性が担保されているか」，「日本人での臨床試験の成績が少ない」であった。

国民・患者のバイオシミラーに対する認知率は，一般層で19.1％，関節リウマチ患者で34.0％であった。バイオシミラーの使用意向があるとの一般層および患者本人層は，それぞれ39.0％および43.2％であった。また，一般層の56.8％がバイオシミラー非使用の理由として，「バイオ医薬品（新薬）と同等の安全性が得られるかどうか不安だから」をあげた。

③施策など

日本においてバイオシミラーの普及のために実施されている啓発活動および施策などは以下のとおりである。

政府は「経済財政運営と改革の基本方針2017について」において，バイオシミラーの普及については，「バイオ医薬品及びバイオシミラーの研究開発支援方策等を拡充しつつ，バイオシミラーの医療費適正化効果額・金額シェアを公表するとともに，2020年度（平成32年度）末までにバイオシミラーの品目数倍増（成分数ベース）を目指す。」と記載された。2018年度では「有効性・安全性等への理解を得ながら研究開発・普及を促進する」ことが盛り込まれ，その方針は翌年も継続された。厚生労働省はその一環として，バイオ医薬品の使用促進に係る啓発事業を行っている。これには市民，医療関係者（薬剤師），医師向けの講習会とリーフレットが含まれる。これら使用促進策の1つとして医療従事者による患者へのバイオシミラーの説明による理解と使用促進を評価する目的で，2020年医科診療報酬の在宅自己注射指導管理料に「バイオ後続品導入初期加算」が新設された。

後発医薬品の品質に対するさらなる信頼性確保のため設置されたジェネリック医薬品品質情報検討会で，2019年バイオシミラーについて学術的な課題の検討や市場流通品の品質検査を実施する方向であることが示された。

2019年「販売情報提供活動監視事業について」と題する周知依頼が発出された。その中で他社の製品を誹謗・中傷する表現を用いた例として，「本剤のバイオシミラーにとって不利益となる情報提供を積極的に行った場合」が紹介されている。

④指針の改正

2020年2月，「バイオ後続品の品質・有効性・安全性確保のための指針」の改正版が発出された。さらに，「バイオ後続品の品質・安全性有効性確保のための指針に関する質疑応答集（Q＆A）について」，「「バイオ後続品の品質・安全性・有効性確保のための指針（改正案）」に関する意見募集の結果について」が公表された。指針の改正版における見直しの主な点は以下のとおりである。

初版の指針の「1．はじめに」で記載されている「同等性／同質性」の意味については以下のような修正がなされた。なお青字は元の指針から変更された箇所を示す。

「本指針において本文書では，「同等性／同質性」とは，先行バイオ医薬品とに対して，バイオ後続品の品質特性がまったく同一であるということを意味するものではなく，のにおいて類

似性が高く，~~かつ，~~品質特性に何らかの差異が見出された~~あった~~としても，製造販売する最終製品の臨床的~~安全性~~や有効性・安全性に~~有害な~~影響を及ぼ~~さ~~すものではないことが，非臨床試験及び臨床試験等の結果に基づいて科学的に判断できることを意味する。」

このように改正版では文言が適切に修正され，科学的な判断を行う根拠についても具体的な記載が付け加えられた。

改正版では「3.3 バイオ後続品の製法開発及び品質管理戦略の構築にあたっての留意事項」が新設され，序においてライフサイクルマネジメントのため適切な管理戦略を構築することが必要である旨記載された。

初版の指針「9．製造販売後調査」については改正版で以下の修正がなされた。製造販売後調査については，その後2012年に，医薬品安全性監視計画に加えて，医薬品のリスクの低減を図るためのリスク最小化計画を含めた「医薬品リスク管理計画指針について」，2017年に「製造販売データベース調査や使用成績比較調査」の位置づけが明確化された「医薬品の製造販売後の調査及び試験の実施の基準に関する省令等の一部を改正する省令」が公表された。それらの文書に伴い，2019年「医薬品の製造販売後調査等の実施計画の策定に関する検討の進め方について」が公表された。そこで改正版では表題が「7．製造販売後におけるリスク管理」と変更され，内容も上記文書の内容を反映したより具体的なものに変更され，記載された手法の中から目的に応じて効率的かつ効果的な手法を選択する旨の記載も追加された。

初版の「9．製造販売後調査」の「当該調査期間においては，有害事象のトレーサビリティを確保することが重要であり，先行バイオ医薬品や同種・同効医薬品とバイオ後続品とを，一連の治療期間内に代替又は混用することは基本的に避ける必要がある」との記載は改正版で削除された。その理由は，製造販売後調査におけるトレーサビリティの確保はGPSP省令に則って行う上で基本的な点であり，特にバイオ後続品の使用に限ったことではなく，本指針にのみ特記することではないからである。また，本箇所は，調査の適切な実施の観点から記載していたものであり，変更調剤の可否とは関係ない。

なお，変更調剤については改正版には記載されていないが，「「バイオ後続品の品質・安全性・有効性確保のための指針（改正案）」に関する意見募集の結果について」に以下のような記載がある。先行バイオ医薬品からバイオシミラーへの変更調剤に対する対応の明確化を求めた質問に対する回答は，「変更調剤については，医学・薬学的な妥当性を考慮していただくとともに，診療報酬上のルール等に沿ってご対応をいただく必要があると考えます」であった。

⑤薬剤費の患者における負担額の軽減
1） 高額療養費制度および指定難病医療費助成制度が適用される場合

高額療養費制度とは高額な治療を受けた際，同一月における医療費が年齢，収入に応じて定められた自己負担上限額を超えると本来の額との差額を支給する制度である。バイオ医薬品は高額な薬剤が多く，高額療養費制度の対象である場合が多い。その場合，患者の医療費負担額は先発の製剤よりも安価なバイオシミラーを使用しても変わらないことから，使用動機にならないといった状況がある。

さらに，高額療養費制度では直近12カ月以内に3回以上上限額に達した場合は，4回目から

は「多数回」該当となり，さらに上限額が低くなる制度がある。

　この制度により例えば，70歳未満，一般の収入の関節リウマチ患者が，Infliximab製剤を1回に4本使用する場合，先発の製剤（薬価75,009円）を使用すると高額療養費制度の対象となり，バイオシミラー（薬価43,229円）を使用すると対象にならない。この場合最初から3回目まではバイオシミラーを使用した患者のほうが自己負担額は安いが，先発の製剤を使用している患者が多数回該当になると，自己負担額は先発の製剤を使用したほうが安くなる逆転現象が起きてしまう。

　Infliximabで治療する関節リウマチ患者について，高額療養費制度を適用し先発の製剤とバイオシミラーを使用した場合における自己負担額がさまざまなケースで比較されている[4]。先発の製剤との比較においてバイオシミラーの使用により自己負担額が軽減される患者数の割合，自己負担額に差がない患者数の割合，逆に自己負担額が増加する患者の割合は，それぞれ65%，27%，8%であった。この中でバイオシミラーの使用により自己負担額が増加する患者の特徴は，75歳以上の現役並み所得者あるいは70歳未満で，どちらも先発の製剤のみ高額療養費制度が適用され，かつ多数回該当が適用される条件を満たすことであった。

　指定難病医療費助成制度とは，長期にわたる高額な医療費により経済的負担が大きい患者を支援する制度である。具体的には自己負担割合が1割減額され，さらに患者の収入に応じて自己負担額の上限が5千円から3万円の範囲になる。Infliximabの場合，ベーチェット病，クローン病，汎発性膿疱性乾癬，潰瘍性大腸炎，悪性関節リウマチの適応症で指定されており，それらの疾患で使用した場合，先発の製剤とバイオシミラーで患者の自己負担額は変わらない。

　先に示した普及の現状においてInfliximabのバイオシミラーの普及率が低いのは，これら高額療養費制度および指定難病医療費助成制度の適用により，バイオシミラーを使用しても自己負担額が変わらないことが多く，患者に使用動機が起きにくいことも要因としてある。

2）　高額療養費制度および指定難病医療費助成制度が適用されない場合

　表13-1に高額療養費制度および指定難病医療費助成制度が適用されない場合におけるバイオシミラーの自己負担額軽減の例として，Filgrastim，Insulin Glargine，Etanerceptの場合を示す。なお，これらの薬剤に高額療養費制度が適用されないのは，1カ月における薬剤費の合計が自己限度負担額以下であるからである。特に，Etanerceptの場合は，Infliximabほどではないが薬価がかなり高額であるため，1カ月における自己負担軽減額は約40,480円と大きい。そのため，バイオシミラーへの切り替えがInfliximabと比べて顕著に進んでいる。

おわりに

　バイオシミラーの普及状況を米国と欧州で比較すると，欧州ではバイオシミラーが先発の製剤と同様に有効で安全であるとの理解が一般的に共有されているとともに，各国においてさまざまな施策などによる積極的な普及促進活動が行われており市場でのシェアは一般的に高い。一方，米国ではバイオシミラーが先発の製剤と同様に有効で安全であるかについて懸念を持つ医師および患者が多いのに加えて，先発の製剤の製薬企業による戦略により市場でのシェアは

表 13-1　バイオシミラー使用による薬剤費軽減の例

数値は試算値

一般名	主な使用例	(上段)先発の製剤薬価 (下段)バイオシミラー薬価	使用条件	試算 (上段)先発の製剤の薬剤費 (中段)バイオシミラーの薬剤費 (下段)バイオシミラー使用による薬剤費軽減額※
Filgrastim	乳がん化学療法における好中球減少症への使用	75μgシリンジ 6,898円 3,386円	1クール2回 75μg*1	4クール 55,184円 28,424円 26,760円軽減
Insulin Glargine	糖尿病	300単位1筒 1,364円 873円	毎日 20単位*2	1カ月 2,728円 1,746円 982円軽減
Etanercept	関節リウマチ，若年性突発性関節炎	25mg1筒 13,658円 8,598円	週2回 25mg*3	1カ月 10,9264円 68,784円 40,480円軽減

【使用条件の補足】
＊1：好中球減少症の患者(150cm，45kg)に対し，1クールで75μgを2回，初回から4クールで計8回使用したと仮定
＊2：糖尿病の患者に対し，1日20単位，1カ月で30回使用したと仮定
＊3：関節リウマチの患者に対し，25mgを週に2回，1カ月に計8回使用したと仮定
※薬剤費軽減額(2020年4月1日時点の薬価で計算)

厚生労働省主催　バイオ医薬品・バイオシミラー講習会　「バイオシミラーを評価するポイントと病院での導入事例」を一部改変(https://www.mhlw.go.jp/stf/seisakunitsuite/bunya/0000132762_00005.html)

欧州に比べてかなり低く，承認されたバイオシミラーの一部は販売されない事態が生じている。この状況に"interchangeable"な製剤の参入がどれだけポジティブな影響を与えるか注目したい。

一方，日本においては，バイオシミラーの普及はおおむね順調に推移しているようにも思われるが，品目により市場への浸透のばらつきが大きく，さらなる普及に向けた対策が必要と考えられる。また，アンケート結果から全体としてバイオシミラーに対する認識が低く，情報発信不足が全体的な普及の妨げとなっていることが明らかになった。このような状況において，最近行われている施策などが，バイオシミラーの普及をさらに促進させることを期待したい。

■参考文献

1) 新見伸吾，"interchangeability"に特に着目したバイオシミラーの使用の普及に実施されている施策などの世界における現状　前編，PHARM TECH JAPAN 36：1360-1368, 2020
2) 新見伸吾，"interchangeability"に特に着目したバイオシミラーの使用の普及に実施されている施策などの世界における現状　後編，PHARM TECH JAPAN 36：1555-1561, 2020
3) 研究代表者　豊島聡，バイオシミラー(BS)使用促進のための課題解決に向けた調査研究　平成28年度 (https://mhlw-grants.niph.go.jp/niph/search/NIDD00.do?resrchNum=201605010A)
4) 丸山穂高，三宅真二，黒川達夫，患者負担から見たバイオシミラー使用における得失とその問題点の克服に向けた調査研究，医療薬学，42，499-511，2016
5) JB Wish. The approval process for biosimilar erythropoiesis-stimulating agents. Clin J Am Soc Nephrol. 9: 1645-1651, 2014. doi：10.2215/CJN.01770214.

バイオシミラーに関する主なガイドライン，指針，通知など

◆ 日本

- バイオ後続品の品質・安全性・有効性確保のための指針（薬食審査発第0304007号，平成21年3月4日）（https://www.pmda.go.jp/files/000206248.pdf）
- バイオ後続品の品質・安全性・有効性確保のための指針（薬生薬審発0204号，令和2年2月4日）（https://www.mhlw.go.jp/hourei/doc/tsuchi/T200206I0010.pdf）
- バイオ後続品の品質・安全性有効性確保のための指針に関する 質疑応答集（Q&A）について（事務連絡，令和2年2月4日）（www.mhlw.go.jp/hourei/doc/.../T200206I0020.pdf）
- 「バイオ後続品の品質・安全性・有効性確保のための指針（改正案）」に関する意見募集の結果について（令和2年2月7日 厚生労働省医薬・生活衛生局 医薬品審査管理課）（https://search.e-gov.go.jp/servlet/Public?CLASSNAME=PCMMSTDETAIL&id=495190100&Mode=2）
- 販売情報提供活動監視事業について（薬生監麻発1001第1号，令和元年10月1日）（www.mhlw.go.jp/content/000553516.pdf）
- バイオ後続品の品質・安全性・有効性確保のための指針（薬食審査発第0304007号，平成21年3月4日）（https://www.pmda.go.jp/files/000206248.pdf）

◆ EMA

- Biosimilars in the EU Information guide for healthcare professionals（02/10/2019）（https://www.ema.europa.eu/en/documents/leaflet/biosimilars-eu-information-guide-healthcare-professionals_en.pdf）
- Guideline on similar biological medical products containing biotechnology-derived proteins as active substance：non-clinical and clinical issues（18 December 2014）（https://www.ema.europa.eu/en/documents/scientific-guideline/guideline-similar-biological-medicinal-products-containing-biotechnology-derived-proteins-active_en-2.pdf）
- Guideline on similar biological medical products（23 October 2014）（https://www.ema.europa.eu/en/documents/scientific-guideline/guideline-similar-biological-medicinal-products-rev1_en.pdf）
- Guideline on similar biological medicinal products containing biotechnology-derived proteins as active substance：quality issues（revision 1）（22 May 2014）（https://www.ema.europa.eu/documents/scientific-guideline/guideline-similar-biological-medicinal-products-containing-biotechnology-derived-proteins-active_en-0.pdf）

◆ FDA

- Promotional Labeling and Advertising Considerations for Prescription Biological Reference and Biosimilar Products Questions and Answers Guidance for Industry DRAFT GUIDANCE（February 2020）（https://www.fda.gov/regulatory-information/search-fda-guidance-documents/promotional-labeling-and-advertising-considerations-prescription-biological-reference-and-biosimilar）
- Consideration in Demonstrating Interchangeability with a Reference Product Guidance for Industry（May 2019）（https://www.fda.gov/media/124907/download）
- Development of Therapeutic Protein Biosimilars：Comparative Analytical Assessment and Other Quality-Related Considerations Guidance for Industry（May 2019）（www.fda.gov/media/125484/download）
- Questions and Answers on Biosimilar Development and the BPCI Act Guidance for Industry（Revision 1）（December 2018）（www.fda.gov/media/119258/download）
- Clinical Pharmacology Data to Support a Demonstration of Biosimilarity to a Reference Product Guidance for Industry Guideline（December 2016）（www.fda.gov/media/88622/download）
- Scientific Considerations in Demonstrating Biosimilarity to a Reference product Guidance for Industry（April 2015）（www.fda.gov/media/82647/download）
- Quality Considerations in Demonstrating Biosimilarity of a Therapeutic Protein Product to a Reference Product Guidance for Industry（April 2015）（https://www.fda.gov/regulatory-information/search-fda-guidance-documents/quality-considerations-demonstrating-biosimilarity-therapeutic-protein-product-reference-product）
- Guidance for Industry Reference Product Exclusivity for Biological Products Filed Under Section 351（a）of the PHS Act DRAFT GUIDANCE（August 2014）（www.fda.gov/media/89049/download）

- 42 USC 262：Regulation of biological products.（https://uscode.house.gov/view.xhtml?req=(title:42%20section:262%20edition:prelim)）

日・欧・米で承認されたバイオシミラー

- 日本で承認されているバイオシミラー一覧（https://www.biosimilar.jp/biosimilar_list.html）
- Biosimilars approved in Europe GaBI Online February 21, 2020.（http://www.gabionline.net/Biosimilars/General/Biosimilars-approved-in-Europe）
- Biosimilars approved in the US and filed for FDA approval （https://biosimilarsrr.com/us-biosimilar-filings/）

日・EU・米のバイオシミラーに関するガイドライン等の主な比較

- https://www.biosimilar.jp/pdf/Comparison_of_the_Guidelines.pdf

バイオシミラー啓発資料

◆ バイオ医薬品・バイオシミラー講習会　厚生労働省

- 医療関係者（薬剤師等）向け講習会
  資料：バイオ医薬品とバイオシミラーの基礎知識
  資料：バイオシミラーを評価するポイントと病院での導入事例
- 市民公開講座
  資料：バイオ医薬品・バイオシミラーって何？
- バイオシミラーに関するリーフレット
  医療関係者向けリーフレット
  一般向けリーフレット
  （https://www.mhlw.go.jp/stf/seisakunitsuite/bunya/0000132762_00005.html）

第14章 再生医療等製品

はじめに

　本章では，第Ⅰ項に日本における再生医療の歴史と現状として，再生医療等製品に関わる国内の規制制度の変遷や関連する通知等について紹介する。特に，再生医療等製品の特徴を踏まえ整備された規制制度として医薬品と異なる点を解説する。また，開発をより効率的に進めるために整備されている各種相談制度についても取り上げた。

　第Ⅱ項では，再生医療等製品のうち細胞加工製品に焦点をあて，細胞加工製品の特性を考慮した品質管理の考え方について，関連する事務連絡等に基づき解説する。また，細胞加工製品の品質管理として特に話題となる各論として，ベリフィケーションの考え方や無菌性の確保については国内の通知等から，Potency Assayの考え方についてはFDAガイドラインから，その要点を取り纏めた。さらに，細胞加工製品の個別製品のケース・スタディとして，国内外で承認されている細胞加工製品について，有効性および安全性の確保の観点から日本PDA製薬学会バイオウイルス委員会が調査・分析した結果を紹介する。

　第Ⅲ項では，遺伝子治療用製品に焦点をあて，遺伝子治療用製品の類別やこれまでに実施されてきた遺伝子治療臨床研究・治験の紹介に加え，昨今のウイルスベクターの製造技術の進展，新たに整備された国内ガイドラインの概要を解説する。また，第Ⅱ項と同様に，遺伝子治療用製品等の個別製品のケース・スタディについても紹介する。

　第Ⅳ項では，遺伝子治療用製品等において，特に話題となる特別な規制要件として，国内におけるカルタヘナ法規制制度とその運用について解説する。また，遺伝子治療の長期追跡調査についても取り上げた。

Ⅰ 再生医療等製品

1. 日本における再生医療の歴史と現状

　再生医療の産業化の幕開けは，1987年に自家培養表皮「Epicel」が世界初の組織利用製剤として米国でFDAの承認を受けたことで始まったと考えられている。1997年には同種培養軟骨がFDAから承認を受け，医療技術としての再生医療の下地が作られた（**表14-Ⅰ-1**）。その後，米国，欧州，韓国などの諸外国において再生医療等製品の開発が加速し，承認済みおよび治験中の品目数は，米国が97品目，欧州が62品目，韓国が45品目（2014年時点）である。日本では，現在（2020年）で再生医療等製品の承認品目数は9品目とここ数年で承認品目数が増加したものの，世界的にみていまだ開発が遅れているのが現状である。この既承認の9品目には，自己培

表14-Ⅰ-1 再生医療の歴史

1987年	米国で自家培養皮膚がFDA承認 （Genzyme社，Epicel：初の細胞組織利用製剤の承認）
1993年	Langer, Vacantiらが "Tissue engineering" を提唱
1997年	米国でヒトES細胞の樹立発表（J. Thomson） 米国で同種培養軟骨がFDA承認
1999年	ヒト骨髄間質細胞（間葉系幹細胞）の多能性を報告 （M. Pittengerら）
2003年	日本でヒトES細胞の樹立（中辻憲夫）
2006年	「ヒト幹細胞を用いる臨床研究に関する指針」策定
2007年	日本で自家培養表皮（J-TEC社，ジェイス）の承認 　⇒日本初の再生医療製品 日米でヒトiPS細胞の樹立発表（山中伸弥，J. Thomson）
2009年	米国でGeron社のヒトES細胞を用いた臨床研究をFDA承認
2010年	「ヒト幹細胞を用いる臨床研究に関する指針」改正 米国でACT社のヒトES細胞を用いた臨床研究をFDA承認
2012年	日本で自家培養軟骨（J-TEC社，ジャック）の承認 山中伸弥教授・ノーベル生理学・医学賞受賞
2013年	医薬品医療機器法（改正薬事法）の成立 再生医療等安全性確保法の成立
2014年	日本で世界初iPS細胞由来網膜色素上皮細胞を用いた滲出型加齢黄斑変性の臨床試験開始
2015年	日本で骨格筋芽細胞シート（テルモ，ハートシート）および他家間葉系幹細胞（JCRファーマ，テムセルHS注）の承認

養表皮「ジェイス」(2007年承認，2016年および2018年効能追加)，自己培養軟骨「ジャック」(2012年承認)，同種骨髄由来間葉系幹細胞「テムセルHS注」(2015年承認)，自己骨格筋由来細胞シート「ハートシート」(2015年承認)，自己骨髄由来間葉系幹細胞「ステミラック注」(2018年承認)，HGFを発現するプラスミドベクター「コラテジェン筋注4mg」(2018年承認)，CD19に対するキメラ抗原受容体発現T細胞「キムリア点滴静注」(2018年承認)，SMNを発現する遺伝子改変AAV2/9ウイルスベクター「ゾルゲンスマ点滴静注」(2019年承認)および自己角膜輪部由来角膜上皮細胞シート「ネピック」(2019年承認)である（PMDA HP参照：https://www.pmda.go.jp/review-services/drug-reviews/review-information/ctp/0002.html)。このように諸外国と比べ，日本の再生医療等製品の開発が大きく後れをとった背景には，再生医療の産業化が世界から10年以上遅れてスタートしたことや，世界で最も厳しい審査制度といわれた治験前の「確認申請制度」が障壁になっていたと考えられた。そこで，2013年に国は「再生医療を国民が迅速かつ安全に受けられるようにするための施策の総合的な推進に関する法律」（以下，再生医療推進法[1]）を発布するとともに，薬事法を改正して「医薬品，医療機器等の品質，有効性及び安全性の確保等に関する法律」（以下，医薬品医療機器法[2]）を制定すると同時に，新たな「再生医療等の安全性の確保等に関する法律」（以下，再生医療等安全性確保法[3]）を制定し，医薬品，医療機器に続く第3のジャンル"再生医療等製品"を設定した。これにより，再生医療の恩恵が早く広く国民に届くための仕組みとあわせて，一部に散見された有効性や安全性の根拠が乏しい再生医療行為を監視し，質の高い再生医療を育てていく仕組みが作られた。

(1) 日本の規制と承認制度

上述したように日本は2013年に，再生医療の実用化を促進する制度的枠組みとして，再生医療関係法を整備し，国策として再生医療を進めることを決めた（図14-Ⅰ-1）。

再生医療推進法は，再生医療の研究開発から実用化までの施策の総合的な推進を図ることを目的とした議員立法であり，この再生医療推進法の下に，再生医療行為を規制する再生医療等安全性確保法と，再生医療等製品を規制するための薬事法等の一部を改正する法律である医薬品医療機器法が位置づけられた。これら3つの再生医療関係法が整備されたことで，安全な再生医療が迅速かつ円滑に受けられ，多くの再生医療等製品が早く提供できるような仕組みが整備された。

医薬品医療機器法では，再生医療等製品の新しい製造販売承認制度である「条件及び期限付承認」が導入された。これは，例えば，患者に由来する組織・細胞を加工して製造されるような再生医療等製品においては，その品質特性は採取する組織・細胞ごとの差異も影響し不均質となるため，従来の医薬品の規制を適用した場合には有効性を確認するためのデータ収集・評価に長期間を要する可能性があることが課題とされていた。そのため，この新しい承認制度では一定数の限られた症例から，従来より短期間で有効性が推定され，また安全性が確認されるとともに，市販後に有効性やさらなる安全性の検証がされる場合には，条件及び期限を付して早期に承認する仕組みが導入された。なお，承認条件としてはその使用を専門的な医師や設備を有する医療機関等に限定する条件等が，期間としては原則として7年を超えない範囲内が想定され，承認を受けた者は期限内に使用成績に関する資料等を添付して，再度承認申請を行う必要がある。この条件及び期限付承認という考え方は，オーファンドラッグの承認審査のアプローチと比較的似ており，「疾患の希少性により少数例の患者への治験症例で評価せざるを得ないことが多い」，「比較臨床試験が困難な場合が多い」，「統計的に厳密な評価は困難な場合が

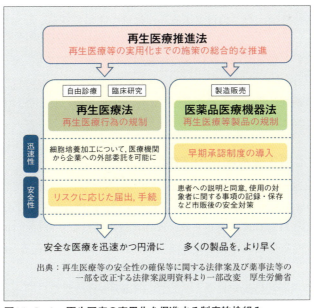

図14-Ⅰ-1　再生医療の実用化を促進する制度的枠組み

ある」という特徴を考慮しつつ，有効性および安全性を得られる情報から最大限評価することにより，必要とする患者へのアクセスを高めている。当然ながら再生医療等製品のようなニューモダリティにおいてはそのようなアプローチにおける不確実性が許容できるかという議論があるのも事実であり，推定する場合の確度，付与すべき条件の内容や期限の長さの妥当性については今後あらためて議論されるべき点であろう。このように早期承認制度の整備・運用により，再生医療等製品が必要な患者に，より早く届けられることが大いに期待される。また2014年11月に開催された中央社会保険医療協議会において，再生医療等製品は条件及び期限付き承認の段階でも保険が適用されることが決まった（図14-Ⅰ-2，図14-Ⅰ-3）。

一方，再生医療等安全性確保法では，医師が医療の範囲内で実施する自由診療や臨床研究において，安全性の確保を義務づける基準が新たに設けられ，迅速性と安全性の両面から再生医療を促進する環境が整ったと期待されている。本法律では，使用する細胞の安全性リスクに応じて，再生医療等を第一種から第三種の3つに分類し，それぞれに患者に提供できる要件が決められている。例えば，ヒトへの適用実績がなくリスクが最も高いと想定されるES細胞やiPS細胞などは，第一種再生医療等に分類されるため，医療機関は，まず「第一種再生医療等提供計画」を特定認定再生医療等委員会において，この計画内容が再生医療等提供基準に適合しているか審査を受けなければならない。その後，厚生労働大臣に計画書が提出され，厚生科学審議会において審議され，再生医療等提供基準に適合しているかが最終的に確認される。そして，適合が確認されたものだけが第一種再生医療等として提供される。なお，第一種再生医療等には90日の提供制限期間が設定され，適合していなければ厚生労働大臣は計画の変更を命ずることができる。

次にリスクが中程度と想定される体性幹細胞等は，第二種再生医療等に分類されるため，医療機関は，「第二種再生医療等提供計画」を特定認定再生医療等委員会において，この計画内容が再生医療等提供基準に適合しているか審査を受けなければならない。その後，厚生労働大臣に計画書が提出されれば，第二種再生医療等の提供を開始できる。厚生科学審議会への諮問等は求められていない。

さらにリスクが低いと想定される加工した体細胞等は，第三種再生医療等に分類され，医療機関は，「第三種再生医療等提供計画」を認定再生医療等委員会において，この計画内容が再生医療等提供基準に適合しているか審査を経て，厚生労働大臣に提出されれば，第三種再生医療等の提供を開始できる。

(2) 日本における再生医療関連の法体系とガイドライン

再生医療関連の法体系とガイドライン等を本章の最後に示した。議員立法である再生医療推進法は2013年5月10日に公布・施行された。これを受け，医薬品医療機器法および再生医療等安全性確保法は2013年11月27日に公布され，2014年11月25日より施行された。同日には，「再生医療の迅速かつ安全な研究開発及び提供並びに普及の促進に関する基本的な方針」[4]が閣議決定されている。

また，医薬品医療機器法の規定に基づき，2014年8月6日に新たに制定された「再生医療等製品の製造管理及び品質管理の基準に関する省令（「GCTP（Good Gene, Cellular and Tissue-

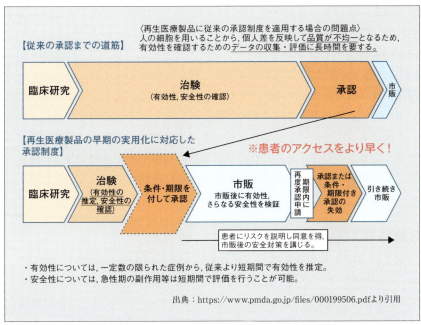

図14-Ⅰ-2 医薬品医療機器法における再生医療等製品の新しい製造販売承認制度-1

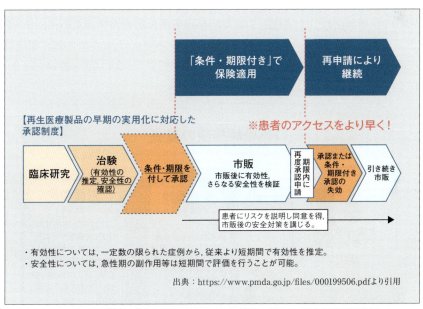

図14-Ⅰ-3 医薬品医療機器法における再生医療等製品の新しい製造販売承認制度-2

based Products Manufacturing Practice）」[5]は，「薬局等構造設備規則」[6]，「医薬品，医薬部外品，化粧品及び再生医療等製品の品質管理の基準に関する省令（「GQP（Good Quality Practice）」[7]の省令改正と相まって，再生医療等製品の製造および品質管理にかかわる重要な法令として位置づけられている。

再生医療等製品の製造販売承認申請の手続きについては，2015年8月12日に「再生医療等製

品の製造販売承認申請に際し留意すべき事項について」[8]が厚生労働省大臣官房参事官通知として発出されている。また，細胞加工製品における品質，非臨床および臨床等における技術的な留意事項がPMDAで取りまとめられ，平成28年6月27日に「再生医療等製品（ヒト細胞加工製品）の品質，非臨床試験及び臨床試験の実施に関する技術的ガイダンス」[9]として，医療機器審査管理課より事務連絡として発出されている。本指針は，現在までの科学的知見に基づく規制当局の基本的な考え方をまとめたものであり，今後知見の蓄積により見直される予定とされている。本指針は発出からすでに数年を経ており，参考にする場合には最新版であることに留意する必要がある。その他にも新たな科学的知見の蓄積や再生医療等製品の開発・製造・販売等の実態により，新たなガイダンス等が公布される可能性があり，今後も注視していく必要がある。

（3） RS戦略相談制度

　PMDAでは，日本発の革新的医薬品・医療機器・再生医療等製品の創出に向け，シーズ発見後の大学，研究機関，ベンチャー企業を対象に，開発製品候補選定の最終段階から主に臨床開発初期（POC取得：前期第Ⅱ相試験程度）に至るまでに必要な試験・治験計画策定等に関して，指導・助言を行うための制度である「薬事戦略相談」を平成23年7月から実施している[10]。また，薬事戦略相談を申し込むにあたり，相談内容の適否確認や手続きに関する疑問を事前に解消するための「個別面談」を実施していた。相談事業の拡充を図るために，平成29年4月1日より，個別面談と薬事戦略相談の名称を，レギュラトリーサイエンス総合相談（RS総合相談）およびレギュラトリーサイエンス戦略相談（RS戦略相談）と改めた[11]（**表14-Ⅰ-2**，**表14-Ⅰ-3**，**図14-Ⅰ-4**）。

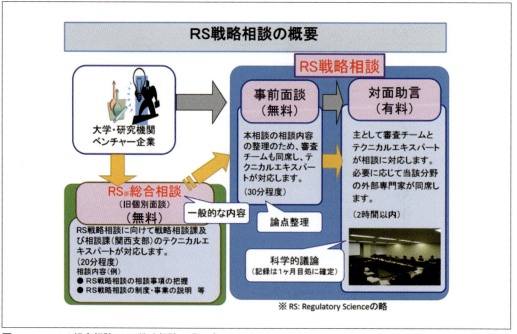

図14-Ⅰ-4　RS総合相談・RS戦略相談の進め方　　　　　　（https://www.pmda.go.jp/files/000219031.pdf）

治験計画の届出を行うにあたっては、その開発品目の品質および安全性に問題がないか、規制要件に適合しているか否か（例えば、使用される原料等の基準への適合性等）について調査が行われる。再生医療等製品や遺伝子組換え生ワクチン等においては、品質確保の観点からより慎重な調査が実施されることとなるが、特に細胞・組織加工医薬品等や遺伝子治療用医薬品においては品質および安全性の確保を厳格に図ることを目的に事前にPMDAの審査を受ける制度が設けられていた[12,13]。この手続きは「確認申請」という名称で呼ばれていたものであるが、現在は制度が見直され、審査の代わりにRS戦略相談の1つである「再生医療等製品等の品質及び安全性に係る相談」の枠組みの中で効率よく行われるようになった[14,15]。本相談を活用する

表14-Ⅰ-2　RS総合相談・RS戦略相談の概略

RS総合相談（旧・個別面談）	
対象者	相談や承認申請等に慣れていない開発者・研究者
担当者	イノベーション実用化支援・戦略相談課，関西支部相談課（PMDA関西支部利用の場合）のテクニカルエキスパート
内容	希望する相談内容のRS戦略相談への適否確認，RS戦略相談事業の内容や手続きについての説明
相談時間	20分程度
価格	無料（回数制限なし）
実施場所	東京，大阪（PMDA関西支部），神戸（PMDA戦略相談連携センター　※原則毎月第3水曜日）
RS戦略相談（旧・薬事戦略相談）（事前面談）	
事前面談	
対象者	対面助言（RS戦略相談）の申し込みを考えているすべての開発者・研究者
担当者	テクニカルエキスパート，担当審査部の審査員（必要に応じて同席，大阪で実施の場合はWeb参加）
内容	効率的な対面助言に向けた，相談内容（相談範囲）や論点の整理，相談資料の充足性の確認
相談時間	30分程度
価格	無料
実施場所	東京，大阪（PMDA関西支部）
対面助言	
担当者	担当審査部の審査チーム（ただし，開発計画等戦略相談については，原則としてイノベーション実用化支援・戦略相談課のテクニカルエキスパートが説明，必要に応じて担当審査部が同席）
内容	相談者から提出された資料を担当審査部の審査チームが精査し，今後実施する知見や承認申請に向けての各相談事項に対する機構の公式見解を伝え，具体的な指導・助言。 相談区分：医薬品／医療機器／再生医療等製品戦略相談，再生医療等製品等の品質及び安全性に係る相談，開発計画等戦略相談の3区分
相談時間	医薬品／医療機器／再生医療等製品戦略相談：2時間程度 再生医療等製品等の品質及び安全性に係る相談：2時間程度（同一の開発品目であれば1申込で複数回の対面助言が可能） 開発計画等戦略相談：30分程度
価格	医薬品戦略相談：1,541,600円（154,100円） 医療機器戦略相談：874,000円（87,400円） 再生医療等製品戦略相：874,000円（87,400円） 再生医療等製品等の品質及び安全性に係る相談：1,541,600円（154,100円） 開発計画等戦略相談：73,600円
実施場所	東京，大阪（PMDA関西支部：テレビ会議システムを利用）

表14-Ⅰ-3　RS戦略相談の相談区分

相談区分	相談対象			
	医薬品	医療機器	再生医療等製品	
医薬品戦略相談	○	—	—	開発初期段階から，今後の医薬品／医療機器・体外診断用医薬品／再生医療等製品の承認に向けて，必要な試験等について，データの評価を伴う案件に関する相談への指導・助言
医療機器戦略相談	—	○	—	
再生医療等製品戦略相談	—	—	○	
再生医療等製品等の品質及び安全性に係る相談※1	○	—	○	開発初期段階から治験計画の届出を行う前までの再生医療等製品又はヒトの体内で導入遺伝子を発現させることを意図した製品であって，予防を目的とするもの及びこれらの原材料等の品質及び安全性に係る案件の相談への指導・助言
開発計画等戦略相談※2	○	○	○	開発計画のロードマップ等，試験計画の一般的な考え方や進め方に関する指導・助言

※1　旧確認申請に対応した相談区分(遺伝子組換え生ワクチンは本区分で取扱う)。
※2　個別品目における具体的な開発計画(非臨床試験の充足性や臨床試験の評価項目の適切性等)に関する事案は医薬品／医療機器／再生医療等製品戦略相談で対応

ことで，再生医療等製品全般について初回治験計画届出時の調査が遅滞なく終了できるよう，開発者は開発品の製造に使用される生物由来の原料等のウイルス安全性の確保や微生物管理，品質管理の適切性等について治験計画の届出の前にPMDAと十分に議論することが可能となっている。

(4) 先駆け審査指定制度

　先駆け審査指定制度[16]は，患者に世界で最先端の治療薬を最も早く提供することを目指し，一定の要件を満たす革新的な医薬品・医療機器・体外診断用医薬品・再生医療等製品について，薬事承認に係る相談・審査における優先的な取扱いの対象とする制度である。最先端の治療を世界に先駆けて日本の患者を届けることを目的に2015年に創設され，先駆け審査指定制度の対象品目に指定されると，PMDAによる相談・承認審査の手続きとして以下の優先的な扱いを受けることができ，これにより，医薬品・再生医療等製品の場合，承認審査として通常12カ月の標準事務処理期間が半分の6カ月に短縮される(図14-Ⅰ-5)。なお，本制度は令和元年医薬品医療機器法改正[17]に基づき，今後は先駆的医薬品および先駆的医療機器・体外診断用医薬品・再生医療等製品の指定制度として実施されることとなった[18,19]。

＜対象品目が受けられる優遇措置＞
①優先相談
　通常月初めの相談の申込み時期が随時で申込むことが可能となり，また通常約2カ月かかる相談の期間を1カ月間で実施される(なお，資料搬入時期は相談が実施される4週間前まで)。
②事前評価の充実
　「先駆け総合評価相談」において承認申請予定資料の事前評価を受けることで，実質的な審査の前倒しを図る。

③優先審査

　先駆け総合評価相談の活用や，審査，GMP調査，信頼性調査のスケジュールを厳密に管理することで，承認申請から承認までの総審査期間の目標値を6カ月以内とする。

④審査パートナー（コンシェルジュ）制度

　専任の担当部長級職員をコンシェルジュとして指定し，節目ごとに進捗確認の面会，督促指示等を行い，必要な部署との連携調整を行うことにより，円滑な開発を促進する。

＜指定の要件＞

　指定を受ける医薬品等は，以下の4つのすべての条件を満たすことが必要となる。

①治療薬または治療法・診断薬の画期性

　原則として既承認薬と異なる新作用機序であること（既承認と同じ作用機序であっても，開発対象とする疾患に適応するのは初めてであるもの，革新的な薬物送達システムを用いているものなどで，その結果，大幅な改善が見込まれるものも含む）。

②対象疾患の重篤性

　「生命に重大な影響がある重篤な疾患」もしくは「根治療法がなく症状（社会生活が困難な状態）が継続している疾患」のいずれかに該当すること。

③対象疾患に係る極めて高い有効性

　既存薬が存在しない，または既存の治療薬もしくは治療法に比べて有効性の大幅な改善が見

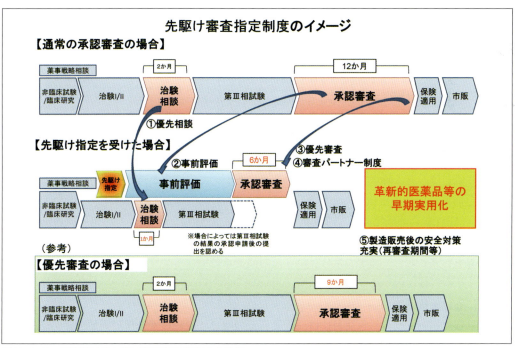

図14-Ⅰ-5　新医薬品の先駆け審査指定制度の全体像

〔https://www.mhlw.go.jp/file/05-Shingikai-11121000-Iyakushokuhinkyoku-Soumuka/0000123357.pdf〕

表14-Ⅰ-4　新医薬品の先駆け総合評価相談の枠組み

対象品目	先駆け審査指定を受けた品目
相談区分	品質，非臨床，臨床，信頼性，GMP　※全区分の実施を原則とする
主な相談資料	【品質／非臨床／臨床】 ・CTDモジュール2(案)，又はモジュール3〜5の結果を踏まえて説明及び考察を行った資料 ・CTDモジュール3〜5 【信頼性／GMP】 提出が必要な資料を個別に信頼性保証部又は品質管理部に相談 ※各相談において，相談資料を分割して提出することも可(事前の確認が必要)
相談記録	申請確認文書＝申請可とする旨＋解決すべき照会事項を記載したもの
期間	最初の相談区分の資料搬入から最後の相談区分の申請確認文書の伝達までは，4カ月程度を目安とする。 ※申請確認文書の伝達は申請後となる場合もある

(https://www.mhlw.go.jp/file/05-Shingikai-11121000-Iyakushokuhinkyoku-Soumuka/0000123357.pdf)

込まれる(著しい安全性の向上が見込まれる場合も含む)。

④世界に先駆けて日本で早期開発・申請する意思・体制

　日本における早期開発を重視し，世界(わが国と同等の水準の承認制度を有している国)に先駆けて，または同時に日本で承認申請される(最初の国の申請日を起算日とし，同日から30日以内の申請は同時申請とみなす。ただし，申請日と申請受理日が存在する国においては，申請受理日を起算日とする。)予定のものであり，PMDAで実施されている先駆け総合評価相談を活用し承認申請できる体制および迅速な承認審査に対応できる体制を有していること。なお，国内での開発が着実に進んでいることが確認できる以下の両方に該当する治療薬であることが望ましい。

　・FIH試験が日本で行われたもの
　・POC試験が日本で行われたもの

＜新医薬品の先駆け総合評価相談＞

　先駆け審査指定制度における優先審査を円滑に行うため，審査・調査と切れ目のない事前評価等を行うもの。既存の事前評価相談とは別に，先駆け審査指定制度に特化した相談枠として新たに設置された(**表14-Ⅰ-4**)。

　事前評価とは，ある時点で提出可能なデータに基づいて申請前から評価を行い，実質的に承認審査を前倒しで進める仕組みとなる。通常は，「品質」「非臨床」「臨床」の3区分となるものの，「先駆け総合評価相談」はこれに「信頼性保証」「GMP」が加わる。申請前にあらかじめ承認審査上の課題を議論し解決を図ることで，申請後の審査を加速する。また，さらに優先的に審査を行うことで，通常の半分という短期間で承認できるようにしている。

＜薬価における優遇＞

　先駆け審査指定制度の対象品目には，薬価算定の際に「先駆け審査指定制度加算」が上乗せされる。画期的新薬の早期開発に対するインセンティブとして2016年度の薬価制度改革で創設された。加算率は加算前薬価の10〜20％で，対象品目なら適応拡大でも加算が付くことになる。

(5) 再生医療等製品の類別

再生医療等製品は，細胞を主とするものと遺伝子の発現を主とするものと大きく2つの特徴の異なる製品を含めた総称である。この類別については，医薬品医療機器法第2条第9項にその定義が規定されている。以下に法律，政令上の規定について解説する。

医薬品医療機器法　第2条第9項

この法律で「再生医療等製品」とは，次に掲げる物（医薬部外品及び化粧品を除く。）であつて，政令で定めるものをいう。

一　次に掲げる医療又は獣医療に使用されることが目的とされている物のうち，人又は動物の細胞に培養その他の加工を施したもの
　　イ　人又は動物の身体の構造又は機能の再建，修復又は形成
　　ロ　人又は動物の疾病の治療又は予防
二　人又は動物の疾病の治療に使用されることが目的とされている物のうち，人又は動物の細胞に導入され，これらの体内で発現する遺伝子を含有させたもの

この定義では，「細胞に培養その他の加工を施したもの」が細胞加工製品に該当するが，加工の範囲については明確な規定を設けているわけではない。製造販売承認審査における製造工程の範囲として審査されるものと考えられる。なお，再生医療等安全性確保法において「加工」に関する範囲が以下のように規定されているため，加工の該当性の議論についてこちらも参考にされたい[20]。

再生医療等安全性確保法　第2条第4項

この法律において「細胞加工物」とは，人又は動物の細胞に培養その他の加工を施したものをいい，「特定細胞加工物」とは，再生医療等に用いられる細胞加工物のうち再生医療等製品であるもの以外のものをいい，細胞加工物について「製造」とは，人又は動物の細胞に培養その他の加工を施すことをいい，「細胞培養加工施設」とは，特定細胞加工物の製造をする施設をいう。

平成26年10月31日付け厚生労働省医政局研究開発振興課長通知（医政研発1031第1号）

（法第2条第4項関係の詳解）

法第2条第4項に定める「加工」とは，細胞・組織の人為的な増殖・分化，細胞の株化，細胞の活性化等を目的とした薬剤処理，生物学的特性改変，非細胞成分との組み合わせ又は遺伝子工学的改変等を施すことをいう。組織の分離，組織の細切，細胞の分離，特定細胞の単離（薬剤等による生物学的・化学的な処理により単離するものを除く。），抗生物質による処理，洗浄，ガンマ線等による滅菌，冷凍，解凍等は「加工」とみなさない（ただし，本来の細胞と異なる構造・機能を発揮することを目的として細胞を使用するものについてはこの限りでない。）。

また，再生医療等製品の具体的な分類は，医薬品医療機器法施行令　別表第二において以下のように明記されている[21]）。

医薬品医療機器法施行令　第1条の2
　法第2条第9項の再生医療等製品は，別表第二のとおりとする。
　別表第二（第1条の2関係）

ヒト細胞加工製品
　一　ヒト体細胞加工製品（次号及び第四号に掲げる物を除く。）
　二　ヒト体性幹細胞加工製品（第四号に掲げる物を除く。）
　三　ヒト胚性幹細胞加工製品
　四　ヒト人工多能性幹細胞加工製品

動物細胞加工製品
　一　動物体細胞加工製品（次号及び第四号に掲げる物を除く。）
　二　動物体性幹細胞加工製品（第四号に掲げる物を除く。）
　三　動物胚性幹細胞加工製品
　四　動物人工多能性幹細胞加工製品

遺伝子治療用製品
　一　プラスミドベクター製品
　二　ウイルスベクター製品
　三　遺伝子発現治療製品（前二号に掲げる物を除く。）

■参考文献
1) 再生医療を国民が迅速かつ安全に受けられるようにするための施策の総合的な推進に関する法律（平成25年法律第13号）
2) 医薬品，医療機器等の品質，有効性及び安全性の確保等に関する法律（昭和35年法律第145号（平成25年法律第84号・改称））
3) 再生医療等の安全性の確保等に関する法律（平成25年法律第85号）
4) 再生医療の迅速かつ安全な研究開発及び提供並びに普及の促進に関する基本的な方針（平成26年11月25日付け閣議決定）
5) 再生医療等製品の製造管理及び品質管理の基準に関する省令（平成26年厚生労働省令第93号）
6) 薬局等構造設備規則昭和（36年厚生省令第2号）
7) 医薬品，医薬部外品，化粧品及び再生医療等製品の品質管理の基準に関する省令（平成16年厚生労働省令第136号（平成26年厚生労働省令第87号・改称））
8)「再生医療等製品の製造販売承認申請に際し留意すべき事項について」（平成26年8月12日付け薬食機参発0812第5号厚生労働省大臣官房参事官通知）
9)「再生医療等製品（ヒト細胞加工製品）の品質，非臨床試験及び臨床試験の実施に関する技術的ガイダンス」（平成28年6月27日付け厚生労働省医薬・生活衛生局医療機器審査管理課事務連絡）
10)「医薬品・医療機器薬事戦略相談事業の実施について」（平成23年6月30日付け薬機発第0630007号独立行政法人医薬品医療機器総合機構理事長通知）
11)「薬事戦略相談に関する実施要綱の一部改正等について」（平成29年3月16日付け薬機発第0316001号独立行政法人医薬品医療機器総合機構理事長通知）
12)「細胞・組織を利用した医療機器又は医薬品の品質及び安全性の確保について」（平成11年7月30日付け医薬発第906号（平成22年11月1日最終改正，平成23年8月31日廃止））
13)「遺伝子治療用医薬品における確認申請制度の廃止について」平成25年7月1日付け薬食発0701第13号厚生労働省医薬食品局長通知）
14)「薬事戦略相談の実施に伴う細胞・組織を加工した医薬品又は医療機器の取扱いの変更について」（平成23

年6月30日付け薬食発0630第2号厚生労働省医薬食品局長通知)
15) 「遺伝子治療用医薬品の品質及び安全性の確保に関する指針」(平成7年11月15日付け薬発第1062号厚生省薬務局長通知(平成16年12月28日最終改正・平成25年7月1日廃止))
16) 「先駆け審査指定制度の試行的実施について」(平成27年4月1日付け薬食審査発0401第6号厚生労働省医薬食品局審査管理課長通知)
17) 医薬品,医療機器等の品質,有効性及び安全性の確保等に関する法律等の一部を改正する法律(令和元年法律第63号)
18) 「先駆的医薬品の指定に関する取扱いについて」(令和2年8月31日付け薬生薬審発0831第6号厚生労働省医薬・生活衛生局医薬品審査管理課長通知)
19) 「先駆的医療機器・体外診断用医薬品・再生医療等製品の指定等に関する取扱いについて」(令和2年8月31日付け薬生機審発0831第6号厚生労働省医薬・生活衛生局医療機器審査管理課長通知)
20) 「「再生医療等の安全性の確保等に関する法律」,「再生医療等の安全性の確保等に関する法律施行令」及び「再生医療等の安全性の確保等に関する法律施行規則」の取扱いについて」(平成26年10月31日付け医政研究1031第1号厚生労働省医政局研究開発振興課長通知)(令和2年6月26日一部改正)
21) 医薬品,医療機器等の品質,有効性及び安全性の確保等に関する法律施行令(昭和36年政令第11号(平成26年政令第236号・改称))

Ⅱ 細胞加工製品

1. 細胞加工製品の特徴を踏まえた品質管理の考え方

(1) 細胞加工製品の特徴と品質における課題

　再生医療等製品は,主にヒト由来の組織・細胞に培養等の加工を施したものであるため,医薬品のような化学合成品,タンパク質とは異なる特性を有している。特に,多様な生理活性を有した生きた細胞そのものが期待される効能効果・性能発揮をするため,細胞加工製品は複雑で多様な品質特性を示す。一方で,製造に用いるさまざまな原料や加工等によりその品質特性においては抗体医薬品等に代表されるバイオ医薬品と比べても非常に高い不均質性を有しており,研究開発においてはこれらの詳細な特性解析に加え,治験製品および市販製品における適切な品質管理戦略の構築が求められる。特に,細胞加工製品の研究開発において,非臨床試験および臨床試験において確認された有効性および安全性に関係のある重要な品質特性とその特性の変動に影響する製造条件(製造工程パラメータ等)の特定は極めて重要な事項である。すでに,細胞加工製品の品質については「ヒト(自己)由来細胞・組織加工医薬品等の品質及び安全性の確保に関する指針」を含めた7つの指針が発出[1〜7]され,再生医療等製品の特性解析の評価方法ついては一定程度整理はされてはいるものの,特定の試験によりこれらの品質特性を正確に把握することは容易ではない(**表14-Ⅱ-1**)。

　また,一般的に細胞加工製品では製品の保存期間が短いこと,自己由来の細胞加工製品では試験検査に供する検体量が十分に確保できないことも多いため,品質管理においては出荷試験として実施できる試験検査に限界がある。また,安全性に関わる品質の特性として,生物由来原料等を用いる点からウイルス安全性の確保が,また体内に直接投与される点からは無菌性の確保が必要となるが,細胞加工製品では生きた細胞そのものが製品であり,熱や化学的な処理

表14-Ⅱ-1 品質特性の例

評価項目	試験項目	規格及び試験方法の設定に際しての留意点
確認試験	性状，細胞表現型，分化能，細胞種等	原則，最終製品において設定すること。製品の本質的な特性を確実に確認する観点から特異性の高い試験項目を選択する。
細胞の純度試験	細胞表現型，異常増殖等	原則，最終製品において設定すること。含まれる細胞の不均質性，目的外細胞としてヒトへの投与が許容できる混入の程度が管理できるよう設定する。
製造工程由来不純物	製造工程由来物質（血清由来アルブミン，抗生物質等）	原則，最終製品において設定すること。工程における除去能の評価結果を踏まえ，恒常的かつ十分に除去できる場合は工程評価で代替できる場合がある。ただし，開発段階においては情報が限定的であることを踏まえ，治験製品の管理においては可能な限り実測し，市販用製品の規格及び試験方法において管理すべき対象とその管理値を検討する。
目的外生理活性不純物	生理活性物質等	ヒトへの安全性が懸念される目的外生理活性物質が産生されるリスクが想定される場合には，製品における管理の要否を慎重に検討する。
安全性	染色体異常，軟寒天コロニー形成能，ウイルス，マイコプラズマ，エンドトキシン，無菌等	無菌性等に係る試験については，原則，最終製品において設定する。
力価試験，効能試験，力学的適合性	タンパク質発現，生理活性物質の分泌能，分化能，細胞表現型，細胞増殖能，耐久性等	原則，最終製品において設定する。製品の特徴に応じて多様な設定方法が考えられる。工程内管理試験，中間製品に対する試験の設定によっては代替できる場合も考えられる。
含量	細胞数，細胞生存率等	原則，最終製品において設定する。

（平成28年6月27日付け事務連絡「再生医療等製品（ヒト細胞加工製品）の品質，非臨床試験及び臨床試験の実施に関する技術的ガイダンスについて」より引用）

に弱く，フィルター処理もできないため，従来のバイオ医薬品と同等レベルのウイルスおよび微生物の除去・不活化工程を設定することは現在の科学技術レベルでは不可能である。したがって，その製造管理および品質管理においては，細胞・組織などの特性を踏まえた管理が求められる。実際の製造管理および品質管理においては，製品品質およびその製造工程の特性や複雑さ，品質リスクに応じて，その製品ごとに，最終製品の試験検査の実施だけではなく，原料管理から製造管理および品質管理を一貫して行い最終製品の品質が確保されるよう品質管理戦略を構築することが重要となる。しかしながら，その方法論，基本の考え方については十分な認識がされているとはいえない状況である。

（2） 細胞加工製品における品質確保に対するアプローチ

このような背景の中，細胞加工製品の品質における現時点での規制当局の基本的な考え方が，平成27にPMDA科学委員会CPC（Cell Processing Center）専門部会からの提言[8]として，また平成28年の厚生労働省医薬・生活衛生局医療機器審査管理課事務連絡として発出[9]されている。これにより，これまで得られてきた数少ない細胞加工製品の製造管理や品質管理の知見・経験が，今後の製品開発に最大限活用されることが期待される。以下にその要旨を取りまとめた。

バイオ医薬品では，複雑な構造を有し，均質性が低いために，規格のみで管理するのではなく，原料管理，工程内管理試験および中間体の試験等により，原料および製造工程における変

動を制御またはモニタリングすること，ならびにその管理された製造工程において製造される製品の品質特性とその変動範囲を事前に特性解析として調べておくことで，規格で定めた試験特性の項目により品質が確認できたと考えるのが一般的である。一方，細胞加工製品では，原則として治験にて期待される有効性，確保すべき安全性が得られるために必要となる品質特性を保証することを目指すことに相違はないが，バイオ医薬品よりも複雑で多様な品質特性を示すことが多いため，ヒトに投与される際に安全性上の明らかな問題が存在しないか，どのような治験デザインで有効性および安全性が確認できるのか，といった情報を把握した上で，非臨床試験および治験を通じ品質の一貫性，同等性／同質性を確保することに留意した研究開発が求められる。細胞加工製品では，最終製品の規格試験にて実施可能な試験項目が限られることを考慮すると，治験段階も含めた研究開発から，重要な品質特性の変動の要因となり得る製造工程パラメータおよび工程内管理に関する十分な情報を得て，製造工程の恒常性を担保する管理戦略が，より一層重要となる。

　細胞加工製品はこれまでの医薬品とは異なり，均一ではなく，多様で複雑な品質特性を示すため，特に，生きた細胞がもつ効能効果・性能を製品に期待する場合には，医薬品のように有効性および安全性と相関性の高い品質特性(重要品質特性)を正確に把握することは容易ではない。特に原料や加工等により製品品質に高い不均質性が生じること，適切な標準品がなく生物活性試験等においては，試験ごとのばらつきも大きいこと，製品の製造量に限りがある場合に試験検査に用いる検体量が制約される等の理由からも，出荷試験として実施できる試験検査のみで，製品の品質を恒常的に確保することは困難である。製品の製造における管理を含めた品質管理戦略(原料および材料の管理，工程パラメータ，工程内管理，中間製品の管理，最終製品の規格等)の構築が重要となる。

　生物由来原料等を用いる場合にはウイルス安全性や無菌性の確保が必要となるが，生きた細胞そのものは，熱や化学的な処理に弱く，フィルター処理もできないため，従来のバイオ医薬品と同等レベルのウイルスおよび微生物の除去・不活化工程を設定することは現在の科学技術レベルでは不可能な場合が多い。したがって，実際の品質管理では，製品品質に応じて個別(ケース・バイ・ケース)に対応した管理戦略を構築することが重要となるが，その方法論または基本の考え方については十分なコンセンサスが得られていない。慎重なリスク評価の実施とそれに応じたリスク低減化の方策の立案が肝要になるであろう。

　さらには，細胞加工製品の製造工程の多くは培養作業等を含む加工を行うが，作業者による手作業の場合は特に，取り扱う細胞の特性や実施する培養作業の本質的な理解が十分でないと，一定の製品品質の製品を製造ごとに得ることが困難となりやすいため，教育訓練がより重要となる。実際の製造管理および品質管理の運用では，原料，製造工程，設備等が複雑に絡み合う製造過程による変動を特定し理解するとともに，その理解に基づき品質リスクを評価することが，品質管理を科学的に理解する観点からも重要である。また無菌性保証の方法論やウイルス安全性の考え方については，バイオ医薬品のように製造を開始する前段階や製造工程での無菌化処理ができない場合が多いため，製品ごとの特徴に加えて使用する構造設備(ハードウエア)の特性および製造作業内容(ソフトウエア)も考慮した上で，無菌性保証，ウイルス安全性の確保を考えることが原則となる。

2. ベリフィケーションの考え方とその運用

　品質保証において，治験製品および市販製品ともに，プロセスバリデーションまたはベリフィケーションは極めて重要である。市販製品の製造管理および品質管理の運用においては，原則として，プロセスバリデーションの実施が要件とされている[10]。

　しかしながら，細胞加工製品での運用において，以下に示すような理由からプロセスバリデーションの実施が困難な場合が想定されるため，ベリフィケーションにより品質を確保する手法も規定されている。

1) ヒト由来の組織，細胞が原料となる場合，製造経験が限られるため，その場合の開発アプローチが確立していない。
2) 患者由来の細胞・組織を原料に用いるため，倫理上の観点から事前に入手可能な検体が制限されている。
3) 製造工程の変動を制御するためには，どのような観点で開発を進めれば良いかのノウハウが乏しい。
4) 製造工程の稼働性能についての評価の考え方が確立していない。
5) 恒常的に目的とする品質を製造するための評価の考え方が確立していない。

　このように，変動要因の特定が困難で，科学的に管理幅の適切性が十分に説明できず，恒常的に目的とする品質を製造できていることを3ロットのプロセスバリデーションデータで評価することが難しい場合には，ベリフィケーションを継続的に実施し，目的とする品質に適合した製品を製造するための情報を蓄積した後に管理方法を確立してから，プロセスバリデーションの評価を行うことが計画されていれば，許容される。この将来にわたる活動の枠組みこそがベリフィケーションマスタープランで記載すべき本質である。

　プロセスバリデーションとは，期待する製造プロセスの稼働性能および品質に寄与する重要工程パラメータ等の変動要因とその品質リスクを特定した上で，それらのパラメータの監視および工程内管理試験等により製造プロセスの制御を通じ，恒常的に品質保証を高いレベルで達成する活動であり，また，構築した管理戦略を事前に検証する手法である。一方，本来であれば，プロセスバリデーションにより，恒常的に目的とする品質に適合する製品が製造できるよう事前に検証しておくことが望まれるものの，制限された状況での検討結果や技術的な限界により変動要因の理解が十分に進んでいない状況の下であっても，慎重な品質リスクマネジメントに基づく品質の管理戦略を設定することにより，求められる製品品質を製造ごとに確認することが，ベリフィケーションの本質である。すなわち，ベリフィケーションは，単なる品質試験の結果の確認にとどまるものではなく，製造管理および品質管理の方法により期待される結果が得られているかの確認であり，原料の品質，工程パラメータおよび工程内管理試験も含めた総合的な確認と理解すべきである。

　ベリフィケーションを採用するためには，製品の品質に係る変動要因は十分に特定されていないものの，製造工程の設計に関する理解を深める必要があるとともに，管理戦略に基づく製造管理および品質管理の方法が適切に製造販売承認申請書に規定されることが前提である。ま

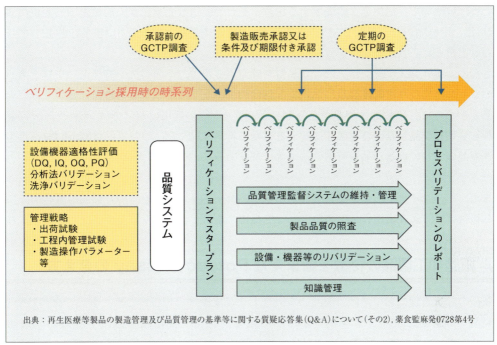

図14-Ⅱ-1　再生医療等製品のベリフィケーションの概念図

た，製品の製造前までには，製造設備機器の適格性評価（DQ，IQ，OQおよびPQ），当該施設における試験法に関する分析法バリデーションおよび製造設備機器の洗浄バリデーションが検証されている必要がある。その上で，以下に対応することが求められる。

1) ベリフィケーションマスタープランの作成
2) 定期的な製品品質の照査の実施
3) 変更や逸脱を適切に管理できる知識管理の実行

また，ベリフィケーションマスタープランについては，以下の点に留意する必要がある。

1) 出荷試験，工程内管理試験，製造の操作パラメータ等の評価および確認をするための管理戦略が含まれること
2) 定期的な製品品質の照査に係る具体的な評価頻度，評価項目，評価方法が計画されていること
3) プロセスバリデーションとしての最終的な検証方法について記載されていること

特に，工程内管理試験や製造の操作パラメータ等の管理幅は，リスク評価および開発データ等をもとに設定することが原則となる。十分な製造実績が得られておらず，製造実績を重ねることで変動しうると考えられる場合には，ベリフィケーションマスタープランにその旨を規定し，ベリフィケーションを通じて管理幅を確立する必要がある。将来，工程内管理試験として定義する可能性を見越して，自主的に設定するモニタリング項目もベリフィケーションマスタープランに含めることが望ましいとされている。ベリフィケーションマスタープランで計画

した管理戦略等を，追加を含め変更する場合，それが製造販売承認書の記載事項の変更に該当すれば，変更内容に応じPMDAの担当審査部（再生医療製品等審査部）に事前に相談して，適切な対応をとる必要がある。

さらに，ベリフィケーションにより品質を確認する際は，その手法の特性上，プロセスバリデーションと異なり市販後製造においても継続的にベリフィケーション計画に基づく確認を行う必要があることにも留意が必要である。その際の実際の運用においては，「再生医療等製品の製造管理及び品質管理の基準等に関する質疑応答集（Q＆A）について（その2）」[11]，「再生医療等製品の製造管理及び品質管理の基準等に関する質疑応答集（Q＆A）について（その3）」[12]が参考となる。

また，ベリフィケーション実施中は，ベリフィケーション結果を含めた製品品質の照査に関わる報告書を，調査実施者へ年次報告として提出することが求められている。

3. 細胞加工製品の特徴を踏まえた Potency Assay の考え方

製品の品質管理においては，製品の有効性および安全性の担保のため，製品ごとの特徴（品質特性）を踏まえた品質管理戦略が求められる。特に，有効性を担保するための適切なPotency Assayを早期に開発することは，製品開発としての重要品質特性の一貫した評価に繋がるとともに迅速な開発が可能となるため非常に重要である。Potency Assayを実施する目的は，製品の特性評価，製法の異なる製品間の同等性／同質性の評価，製造工程変更の妥当性評価，製品の安定性評価や，出荷試験としての実施などがある。特に細胞加工製品は，バイオ医薬品等とは異なる特徴を持っており（表14-Ⅱ-2），製品ごとで期待する作用機序（MoA）等を考慮した適切なPotency Assayの開発が必要となる。

表14-Ⅱ-2　細胞加工製品の特徴

- 有効成分が生きた細胞／組織である。
- 製品内（個々の細胞）もしくは製品間（製造ロット）の不均質性が高い。
- 作用機序が明確でない場合が多く，製品の有効性・安全性を担保するための品質特性を把握することが困難である。
- さまざまな指標を用いて品質特性を把握する必要があるため，用いられる分析方法が多様である。

薬理効果が期待される細胞加工製品においては，細胞がもつ生理学的な活性の力価（Potency）という観点を取り入れて試験を設定する必要がある。細胞の持つ生理活性は多様ではあるが，期待される性能（作用機序）という観点から，細胞自体の機能（サイトカイン分泌，細胞障害活性など），刺激への反応性（サイトカイン応答性，分化・増殖能など），その他の潜在的な機能など，いくつかの側面で分類することは可能であり，有効性評価においては複数の観点から考える必要があることも多い。このような活性を定量的／定性的に評価する試験をPotency Assayと呼んでいる。

Potency Assayは，技術的な観点からは以下のように分類され，目的に照らして適切な技術を選択（または開発）する必要がある。

- *in vivo*試験
- *ex vivo*試験
- *in vitro*試験（初代培養細胞を用いる試験）
- *in vitro*試験（培養細胞株を用いる試験）
- その他の方法（分子生物学・生化学的アプローチなど）

　モデル動物等を用いる場合も，ヒト・動物間の生物学的・生理学的な相違（個体のサイズのみでなく，ゲノムレベルの相違）も考慮する必要があり，ヒト由来の細胞加工製品を動物に投与して，適切な有効性評価が可能かを慎重に検討する必要がある。近年は，ヒト化モデル動物（キメラ動物）や，ヒト組織・細胞を異種移植した動物（CDXマウスなど）の開発も進んでおり，製品の特徴に合わせた評価系を開発することも，製品自体の開発と合わせて重要である。
　また，MoAと品質管理の関係性を把握することも大切であり，臨床上の効果との関係性や，技術的な課題や品質管理法の適切性についても検討を重ねる必要がある。Potency Assayをデザインする際には，想定される作用機序に関連した試験原理を持つように設定することが肝要である。

　Potency Assayの考え方に関して参考にすべきガイダンスとしては，FDAから2011年に発出された「Guidance for Industry, Potency Tests for Cellular and Gene Therapy Products」[13]がある。まず，本ガイダンスでは，製品の複雑性が，適切なPotency Assayの設定を困難にしている等のPotency Assayに関する課題がまとめられている点に注目されたい（**表14-Ⅱ-3**）。
　また，これらの課題を踏まえ，Potency Assayの開発において考慮すべきこととして，以下の事項があげられている。

- Potency Assayを定期的な（もしくはロットごとの）出荷試験として実施するだけではなく，製品特性の評価試験として実施することが推奨される。
- MoAの解明が十分でない場合，どの製品特性が臨床的な有効性に最も相関するかの判断は困難であるが，臨床効果との相関性を反映したPotency Assayに注力し開発に取り組む必要がある。
- 有効成分となり得るものが複数存在するような場合，Potency Assayの開発を計画する際には，有効成分間で生じることが想定される相互作用や相乗効果など，非加算的な効果も考慮すべきである。
- 出荷試験，安定性試験，同等性／同質性評価の試験等として，異なるタイプの複数のPotency Assayを実施する場合，定性的試験のみとはせず，少なくとも1つの定量的試験を取入れるべきである。
- 前臨床開発や臨床開発初期の段階で得られるデータを基に製品特性の把握に努め，可能な限り開発早期でのPotency Assayの開発に着手すべきである。
- 定量的なPotency Assayにおける管理値／規格値は，上限および下限を設定（数値幅で管理）し，治験製品製造や臨床試験で得られた経験／知見を踏まえ最終的に決定すべきである。開発初期の測定結果はばらつきやすいため，経験／知見の蓄積とともに，定量的な

表14-Ⅱ-3　Cellular and Gene Therapy ProductsのPotency Assayに関する課題

Potency Assayの課題	例
出発物質／原料に由来する固有の不均質性が存在すること	➤ ドナーのばらつき（自己・同種） ➤ 細胞株の不均一性 ➤ ウイルスゲノム上の変異
Potency Assayに十分な量の検体を供することができない場合があること	➤ 少量を単回投与するような自己由来のヒト細胞加工製品
製品の安定性が十分に確保できない場合があること	➤ 生存期間の短い細胞加工製品
利用可能な適切な標準品がない場合があること	➤ 自己由来のヒト細胞加工製品 ➤ 新規の遺伝子治療用ベクター製品
有効成分（となり得るもの）が複数種類存在している場合	➤ 複数種の細胞が混在している製品 ➤ 複数種の細胞を混合して用いる製品 ➤ 複数のベクターを併用して用いる製品
（有効成分が複数存在する場合）有効成分どうしの相互作用または相乗効果が生じる可能性があること	➤ 同一ベクター上から複数の遺伝子を発現させる製品 ➤ 複数種の細胞が含まれる製品
製品の作用機序が多様で複雑な（明確に特定することが難しい）場合	➤ 複数のエフェクター機能が存在する可能性がある細胞加工製品 ➤ ウイルスベクターの感染，ゲノムへの組込み，遺伝子発現など，機能を発揮するまでに多段階の分子間相互作用を経る必要がある製品 ➤ 複数の発現遺伝子を搭載する遺伝子治療用製品
投与後の体内動態が複雑な（明確でない）場合があること。	➤ 投与部位とは異なる場所（組織）への移動が想定される製品 ➤ 投与後に特定の種類の細胞へと分化することが期待される製品 ➤ 投与後に複製・増殖することが期待される（想定される）製品 ➤ ウイルスベクターの感染，ゲノムへの組込み，遺伝子発現など，機能を発揮するまでに多段階の分子間相互作用を経る必要がある製品

　Potency Assayの開発を進め，臨床開発後期では適切な規格値を設定できるようにするべきである。
- Potency Assayにより治験製品の期待される性能または機能が保証できない場合，臨床試験の差し止めになる可能性もある。
- 製品の有効期間を評価する安定性試験では，適切な管理幅／規格値が設定されたPotency Assay（可能であれば複数の試験項目）を実施すべきである。
- 試験結果を変動させうる要因としてどのようなものがあるかに留意した上でPotency Assayの実施手順を定めた上で，分析法バリデーションを行う際には，適切な対照検体や標準物質との比較が可能な評価を行うべきである。

　EMEAからは2008年に「Guideline on Human Cell Based Medicinal Products」[14]が発出されており，細胞加工製品（ATMP, 2003/63/EC, Annex1, Part4[15]）のPotency Assayで考慮すべき事項として以下の事項が述べられている。
- *in vivo*試験／*in vitro*試験のPotency Assayは，MoAを反映した試験系とし，分析法バリデーションの実施は必須である。
- 生細胞数は製品の期待される品質保証を行う上で重要な指標であり，細胞加工製品に特徴

的な製造工程（例：サイトカインの添加による表面抗原の提示）の工程管理に有用である。製品のPotencyとも密接に関連すると考えられている。
- 自己由来の細胞加工製品には，製造工程で変動することのない細胞固有の品質のばらつきがある。この場合，ばらつきがあること自体は臨床試験の結果から正当化されうる。
- 自己由来の細胞加工製品の品質のばらつきはPotency Assayの分析法バリデーションや規格値を決定する際の大きな課題となり得るが，適切なPotency Assayの開発は製品の特性解析の実施や出荷試験の設定に必要であり，また，製法変更前後の品質の同等性／同質性を示す上でも重要である。適切なPotency Assayが設定されていない場合は，品質の同等性／同質性を適切な方法で示すことで，正当化を行う必要がある。
- 細胞加工製品の場合，Potency Assayに用いる標準品として，国際的な標準品等の入手は困難なことが多い。その場合は，In-houseで確立した標準物質を使用することになるため，物理学的，化学的，生物学的な観点を含むさまざまな試験により，組成，純度，生物活性などの製品特性を可能な限り網羅的に解析すべきである。In-houseで確立した標準物質は，臨床試験により評価（臨床使用により効果が確認された）された製品と比較可能であることが望ましい。

　FDAやEMEAのガイダンスを見ても，細胞加工製品の作用機序を特定する困難さや，細胞やウイルスベクターの不均一性が原因の一端となるPotency Assay開発の困難さは，規制当局側も認識していることが理解できる。一方で，異なる複数のPotency Assayの導入や臨床試験との関連性を考慮して，Potencyを十分に担保することが求められている。

4．再生医療等製品の無菌製造法に関する指針

　細胞加工製品は，原料として自己由来の細胞・組織も含めさまざまな細胞を用いるとともに，細胞それ自体の機能や性能を利用する製品である。そのため，多様性に富んだ品質特性を有し，滅菌不可能な生体材料を用いる場合が多く，さらに適用部位や投与方法も多岐にわたる。したがって，その製造における製造管理および品質管理においては，その製品の特徴やリスクに応じた対応が必要となる。生きた細胞に期待される品質を原料から製品まで維持し製造を行う場合，細胞が有する期待される品質特性が損なわれないよう工程における品質リスクを特定し，ケース・バイ・ケースでそのリスク低減化の方策を講じつつ製品の品質確保を行う必要がある。

　現時点では再生医療等製品の多様性を鑑みて，すべての再生医療等製品に共通した考え方に基づき，ガイドラインまたは指針等を作成して標準化を行うことは難しい。特に，製品に係る無菌性確保については，大きな課題の1つである。再生医療等製品においては，原料から最終製品までの全工程を通して無菌的な操作を実施し，最終製品の無菌性を保証することが原則となるが，その基本の考え方や具体的な手法として産業側と規制当局側で共通の認識を持つことが必須である。そのような背景の中，生きた細胞を有効成分とする細胞加工製品は，製造工程で滅菌などの無菌化工程を設定することが困難なものの，細胞加工製品の無菌性保証（無菌操作法）の考え方は，従来の無菌医薬品製造と共通するところが多く，製造工程が多様である点

を考慮したとしても，共通の概念で標準化することが可能であるとの考えから，「再生医療等製品の無菌製造法に関する指針」[16]が作成された．本項では本指針の概要について解説する．

本指針は，平成23年にすでに発出された「無菌操作法による無菌医薬品の製造に関する指針」（無菌医薬品製造指針[19]）をもとに，日本医療研究開発機構（AMED）再生医療実用化研究事業および厚生労働行政推進調査事業費補助金 医薬品・医療機器等レギュラトリーサイエンス政策研究事業[17, 18]として，再生医療等製品製造における無菌操作法の考え方を示す指針が作成され，令和元年11月28日に事務連絡「GMP，QMS及びGCTPのガイドラインの国際整合化に関する研究成果の配布について」として発出された．

細胞加工製品の製造工程では，従来の無菌医薬品製造とは異なり，製造工程中の操作環境ならびに動作が製品の品質特性に変動を生じさせるリスクが大きい．このため細胞加工製品の製造工程の管理では，ロット内の製品間における品質の均質性を維持するため，操作時間の変動による細胞品質の変化，環境や動作の再現性・互換性が品質に与える影響を確認する必要がある．さらには，細胞加工製品の製造工程の多くは，作業者による手作業による場合も多いため，取り扱う細胞の特性や実施する培養作業の本質的な理解が十分でないと，一定の品質を得ることができない．特に，原料となる細胞等が均一ではなく，製造工程の変動パラメータが製造の初期に明確にできない場合，限られたロット製造では製造プロセスの堅牢性を確認することは困難となるため，製品の品質特性，製造工程，作業環境等を考慮した無菌性保証に係る管理戦略が必要となる．

したがって，GCTPでの運用も含め，無菌医薬品製造よりも細胞品質特性に変動を生じさせるリスクが大きいという特徴を踏まえて，より厳密な管理を求める内容とされている．なお，従来の無菌医薬品の製造に係る無菌性操作の手法が，再生医療等製品の製造では必ずしも適切とは言えない箇所が少なからず存在する．これらについては本来，細胞加工製品の製造における無菌性保証上のリスクに応じて柔軟な運用が求められたはずであるが，既存の指針との整合性を図るためという理由で見直されなかった箇所が散見されることを申し添える．今後，再生医療等製品の無菌操作法に関するより多くの知見が蓄積され，無菌性保証のためのリスク管理手法の理解が進んだ際に適切に改正されることを期待する．

以下に，本指針において，作成の元となった無菌医薬品製造指針と異なる点や留意が必要な項目を解説する．

【2. 適用範囲】

本指針では，再生医療等製品の製造を行う製造所の，構造設備ならびに製造管理および品質管理に適用されるが，遺伝子治療を目的としてヒトの細胞に遺伝子を導入する製品には適用されない．すべての再生医療等製品に適用されるものではないことに留意が必要である．また，治験段階の再生医療等製品についても対象としていない．ただし，無菌性保証の観点から共通する基本的な考え方として参考にすることが期待されている．

【4. 要求事項】

章構成の全体を説明し，わかりやすくするために新設された．

【5. 製品の作業所】

　無菌医薬品製造指針の「構造設備」「製品の作業所」「環境モニタリング」の項をまとめ，無菌操作等区域と清浄度管理区域の要件として規定された。

　再生医療等製品の無菌操作については，GCTP省令において，作業の区域として「無菌操作等区域」および「清浄度管理区域」の定義（第2条第7項および第8項）があり，また，無菌操作を行う区域の構造設備（第10条第1項第4号および第12号等）や製造管理（第11条第1項の各号）に関する要件等が規定されている。

　本指針の無菌操作等区域は，無菌医薬品製造指針に規定されている重要区域と本質的には同義であるが，本区域で使用される細胞だけは必ずしも無菌性を保証して持ち込まれているわけではないという点が異なる。一方，清浄度管理区域は，無菌医薬品製造指針に規定されている直接支援区域（重要区域のバックグラウンド）およびその他の支援区域が該当し，清浄度管理区域の清浄度レベルの要件には，無菌医薬品製造指針と同様にそこで行われる作業が無菌性に及ぼす影響を考慮し，AからDのグレードが設定された。この無菌操作を行う作業区域の設定とそこで確保すべき清浄度グレードの考え方は，国内外の無菌医薬品の製造に係るガイドラインの要件と同様である。ただし，作業区域については無菌医薬品とは異なる用語が用いられていることに留意する必要がある。

【11. 無菌操作要件】

　無菌医薬品製造指針では，「A1 細胞培養」の項に記載されていた内容について，再生医療等製品の実態を踏まえ整理された。

　生きた細胞を製品化する場合の製造管理については，潜在的に微生物汚染のリスクが高い原料から，微生物の増殖と混入のリスクが伴う培養工程を経て，最終的に無菌性を保証した再生医療等製品として出荷する。ただし，細胞がその製品の有効成分となるため製造途中では一般の無菌医薬品のような滅菌工程を適用することができない。したがって，微生物汚染に対する管理戦略は，培養工程を含む上流の工程では徹底したバイオバーデンの管理による汚染リスクの低減化，さらに製剤化のための溶液調製や充填のような下流の工程では，微生物の混入のリスクを可能な限り低減化するため医薬品と同等レベルの無菌操作法による無菌性保証を行うという考え方となる。この場合，細胞以外の原料においては医薬品と同一の汚染リスク管理の実施が必要であり，基本的には無菌医薬品製造指針と同じ対応が求められる。

　無菌医薬品製造指針と同様に本指針においても，無菌性に係るリスク管理が重要となる。リスクに応じた無菌操作の具体的な方法を解説する「再生医療等製品の無菌製造法に関する指針の質疑応答集（Q&A）」[20]についても本指針と同時に発出されており，こちらも参考とされたい。

【12. 無菌操作工程の適格性評価】

　無菌医薬品製造指針の「20章　プロセスシミュレーション」の項に記載されていた内容について，再生医療等製品の実態を踏まえ整理された。

　プロセスシミュレーションテスト（PST）は，実施される一連の無菌操作工程の適切性の検証

に加え，手作業の多い再生医療等製品の無菌操作を担う作業者の適格性の評価および認定の位置付けとしても重要である。PSTの頻度は，無菌医薬品製造指針では少なくとも半年に1回と規定しているが，本指針では半年に1回を下回る場合にはそれを正当化できるリスク評価を行うように求めている。この考え方は，国際的な再生医療等製品に対する品質管理の考え方，例えば2017年にECに採択されたATMPに対するGMP[21]の基準に規定されたPSTの項との整合性も踏まえ，現時点では妥当な要件と考えられている。

【13. 微生物学的試験】
　無菌医薬品製造指針では「A6 試験検査」のエンドトキシンの項に記載されていた内容から，無菌試験，マイコプラズマ否定試験が本指針では追記された。基本的にこれらの試験方法は第十七改正日本薬局方に準拠するよう規定されている。

【14. 微生物迅速試験法】
　細胞加工製品では，その有効期間が極めて短いものも存在する。一方，無菌試験は培養を行う試験であることから試験結果が得られるまでに少なくとも2週間以上の時間を要するため，製品によっては，出荷までに無菌試験の結果が得られない場合も考えられる。本指針においては，工程のバイオバーデン管理および製造環境管理等を含め，迅速に結果を得て適切な無菌性の管理が実施できるよう，微生物迅速試験法を積極的に採用することを推奨している。適用にあたっては，第十七改正日本薬局方参考情報「微生物迅速試験法」が参考となる。

　本指針では，無菌医薬品製造指針に記載された事項のうち，現時点の細胞加工製品の製造では適用される可能性が比較的低いものについては，本文中には記載せず，Appendixまたは無菌医薬品製造指針を参照することとされた。これは，今後の急速な技術進歩等により，遺伝子治療やゲノム編集技術にも対応した指針として改正が必要となった場合を考慮した対応である。

5. 承認された細胞加工製品での品質確保のアプローチ

　国内外で承認された再生医療等製品の中から，情報（審査報告書等）を入手できた7つの製品について，安全性，有効性確保の観点より調査・分析した結果を紹介する[22]。7製品の概要は表14-Ⅱ-4に示した。

（1） ジェイス®

　ジェイス®は自家培養表皮で，株式会社ジャパン・ティッシュ・エンジニアリング（J-TEC社）が開発したわが国で最初に承認されたヒト組織を組み込んだ再生医療製品である（図14-Ⅱ-2）[23]。2007年10月に製造販売承認を受け，2009年1月に保険収載された（保険償還価格：314,000円／枚）。もともとは1975年に米国のHoward Green教授がヒト表皮角化細胞の大量培養に成功したことに端を発している。患者自身の皮膚組織から分離した表皮細胞をフィーダー細胞と共培養することにより，表皮細胞が重層化し，シート状となったGreen型自家培養表皮

表14-Ⅱ-4　国内外で承認された細胞加工製品の例

製品名	メーカー名	承認年（地域）	自家／他家，培養の有無，細胞・組織	適応
ジェイス	J-TEC	2007（日本）	自家培養表皮	重症熱傷
ジャック	J-TEC	2012（日本）	自家培養軟骨	外傷性軟骨欠損症又は，離断性骨軟骨炎
Provenge	Dendreon社	2010（米国）	自家培養免疫細胞	前立腺がん
Hemacord	New York Blood Center	2011（米国）	他家の培養なしの臍帯血由来造血幹細胞	血液系の悪性疾患，遺伝性代謝・免疫系疾患
Gintuit	Organogenesis社	2012（米国）	他家の培養ありの細胞シート	歯肉や歯槽粘膜の再建
ハートシート	テルモ社	2015（日本）	自家の培養ありの骨格筋芽細胞シート	重症心不全
テムセルHS注	JCRファーマ	2015（日本）	他家の培養ありの間葉系幹細胞	急性移植片対宿主病（GVHD）

自家培養表皮 ジェイス®
＝ヒト細胞を組込んだ再生医療製品の第1号

・患者自身の皮膚から単離した細胞を培養し，3T3-J2細胞（マウス胚由来）をフィーダー細胞として，ウシ胎児血清含有培地を用いる培養法で製造する移植用の表皮細胞シート＝Green型自家培養表皮
・適応対象：受傷面積が体表の30％以上の広範囲熱傷の創閉鎖に限定
・2007年10月：製造販売承認→2009年1月：保険収載＝販売開始

出典：J-TEC社畠先生提供資料

図14-Ⅱ-2　自家培養表皮「ジェイス®」

である。熱傷創部位に自家培養表皮が生着・上皮化することにより創を閉鎖することを目的としたものである。

　ジェイス®の使用は深達性Ⅱ度熱傷創およびⅢ度熱傷創の合計面積が体表面積の30％以上の熱傷を適応対象とし，対象患者は年間数百例程度である[24]。2016年9月からは，先天性巨大色素性母斑が適応に加わった。2018年3月には，表皮水疱症への適応拡大に向けて一部変更申請が行われている。図14-Ⅱ-3および図14-Ⅱ-4にジェイス®の治療の概要を示した。重症熱傷患者は各地域の専門の熱傷センターに搬送される。そこで当該治療の方針となれば，医療機関にて患者の皮膚組織を小量採取（可能な限り受傷部位から離れた箇所）し，特別に設定された断熱輸送容器[25]の中で，J-TEC社に輸送される。その後，輸送された患者皮膚組織はトリプシン処理により表皮細胞を分離・回収する。回収された表皮細胞は，ウシ胎仔血清，増殖因子および抗生物質等が添加された専用の培地を用いて，X線照射により細胞増殖を停止させたマウス胚由来3T3-J2細胞と共培養させる。本工程により，患者由来の細胞から表皮細胞が選択的に増殖する。継代を繰り返し，約3週間で20〜30枚（80 cm^2/枚）のシート状の構造物である表皮

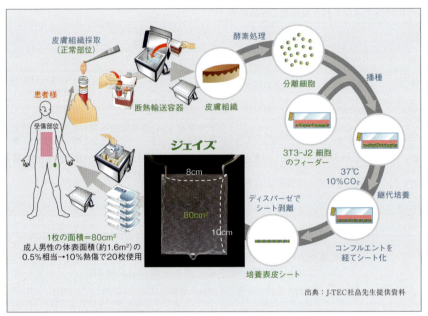

図14-Ⅱ-3　ジェイス®の製造方法

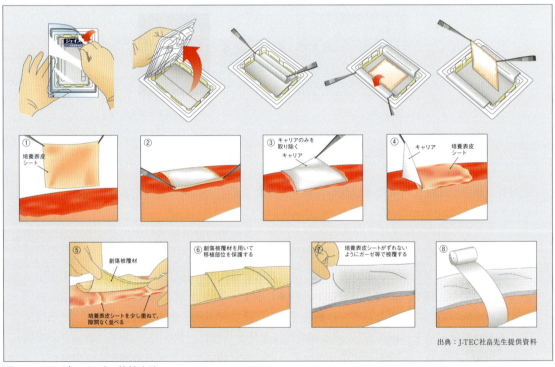

図14-Ⅱ-4　ジェイス®の移植方法

細胞が得られる．この表皮細胞をディスパーゼ（細胞と培養フラスコ間のタンパク質を選択的に消化する酵素）を用いて1枚のシートとして剥離し，無菌的にパッケージした後に医療機関に提供される．

ジェイス®の製品検査として，受入検査，工程検査，出荷検査，確認検査が設定されている（**表14-Ⅱ-5**）[26]．原料が患者の皮膚組織のため，受入検査として，皮膚組織の適格性（「組織運搬状況の確認」，「皮膚組織の外観の確認」）を評価している．なお，患者から皮膚組織を採取するため，微生物汚染が予想されるが，その評価方法は組織運搬液に汚染菌による濁りがないことの確認である．工程検査として，培養状態の確認を評価している．その多くは目視検査であり，「3T3-J2細胞の培養フラスコ内の細胞の形態観察」，「フィーダー細胞内の形態観察」，「培養フラスコ内の細胞の形態観察」，「シート剥離・洗浄作業における物性検査」である．また，「表皮細胞の増殖能の確認」，「表皮細胞の解凍播種の生細胞の確認」が数値による工程の評価となる．出荷検査として，大きく分けて安全性試験と有効性試験が設定されている．安全性試験の評価は，「生菌数試験」，「マイコプラズマ否定試験」「エンドトキシン試験」および，製造工程由来不純物を確認するために「培養表皮シートに関する試験」の項目内で，ウシ血清アルブミン残留量確認試験，フィーダー細胞残存率確認試験が設定されている．有効性試験の評価は，細胞シートを形成していることを確認する「培養表皮シートの外観検査」および「培

表14-Ⅱ-5 ジェイス®の製品検査項目

区分	検査項目
受入検査	**皮膚組織の受入れ**
	・組織運搬状況の確認
	・皮膚組織の外観の確認
工程検査	**ほぼすべて目視での観察**
	・3T3-J2細胞の培養フラスコ内の細胞の形態観察
	・フィーダー細胞フラスコ内の細胞の形態観察
	・培養フラスコ内の細胞の形態観察
	・シート剥離・洗浄作業における物性検査
	・表皮細胞の増殖能の確認；前継代作業時の表皮細胞の播種密度の○倍以上であること
	・表皮細胞の解凍播種時の生細胞率の確認；○％以上であること
出荷検査	**培養済み培地混合液**
	・生菌数試験
	・マイコプラズマ否定試験
	培養表皮シートの培養フラスコの培養上清混合液
	・エンドトキシン試験
	最終製品である培養表皮シートに関する試験
	・生細胞密度確認試験
	・生細胞率の確認
	・ウシ血清アルブミン残留量確認試験
	・フィーダー細胞残存率確認試験および表皮細胞含有率の確認
	・物性試験（①×××××，②×××××，③×××××）
確認検査	・マイコプラズマ否定試験
	・無菌試験

指摘事項
1) 製造工程由来不純物について
2) 生細胞率について
3) コロニー形成能試験について
4) 生理活性物質について
5) 核型分析について

＊赤字は，審査の過程で追加された項目

養表皮シートに関する試験」の項目内で，生細胞密度確認試験，生細胞率の確認，表皮細胞含有率の確認と物理的強度を確認する物性試験が設定されている。

なお，本製品検査を設定する上で，審査の過程で5点についての指摘事項があり，申請当初から赤字で示している項目が追加された。

- ＜製造工程由来不純物＞について，フィーダー細胞や培地添加物等のアレルギーの可能性がある物質について，残存量が規格設定されていなかった。申請者は出荷検査として，ウシ血清アルブミン残留量確認試験，フィーダー細胞残存率確認試験の規格値を設定すること，抗生物質のアレルギー既往者の患者に対しては本品を使用しない旨を添付文書に記載して対応した。
- ＜生細胞密度＞について，生細胞密度が規格設定されていたが，これは死細胞の割合を検知できる指標ではなかった。申請者は出荷検査として，生細胞率の規格値を設定した。
- ＜コロニー形成能試験＞＜生理活性物質＞＜核型分析＞については，それぞれ確認申請時に申請者から品質管理の一環として導入を検討するとしていたが，申請資料に記載がなかった，細胞加工製品の作用機序として考えられるサイトカイン等の生理活性物質の定量の必要性，確認申請時に規格に設定されていた試験が削除された等のことから指摘事項としてあがったものである。これら試験は自家細胞としてのバラエティ（自家細胞：若い細胞～年寄り細胞）および試験結果が出るまでの試験日数を考慮し，出荷試験の基準として設定するには妥当とはいえないと回答し，＜コロニー形成能試験＞については，工程試験として細胞の増殖能を確認することで対応した。

審査側が工程検査として，可能な限り規格管理することを求めていること，また，安全性を非常に重要視していることが見て取れる。なお，ジェイス®の承認条件として，治験症例数が極めて限られていることから，有効性および安全性が十分確認されていなかった。そのため，製造販売後も全症例を対象とした報告要請があった。

(2) ジャック®

ジャック®はJ-TEC社が開発した自家培養軟骨で，ジェイス®に続いてわが国で2番目に承認されたヒト組織・細胞加工製品である（**図14-Ⅱ-5**）[27]。2012年7月に製造販売承認を受け，2013年4月に保険収載された（保険償還価格：使用した個数にかかわらず2,130,000円）。広島大学整形外科の越智光夫教授が開発した日本発の技術を応用している。患者自身の膝関節軟骨から単離した軟骨細胞を，足場材料中で包埋し，三次元培養法で製造する自家培養軟骨である。膝関節における外傷性軟骨欠損症または，離断性骨軟骨炎（変形性膝関節症を除く）の臨床症状の緩和を目的としたものである。

ジャック®は，他に治療法がなく，軟骨欠損面積が4 cm^{2}以上の軟骨欠損部位に適応される。**図14-Ⅱ-6**および**図14-Ⅱ-7**にジャック®の治療の概要を示した。医療機関にて患者の非荷重部（採取後に関節機能に影響が生じない大腿骨近位または大腿骨顆間部）の軟骨組織を採取し，特別に設定された断熱輸送容器の中で，J-TEC社に輸送される。その後，輸送された患者軟骨組織は酵素処理により細胞に単離される。単離された細胞は，足場材料となるアテロコラーゲンと混合し，円盤状になるよう播種し成型される。ウシ胎仔血清等が添加された専用の培地

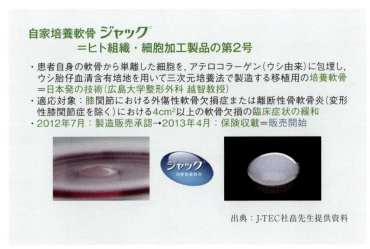

図14-Ⅱ-5　自家培養軟骨「ジャック®」

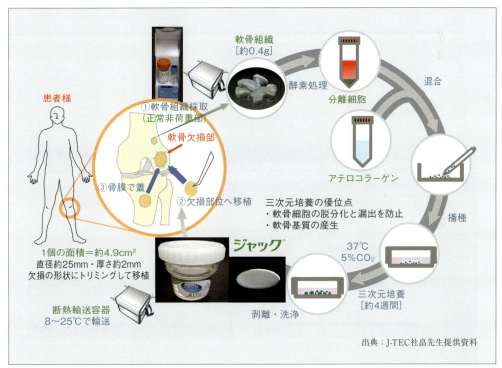

図14-Ⅱ-6　ジャック®の製造方法

を用いて，規定された日数ごとに培地交換を行い，約4週間三次元培養を行う。自家培養軟骨細胞-コラーゲンゲル複合体として医療機関に提供される。

　ジャック®の製品検査として，受入検査，工程検査，出荷検査，確認検査が設定されている（表14-Ⅱ-6）。ジェイス®と同様に，受入検査として，軟骨組織の適格性（「組織運搬状況の確認」，「軟骨組織の外観の確認」）を評価している。工程検査は，審査報告書中で非公開が多く，詳細が不明であるが，「培養容器内の細胞の形態観察」，「培養軟骨の形態保持確認試験」，「培

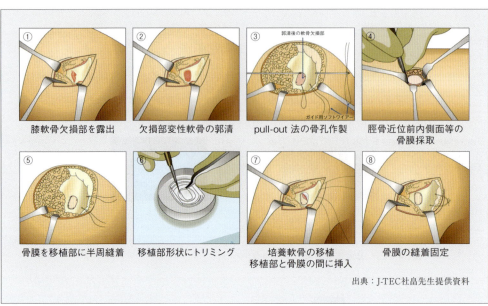

図14-Ⅱ-7　ジャック®の移植方法

2018年4月、「患者の骨膜の代わりに人工のコラーゲン膜の使用を可能とする」一部変更申請が行われている。この申請が承認されれば、④の骨膜採取が必要なくなり、治療の低侵襲化と移植手技の簡便化が図れる。

表14-Ⅱ-6　ジャック®の製品検査項目

検査区分	検査項目
受入検査	軟骨組織の受入れ
	・組織運搬状況の確認
	・軟骨組織の外観の確認
工程検査	目視確認
	・××××××（軟骨細胞の分離操作開始時）
	・培養容器内の細胞の形態観察
	・培養軟骨の形態保持確認試験
	・培養軟骨の外観試験；直径が許容範囲であること
出荷検査	×××××の混合液
	・生菌数試験
	・マイコプラズマ否定試験
	培養軟骨の生細胞密度確認試験に使用した検体
	・培養軟骨の×××××濃度確認試験
	・培養軟骨の×××××確認試験
	品質管理用検体
	・生細胞密度確認試験
	・生細胞率の確認
	・××サイズか？××の確認試験
	・BSA残留量確認試験
	・エンドトキシン試験
確認検査	・マイコプラズマ否定試験
	・無菌試験

指摘事項
1) 培養軟骨のXXXXX濃度確認試験の規格値
2) およびBSA残留量の規格値
設定根拠について
→説明内容は理解、品質に関するデータおよび臨床使用実績を蓄積し、品質管理試験の方法や規格値について継続的な検討を行い、さらなる品質向上を目指すことが望ましい。

表14-Ⅱ-7　ジェイス®およびジャック®の承認および事業化において困難であった点（申請者からのコメント）

ジェイス®
再生医療の新規性が高く，そもそも製品かどうかわからなかった時代であったため，治験が必要か否かの議論が定まっていなかった。起業し，開発を開始してから規制を受けることが明らかとなった。
上記状況であったため，当初2例（試しに）実施するというレベルで治験が組まれた。その後，2例の治験では認められないとの議論が巻き起こった。
3T3細胞はマウス由来，ウシ血清など動物由来材料についての議論が散発的に行われた。

ジャック®
臨床試験開始時には指摘されなかったが，その後ランダム化比較試験（RCT）が必要であることを指示された。現在でもRCTが求められるが，自家細胞を用いた再生医療製品では，治験としてRCTを実施することはきわめて困難である。

両品に共通
細胞培養（増殖能）に個人差があったため，定型的な培養プロトコールが決定しにくかった。さらに，細胞の含有率など，有効性規格値が臨床結果と相関を持って決めることが困難であった。
保存安定性確保のためのパッケージの仕様策定等，薬事法を念頭に置いたものを開発しにくかった（現在でも使用期限はきわめて短い）。
品質試験において，各因子の含有率などの試験を実施する際に，そもそもノイズが大きいため添加回収試験が成立しにくい状況があった。
使用経験のない医師が実施するため，診断方法，治療方法，術後管理等一連の流れの啓蒙に時間を要した。
保険収載にあたり，多くの条件が付与された。結果的にこれが事業を遅らせている。

養軟骨の外観試験」と目視による評価に加えて，数値による工程の評価が設定されている。出荷検査は，ジェイス®と同様に安全性試験の評価として，「生菌数試験」，「マイコプラズマ否定試験」「エンドトキシン試験」および，製造工程由来不純物を確認するために「ウシ血清アルブミン残留量確認試験」が設定されている。本品の特性として重要なのが軟骨基質産生能を有する細胞が存在することであり，有効性試験の評価として培養軟骨の生細胞密度確認試験や生細胞率の確認が設定されている。

　なお，本製品検査を設定する上で，審査の過程で2点についての指摘事項があった。指摘事項は，＜軟骨細胞および軟骨基質に関する試験＞および＜最終製品における牛血清アルブミン残留量＞の規格値設定の根拠についてであり，機構側は申請者の設定根拠に一定の理解は示すものの，積極的に品質に関するデータおよび臨床使用実績を蓄積し，品質管理試験の方法や規格について継続的に検討を行うよう要請した。

　本品は，先に記載したジェイス®とともに組織欠損閉鎖という有効性が用量依存性ではないとの判断から医療機器として審査され，上市までジェイス®は10年，ジャック®は13年を有している[28]。**表14-Ⅱ-7**にジェイス®およびジャック®の承認および事業化における問題点について，申請者からのコメントを記載する。申請者の生の声であり，細胞医療製品の開発を考えている方々には大変参考となる内容であろう。

(3) Provenge®

　Provenge®は，米国Dendreon社が開発した自家培養免疫細胞製品であり，2010年4月に米国で承認された[注1]。適応は前立腺がんであり，患者本人から抗原提示細胞である樹状細胞を採

[注1] EUでは，2013年に承認されたが，2015年5月，"commercial reasons" との理由で申請者（Dendreon UK Ltd）によって承認が取り下げられた。

取し，体外で培養して，前立腺がんのほとんどに発現されているタンパク質PAP（Prostatic acid phosphatase）を抗原として提示させる。これを患者に戻すと体内のT細胞がPAPを認識し，がん細胞を攻撃する細胞傷害性T細胞となって抗腫瘍効果を発揮する（**図14-Ⅱ-8**）。

　Provenge®の製造から投与の流れを**図14-Ⅱ-9**に示す。病院で患者本人から白血球取得を行い，製造設備へ空輸し，抗原提示化を行う。一部の試験では結果が出ないうちに出荷がなされ，病院へ試験結果が届く。治療サイクルを3回実施するため，計6回のアポイントメントが必要

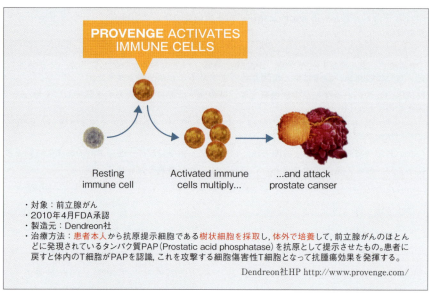

図14-Ⅱ-8　Provenge®（Sipuleucel-T）概要

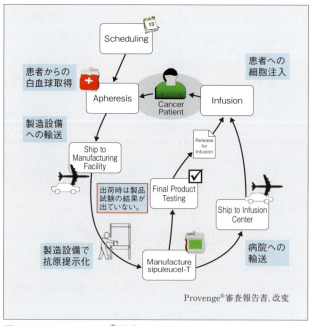

図14-Ⅱ-9　Provenge®製造から投与の流れ

表14-Ⅱ-8　Provenge®品質管理試験

- 工程管理試験
  製造の各ステップに制限時間が設けられ必要な試験が実施される（試験項目は非公開）。
- 最終製品試験

Attribute	試験法	備考
Identity	Identity test	―
Potency	CD54 upregulation	―
	Number of CD54+cells	―
Purity	Unknown	詳細不明
Safety	Endotoxin	―
	Microbial contamination	
	Sterility	有効期間は18時間。出荷後に結果が出る。

となり，費用および手間のかかる治療となる。製品の有効期間は18時間である。

Provenge®の工程試験は審査報告書中で非公開であったが，製造の各ステップで制限時間が設けられ試験が実施される。最終製品の試験には確認試験，Potency Assay（CD54アップレギュレーションおよびCD54＋細胞数），純度試験，安全性に関する試験（エンドトキシン，生菌数試験，無菌試験）が含まれる（**表14-Ⅱ-8**）。

審査報告書中では，当局は製造上のリスクとして，1）製品の混同リスクと，2）製品の汚染リスクを懸念しており，メーカーは，1）はバーコード識別，2）は製造環境管理でリスクを低減することで対応する旨を回答した。

（4）Hemacord®

Hemacord®は，New York Blood Centerが開発し2011年11月10日にFDAから承認された，世界初の他家臍帯血由来造血幹細胞製品である（**図14-Ⅱ-10-1**）。適応は血液系の悪性疾患，遺伝性代謝・免疫系疾患であり，患者への高い生着率と低い副作用発生率が期待される。

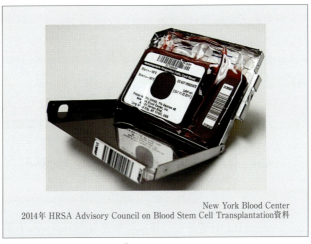

New York Blood Center
2014年 HRSA Advisory Council on Blood Stem Cell Transplantation資料

図14-Ⅱ-10-1　Hemacord®

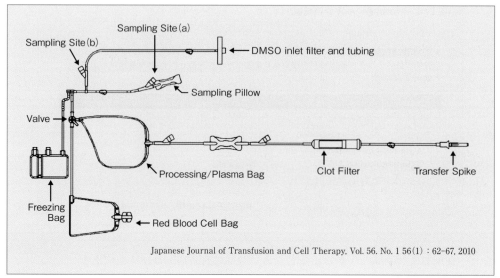

図14-Ⅱ-10-2　AutoXpress™(AXP) Bag system

　Hemacord®はドナーの臍帯血から自動化システム（Thermogenesis AXP automated system）（**図14-Ⅱ-10-2**）を利用して造血幹細胞を分離することで製造される。最終製品は添加剤として10％DMSO，1％Dextran 40を含む。ロットごとに，安全性（Safety），純度と力価（Purity and Potency），および適合性（Identity）の各試験（**表14-Ⅱ-9**）が実施され，合格したもののみが出荷される。

　病原体に対する危険性を排除するための安全性試験では，①問診による，HIV（human immuno-deficiency virus），WNV（West Nile virus）などのウイルスや，クロイツフェルト・ヤコブ病のリスクについての確認，②21 CFR 1271（HUMAN CELLS, TISSUES, AND CELLULAR AND TISSUE-BASED PRODUCTS）で指定されているウイルス，HBV（hepatitis B virus），HCV（hepatitis C virus），HIV-1（HIV types 1），HIV-2，HTLV-1（human T-lymphotropic virus types 1），HTLV-2，および，WNV，CMV（cytomegalovirus），Treponema pallidum（梅毒トレポネーマ），Trypanosoma（トリパノソーマ）等に関する抗原・抗体検査や核酸増幅検査（NAT）による否定試験，および，③製造工程を経たサンプルにおける細菌・真菌の否定試験が実施される。また，遺伝性疾患に対する安全性試験として異常ヘモグロビン症でないことの確認もなされる。

　純度と力価試験としては，総有核細胞数（TNC），造血系前駆細胞マーカーであるCD34＋細胞数，コロニー形成細胞（CFU）の計測等が設定されている。適合性試験としては，ABO血液型検査，HLA（Human leukocyte antigen）のタイピング試験等が行われる。後者では6つのHLA抗原のうち少なくとも4つが一致していることが推奨されている。

(5) Gintuit™

　Gintuit™は，Organogenesis Inc.が開発した他家の培養有の細胞シート製品（**図14-Ⅱ-11**）であり，その製造方法は1998年3月22日にDeviceとして米国で承認されたApligraf®と同じであ

表14-Ⅱ-9　Lot Release Criteria for Hemacord®

Product Characteristics	Testing/Inspecting	Sample Type	Acceptance Criteria
Safety	Infectious disease-21CFR 1271.45 thru 1271.90	On maternal blood sample within 7 days of birth. 21 CFR1271.80(a)(b)	All tests negative, except non-treponemal test for syphilis when confirmatory test is negative. CMV results are recorded
	*Additional Donor screening tests: Hepatitis B virus nucleic acid test (NAT) West Nile Virus NAT Cytomegalovirus NAT Trypanosoma cruzi (antibody)	Maternal peripheral blood and cord blood	Negative
	Sterility-Bacterial/fungal cultures	Plasma samples after processing (validated)	No growth
	Hemoglobin	Cord blood	No homozygous hemoglobinopathy
Purity and Potency	Total nucleated cells (TNC)	HPC-C (pre-cryopreservation)	$>5.0\times10^8$TNC/unit HPC-C
	Viability of CD45+cells	非公開	非公開
	Viable CD34+cell count	HPC-C (pre-cryopreservation)	$\geq1.25\times10^6$/unit HPC-C
	*Colony Forming Unit (CFU)	非公開	Growth
Identity	HLA typing: Cord Blood and HPC-C segment (Confirmatory HLA typing on attached segment)	Cord blood, Attached segment	Test Report
	*Maternal HLA Typing	Maternal peripheral blood	Mother and cord must share haplotype
	ABO and Rh	Cord blood	Test Report
	Steel Canister and CB Bag ID labels		Labels must match

*Additional donor and product testing performed by NYBC, supplemental to lot release testing recommended in the FDA licensure guidance.
FDA公開資料　Summary Basis for Regulatory Action, UCM282489

る。ちなみにApligraf®はGraftskinの名（一般名）でUSPに登録されている[29]。USPには試験方法の詳細が記載されているので，必要に応じて参照いただきたい。Apligraf®の適応は足の静脈潰瘍（Venous Leg Ulcers：VLU）と2000年6月20日に適応が追加された糖尿病性の足の潰瘍（Diabetic Foot Ulcers：DFU）であり（図14-Ⅱ-12），1998年からの13年間で420,000枚が出荷されている[30]。2011年5月13日には手術による歯肉や歯槽粘膜の再建を適応としてApligraft®（Oral）の名でBLA申請され，最終的にGintuit™の製品名で2012年3月9日に承認された。Gintuit™は上下2層から成り，上層（Epidermal Layer：EPI）はヒト由来のケラチノサイト，下層（Dermal Equivalent：DE）は基材（ウシⅠ型コラーゲン）内に増殖したヒト皮膚線維芽細胞（Fibroblast in collagen）で構成されている。Gintuit™の作用機序の詳細は不明であるが，成長因子等の分泌を促進することが確認されている。

図14-Ⅱ-13にGintuit™の製造法を示した。ウシⅠ型コラーゲンを基材として，新生児の割礼包皮から作製したFibroblastを加えて培養し下層を作製する。この上に同じく新生児の割礼包皮から作製したKeratinocyteを加えて培養し，図14-Ⅱ-13aのような二層構造を形成させる。

Keratinocyte層の表面は角化しているが，これは表面を培養液から露出させる"Cornification"という操作を経て形成されるもので，水分の保持や感染を防ぐバリアー機能など，皮膚の機能上必須の構造となる．製造開始から3週間で発送可能となり，でき上がった製品は輸送に耐えるようにアガロース培地の上に載せて包装し（図14-Ⅱ-11），各病院へ発送される．

図14-Ⅱ-14にセルバンクの製造法を示した[31]．Gintuit™の製造には，FibroblastとKeratinocyteの2種類の細胞を用いるが，いずれも新生児の割礼包皮から作製される．まず，

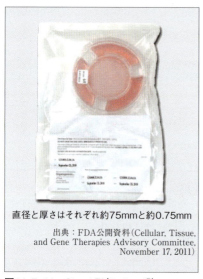

図14-Ⅱ-11 Gintuit™（Apligraf®）

図14-Ⅱ-12 Apligraf®による治療前（左図）と治療後（右図）の写真

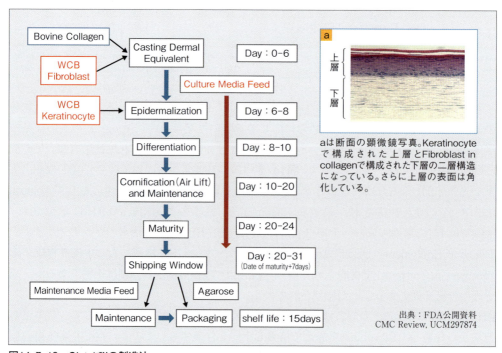

図14-Ⅱ-13 Gintuit™の製造法

抗生物質を含んだPBSで割礼包皮を洗浄後，95％エタノールで殺菌し皮下組織を除去する。次いで，Fibroblastを得る場合は，細分化後さらにトリプシンとコラゲナーゼで酵素消化の後，10％ウシ血清を含むDMEM, 5％CO_2の条件下で培養し，増殖してきたFibroblastを集めてマスターセルバンク（MCB）を製造する。Keratinocyteを得る場合は，細分化後，コラーゲンコートプレート上に撒き，Ca^{2+}フリーのDMEM/Ham's F-12で培養すると組織の周りにKeratinocyteが生え出てくるので，これを集めてMCBを製造する。MCBからワーキングセル

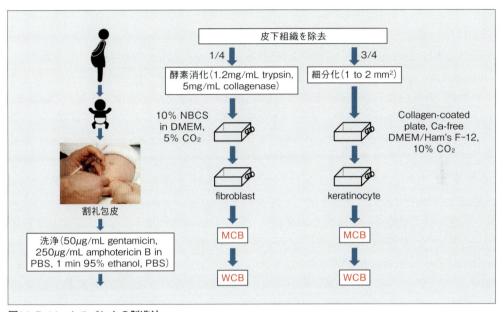

図14-Ⅱ-14　セルバンクの製造法

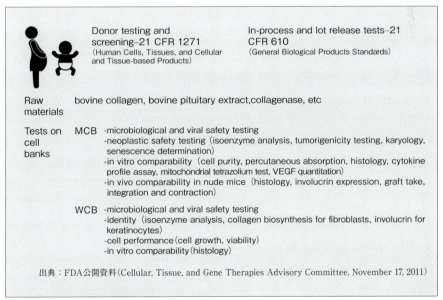

図14-Ⅱ-15　原材料の管理戦略

バンク(WCB)を製造する場合は，それぞれ図中に示した条件で培養する．

図14-Ⅱ-15に原材料の管理戦略を示す．新生児とその母親，すなわちドナーについては，HIV-1，HIV-2，HTLV-1，HTLV-2，HAV(hepatitis A virus)，HBV，HCV，WNV，EBV(Epstein-Barr virus)，CMV，梅毒やクラミジアなど，21 CFR 1271(HUMAN CELLS, TISSUES, AND CELLULAR AND TISSUE-BASED PRODUCTS)で定められた試験が行われている．コラーゲンや下垂体抽出物等ウシ由来の原料については，細菌・真菌，マイコプラズマおよびウイルス否定試験の他，BSE(Bovine Spongiform Encephalopathy)フリーの国由来のものが用いられている．

MCBについては，細菌・真菌，マイコプラズマおよびウイルス否定試験(microbiological and viral safety testing)，アイソエンザイム分析(isoenzyme analysis)，造腫瘍性試験(tumorigenicity testing)，核型分析(karyology)，細胞の寿命すなわち細胞が分裂しなくなるまでの時間(あるいは分裂回数)を調べる試験(senescence determination)などのneoplastic safety testingが設定されている．また，MCB間の同等性を担保する目的で，*in vitro*の試験として，細胞純度(cell purity)，バリアー機能を調べる試験(percutaneous absorption)，組織学的な試験(histology)，サイトカインの産生プロファイル分析(cytokine profile assay)，細胞の代謝能を調べる試験(mitochondrial tetrazolium test)，培養上清中のVEGF(Vascular Endothelial Growth Factor)の量を調べる試験(VEGF quantitation)，*in vivo*の試験としてヌードマウスを用いた組織学的な確認(histology)，抗ヒトinvolucrin抗体を用いた免疫染色法によるinvolucrinの発現確認(involucrin expression)，移植片の生着具合の確認(graft take, integration and contraction)が設定されている．

WCBについては，細菌・真菌，マイコプラズマおよびウイルス否定試験，同定試験(identity)としてアイソエンザイム分析，コラーゲン産生能確認試験(fibroblasts)およびinvolucrin産生能確認試験(keratinocytes)，cell performanceとして増殖能確認試験(cell growth, viability)が設定されている．またWCB間の同等性を担保する目的で，*in vitro*の試験(histology)が設定されている．

製品のin-process試験とlot release試験は21 CFR 610(GENERAL BIOLOGICAL PRODUCTS STANDARDS)に従って設定されている(**図14-Ⅱ-16**)．セルバンクについては前述のとおりである．DEとEPI，Cornification工程，そしてMature Productに至るまでの製造工程では，4回の培地交換が行われるが，そのたびに交換後の培地について無菌試験が行われ，Cornificationの最後の培地交換時には生菌数確認試験も行われている．メンテナンス工程でも4回の培地交換のたびに無菌試験が行われている．加えて1回目の培地交換時にはマイコプラズマの否定試験も実施されている．発送時の最後のリンス後の培地については，生菌数確認試験とエンドトキシン試験が行われている．出来上がったシートの力価(Potency)については，図14-Ⅱ-13aに示すような組織学的な構造がきちんとできていることをもって確認されている．

表14-Ⅱ-10にMCBの試験項目を示した．赤枠で囲った項目が同等性を示すための試験であり，細胞の純度(Cell purity)については，白血球(leukocytes)，単核球(monocytes)，ランゲルハンス細胞(Langerhans cells)，血管内皮細胞(endothelial cells)，抗原提示細胞(マクロファージ，活性化T細胞，樹状細胞)の細胞表面マーカー(CD45，CD14，CD1a，CD31，

HLA-DR)が調べられている。当該のMCBから作製された製品の性能については，バリアー機能を調べる試験，PDGFα，TGF-β1，IL-1α，IL-4などの成長因子やサイトカインのプロファイルをRT-PCRで調べる試験，細胞の代謝能を調べる試験，培養上清中のVEGFの定量，シートの組織学的な構造を調べる試験(Histological analysis of construct)，ヌードマウスを用いた*in vivo*の試験が設定されている。

　Gintuit™の製造に用いるFibroblastとKeratinocyteは，分裂回数に限りがある初代培養細胞であるので，MCBの更新は避けられない。したがってMCB間の同等性をいかに担保するかが

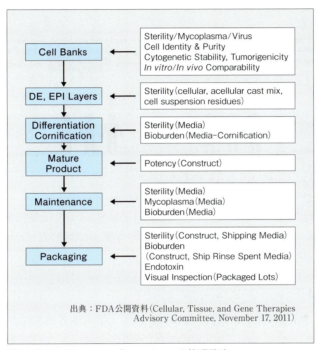

図14-Ⅱ-16　in-processとlot releaseの管理戦略

表14-Ⅱ-10　MCBの試験項目

Testing performed on cells
・Microbiological and viral safety testing
・Isoenzyme analysis
・Karyology
・Senescence
・Tumorigenicity

・Cell purity (CD45, CD14, CD1a, CD31, HLA-DR)
　markers for total leukocytes, monocytes, Langerhans cells, endothelial cells,
　APC (macrophages, antivated T-cells, dendritic cells)
Testing performed on constructs made from MCB cells
・Percutaneous absorption (barrier function)
・Growth Factor/Cytokine profile (PDGFα, TGF-β1, IL-1α；IL-4)
・Mitochondrial tetrazolium test (MTT)
・Vascular Endothelial Growth Factor quantification (supernatant)
・Histological analysis of construct (potency)
・Functional assessment in athymic mouse model

赤枠：MCB間の同等性を確認する項目
　　　出典：Cellular, Tissue and Gene Therapies Advisory Committee Meeting, November 17, 2011

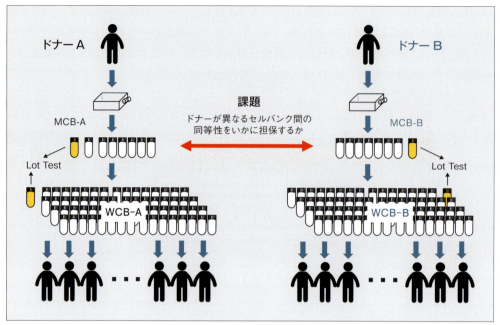

図14-Ⅱ-17　異なるドナー由来のセルバンク間の同等性

課題となる（**図14-Ⅱ-17**）。Gintuit™の場合は前述の試験でMCBの同等性が評価されている。分裂回数に制限のある初代培養細胞を用いる他家の製品ではMCBの更新は必須であり，Gintuit™の例は貴重な実例になると思われる。

（6）ハートシート®

　ハートシート®は，自己細胞由来製品[32]であり，大阪大学の澤芳樹教授が開発した骨格筋芽細胞シートを由来とし，テルモ株式会社が2007年より開発に着手，2012年から治験開始，2014年に製造販売承認申請，2015年9月に条件及び期限付き承認を取得，同年11月に保険収載された（保険償還価格[注2]：6,790,000円（Aキット），2,420,000円／枚（Bキット））。適応症は，薬物治療や侵襲的治療を含む標準治療で，効果不十分な虚血性心疾患による重症心不全の治療である。

> [注2] ハートシートは，患者から骨格筋と血清を採取，細胞を培養するまでの「Aキット」と，シートを調製して移植するまでの「Bキット」に分かれる。その理由は，対象が重症心不全の患者であり，細胞の調製中に死亡する可能性があるため，培養までの費用を補填する意味合いがある。シートは5枚使用するため，価格は「679 + 242 × 5 = 1,476万円」となる。

　移植までの流れを**図14-Ⅱ-18**に示す。患者の大腿部より骨格筋を採取し，テルモへ輸送し，培養する。その後，培養した細胞を凍結し病院へ送付。副構成体を用いて凍結保存細胞から骨格筋芽細胞シート5枚を調製し，患部へ移植となる。医療機関において採取した骨格筋やシート形成を行う際に使用する培地成分である患者血清を運搬するための器具類，凍結保存細胞をシート化するために用いる器具・材料等，調製に必要なものが副構成体としてすべて用意されていることが特徴的である。作用機序としては，シートが各種サイトカインを分泌することによるパラクライン効果が有効性をもたらすと考えられている（**図14-Ⅱ-19**）。

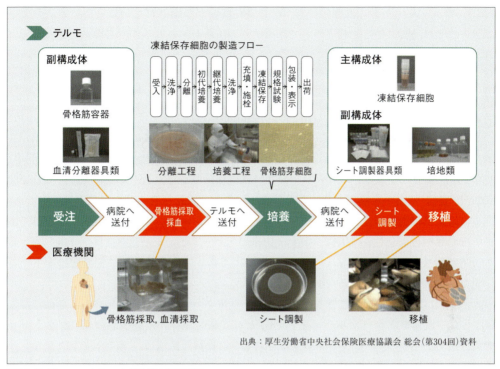

図14-Ⅱ-18　ハートシート®移植までの流れ

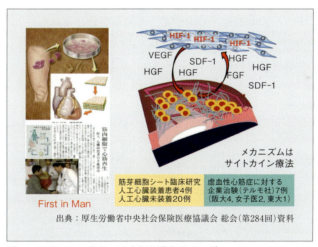

図14-Ⅱ-19　ハートシート®作用機序イメージ

　ハートシート®は臨床試験症例数が少なかったため，有効性の確認が十分ではないと判断され，医薬品医療機器法第23条の26に基づく条件及び期限付き承認（①60例における治療の有効性に関する情報，②既存治療を行う群（120例）との比較で生存率における優位性の確認，③5年以内に承認申請を行うこと）となった。また，医療保険上の取扱いは，開胸手術により心臓表面に対してシート状の細胞として適用するため，心のう膜パッチ等と同様であるとの判断になり，医療機器となった[33]。

PMDAのホームページに審査報告書，申請資料概要が公開されている。製造方法や規格及び試験方法等の品質に係る記載については黒塗りの箇所が見られるが，必要に応じて参照いただきたい[34]。

(7) テムセル®HS注

　テムセル®HS注は，JCRファーマ株式会社が2003年に米国オサイリス社（Osiris Therapeutics, Inc.）から技術導入し開発した他家の培養有の製品である（**図14-Ⅱ-20**）。2007年から第Ⅰ/Ⅱ相試験を開始，2011年重症例を対象とした第Ⅱ/Ⅲ相試験を開始，2014年に製造販売承認申請，2015年9月に製造販売承認を取得[18]し，同年11月に保険収載された（保険償還価格：868,680円／10.8mL/袋）。米国から輸入したヒト骨髄液を培養し，凍結保管された間葉系幹細胞であり，適応症は造血幹細胞移植後の急性移植片対宿主病（Graft Versus Host Disease：GVHD）である。造血幹細胞移植後の急性GVHDは，ドナー由来のキラーT細胞が患者の皮膚，肝臓，消化管などの上皮細胞を攻撃することによって起こる症状であり，造血幹細胞移植早期にみられる皮疹・黄疸・下痢等を特徴とする（**図14-Ⅱ-21**）。

　テムセル®HS注は，米国の健康成人ドナーから採取された骨髄液を原料とし，赤血球除去後，1継代した中間体をドナーセルバンク（DCB）として凍結保存，最終製品はプロダクトドーズ（PD）と呼ばれ，使用されるまで凍結保存される[36]。骨髄液採取は，ドナーセレクション，ドナープレスクリーニングおよびドナースクリーニングによる適格性確認後に行われる。ドナー登録から採取までの間のウイルス感染のリスクを最小限にするため，問診等によりウインドウピリオドを考慮したドナーの既往歴，感染症歴，渡航歴が確認されるとともに，血液検査，血清学的検査および核酸増幅検査が実施されている[37]。

　なお，テムセル®HS注はハートシート®と異なり，通常の承認を得ている（**表14-Ⅱ-11**）。また，医療保険上の取扱いは，医薬品と同様に薬理的作用による治療効果を期待して，点滴で静脈に投与されることから，医薬品となった。

　テムセル®HS注においてもPMDAのホームページに一部黒塗りの箇所はあるが，審査報告

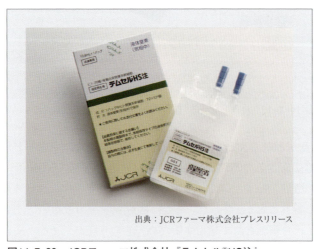

出典：JCRファーマ株式会社プレスリリース

図14-Ⅱ-20　JCRファーマ株式会社『テムセル®HS注』

書・申請資料概要が公開されている。必要に応じて参照いただきたい。

MoAが複雑な細胞加工製品の特徴を踏まえて，いずれの製品も複数のPotency Assayを工程試験または出荷試験に用いており，また細胞シートや組織による製品は，工程の各段階で生細胞率の確認や形態観察によりPotencyが担保されている（表14-Ⅱ-12）。

また，細胞や組織等の原料を無菌的に採取することが困難なケースが多く最終製品も滅菌ができない細胞加工製品の特徴を踏まえ，工程試験または出荷試験等の適切なタイミングでエンドトキシン，マイコプラズマ，無菌試験等の安全性に関する試験が実施されている。自家由来原料を用いる製品に比べ，他家由来原料を用いる製品では，ドナー病歴やセルバンクの試験等の安全性に関する試験を追加で実施しており厳しい管理が行われている。製造工程に培養を必要としたり動物由来原料を用いたりする製品については，バイオ医薬品同様，工程由来不純物（BSA，抗生物質等）の否定も必要となる（表14-Ⅱ-13）。

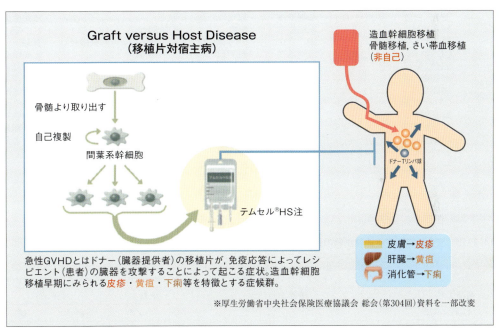

図14-Ⅱ-21　急性GVHDイメージ

表14-Ⅱ-11　『テムセル®HS注』と『ハートシート®』の相違点

	テムセル®HS注	ハートシート®
承認区分	新再生医療等製品（希少疾病用再生医療等製品）	新再生医療等製品 ※医薬品医療機器法第23条の26に基づく条件及び期限付き承認（①60例における治療の有効性に関する情報，②既存治療を行う群（120例）との比較で生存率における優位性の確認，③5年以内に承認申請を行うこと）
医療保険上の取扱い	医薬品	医療機器
価格	薬価基準（薬価算定組織）	材料価格基準（保険医療材料専門組織）

表14-Ⅱ-12 有効性に関する管理試験の比較

形態	液体(血液)	細胞		シート状(一層)		シート状(二層)	組織(3次元)
工程	培養なし	培養あり					
製品名	Hemacord®	Provenge®	テムセル®HS注	ジェイス®	ハートシート®	Gintuit™	ジャック®
工程試験	なし	非公開	ドナーセルバンク ・細胞濃度 ・3種類の細胞表面マーカーによる確認・純度試験 ・細胞増殖性試験 ・××への分化能確認試験	・培養フラスコ内の細胞の形態観察 ・フィーダー細胞フラスコ内の細胞の形態観察	非公開	・無菌試験 ・バイオバーデン ・マイコプラズマ ・力価	・培養容器内の細胞の形態観察 ・培養軟骨の形態保持確認試験 ・培養軟骨の外観試験
出荷試験	・有核細胞(TNC)数 ・CD45+細胞数:白血球共通抗原 ・CD34+細胞数:造血前駆細胞表面抗原 ・CFU:造血幹細胞または造血前駆細胞を定量的に測定	・CD54 upregulation ・Number of CD54+cells	プロダクトドーズ ・細胞濃度 ・細胞生存率 ・細胞増殖性試験	・3T3-J2細胞の培養フラスコ内の細胞の形態観察 ・フィーダー細胞フラスコ内の細胞の形態観察 ・培養フラスコ内の細胞の形態観察 ・表皮細胞の増殖能の確認 ・表皮細胞の解凍播種時の生細胞率の確認	・細胞数 ・生細胞率 ・細胞表面抗原(XX陽性細胞率) ・シート調製確認	・無菌試験 ・バイオバーデン ・エンドトキシン ・外観検査	・培養軟骨の×××濃度確認試験 ・培養軟骨の×××確認試験 ・生細胞密度確認試験 ・生細胞率の確認 ・軟骨細胞の確認試験(××の長さ確認)

××は審査報告書において非公開情報とされた事項。

表14-Ⅱ-13 安全性に関する管理試験の比較

	由来	自家				他家		
	製品名	ジェイス®	ジャック®	Provenge®	ハートシート®	Hemacord®	Gintuit™	テムセル®
	製造工程	培養あり				培養なし	培養あり	
安全性	Donor病歴					✓	✓	✓
	Cell bank test	NA	NA	NA	NA	NA	✓	✓
	Endotoxin		✓	✓	✓		✓	✓
	Sterility	✓	✓	✓	✓	✓	✓	✓
	Mycoplasma	✓	✓		✓		✓	✓
	Virus testing					✓	✓	✓
	BSA残留	✓	✓	NA	✓	NA	✓	

＊空欄部分は実施していない，もしくは審査報告書黒塗りのため公開されていない項目，NAは該当しない項目

6. 細胞加工製品の品質管理戦略

　前述したとおり，細胞加工製品の品質確保においては品質管理戦略の構築が重要となる。ここでは，すでに承認された以下の品目について審査報告書をもとに外来性感染性物質に係る管理戦略の例を取りまとめた（図14-Ⅱ-22～14-Ⅱ-24）。細胞の由来（自己または同種），使用する生物由来原料等の数や種類に応じて構築すべきウイルス安全性の管理戦略も複雑となる点に留意されたい。

　特に，キムリア点滴静注においては，自己由来の細胞のほか，ウシ由来原料等，マウス細胞株を用いて製造された抗体，ヒト血液由来成分，さらにはヒト細胞株を用いて製造されたレンチウイルスベクターが使用されており，生物由来原料基準に定める複数の総則の各要件への適合性の説明が求められることに加え，多数のウイルス否定試験とウイルス不活化・除去工程を組み合わせ，ウイルス安全性の確保を図っていることが読み取れる。外来性感染性物質の管理

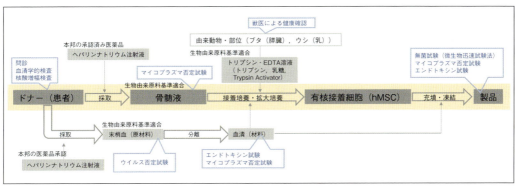

図14-Ⅱ-22　「ステミラック注」の生物由来原料等と外来性感染性物質管理
※公開されている審査報告書より読み取れる（推測される）情報を転記

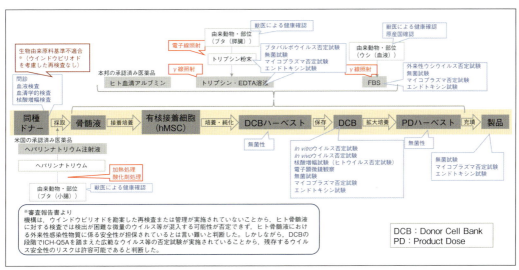

図14-Ⅱ-23　「テムセルHS注」の生物由来原料等と外来性感染性物質管理
※公開されている審査報告書より読み取れる（推測される）情報を転記

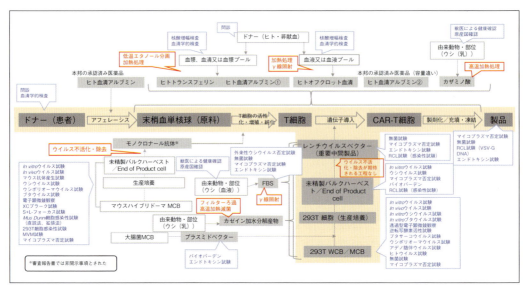

図14-Ⅱ-24　「キムリア点滴静注」の生物由来原料等と外来性感染性物質管理
※公開されている審査報告書より読み取れる（推測される）情報を転記

　戦略は，製品としての安全性のみならず，問題があると公衆衛生上のリスクとなりえるため，承認審査において極めて慎重に確認がなされる。ここで提示したものはその一例を示すものではあるが，抗体医薬品製造プラットフォームのように一様に確立されたものではないことに留意すべきである。

　細胞加工製品では使用する生物由来原料等の個々の状況に応じて，必要となるウイルス否定試験や求められるウイルス不活化・除去の工程もケース・バイ・ケースと考えられる。ウイルス安全性に対する慎重なリスクアセスメントの実施とその過程で抽出された潜在的なリスクに対する低減化の方策の実施が重要となる。その上で残存する潜在的なリスクに対して，最終的にどのような管理戦略を構築し，管理するかが論点である。規制当局と議論する際には，その管理戦略の妥当性とそれでもなお残存する潜在的リスクの受入れが可能であるかを議論することとなるが，リスクの考え方は規制当局側と申請側で大きく異なる場合も想定されるため，ICH Q9に示された品質リスクマネジメントの手法[38]を活用し，ウイルス安全性のリスクについてお互いに十分に理解を図るよう努めることが肝要であろう。

■参考文献

1)「ヒト（自己）由来細胞や組織を加工した医薬品又は医療機器の品質及び安全性の確保について」（平成20年2月8日付け薬食発第0208003号厚生労働省医薬食品局長通知）
2)「ヒト（同種）由来細胞や組織を加工した医薬品又は医療機器の品質及び安全性の確保について」（平成20年9月12日付け薬食発第0912006号厚生労働省医薬食品局長通知）
3)「ヒト（自己）体性幹細胞加工医薬品等の品質及び安全性の確保について」（平成24年9月7日付け薬食発0907第2号厚生労働省医薬食品局長通知）
4)「ヒト（同種）体性幹細胞加工医薬品等の品質及び安全性の確保について」（平成24年9月7日付け薬食発0907第3号厚生労働省医薬食品局長通知）
5)「ヒト（自己）iPS（様）細胞加工医薬品等の品質及び安全性の確保について」（平成24年9月7日付け薬食発

0907第4号厚生労働省医薬食品局長通知)
6) 「ヒト(同種)iPS(様)細胞加工医薬品等の品質及び安全性の確保について」(平成24年9月7日付け薬食発0907第5号厚生労働省医薬食品局長通知)
7) 「ヒトES細胞加工製品等の品質及び安全性の確保について」(平成24年9月7日付け薬食発0907第6号厚生労働省医薬食品局長通知)
8) 「再生医療等製品の品質確保における基本の考え方に関する提言」(平成27年8月14日 医薬品医療機器総合機構科学委員会CPC(Cell Processing Center)専門部会)
9) 「再生医療等製品(ヒト細胞加工製品)の品質、非臨床試験及び臨床試験の実施に関する技術的ガイダンスについて」(平成28年6月27日付け厚生労働省医薬・生活衛生局医療機器審査管理課事務連絡)
10) 再生医療等製品の製造管理及び品質管理の基準に関する省令(平成26年厚生労働省令第93号)
11) 「再生医療等製品の製造管理及び品質管理の基準等に関する質疑応答集(Q&A)について(その2)」(平成27年7月28日付け薬食監麻発0728第4号厚生労働省医薬食品局監視指導・麻薬対策課長通知)
12) 「再生医療等製品の製造管理及び品質管理の基準等に関する質疑応答集(Q&A)について(その3)」(平成29年6月29日付け薬食監麻発0629第1号厚生労働省医薬食品局監視指導・麻薬対策課長通知)
13) Guidance for Industry: Potency Tests for Cellular and Gene Therapy Products (U.S. Department of Health and Human Services Food and Drug Administration, Center for Biologics Evaluation and Research, January 2011)
14) Guideline on Human Cell Based Medicinal Products (European Medicines Agency, 1 September 2008)
15) COMMISSION DIRECTIVE 2003/63/EC of 25 June 2003 (ANNEX 1: ANALYTICAL, PHARMACOTOXICOLOGICAL AND CLINICAL STANDARDS AND PROTOCOLS IN RESPECT OF THE TESTING OF MEDICINAL PRODUCTS, Part IV: Advanced therapy medical products)
16) 「「再生医療等製品の無菌製造法に関する指針」(厚生労働行政推進調査事業費補助金 医薬品・医療機器等レギュラトリーサイエンス政策研究事業GMP、QMS及びGCTPのガイドラインの国際整合化に関する研究)」(令和元年11月28日付け厚生労働省・生活衛生局監視指導・麻薬対策課事務連絡)
17) AMED再生医療実用化研究事業「特定細胞加工物/再生医療等製品の品質確保に関する研究」(研究代表者:新見伸吾)分担課題「無菌性保証及び工程等の微生物汚染リスク低減のあり方に関する研究」(分担担当者:紀ノ岡正博)平成28年度分担研究成果
18) 厚生労働行政推進調査事業費補助金 医薬品・医療機器等レギュラトリーサイエンス政策研究事業「GMP、QMS及びGCTPのガイドラインの国際整合化に関する研究」(研究代表者:櫻井信豪)分担課題「GCTP関連分野」(分担担当者:紀ノ岡正博)平成30年度分担研究成果
19) 「無菌操作法による無菌医薬品の製造に関する指針(改訂)」(平成23年4月20日付け厚生労働省医薬食品局監視指導・麻薬対策課事務連絡)
20) 「再生医療等製品の無菌製造法に関する指針(質疑応答集(Q&A))」(令和元年11月28日付け厚生労働省・生活衛生局監視指導・麻薬対策課事務連絡)
21) EUROPEAN COMMSION, EudraLex Volume 4: Good Manufacturing Practice (GMP) guidelines (Part IV: GMP requirements for Advanced Therapy Medicinal Products, 22 November 2017)
22) 日本PDA製薬学会バイオウイルス委員会再生医療分科会:国内外における再生医療等製品の承認の現状~審査報告書から見た再生医療等製品に求められる品質, 有効性, 安全性の確保~. Pharm Tech Japan, 32: 768-789, 2016
23) ジェイス審査結果報告書
24) 井家益和:再生医療製品の開発・製造・品質管理(第3回)製造工程・設備管理と品質管理への取り組み. Pharm Tech Japan, 30: 83-89, 2014
25) 再生医療製品の保管, 搬送に関わる現状と課題 ~自家培養製品の実績から~ Pharmaceutical and Medical Device Regulatory Science. 46: 667-673, 2015
26) 井家益和:再生利用製品の開発・製造・品質管理(第2回)特性解析と品質評価・安全性評価のポイント. Pharm Tech Japan, 30: 51-56, 2014
27) ジャック審査結果報告書
28) 再生利用製品の開発・製造・品質管理(第1回)製品開発のポイントと生産工程標準化 PHARM TECH JAPAN, Vol. 30, No.7, 2014, p85-90
29) USP Monographs: Graftskin (http://www.pharmacopeia.cn/v29240/usp29nf24s0 _ m35846.html)
30) http://www.fda.gov/downloads/AdvisoryCommittees/CommitteesMeetingMaterials/BloodVaccinesandOtherBiologics/CellularTissueandGeneTherapiesAdvisoryCommittee/UCM284480.pdf
31) Wilkins LM, Watson SR, Prosky SJ, Meunier SF, Parenteau NL: Development of a bilayered living skin construct for clinical applications. Biotechnology and Bioengineering 43: 747-756, 1994
32) テルモ株式会社ホームページ
33) 厚生労働省中央社会保険医療協議会 総会(第304回)資料
34) PMDA 再生医療等製品 審査報告書・申請資料概要のページ
https://www.pmda.go.jp/review-services/drug-reviews/review-information/ctp/0002.html
35) JCRファーマ株式会社ホームページ

36）2007.5.29薬事・食品衛生審議会生物由来技術部会資料
37）テムセル®HS注 審査報告書
38）「品質リスクマネジメントに関するガイドライン」（平成18年9月1日付け薬食審査発第0901004号・薬食監麻発第0901005号厚生労働省医薬食品局監視指導・麻薬対策課長通知）

Ⅲ 遺伝子治療用製品等

1．遺伝子治療用製品等の紹介

　平成27年8月12日に厚生労働省より告示されている「遺伝子治療等臨床研究に関する指針」[1]では、「遺伝子治療等とは、疾病の治療や予防を目的として遺伝子又は遺伝子を導入した細胞を人の体内に投与すること」と定義されている。前者のようにベクターを人体に直接投与する方法は"in vivo遺伝子治療"、後者の遺伝子を導入した細胞を人体に投与する方法は"ex vivo遺伝子治療"と呼ばれる（図14-Ⅲ-1）。表14-Ⅲ-1に世界で承認された遺伝子治療用製品等を、表14-Ⅲ-2に日本で開発中の主な遺伝子治療用製品等を示した。対象疾患としては、がんや希少・難治性の単一遺伝子疾患が多く、ベクターとしては主にアデノ随伴ウイルス（AAV）やレンチウイルス（LV）、レトロウイルス（RV）などが用いられている。

　次に欧米または日本で承認されている7つの遺伝子治療用製品等を紹介したい[6]。

（1）Glybera®

　Glybera®（一般名：alipogene tiparvovec）は、オランダのAmsterdam Molecular Therapeutics BV（2012年にuniQure社が買収）が開発した遺伝子治療用ウイルス製剤で、2012年11月にEUで承認された。適応症は先天性の希少疾患であるリポタンパクリパーゼ欠損症（LPLD：lipoprotein lipase deficiency）であり、責任遺伝子のリポタンパクリパーゼ（LPL：lipoprotein lipase）遺伝子をアデノ随伴ウイルスⅠ型（AAV1：adeno-associated virus, serotype 1）に組

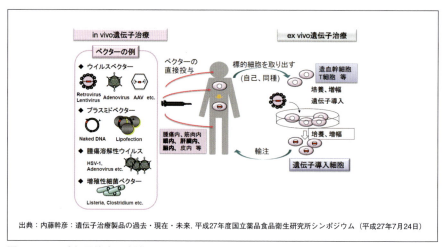

図14-Ⅲ-1　遺伝子治療の方法

表14-Ⅲ-1　世界で承認された遺伝子治療用製品等

製品名	一般名(INN)	承認年(国・地域)	適応症	ベクター	遺伝子	薬価, 価格	Ref
Gendicine	-	2003(中)	頭頸部扁平上皮癌	AdV5	P53	—	2)
Oncorine®	-	2006(中)	頭頸部癌	腫瘍溶解性Ad		—	3)
Rexin G®	-	2007(比)	固形癌	レトロウイルス	Cyclin G1	—	4)
Neovasculgen®	-	2011(露) 2013(宇)	重症下肢虚血を含む末梢動脈疾患	プラスミド	VEGF	—	5)
Glybera®	alipogene tiparvovec	2012(EU)	LPLD	AAV1	LPL	€53,000/vial	
Imlygic®	talimogene laherparepvec	2015(US, EU)	悪性黒色腫	腫瘍溶解性HSV1	GM-CSF	—	
Strimvelis®	-	2016(EU)	ADA-SCID	レトロウイルス	ADA	—	
Zalmoxis®	-	2016(EU)	GVHD予防	レトロウイルス	HSV-TK	—	
Kymriah® キムリア®	tisagenlecleucel	2017(US) 2018(EU) 2019(JP)	B-cell ALL, DLBCL	レンチウイルス	*	¥33,493,470	
Yescarta® Axi-Cel®	axicabtagene ciloleucel	2017(US) 2018(EU) 2020.3申請(JP)	DLBCL, PMBCL	レトロウイルス	**	—	
Luxturna®	voretigene neparvovec-rzyl	2017(US)	Leber先天性黒内障	AAV	RPE65	—	
Collategene® コラテジェン®	beperminogene perplasmid	2019(JP)	閉塞性動脈硬化症	プラスミド	HGF	¥600,360/vial	
Zynteglo®	betibeglogene autotemcel	2019(EU)	β-thalassemia	レンチウイルス	$β^{A-T87Q}$-glogin	—	
Zolgensma® ゾルゲンスマ®	onasemnogene abeparvovec	2019(US) 2020(JP, EU)	SMA	AAV9	SMN1	¥167,077,222	

ADA：Adenosine deaminase, ALL：Acute lymphoblastic leukaemia(急性リンパ芽球性白血病), DLBCL：Diffuse large B-cell lymphoma(びまん性大細胞型B細胞リンパ腫), HGF：Hepatocyte growth factor, HSV：Herpes simplex virus, LPLD：lipoprotein lipase deficiency, LPL：lipoprotein lipase, PMBCL：Primary mediastinal large B-cell lymphoma(原発性縦隔(胸腺)大細胞型B細胞リンパ腫), SCID：Severe combined immunodeficiency(重症免疫不全症), SMA：Spinal Muscular Atrophy(脊髄性筋萎縮症), SMN：Survival Motor Neuron, TK：Thymidinekinase, VEGF：Vascular endothelial growth factor
* 　anti-CD19 single chain variable fragment＋CD137 co-stimulatory domain＋CD3-zeta signalling domain
** 　anti-CD19 single chain variable fragment＋CD28 co-stimulatory domain＋CD3-zeta signalling domain

表14-Ⅲ-2　日本で開発中の主な遺伝子治療用製品等(2020年6月時点)

開発名・製品名 (INN)	開発者	製品の種類 (ベクター)	導入遺伝子	対象疾患	開発段階	試験登録ID
Axi-Cel® (axicabtagene ciloleucel)	第一三共	自己CAR-T細胞(レトロ)	CD19特異的CAR	大細胞型B細胞リンパ腫	承認申請 (2020.3)	
JCAR017 (lisocabtagene maraleucel)	セルジーン	自己CAR-T細胞(レンチ)	CD19特異的CAR	B細胞性非ホジキンリンパ腫	承認申請 (2020.6)	
G47Δ DS1647	第一三共	腫瘍溶解性HSV1	—	悪性神経膠腫	承認申請予定	
rAAV-Spark100-hFIXPadua	ファイザー	AAV-Spark100	第IX因子	血友病B	第Ⅲ相	JapicCTI-205228
BB2121 (Idecabtagene vicleucel)	セルジーン	自己CAR-T細胞(レンチ)	BMCA-CAR	多発性骨髄腫	第Ⅱ相	JapicCTI-184195
TBI-1501	タカラバイオ	自己CAR-T細胞(レトロ)	CD19-CAR	B細胞性白血病	第Ⅱ相	JapicCTI-173565
OBP-301 テロメライシン®	中外製薬	腫瘍溶解性アデノウイルス	—	頭頸部癌, 食道癌, 非小細胞肺癌	第Ⅱ相	JapicCTI-205125
Ad-SGE-REIC	杏林製薬	アデノウイルス	REIC/Dkk3	悪性胸膜中皮腫	第Ⅱ相	JapicCTI-184040
	岡山大			悪性神経膠腫	第Ⅰ／Ⅱ相 医師主導	jRCT2063190013
				肝臓癌	第Ⅰ／Ⅰb相	UMIN000027770
TBI-1301	タカラバイオ	自己TCR-T細胞(レトロ)	NY-ESO-1-TCR	滑膜肉腫	第Ⅰ／Ⅱ相	JapicCTI-173514
	三重大他			軟部肉腫	第Ⅰ／Ⅱ相 医師主導	JMA-IIA00346
				成人T細胞白血病	第Ⅰ相 医師主導	JapicCTI-183830
JNJ-68284528	ヤンセンファーマ	自己CAR-T細胞(レンチ)	BMCA-CAR	多発性骨髄腫	第Ⅰb／Ⅱ相	JapicCTI-195037
DVC1-0101	九州大	センダイウイルス	FGF2	間欠性跛行	第Ⅱb相 医師主導	UMIN000014307
コラテジェン®	旭川医大	プラスミドDNA	HGF	原発性リンパ浮腫	第Ⅱ相 医師主導	UMIN000033159
Imlygic® (talimogene laherparepvec)	アムジェン	腫瘍溶解性HSV1	GM-CSF	悪性黒色腫	第Ⅰ相	NCT03064763
C-REV・TBI1401 (canerpaturev)	タカラバイオ	腫瘍溶解性HSV1	—	膵臓癌	第Ⅰ相	JapicCTI-173671
UCART19/ALLO-501	日本セルヴィエ	同種CAR-T細胞(レンチ)	CD19特異的CAR	B細胞性急性リンパ性白血病	第Ⅰ相	JapicCTI-195059
WASP LV	成育医療研究センター	レンチウイルス	WASP	ウィスコット・アルドリッチ症候群	第Ⅰ／Ⅱ相 医師主導	UMIN000030806

(次ページに続く)

開発名・製品名 (INN)	開発者	製品の種類 (ベクター)	導入遺伝子	対象疾患	開発段階	試験登録ID
DVC1-0401	九州大／Idファーマ	サル免疫不全ウイルス(SIV)	hPEDF	網膜色素変性	第Ⅰ／Ⅱa相 医師主導	jRCT2073180024
TBI-1201	三重大他	自己TCR-T細胞(レトロ)	MAGE-A4-TCR, siTCR	固形癌	第Ⅰ相 医師主導	JapicCTI-142555
Surv. m-CRA-1	鹿児島大	腫瘍溶解性アデノウイルス	—	固形癌	第Ⅰ相 医師主導	UMIN000023120
G47Δ	東大	腫瘍溶解性HSV1	—	嗅神経芽細胞腫	臨床研究	jRCTs033180325
				悪性胸膜中皮腫	臨床研究	jRCTs033180326
AAV-hAADC-2	自治医大	AAV2型	AADC	AADC欠損症	臨床研究	jRCTs033180309
CGT_hLCATRV	千葉大／セルジェンティック	ヒト自己前脂肪細胞(レトロ)	LCAT	家族性LCAT欠損症	臨床研究	UMIN000023810
SFG-1928z	自治医大	自己CAR-T細胞(レトロ)	CD19特異的CAR	B細胞性悪性リンパ腫	臨床研究	UMIN000015617
—	名古屋大	自己CAR-T細胞(PiggyBacトランスポゾンプラスミド)	CD19特異的CAR	B細胞性急性リンパ性白血病	臨床研究	UMIN000030984

み込み，これを患者に投与して体内でLPLを産生させ，治療するというものである。

図14-Ⅲ-2にGlybera®の構造を示した[7]。大きさは直径約25 nmの正20面体で，ゲノムの大きさは3.6kb，上流側よりAAV2由来のinverted terminal repeat(ITR)，サイトメガロウイルス由来の初期プロモーター配列(CMV)，LPL遺伝子(LPL)，LPLの発現に効果のあるウッドチャック肝炎ウイルス由来の転写後調節配列(WPRE)，ウシ成長ホルモン遺伝子由来のポリAシグナル(pA)，ITRの順で各エレメントが配置されている。このゲノムが，3種のタンパク質(VP1，VP2，VP3，構成比は1：1：10)でできた外皮(血清型は1型)で包まれている。

開発初期，Glybera®は，HEK293細胞に複数のプラスミドをco-transfectionする方法で調製されていたが，生産性が十分ではないことから途中で変更され，最終的にProtein Sciences社が開発したBEVS(Baculovirus Expression Vector System)技術を用いて，昆虫細胞(*express* SF+®)と3種のバキュロウイルスベクターを用いて製造されている(**図14-Ⅲ-3**)。Bac-Capには外皮タンパク質，Bac-Vecにはゲノム，Bac-Repには複製に必要なタンパク質をコードする遺伝子の領域が組み込まれている。この系では，原理的にAAVの他にバキュロウイルスも産生されるが，バキュロウイルスの除去にはプラノバ™が利用されている[8,9]。ちなみに昆虫細胞とバキュロウイルスを用いた系でAAVの製造が可能であることが，Urabeら[10]により2002年に初めて報告された。

Glybera®に組み込まれたLPL遺伝子(LPLSer447X)は，人口の20％が持つC末の2アミノ酸(Ser，Gly)を欠くタイプである。このタイプの遺伝子を持つ人は，血中のトリグリセライドは低値でHDLコレステロールは高値であり，心臓血管系の病気が少ないことが知られている[27]。

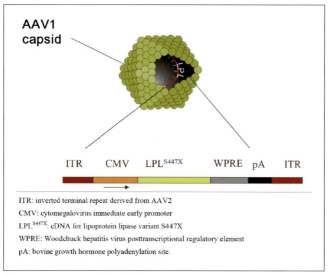

図14-Ⅲ-2　Glybera®の構造図

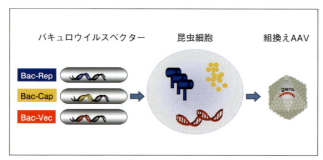

図14-Ⅲ-3　Glybera®の生産系

　Glybera®は，1 mL/バイアル当たり3×10^{12} genome copies (gc)を含む凍結品である。投与量は1×10^{12} gc/kg，1カ所当たりの投与量は0.5 mLであるので，体重60 kgの患者の場合，20 mLを40カ所に分けて筋注する。Glybera®の価格[12]は1本€53,000であるので，体重60kgの患者の治療費は，薬剤費だけで1億円(€53,000×20＝€1,060,000)を超える。

　2017年4月，uniQure社は同年10月25日に期限を迎えるGlyberaの欧州におけるライセンスの更新を行わないことを公表した。原因は有効性・安全性ではなく，高額な医療費の支払いを欧州のいずれの国からも受けることができなかったことによる。2012年11月の発売以来，投与された患者は基金の支援を受けたドイツの患者1名だけであった[13]。

(2) Imlygic®

　Imlygic®(一般名：talimogene laherparepvec)は，アメリカのBioVex社(Amgen社が2011年11月買収)が開発した遺伝子組換えの腫瘍溶解性ウイルス製剤で，2015年10月にFDAで，同年11月にEMAで承認された。適応症は外科的に切除不能な悪性黒色腫(メラノーマ)で，病変部に注射で投与，がん細胞の中でウイルスが複製(増殖)し細胞を破壊(溶解)することで，がんの治療を行う。

Imlygic®は，ヘルペスウイルスⅠ型のγ34.5遺伝子とα47を欠失し，GM-CSFを発現する遺伝子組換え型のウイルス製剤である（**図14-Ⅲ-4**）[14]。ICP34.5の遺伝子産物は，脱リン酸化酵素1と結合することで，タンパク合成を抑制する2本鎖RNA依存性プロテインキナーゼ（PKR）のリン酸化を拮抗阻害して，ウイルスの複製を助ける働きがある。ICP34.5遺伝子を欠失したHSVは正常細胞では増殖できないが，ras経路の活性化などによりPKRの活性化が阻害されている腫瘍細胞では増殖する。ICP47の遺伝子産物は，主要組織適合遺伝子複合体（MHC）クラスⅠ分子の細胞表面への発現を抑制することで，感染細胞が宿主の免疫監視機構から逃れる働きをしている。ICP47遺伝子を欠失したHSVでは，感染細胞で抗原提示が起こり，腫瘍免疫が惹起されることになる。GM-CSFは，白血球の分化誘導を促進することで腫瘍細胞に対する免疫反応を増強するとされている。

　本製品の製造はBioVex社で行われ，Vero細胞で組換えウイルスを増殖し，酵素処理，限外ろ過，クロマトグラフィーによる精製を経て，添加剤としてソルビトールとmyo-イノシトールを加え，最終的には無菌ろ過し，その後，cyclicolefin polymer（COP）製のプラスチックバイアルに1mL充填し凍結され，凍結状態で流通する。製品としては，ウイルス濃度の異なる2製剤（10^6 Plaque Forming Unit（PFU）/mLと10^8 PFU/mL）があり，初回は10^6 PFU/mLの製剤，2回目以降は10^8 PFU/mLの製剤が用いられる。保管と流通は，-80 ± 10℃の温度条件でカートンユニットが用いられる。使用時には，20℃から25℃の室温で時々ゆっくりと撹拌させながら溶解し（約30分），溶解後はオリジナルのカートンに入れて遮光し，2℃から8℃で保管する。なお，この時の保管時間に関しては，10^6 PFU/mLでは12時間，10^8 PFU/mLでは48時間を超えてはならないとされている。

　図14-Ⅲ-5に腫瘍溶解性ウイルスによるがん治療の仕組みを示した。がんに対しては，当初，生体では増殖しないように操作したウイルスを，抗がん免疫を高めるためのサイトカイン遺伝子やp53がん抑制遺伝子の運び屋として使う治療法が開発されたが，治療効果が弱いのが欠点だった。2000年以降，がん細胞だけで増殖してがんを破壊する単純ヘルペスウイルスやアデノウイルスを使った新しい治療法が開発され，乳がん，大腸がん，前立腺がん，脳腫瘍などを対象とした臨床試験が，欧米を中心に実施され成果を上げている。**表14-Ⅲ-3**にわが国で開発中の腫瘍溶解性ウイルス製剤を示した。

　初期の段階で用いられたウイルスは，ウイルス自体が野生型のため，正常細胞に対しても感染・増殖能があり，一般的な治療法として用いることができなかった。しかし，遺伝子工学的

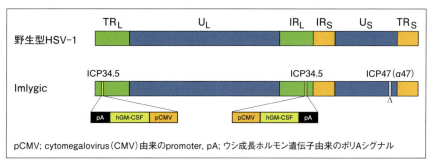

図14-Ⅲ-4　Imlygic®の構造

技術を用いてウイルスを改変，自然弱毒変異ウイルス株を選択することにより，がん細胞に特異的に感染・増殖し，がん細胞のみを溶解できるようになった（がんウイルス療法；Oncolytic Virotherapy）。このがんウイルス療法は，ウイルスそのものが，がん細胞を直接内部から破壊し，正常細胞には感染しないので，副作用が少ない利点がある。また，抗がん剤や放射線治療，免疫療法などと併用するとその効果が増強されるので，例えば，抗がん剤の投与量を減らすことができ，手術前後の補助療法としても使える可能性がある。

　腫瘍溶解性ウイルス製剤の製造と特性解析は，各極のガイドラインでカバーされている生物薬品等に対する現行の規制の原則に従うこととなる[15]。ただし，腫瘍溶解性ウイルスは複製能／増殖能を有するため，迷入ウイルス否定試験や特性解析の実施においては，特有の技術的困難さを伴っている。特に迷入ウイルス否定試験を*in vivo*および*in vitro*で実施する場合，腫瘍溶解性ウイルスのみを中和抗体により不活化する必要がある。使用する中和抗体は，力価が高く中和時に希釈でき，この希釈により，使用する細胞や動物に対する悪影響を回避でき，また，対象とするウイルス以外は中和しないことを確かめる必要があり，これらの試薬等の準備と試験系の評価には十分な時間と注意が必要である。

　一般的な腫瘍溶解性ウイルス製剤の製造は，遺伝子的に安全／安定であり特性解析されたウイルスシードバンクおよびセルバンクを出発材料として，細胞培養により培養され精製が行われており，細胞培養を用いたウイルスワクチンの製造に類似している。最近では，BACmidベ

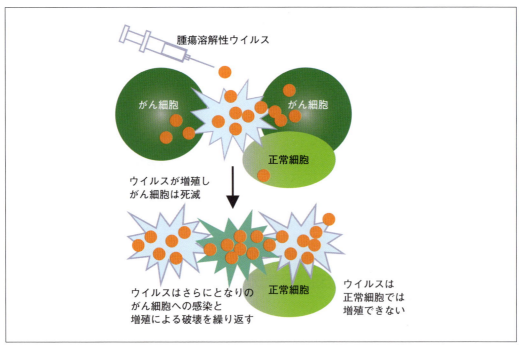

図14-Ⅲ-5　腫瘍溶解性ウイルスによるがんウイルス療法
「腫瘍溶解性ウイルス」は，正常細胞内では増殖できず，標的とするがん細胞内で特異的に増殖可能な制限増殖型ウイルスである。がん細胞に腫瘍溶解性ウイルスが感染すると，細胞内で増殖して直接的にがん細胞を破壊・死滅させるのみならず，その際に放出された腫瘍溶解性ウイルスは周辺のがん細胞にも新たに感染し，腫瘍全体を縮小させることが期待される。

表14-Ⅲ-3　日本で開発中の腫瘍溶解性ウイルス製剤

ウイルスの種類	開発名・製品名（INN）	特徴	開発者	対象疾患	開発段階（国内）	先駆け審査指定制度の対象品目
単純ヘルペスウイルス1型（HSV1）	G47Δ／DS-1647	第三世代遺伝子組換えHSV1	第一三共	悪性神経膠腫	承認申請予定	指定日 H28.2.10
アデノウイルス	OBP-301 テロメライシン®	hTERTプロモーター	中外製薬	頭頸部癌，食道癌，非小細胞肺癌*	第Ⅱ相*	指定日 H31.4.8
単純ヘルペスウイルス1型（HSV1）	Imlygic®（talimogene laherparepvec）	第二世代遺伝子組換えHSV1	アムジェン	悪性黒色腫	第Ⅰ相	
単純ヘルペスウイルス1型（HSV1）	C-REV／TBI1401（canerpaturev）	弱毒型自然変異株	タカラバイオ	膵臓癌**	第Ⅰ相**	
アデノウイルス	Surv.m-CRA-1	サバイビンプロモーター	鹿児島大	膵臓癌	第Ⅰ／Ⅱ相医師主導	
単純ヘルペスウイルス1型（HSV1）	G47Δ	第三世代遺伝子組換えHSV1	東京大学	嗅神経芽細胞腫，悪性胸膜中皮腫	臨床研究	
単純ヘルペスウイルス1型（HSV1）	T-hIL12	第三世代遺伝子組換えHSV1	信州大学 東京大学	悪性黒色腫	第Ⅰ／Ⅱ相医師主導	

*　各種固形がん：第Ⅰ相（米国），肝臓がん：第Ⅰ／Ⅱ相（台湾）
**　悪性黒色腫（メラノーマ）：第Ⅱ相，悪性黒色腫（メラノーマ，術前療法）：第Ⅱ相（いずれも米国）
出典：国立医薬品食品衛生研究所遺伝子医薬部HPより引用・改変

クターをウイルスゲノムに挿入し，大腸菌を用いて単一クローンのウイルスDNAを大量に精製することが可能になり[16]，ウイルスをがん治療の"医薬"として用いる際に必要とされる，均一なウイルスを大量に製造する技術として期待されている。

　腫瘍溶解性ウイルスを利用したがんウイルス療法は，従来の抗がん剤や放射線療法とはまったく異なる作用機序であり，ウイルスががん細胞に特異的に感染・増殖し，がん細胞のみを溶解するため，患者に対する副作用も少ないという利点がある。臨床研究や臨床試験で有望な成績も出ており，また，より有効性を向上させるため他剤（アテゾリズマブ，イピリムマブ，ニボルマブ，ペムブリズマブ）と併用することなども検討されている。今後，新たな治療法として確立されることが期待される。

（3）Strimvelis®

　Strimvelis®は，イタリアのSan Raffaele Telethon Institute for Gene Therapy（2010年よりGSK社が参画）が開発したアデノシンデアミナーゼ欠損重症複合免疫不全症（ADA-SCID）を適応症とする遺伝子治療で，2016年5月にEMAで承認された。患者から採取した骨髄細胞を24時間培養・刺激後，Mo-MuLV由来のレトロウイルスベクター（GSK3336223）を用いてADA遺伝子を組み込んだ後に患者へ戻すことで治療を行う（**図14-Ⅲ-6**）。ADA遺伝子を組込んだ後の細胞が製品（Strimvelis®）である。導入効率を高めるためにtransductionは3回繰り返すとと

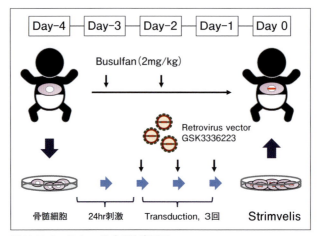

図14-Ⅲ-6　Strimvelis®の治療フロー

もに，Strimvelis®の定着率を高めるため，患者には－3日と－2日にbusulfan投与（0.5mg/kg×4回／day）の前処置が行われる。

　レトロウイルスベクターでは，X連鎖重症複合免疫不全症（X-SCID[注3]）の患者で遺伝子治療後に白血病が発生しており，最長では15年後に発症した事例も報告されている[18]。ADA-SCIDでは白血病の発症例はないが，GSK社は欧州のガイドライン[19]に従い，EMAとStrimvelis®の投与を受けた患者について15年間の長期フォローアップに合意しており，そのシステムと内容を公開している[20]。

> [注3] X連鎖重症複合免疫不全症：X染色体上にあるγc鎖（common γ chain）遺伝子の異常を原因とする疾患。γc鎖はリンパ球の発生・分化・機能に大きな影響を及ぼすインターロイキンの受容体で，細胞内へシグナルを伝える働きをする。患者では，γc鎖が機能しないため6種類のインターロイキン（IL-2，IL-4，IL-7，IL-9，IL-15，IL-21）すべてのシグナルが伝わらなくなり，造血幹細胞からT細胞やNK細胞への分化（それぞれIL-7およびIL-15が関与）が起こらず，また，B細胞からの抗体産生（IL-4とIL-21が関与）も起こらないため，重い免疫不全状態となる。

（4）Zalmoxis®

　Zalmoxis®は，イタリアのMolMed社が開発した製品で，2016年8月にEUで承認された。ハイリスクの血液悪性腫瘍を有する成人患者にハプロタイプ一致造血幹細胞移植を行う際の補助療法を目的とするもので，同じドナーから採取したリンパ球に体外（ex vivo）でレトロウイルスベクター（SFCMM-3 MUT2 #48）を用いてヘルペスウイルスチミジンキナーゼ（HSV-TK）遺伝子を導入後，T細胞を増殖させ，これを移植21日目に患者に投与する（図14-Ⅲ-7）。患者が，移植片対宿主病（GVHD）を発症した場合，ガンシクロビルを投与すると自殺遺伝子HSV-TKの働きで遺伝子導入細胞が死滅し，GVHDを鎮静化することができる。Strimvelis®およびZalmoxis®で用いるウイルスベクター（GSK3336223，SFCMM-3 MUT2 #48）は，イタリアのMolMed社で開発された。いずれもMo-MuLV由来であるが，構造・製法の詳細は開示されていない。

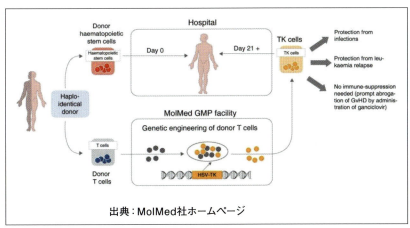

図14-Ⅲ-7　Zalmoxis®療法の流れ

(5) キムリア®（図14-Ⅲ-8）

キムリア®（一般名：tisagenlecleucel）は，ノバルティス社が開発した世界初のCAR-T細胞療法で，難治性または2回以上の再発を認める25歳までのB細胞性急性リンパ芽球性白血病を適応症として，2017年8月にFDAで承認された（2018年5月，再発・難治性の大細胞型B細胞リンパ腫が適応に追加）。2018年8月にはEMAで，本邦では2019年3月に承認された。

患者から取り出したT細胞に体外（*ex vivo*）でCD19 CAR遺伝子（**図14-Ⅲ-9**）を組み込み，これを患者に戻し治療する。T細胞へのCD19 CAR遺伝子の組み込みは，増殖欠損型レンチウイルス（CTL019ウイルスベクター）（**図14-Ⅲ-10**）を用いて行う。**図14-Ⅲ-11**にCTL019ウイルスベクターの製法を示した。ウイルス粒子の形成とゲノムの組み込みに必要なポリメラーゼ等をコードする3種のpackagingプラスミドとCD19 CAR遺伝子を乗せたCAR vectorプラスミド（**図14-Ⅲ-12**）を同時にHEK 293T細胞へトランスフェクトして，ウイルス粒子を産生させ，これをハーベスト・精製し，使用時まで保存する[18]。

図14-Ⅲ-13に療法全体の流れを示した。各Clinical siteでは，患者より白血球を採取し（Leukapheresis），これを凍結条件下で製造施設へ送付する。製造施設では，これを製造開始時まで−120℃以下で保管する。製造は専任のチームが一度に1人分ずつを専用の機材を用い

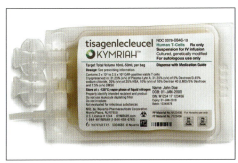

図14-Ⅲ-8　キムリア®

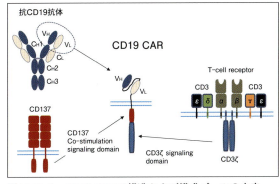

図14-Ⅲ-9　CD19 CARの構造および構成パーツの由来

て行う．融解後，検体よりビーズや必要に応じて密度勾配遠心を組み合わせた方法でT細胞を精製する．融解後の検体に抗CD3/CD28抗体を結合させた磁気ビーズ（Dynabeads®CD3/CD28）を加えて反応させ，細胞表面のCD3とCD28への共刺激によりT細胞を活性化する．次いでビーズに結合した細胞（＝T細胞）を分取し，これにCTL019ウイルスベクターを添加して静置培養を行う．この操作でCD19 CAR遺伝子がT細胞の染色体に組み込まれ，細胞表面にCD19 CARが発現する．洗浄後，培養を継続・拡大し，細胞が十分量増えた段階でハーベスト

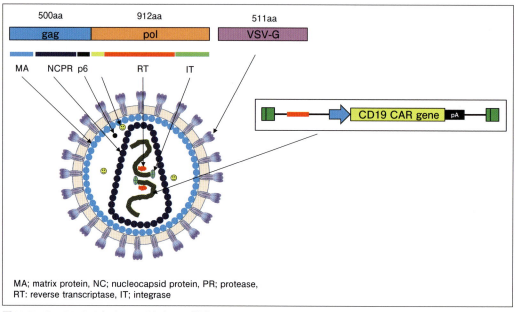

図14-Ⅲ-10　CTL019ウイルスベクターの構造

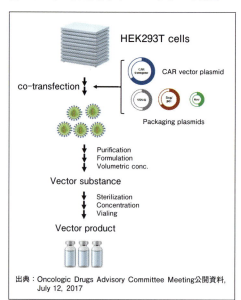

図14-Ⅲ-11　CTL019ウイルスベクターの製法

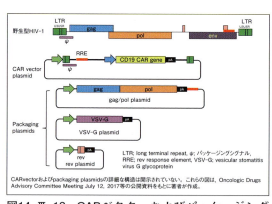

図14-Ⅲ-12　CARベクターおよびパッケージングプラスミドの構造

する。ビーズを除去後，凍結用培地に置換・凍結し，出荷時まで気相式の液体窒素容器中で凍結保存する。

図14-Ⅲ-14にキムリア®の作用メカニズムを示した。CD19 CARがB細胞表面のCD19を認識して結合すると，その刺激が4-1BBとCD3ζを介して細胞内へ伝わりCAR-T細胞が活性化する。活性化したCAR-T細胞は，細胞質内に蓄えられていたパーフォリン・グランザイム等の細胞傷害性タンパク質を放出し，がん細胞にアポトーシスを誘導する。

(6) Yescarta®

Yescarta®（一般名：axicabtagene ciloleucel）は，Kite Pharma社（2017年8月，Gilead Sciences社が＄11.9 billionで買収）が開発した世界で2番目のCAR-T細胞製品で，原発性中枢神経系リ

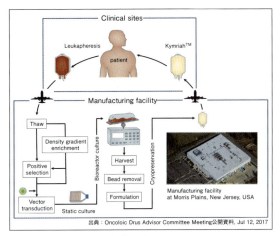

図14-Ⅲ-13　CTL019療法の流れ

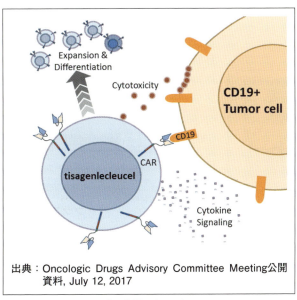

図14-Ⅲ-14　キムリア®の作用メカニズム

ンパ腫を除く，少なくとも2種類の他の治療が奏効しなかった大人の再発性または難治性の大型B細胞リンパ腫，びまん性大細胞型B細胞リンパ腫，原発性縦隔大B細胞リンパ腫，高悪性度B細胞リンパ腫，および濾胞性リンパ腫に起因するびまん性大細胞型B細胞リンパ腫を適応症として，2017年10月にFDAで，2018年にEMAで承認された。本邦では，第一三共株式会社が2020年3月に製造販売承認申請を行っている。キムリア®とは，CD19 CARの構造が異なる（Co-stimulation signaling domainがCD28）が，療法の原理・メカニズムおよび流れは同様である。

　Yescarta®については，市販後の試験として約1,000人の患者について15年間の長期フォローアップが推奨されている[21]。

（7） Luxturna®（図14-Ⅲ-15）

　Luxturna®（一般名：voretigene neparvovec-rzyl）は，Spark Therapeutics, Inc.が開発した世界で3番目の遺伝子治療用ウイルス製剤で，RPE65遺伝子[注4]に変異を有する網膜ジストロフィー（Leber先天性黒内障）を適応症として，2017年12月にFDAで，2018年11月にEMAで承認された。**図14-Ⅲ-16**にLuxturna®の構造を示した[22]。大きさは直径約25 nmの正20面体で，野生型AAVゲノム（4.7 kb）に換わってRPE65遺伝子の発現ユニットが包み込まれている。大きさは，発現ユニット以外の核酸が包み込まれないように4.7kbよりも大きく作られている[23]。同ユニットは，5'側よりAAV2由来のITR（inverted terminal repeat），サイトメガロウイルス由来のエンハンサー配列，ニワトリβ-アクチン遺伝子プロモーター，ニワトリβ-アクチン遺伝子のエクソン1＋イントロン1領域，RPE65遺伝子，ウシ成長ホルモン遺伝子由来のポリAシグナル（pA），ITRの順に配置・構築されている。

> [注4] RPE65遺伝子（RPE65；Retinal pigment epithelium 65）は，Leber先天性黒内障の責任遺伝子の1つでretinoid isomerohydrolaseをコードしている。同酵素は，網膜色素上皮細胞に特異的に発現する異性化酵素で，視細胞への11-cis-retinal供給に必須の酵素である。

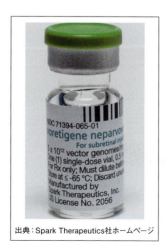

図14-Ⅲ-15　Luxturna®

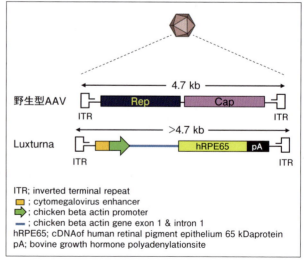

図14-Ⅲ-16　Luxturna®の構造

図14-Ⅲ-17にLuxturna®の製法を示した[23]。セルバンク（HEK293細胞）を融解後，T75フラスコで起眠，T225×2本に拡張後，ローラーボトル2本に播種，次いで10本，102本と拡張した後，3種のプラスミド（vector，packaging，helper）をリン酸-カルシウム法でトランスフェクションする。無血清培地に置換・培養後，細胞を培養上清とともにハーベストし，濃縮・粗ろ過の後，陽イオンカラムクロマトに通液してウイルスベクターを吸着させる。洗浄後，高塩濃度のバッファーで溶出，塩化セシウム超遠心後，バッファー置換・製剤化する。**図14-Ⅲ-18**にLuxturna®の投与の様子を示した。患者の眼球内（網膜下）に投与して，網膜色素上皮（retinal pigment epithelium）でretinoid isomerohydrolaseを産生させ治療する。

Luxturna®については，臨床試験で投与を受けた41人の患者について15年間の長期フォローアップが実施されている。これに加えて，市販後の試験（40人以上の患者について5年間以上のフォローアップ）が推奨されている。

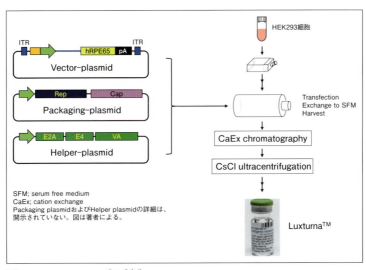

図14-Ⅲ-17　Luxturna®の製造

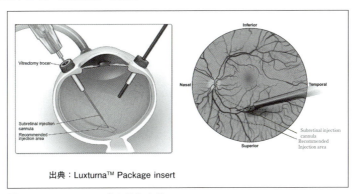

図14-Ⅲ-18　Luxturna®の投与方法

2. 遺伝子治療用製品等の品質および安全性の確保について

　遺伝子治療用製品については，医薬品医療機器法第2条第9項1項2号ニ[24]に定めるとおり，「人又は動物の疾病の治療に使用されることが目的とされている物のうち，人又は動物の細胞に導入され，これらの体内で発現する遺伝子を含有させたもの」と定義された。すなわち，疾病の治療の目的で使用され，投与後に製品による遺伝子の発現が認められるものが該当すると解釈ができる。これは，例えばワクチンのように，投与により体内で製品に由来する遺伝子の発現があったとしても感染症予防の目的であれば遺伝子治療用製品とはならないと解されるため，遺伝子発現だけではなくその用途を含めた該当性の判断が必要である。

　このような新たに類別された遺伝子治療用製品における品質および安全性の対応については，「遺伝子治療用医薬品の品質及び安全性の確保に関する指針」に基づき実施されてきた。これは，平成7年11月15日付け薬発第1062号厚生省薬務局長通知（平成16年12月28日最終改正）によりはじめて基本的要件が示されたものであるが，その後，平成25年7月1日付け薬食発0701第13号厚生労働省医薬食品局長通知[25]による確認申請制度の廃止やこれに伴う平成25年7月1日付け薬食審査発0701第4号厚生労働省医薬食品局審査管理課長通知[26]により一部改正（以下「旧指針」）され，治験における品質および安全性の確保のための基本的な技術要件として実施されてきた。実質的には20年あまり大きく見直されることなく運用されていた経緯がある。

　科学技術の進歩や遺伝子治療の進展に伴い，旧指針の内容が全面的に見直され，新たな指針（令和元年7月9日付け薬生機審発0709第2号厚生労働省医薬・生活衛生局医療機器審査管理課長通知「遺伝子治療用製品等の品質及び安全性の確保について」，以下，「改正指針」）[27]が発出された。これは，海外規制当局での動向等も考慮されており，遺伝子治療用製品等の品質および安全性の確保に考慮すべき基本的な技術的事項がまとめられたものとなっている。

　改正指針が対象とする製品の範囲は「遺伝子治療用製品」ではなく，「遺伝子治療用製品等」となっている。これは，遺伝子治療用製品に，ヒト細胞加工製品の中の*ex vivo*遺伝子導入細胞を加えた範囲を遺伝子治療用製品等と定義しているためである（**表14-Ⅲ-4**）。その理由としては，主に以下の点があげられる。

1. 遺伝子導入細胞の製造時にはウイルスベクターが使用されるため，*ex vivo*遺伝子導入に使用されるウイルスベクターについても品質や安全性に係る基本の科学的要件は大きく異なってはいないと考えられること
2. 遺伝子導入細胞の安全性は製造に用いられるウイルスベクターに起因するものが含まれること
3. *ex vivo*遺伝子導入細胞は，欧米では遺伝子治療に分類されていることが多いため，国内法令上の定義とは別に，このような対象範囲とされた点は，科学およびリスクの観点のみならず，国際整合性の観点からも合理的と考えられること

　改正指針案作成後の意見公募に対する回答で示されているとおり，改正指針そのものは，海外規制当局と協議して作成されたものではないが，検討段階からICHガイドラインや，欧米のガイドライン等を含む海外規制当局の動向も参考にして作成されている。ただし，欧米等の規

表14-Ⅲ-4 遺伝子治療用製品(等)の類別，範囲，該当製品の例示

	法令での遺伝子治療用製品の範囲	ヒトまたは動物細胞加工製品の範囲	改正通知の遺伝子治療用製品等の範囲	医薬品	該当製品の例示	製品例	[参考] FDA Guidanceの適用範囲*	[参考] EMA Guidelineの適用範囲*
プラスミドベクター製品	○	×	○	×	治療を目的とし体内で目的遺伝子を発現するためのプラスミド	コラテジェン®	○	○
ウイルスベクター製品	○	×	○	×	治療を目的とし体内で目的遺伝子を発現するための遺伝子組換えウイルス(AAVベクター等)	Glybera®, Luxturna®, ゾルゲンスマ®	○	○
遺伝子発現治療製品	○	×	○	×	自然単離・弱毒化させた腫瘍溶解性ウイルス，遺伝子組換え腫瘍溶解性ウイルス．治療を目的とし，体内で目的遺伝子を発現するためのmRNA	Imlygic® [テロメライシン®, C-REV (HF10), G47Δ, Surv.m-CRA-1(治験段階にある製品のウイルス名称)]	○	○
ヒト細胞加工製品	×	○	○ (一部該当)	×	ヒト細胞に対し遺伝子導入した細胞 (CAR-T細胞等)	Strimvelis®, Zalmoxis®, キムリア®, Yescarta® (Axi-Cel®), Zynteglo®	○	×
動物細胞加工製品	×	○	× (一部参考)	×	ヒト以外の動物細胞に対し遺伝子導入した細胞		×	×
疾病の予防を目的とし体内で発現する遺伝子を含有するもの	×	×	× (一部参考)	○	遺伝子組換え生ワクチン，mRNAワクチン，DNAワクチン	Dengvaxia®	×	×

＊ CMC Information for Human Gene Therapy IND Applications, Guidance for Industry, FDA CBER, January 2020[28]およびGuideline on the quality, non-clinical and clinical aspects of gene therapy medicinal products, EMA, 22 March 2018[29]の適用範囲。それぞれの適用範囲を示しており，Human Gene Therapy Products/Gene therapy medicinal productの定義(範囲)を示しているものではない。

制要件をすべてカバーしているわけではないので，グローバル開発の際には各国のガイドラインを参考に対応する必要がある。なお，遺伝子導入された動物細胞加工製品，疾病の予防を目的とした遺伝子発現構成体を含有する医薬品等については，改正指針の適用範囲とはされていないが，品質や安全性に関する考え方については，改正指針は大いに参考になると思われる。

　改正指針は，製造販売承認申請に当たっての基本的な技術的事項とされていることから，承認後の市販製品のほか，開発段階における治験製品にも考え方を適用できる。当然のことながら，開発過程の品質，安全性の知識の蓄積により，製造販売承認申請に向けたより堅牢な品質管理戦略の確立へとつながる。一般的には臨床開発初期と検証的試験実施時では，求められる品質および安全性確保の水準が同じということは考えにくく，開発段階に応じた適切な品質管

理戦略を考える必要がある。改正指針においても，改正指針を一律に適用することは必ずしも適切でない旨の留意事項が記載されており，製品の特性および開発段階に応じケース・バイ・ケースで柔軟に対応することの重要性が述べられている。改正指針では，製造販売承認申請までに段階的に製品の品質および安全性の管理戦略が堅牢になっていくことを前提に，各治験開始時点においてはその趣旨に適う条件を満たしているかの判断を求めている。特に，ヒトへの投与において品質および安全性上の明らかな問題が存在するか否か，臨床で得られる知見を理解する上で基本となる品質特性が把握され，その製造工程において一定範囲の恒常性が確保されているか否かを確認することが明示された。また，医薬品とは異なるリスクが知られている遺伝子治療用製品等のヒトへの適用には，これまで多くの懸念が議論されてきた。そのような背景も含め，改正指針では治験開始時の基本的な考え方として，公知情報も含め可能な限りリスク評価，リスク低減化を行った上で，治験製品をヒト（患者）に使用することのリスクおよびベネフィットを十分に理解し，治験に参加するかどうかの意思決定を患者自身が行うという原則を考慮した上で，最終的な投与の可否を判断するという考え方が示されている。

3. 改正通知の構成

改正通知の構成と内容概要については，**表14-Ⅲ-5**のとおりである。旧指針との比較については**表14-Ⅲ-6**を参考にされたい。

表14-Ⅲ-5 改正指針の構成と内容概要

改正指針の構成	内容概要
はじめに	・本指針の目的・趣旨，適用範囲 ・製造販売承認申請にあたっての基本的な技術的事項 ・治験計画届出前のRS戦略相談の活用 ・治験開始にあたっての基本的留意事項 ・技術要件に求められる事項
第1章 総則	・指針の目的 ・適用対象 ・定義
第2章 遺伝子治療用製品等の概要及び開発の経緯	・期待される特性や性能 ・遺伝子導入法の特徴，対象疾患に適用する理由 ・投与経路，投与方法，用量 ・治療のメカニズム，臨床使用の適切性 ・これまでの臨床使用状況 ・類似製品の臨床使用の有無

（次ページに続く）

改正指針の構成	内容概要
第3章 品質	・遺伝子発現構成体の構造，構築方法，機能的特性 ・遺伝子発現構成体の構成要素とその機能的特性 ・ウイルスベクターの構造，特性 ・ウイルスベクターの製造方法，プロセスコントロール，原料等・細胞基材の管理（適切な管理戦略の設定） ・非ウイルスベクターの構造，特性 ・非ウイルスベクターの製造方法，プロセスコントロール，原料等・細胞基材の管理（適切な管理戦略の設定） ・遺伝子治療用製品の標的細胞・組織の生物学的特徴 ・遺伝子導入細胞(ヒト細胞加工製品)の対象細胞の起源・由来，採取方法，ドナー適格性 ・遺伝子導入細胞の製造方法，プロセスコントロール，原料等の管理（適切な管理戦略の設定） ・工程由来不純物の管理 ・遺伝子導入細胞に残存するウイルスベクターの評価 ・特性解析 ・遺伝子治療用製品の規格及び試験方法(確認試験，純度試験，感染性因子，増殖性ウイルス，無菌，マイコプラズマ，エンドトキシン，生物活性・力価，含量・定量法，その他試験(粒子径分布，凝集体形成等)) ・遺伝子導入細胞の規格及び試験方法(確認試験，純度試験，感染性因子，無菌，マイコプラズマ，エンドトキシン，生物活性・力価，細胞数・生存率，その他試験) ・製品開発の経緯(製品設計，副成分の添加理由，容器施栓系，投与時の機械器具の使用法・安全性) ・プロセス評価／プロセスバリデーション・ベリフィケーション ・製法変更前後の製品に関して同等性／同質性評価 ・安定性試験
第4章 非臨床試験	・効果又は性能を裏付けるための試験(in vitro/in vivo試験)) ・生体内分布(適切な動物種，②目的とする生体組織への分布，目的としない生体組織及び生殖細胞への分布，ベクターの分布や消失を含めた持続性) ・非臨床安全性試験(①一般毒性評価(動物種の選択・動物種の数，試験デザイン・用量・試験期間・検査項目，回復性)，②遺伝子組込み評価(生殖細胞への意図しない遺伝子組込みリスク，③腫瘍形成及びがん化の可能性の評価(がん原性の評価，造腫瘍性の評価)，④生殖発生毒性試験，⑤免疫毒性評価，⑥増殖性ウイルス出現の可能性の評価)
第5章 治験における留意事項	・治験実施の正当性 ・治験実施計画 ・被験者の追跡調査計画
第6章 遺伝子治療用製品等の第三者への伝播のリスク等の評価について	・投与を受けた患者以外の第三者へ伝播するリスクを含めヒトに与える影響評価の実施 ・投与する細胞外にウイルスベクターが残存する可能性があれば第三者へ伝播するリスク等の評価 ・遺伝子組換え生物等の使用等の規制による生物の多様性の確保に関する法律により求められる対応にも留意

表14-Ⅲ-6　改正指針と旧指針との比較

旧指針の構成 （平成25年7月1日付け薬食審査発0701第4号）	改正指針の構成	特記事項
第1章　総則 　第1　目的 　第2　定義	第1章　総則	一部改正
	第2章 遺伝子治療用製品等の概要及び開発の経緯	新設
第2章　遺伝子治療用医薬品の製造方法 　第1　遺伝子導入法による区分 　　1. ウイルスベクターを用いる場合 　　2. 非ウイルスベクターを用いる場合 　　3. ベクターを用いずに直接導入する場合 　第2　投与方法による区分 　　1. *ex vivo*法を用いる場合 　　2. *in vivo*法を用いる場合	第3章 品質	全部改正
第3章　遺伝子治療用医薬品の規格及び試験法並びに製剤設計	全部改正	―
第4章　遺伝子治療用医薬品の安定性	全部改正	―
第5章　遺伝子治療用医薬品の非臨床安全性試験	第4章 非臨床試験	全部改正
第6章　遺伝子治療用医薬品の効力を裏付ける試験	全部改正	―
第7章　遺伝子治療用医薬品の体内動態	全部改正	―
	第5章 治験における留意事項	新設
	第6章 遺伝子治療用製品等の第三者への伝播のリスク等の評価について	新設
第8章　遺伝子治療用医薬品製造施設及び設備	該当なし	削除
第9章　倫理性への配慮	改正指針通知　特記事項	記載の見直し
第10章　その他 遺伝子治療臨床研究に関する指針第1章，第7章第1及び第3については，薬事法に定める治験であっても適用されるので留意されたい．	改正指針通知　特記事項	記載の見直し

4．ウイルスベクターの製造方法

　1980年以前，細胞への遺伝子導入方法はリン酸カルシウム法，マイクロインジェクション法しかなく，遺伝子治療への応用は難しかった．その後，1981年にレトロウイルスをベクターとして使う方法が提案され，1983年に非増殖性レトロウイルス（RV）ベクターを産生するパッケージング細胞株の樹立が報告されると，RVベクターを用いた遺伝子治療法が次々と開発されるようになった[30]．RVによる世界初の遺伝子治療は，ADA-SCIDを対象に正常遺伝子をリンパ球に導入するというアプローチで，1990年にNIHの承認を得て実施された[31]．これ以降，遺伝子治療の研究は大きく前進してきた．今では，利用できるウイルスベクターの種類も増え，患者に直接投与するアデノウイルス（AdV）やAAV，腫瘍溶解性ウイルス製剤としてヘルペスウ

イルスなどの開発が進んだ。しかしながら，その過程においては，1999年のAdVベクターのin vivo大量投与に起因するサイトカインストームが原因と疑われる死亡事例[32]や，RVベクターによりIL-2受容体遺伝子のex vivo導入を行った造血幹細胞の移植を受けたX-SCID患者が，2002年以降に次々と白血病を発症した事例[33]が報告され，遺伝子治療における課題が鮮明となった。より安全性の高いウイルスベクターの開発が強く求められ，一層の研究開発や技術的革新が進んだ。このような流れの中，in vivo遺伝子治療では，より安全性の高いAAVベクターが広く利用されるようになり，2012年にEMAで承認されたGlybela®をはじめ，Luxturna®とゾルゲンスマ®が米国で相次ぎ承認されている。また白血病の発症が見られたRVベクターでは，その後の研究によりX-SCIDやWiskott Aldrich症候群の治療では発症がみられたものの，ADA-SCIDの治療ではがん化が生じていないことが確認され，対象疾患での発症機序が重要であることが明らかになった。これにより，RVベクターを用いたex vivo遺伝子導入造血幹細胞として，ADA-SCIDを対象としたStrimvelis®が承認され，実用化に至っている。さらに，造血幹細胞の遺伝子導入としてヒト免疫不全ウイルス(HIV)を改良したレンチウイルス(LV)ベクターが，細胞にがん化を引き起こす可能性がより低いことが明らかになり，より安全性を高めたウイルスベクターとしてRVベクターに代わりに広く利用されるようになった。この技術は，重症の貧血を起こす遺伝性疾患であるベータサラセミアを対象としたZynteglo®やB細胞性急性リンパ芽球性白血病を対象としたキムリア®の製造等に利用されている。

(1) ウイルスベクターの製造方法の概要

遺伝子治療用製品等の製造プロセスは，主にウイルスベクター製造用のプラスミドベクター製造，ウイルスベクター製造，および(ex vivo遺伝子導入の場合は)細胞加工の3工程で構成される(**図14-Ⅲ-19**)[34]。製品の種類や製造方法によっては必ずしもすべてが必要ではないが，現在開発中のものも含め，遺伝子治療製品等の多くが細胞への遺伝子導入方法としてウイルス

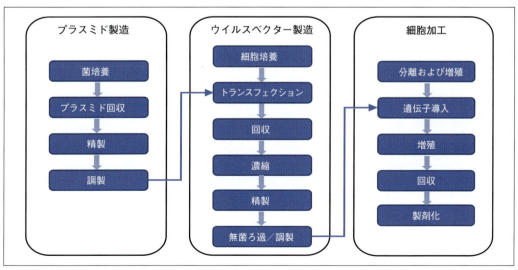

図14-Ⅲ-19　遺伝子治療製品等の製造プロセスの例

ベクターを採用していることから，ウイルスベクターの製造は重要な工程となる。

　遺伝子治療用のウイルスベクターは，対象疾患や遺伝子のヒトへの導入方法が*in vivo*か*ex vivo*かといった使用目的に応じてその種類が選択される。これまで，欧米で承認された遺伝子治療用製品等で用いられているウイルスベクターには，*in vivo*で使われるAdVベクターやAAVベクター，*ex vivo*で使われるRVベクターやLVベクターがある。また広義には，腫瘍溶解性ウイルスとして使用されるヘルペスウイルスやワクシニアウイルスなども含めてウイルスベクターとすることもある[35]。このように，遺伝子治療にはさまざまなタイプのウイルスベクターが用いられるため，製造工程や品質管理戦略の構築は各ウイルスベクターの特徴や使用目的，対象疾患を考慮した検討が必要となる。

　ウイルスベクターを製造する観点から留意すべきウイルスベクターの特徴を**表14-Ⅲ-7**に示す。ウイルスベクターの製造プロセスを考慮する上で重要な特徴は，エンベロープの有無や安定性，ウイルスサイズによるフィルトレーションの可否，ウイルス回収時における細胞溶解の必要性などがあげられる。加えて，対象疾患の患者数と投与量に基づいたバッチサイズ(目安)を事前に検討することも重要である。例えば，眼科領域等では比較的小さな組織が投与対象となるため，投与量が限定され必ずしも大量のウイルスベクターを製造する必要がない場合も考えられる。その場合，研究開発段階で実施されている小量スケールの製造方法でも治療用として十分な量を製造することも可能となる。一方で，投与経路が点滴静注となる例では，期待する目的部位に必要なウイルス量を到達させるためにより多くのウイルスベクターの投与が求められることも考えられる。その場合，必要となるウイルスベクターの要求量に応えられる大量スケールの製造を行う必要がある(**表14-Ⅲ-8**)。より多くのウイルスベクターが必要な場合，小量スケールでは顕在化していなかった問題が生じる場合もある。培養の例で見ると，商用生産スケールでは機器設置面積の問題や作業量の増大等により同様の原理・方法で実製造を行う

表14-Ⅲ-7　遺伝子治療用ウイルスベクターとして使用される一般的なウイルスの概要

	レトロウイルス	レンチウイルス	アデノ随伴ウイルス	アデノウイルス
エンベロープ	あり	あり	なし	なし
導入遺伝子サイズ(Kb)	～8	～8	～4.5	～7.5
ターゲット細胞	分裂細胞	広範な細胞	分化した細胞	分化した細胞
炎症反応の可能性	低い	低い	低い	高い
宿主ゲノムへの組込み	あり	あり	なし	なし
導入遺伝子の発現	長期間持続	長期間持続	長期間持続可能	長期間持続可能(免疫原性による)

表14-Ⅲ-8　年間製造量の目安

適応症(製品名)	対象となる患者数[*36~40]	1回投与分／患者のウイルス量 [vector genome(vg)]	必要ウイルス量／年 (vg)
RPE65遺伝性網膜疾患(Luxturna®)	20～200	$1.5×10^{11}$/eye	$0.3～6×10^{13}$
脊髄性筋萎縮症(ゾルゲンスマ®)	400	$～5×10^{14}$	$2×10^{17}$

＊公開情報から治療を受ける可能性のある年間の患者数を推測

ことが難しくなり，他の培養方法へと移行する必要性が生じる場合もある。一例としてFDAによって承認されている2つのAAVを用いた遺伝子治療用製品，Luxturna®とゾルゲンスマ®を比較すると，Luxturna®は1回に投与するウイルス量が$1.5×10^{11}$ virus genomes/eye[41]に対し，ゾルゲンスマ®は$5×10^{14}$ virus genome/4.5 kg[42]となり，1000倍以上の違いがある。これらの製造法を比較すると，Luxturna®では培養にローラーボトルを採用[43]しているが，ゾルゲンスマ®では，培養にはシングルユースバイオリアクターを採用[44]している。

現在，ウイルスベクター製造には標準的なプラットフォームはなく，目的とされる遺伝子治療用製品等に合わせたさまざまな製法開発が進められている。すべての例について紹介することはできないため，本項では現在実施されている治験で広く利用されているAAVベクターとLVベクターに限定し，商用生産で課題とされている大量スケールにおける製造工程で特に留意すべき要点について紹介する。

(2) アップストリーム工程

現在，治験が行われているウイルスベクター製造で利用されている培養方法には複数の選択肢がある。採用する製造方法の決定には，上市までの期間や利用可能な技術を考慮することが重要となる。

①ウイルス産生に必要なウイルス遺伝子の発現方法

最初に検討すべき点はウイルス産生に必要となるウイルス遺伝子の発現方法の選択である（**表14-Ⅲ-9**[45]）。最も利用されているのが，プラスミドを用いたトランスフェクション法である。この方法では，ウイルスを構成するために必要なタンパク質をコードする遺伝子や導入する目的遺伝子等を含む複数のパッケージングプラスミドを用い，ウイルス産生用のヒト細胞株に遺伝子導入することで目的のウイルスベクターを製造する。AAVベクターとLVベクターでは必要となるウイルスベクター構成遺伝子を搭載したプラスミドの種類は異なり，一般的にAAVベクターでは3種類，LVベクターでは4種類のプラスミドが用いられている。この手法ではスケーラビリティの確保が比較的容易であり，開発期間も短くできる利点がある。一方で大量スケールではより多くのプラスミドを遺伝子導入に用いるため，その遺伝子導入のための原料を含めたコストの増大や精製工程での残留プラスミドの除去が課題となる。欧米で承認されている本製造方法を使用した遺伝子治療用製品等には，AAVベクターではLuxturna®とゾルゲンスマ®，LVベクターではキムリア®がある。一方トランスフェクション法のデメリットを克服する方法として，ウイルス産生細胞を用いた方法も開発が進められている。この方法ではウイルス産生に必要となる遺伝子をあらかじめ細胞に導入してMCBを作製し，これを培養することでウイルスベクターを得る。遺伝子導入工程が必要なく，トランスフェクション法よりも産生量の増大が期待できることから本技術の実用化に向けて研究開発が進められているが，ウイルスに細胞毒性がみられる場合には，それを避ける方法が必要となる。AAVベクターやLVベクターでこの技術を用いて製造される遺伝子治療用製品等として承認されたものはまだないが，治験での活用は報告されている[46]。一方，ヒト細胞を用いない方法として，昆虫細胞とBaculovirus expression vector system（BEVS）を用いる方法がある。この方法では，ウイル

表14-Ⅲ-9 発現方法

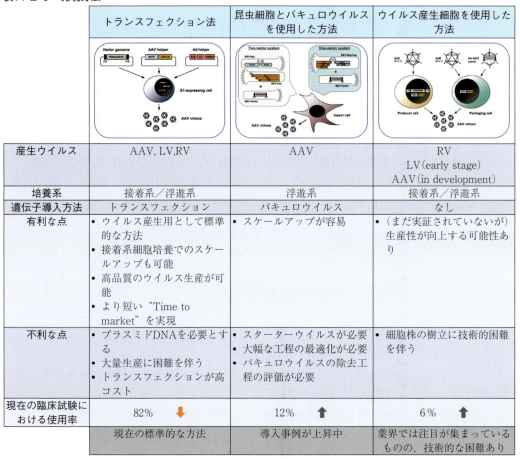

	トランスフェクション法	昆虫細胞とバキュロウイルスを使用した方法	ウイルス産生細胞を使用した方法
産生ウイルス	AAV, LV, RV	AAV	RV LV（early stage） AAV（in development）
培養系	接着系／浮遊系	浮遊系	接着系／浮遊系
遺伝子導入方法	トランスフェクション	バキュロウイルス	なし
有利な点	・ウイルス産生用として標準的な方法 ・接着系細胞培養でのスケールアップも可能 ・高品質のウイルス生産が可能 ・より短い"Time to market"を実現	・スケールアップが容易	・（まだ実証されていないが）生産性が向上する可能性あり
不利な点	・プラスミドDNAを必要とする ・大量生産に困難を伴う ・トランスフェクションが高コスト	・スターターウイルスが必要 ・大幅な工程の最適化が必要 ・バキュロウイルスの除去工程の評価が必要	・細胞株の樹立に技術的困難を伴う
現在の臨床試験における使用率	82% ↓	12% ↑	6% ↑
	現在の標準的な方法	導入事例が上昇中	業界では注目が集まっているものの, 技術的困難あり

スを構成するために必要なタンパク質をコードする遺伝子や導入する目的遺伝子等を含む3種類のバキュロウイルスのMVBを作製し，昆虫細胞に同時に感染させることで目的とするウイルスベクターが得られる。すでに販売は中止されているが，本法はGlybera®の製造プロセスで採用されていた。また，現在でもその生産効率の改善等の技術的な改良を図りつつ治験に用いられている。ここでは，現在の主流となっているウイルス産生用ヒト細胞株にプラスミドをトランスフェクションする方法について紹介する。

②培養系の選択（接着細胞培養法／浮遊細胞培養法）

ウイルス産生細胞の培養方法として，接着細胞培養法もしくは浮遊細胞培養法のいずれも選択できる。一般的に，研究開発段階ではシャーレやマルチプレート（多段式培養容器）を利用した接着細胞培養法が行われており，培養や遺伝子導入等の条件に関しては，接着細胞培養法が最も情報が蓄積されていると推察され，この知見を治験製品製造以後も活用できることが望ましい。しかしながら，シャーレやマルチプレートを利用した接着細胞培養法において，大量のウイルスベクターを製造する場合，多数の恒温槽の設置，機器設置面積の増大，マルチプレートごとの膨大となる作業の実施やそれらのコスト，さらにはコンタミネーションリスクの懸念

等を踏まえると，現実的に製造できるウイルスベクター量には限界がある。一方，浮遊細胞培養系においてシングルユースバイオリアクターを使用する場合，現在一般的に利用されているシングルユースのバイオリアクターの最大サイズは2000 Lとなるため，その運転容量まで製造量を増大できる可能性がある。この際，研究開発段階で使用していた接着細胞培養法から浮遊細胞培養法へと移行するために製法変更の検討が必要となり，検討内容によっては開発に時間を要することが課題となる。特に，トランスフェクション法を用いる場合，スケールアップ時にトランスフェクション効率が低下する事例も報告されている[47]。接着細胞培養法における生産可能な最大量の問題を解決する方法として，Fixed bedを用いた3次元接着細胞培養用バイオリアクターの利用が考えられる。ゾルゲンスマ®においてもこの培養方法が採用されている[48]。しかしながら，その手法においても生産量は市販されているFixed bedのサイズに依存するため，浮遊培養法と比較してフレキシビリティは劣る。また，接着細胞培養法では血清を使用していることが多く，血清ロット間差による培養結果のばらつきや血清を使用することによるハーベスト液の粘度上昇による次工程の精製効率低下，ウイルスの混入リスクなど製品品質への影響が懸念される[49]。そのため，早い段階で無血清培地での培養条件を検討しておくことが品質を高める観点，効率的な開発を進める観点から推奨される。現時点では浮遊培養法と接着培養法のそれぞれに長所・短所があることから，どちらを採用するかは，上市時に必要となる年間生産量や現時点で利用できる技術，開発にかけられる期間を考慮して決定することが望ましいと言える。

③培養工程

トランスフェクション法を用いたウイルスベクター製造の各培養工程には，浮遊培養法，接着培養法に関わらず，拡大培養，本培養，遺伝子導入・生産培養，ハーベスト（ウイルス回収）がある。各工程で使用する培地について，その培地成分の製造等において生物由来原料等が使用されることも多いため，加熱・滅菌等ができない場合には，ウイルス安全性の評価を慎重に実施した上で，ウイルス除去フィルター等のウイルス安全性を高める予防的措置の実施が必要ないか考慮しておくことが望ましい。

④拡大培養・本培養

拡大培養・本培養によるウイルス産生細胞の増殖には，接着培養法の場合，一般的にローラーボトルやフラットウエア，もしくはFixed bedバイオリアクター等が使用される。また，浮遊培養法の場合にはスピナーフラスコのほか，振とう撹拌式バイオリアクターやインペラ撹拌式バイオリアクター等が使用される。さらに，ウイルス産生細胞として使用されるヒト細胞として，ウイルスの複製効率が高いHEK293系が最も利用されている。拡大培養の方法は，抗体医薬品を含むバイオ医薬品の製造で実施されてきた方法と同様に実施できるであろう。接着細胞培養系で大量生産を実施する場合には，拡大培養の時点で必要となる細胞数が多くなるため，スケールアップ時の拡大培養方法についても事前に検討しておくことが望ましい。また，LVベクター等のように培養のシェアストレス等の物理的な要因によってウイルスベクターの力価が減少する懸念が考えられる場合，灌流培養系も利用される[50]。

⑤生産培養

　前述したプラスミドベクターを用いたトランスフェクション法が広く用いられている。トランスフェクション試薬としてはポリエチレンイミン（PEI）を用いた方法が一般的であり，商用生産用に品質管理が実施されている試薬も入手可能である。この工程で大量のプラスミドとトランスフェクション試薬が必要になるが，コスト削減や次工程の精製効率向上のために，使用するプラスミド，トランスフェクション試薬の量等を減らす検討も重要である。また，浮遊細胞培養法で見られるトランスフェクション効率の低下は，使用するバイオリアクターの撹拌効率やトランスフェクション試薬の導入方法なども原因となり得ることから，そのスケールごとでの条件の最適化が必須であろう。

⑥ハーベスト（ウイルス回収）

　使用するウイルスベクターとして，その起源となったウイルスが持つ特性によって異なる。AAVベクターは多くのセロタイプで細胞内にウイルスがとどまる性質があるため，AAVをベースとするウイルスベクターの回収には，基本的に生産培養後にウイルスベクターが内包されている産生細胞の溶解が必須となる。なお，一部のセロタイプではウイルスベクターが細胞外へ放出されるため，その場合は生産培養後の培地を回収することでウイルスベクターが得られる。

　細胞溶解方法として，一般的に一定スケール以上ではTriton®X-100やTween®20など界面活性剤が広く使用されている。小量スケールにおいては複数の細胞溶解方法があるものの，その後スケールアップや変更の評価が実施されることを踏まえると，小量スケール段階から大量スケールで採用できる方法と同様の方法であらかじめ最適な条件を検討しておくことが望ましい。また細胞溶解を実施した場合，ハーベスト液には産生細胞に由来する核酸をはじめとした夾雑物が多量に含まれるため，ハーベスト液の粘度の上昇に伴う操作性の低下やウイルスベクター粒子への吸着や凝集形成を生じさせることにより，精製効率や回収率の低下などが懸念される[51]。これを防ぐために，核酸分解酵素処理等も併せて実施される。

（3）ダウンストリーム工程

　ウイルスベクター製造の精製工程で利用される技術は，バイオ医薬品のダウンストリーム工程と類似しており，細胞除去・清澄化工程，精製・ポリッシング工程，濃縮・脱塩工程，ろ過滅菌工程等がある。これらの工程からウイルスベクターの性質や培養工程の特徴を踏まえ，工程の必要性および実施可能性が考慮され選択される（**図14-Ⅲ-20**）[52]。なお，ウイルスベクターのタイプによっては，抗体医薬品製造で標準的に行われるウイルス不活化／除去の工程がいずれも採用できない場合がある。これは，LVベクター等のように一般的な不活化／除去工程の条件ではそのウイルスベクターの安定性が極めて悪い，あるいはそのウイルスベクターの粒子径がウイルスフィルター孔径より明らかに大きいといった技術的な理由によるものである。精製工程における管理が必要な事項については，"遺伝子治療用製品等の品質及び安全性の確保に関する指針"や後述の"遺伝子治療用製品の品質管理手法"を参照されたい。特に，工程由来不純物として留意すべきものとして，バイオ医薬品で求められる宿主由来タンパク質や宿

図14-Ⅲ-20　AAV/アデノウイルスのダウンストリーム工程の例

主由来核酸に加え，プラスミド由来DNAや核酸分解酵素等も考慮する必要がある。

①細胞除去・清澄化

　細胞除去・清澄化工程において選択される技術は，その上流の培養工程に採用された手法によって異なる。考慮するべき点は，培養方法の違い（接着細胞培養法または浮遊細胞培養法），細胞溶解工程の有無およびプラスミド使用の有無等を踏まえ，ハーベスト液に含まれる可能性がある工程由来不純物の質や量を想定することが重要となる。培養方法の違いによる工程由来不純物の違いとして，接着細胞培養では産生細胞の細胞片や由来する夾雑物を培地交換等により除去できるため工程由来不純物の低減化が期待できる[53]。AAVベクターを例とした場合，接着細胞培養法を用い，細胞溶解工程を実施しないケースが最も不純物が少なく，浮遊細胞培養法を用いて細胞溶解を実施するケースが最も不純物が多いと推察される。細胞除去・清澄化工程は，一般的にはデプスフィルター等によるデッドエンドろ過方式とホローファイバーや限外ろ過膜によるクロスフロー方式のいずれか，もしくは組み合わせによって実施される。産生細胞の細胞片や細胞夾雑物の除去には，バイオ医薬品と同様の手法が採用できる。一方で清澄化工程については，バイオ医薬品の製造で一般的に使われている電位吸着能を有するフィルターは，ウイルスベクターも吸着するため回収率の低下が懸念される。そのため，電位吸着能を有しないデプスフィルター等を選択することが重要である。この際，留意すべき点として，デプスフィルターで除去できない不純物が，次工程のクロマトグラフィー工程に流入し期待される分離能を阻害するとする報告があり[54]，そのような阻害が見られた場合には不純物の除去能を再検討する必要がある。また，LVベクター等ではシェアストレスによるウイルスベクター力価低下のリスクにも留意する必要がある。デッドエンド方式では孔径の大きいタイプを用い

実施することや，クロスフロー方式では循環流速を最適化することで圧力をかけずにプロセスを実施すること等，ウイルスベクター力価の低下を防ぐ方法を採用する必要がある[55, 56]。

② 精製・ポリッシング

　研究開発段階でのウイルスベクターの精製方法としては，一般的に多くの場合，密度勾配超遠心法が利用されている。しかし，前述のように商用生産に向けてスケールアップを検討する際，スケーラビリティや作業性，コスト等の課題から密度勾配超遠心法の採用が難しい場合が多い。その場合には代替技術としてクロマトグラフィー法が採用されている。クロマトグラフィーを用いる利点としては，スケーラビリティがあること，コスト削減が期待できることが示されている[57]。最も広く利用されているのが，ウイルス粒子の表面荷電を利用したイオン交換クロマトグラフィーである。メンブレンクロマトグラフィーやモノリスカラムなど，ウイルスベクター精製に適したデバイスが利用できることが利点であり，陽イオン交換クロマトグラフィーと陰イオン交換クロマトグラフィーの2ステップで実施する方法が提案されている[58]。また，AAVベクターの製造においては，目的とするDNAを内包するいわゆるFull particles以外にも，DNAを含まないEmpty particlesをはじめとした不完全なウイルス粒子が大量に産生されることが知られている[59]。また，不完全なウイルス粒子のなかには，欠失等により期待する長さとは異なる不完全なDNAが内包されたもの，トランスフェクションに使用したプラスミドベクターまたは宿主細胞に由来する不要な核酸が混入したものも産生される。さらには，ウイルスの凝集体もある。これらの不完全なウイルス粒子の管理について，現在，最終製品で許容される基準等に関し明確な規制は示されていないが，目的物質由来不純物となり得るため，患者へ投与するウイルス粒子量の低減のためにも不完全なウイルス粒子は除去することが望ましい。イオン交換クロマトグラフィーによる精製法はEmpty particlesを除去できる数少ない方法である[60]。AAVの表面荷電はベクターの種類や挿入されている目的遺伝子の長さなどでも異なり，Empty particlesの除去は表面荷電のわずかな違いによって分離できるものの，分離条件の最適化には課題も多く，その最適な分離条件の設定にはより詳細な検討が必要になるであろう。一方，不完全なDNAを包含するウイルス粒子，プラスミドベクターや宿主細胞由来の不要な核酸が混入したウイルス粒子，あるいはウイルスの凝集体は，遠心分離における沈降挙動が変化するため，この特性に着目した解析は可能であるものの，効率的に分離する有効な精製方法は現在までに確立されていない。LVベクター等をイオン交換クロマトグラフィーで精製する場合，高塩濃度の溶出バッファーによる失活が問題となる。これを避けるために，溶出後すぐに希釈する工程を導入することが必要であろう。

　近年AAVに関しては，一部のセロタイプに対してGMP製造用のアフィニティークロマトグラフィー用担体が市販されている[61, 62]。これを精製工程に使用することで，効率的な不純物の除去やウイルス安全性の確保のほか，回収率の改善やコストの削減が可能になる等が考えられ，その効果には大きな期待が持たれている[63]。一方で，遊離リガンド除去のために次工程にポリッシング工程を設定する必要があること，さらにその工程における残留遊離リガンドの除去効率の工程評価を検討する必要があることに留意されたい。また，Empty particlesはアフィニティークロマトグラフィーでは除去できないため，この点においても次工程にポリッシング

工程の設定が必須となるであろう。

最終のポリッシング工程においては，サイズ排除クロマトグラフィーを採用している例もみられる。方法の特徴として，穏和かつ担体との結合を必要としない条件で実施できることからウイルスベクターの失活を防ぐことができることが利点となる[64]。一方，その条件では流速が遅くなるためスケールアップに適さない点，工程中で希釈されるためその後の工程に濃縮工程を追加設定する必要がある点等の課題が考えられ，ポリッシング工程として採用する際には商用生産でも対応可能か否かを事前に検討しておくことが重要であろう[65]。

③濃縮・脱塩

濃縮・脱塩工程は，ダウンストリーム工程のいくつかのタイミングで設定される。GMP製造で広く利用されている方法として，超遠心分離と比較して濃縮効率は劣るものの，処理量の観点からホローファイバーや限外ろ過膜によるクロスフロー方式も利用される。市販されているさまざまな分画分子量(MWCO)や膜材質，膜面積のものが利用でき，ウイルスベクターや工程に合った膜が選択可能である。また稼動条件を最適化することで，物理的なシェアストレスを低減し，必要に応じて不純物の除去を行うことも可能である[66]。

④ウイルス除去・ろ過滅菌

遺伝子治療用製品等においても，その他のバイオ医薬品と同様に，ウイルス安全性の確保についてはICH Q5Aガイドラインに準じて安全性を評価することが求められている[27]。バイオ医薬品のウイルス安全性の確保に関しては，第8章「生物医薬品のウイルス安全性」を参照されたい。バイオ医薬品の製造においては，ウイルス不活化／除去工程として，低pHによる不活化やウイルスフィルターを用いたウイルス除去が広く利用されているが，ウイルスベクターの製造では活性を有したウイルスが目的物質であるため，その工程におけるウイルスベクターの安定性に依存し採用できるウイルス不活化／除去の手法は制限される。したがって，ヒトに対して感染性や病原性を示すウイルスの迷入・混入のリスク管理については慎重に対応する必要がある。特に，エンベロープを有するようなRVベクターやLVベクター，ヘルペスウイルスやワクシニアウイルスを用いたウイルスベクターの場合では，バイオ医薬品と同じレベルのウイルス不活化／除去工程を行えばウイルスベクター自体が容易に失活するため，ウイルスベクターの活性に影響しないウイルス不活化／除去方法を採用する必要がある。一方，AAVベクターの製造技術のなかにはAAV産生のためにヘルパーウイルスやバキュロウイルス等を用いる場合がある。このように意図的に工程でウイルスが使用される場合にはそれらのウイルスを確実に不活化／除去する必要がある。1例として，Glybera®では，公称孔径が30〜70 nmのウイルスフィルターを用いたバキュロウイルスの除去方法を報告している[67,68]。

ろ過滅菌工程では，ウイルスベクターのサイズによって回収率が著しく低下する可能性があるため，この点を考慮する必要がある。AAVはサイズが約25 nmと小さく，比較的容易にろ過滅菌をすることが可能であるが，LVベクターはサイズが約120 nmと大きく，条件によって回収率は80〜90％減少する可能性も指摘されている[69]。

(4) 封じ込めの対応

遺伝子治療用製品等の製造では，使用する病原体または遺伝子組換え微生物・ウイルスに対し，製造と品質管理に従事する職員の安全性を確保し，外部環境への拡散防止措置が適切に講じられなければならない。また，以下の法令，通知，細則が参考となる。

- 実験室バイオセーフティ指針（WHO第3版）[70]
  （https://www.who.int/csr/resources/publications/biosafety/Biosafety3_j.pdf）
- バイオリスクマネジメント実験施設バイオセキュリティガイダンス（WHO/CDC/EPR/2006.6）[71]
  （https://apps.who.int/iris/bitstream/handle/10665/69390/WHO_CDS_EPR_2006.6_jpn.pdf）
- 遺伝子組換え生物等の第二種使用等のうち産業上の使用等に当たって執るべき拡散防止措置等を定める省令[72]
- 遺伝子組換え微生物の使用等による医薬品等の製造における拡散防止措置等について（平成16年2月19日付け薬食発第0219011）[73]

使用する病原体または遺伝子組換え微生物・ウイルスに対し，使用する微生物・ウイルスの病原性の程度によりバイオセーフティレベル（BSL）を定め，それに対応する物理的封じ込め，安全機器，感染保護具，作業手順を設定し，製造と品質管理業務を行う必要がある点に留意されたい。

(5) 今後の期待

遺伝子治療分野が継続して成長をしていくために解決すべき重要な事項の1つに高額な治療費の課題がある。ウイルスベクター製造が，その他のバイオ医薬品と比較しても高コストであることも要因の1つとされている。遺伝子治療用製品等は，パイプライン数や必要となるウイルス量がこの数年で急増しているものの，ウイルスベクターのGMP製造を目的とした技術はなお発展途上にある。現状ではバイオ医薬品製造で用いられている技術が多く利用されてはいるが，同様にウイルスを扱うという観点から一部ワクチン製造での経験も利用されており，必ずしもウイルスベクターの製造に最適化された標準的技術が確立されていない現状も，コスト増の一因である。

標準化あるいは技術向上の観点から改善すべき点は多く，上流工程では遺伝子導入効率の向上によるプラスミド使用量の低減化や，最終的にはプラスミドを使用しない方法の一般化が望まれる。またウイルスベクターを改良することで感染効率の向上や遺伝子発現量の増大等の改善がされれば，1回の投与量を低減することも可能となり，製造スケールの大型化を回避することも期待できる。また下流工程においては，抗体医薬品製造で検討されている連続生産の技術を応用することでコストの低減化が期待されており，マルチカラムクロマトグラフィーシステム化されたアフィニティークロマトグラフィー技術の適用可能性が検討されている[74]。さらに，AAVベクター用のアフィニティークロマトグラフィー用担体のように，市場の成長に伴いウイルスベクターに特化した精製技術が増えてくることにも今後期待したい。

ここで示したウイルスベクターの製造技術は，2020年時点で広く利用されている技術ではあるが，遺伝子治療分野の急速な成長を背景に，ウイルスベクター製造においても次々と技術革新が進んでいくと予測される。そのため，開発者側は継続的な情報収集を行い，遺伝子治療用製品等で利用可能な技術を随時検討・評価していくことで，今後より効率的で合理的なウイルスベクター製造が実現できるようになることが期待される。

5. 遺伝子治療用製品の品質管理手法

遺伝子治療用製品の品質管理については，各規制当局から品質・特性に関する指針が発出されている。前項で述べた通り，わが国でも「遺伝子治療用製品等の品質及び安全性の確保」として令和元年7月9日に通知が発出された[27]。また，FDAでは遺伝子治療用製品のCMCに関するガイダンスが2020年1月に発出された[28]。

本項では，これらを参考に，遺伝子治療用製品であるウイルスベクターの特性解析および品質管理の手法について概説したい。

（1） 出発原料の特性解析および品質管理

①ウイルスベクターの情報

ウイルスベクターの構造については，ウイルスカプシドおよびエンベロープ構造についての情報をもとに，これらの構造に対する改変点（例えば，抗体結合部位またはトロピズム指向性の改変）について情報を示す。ベクターの生物物理学的な特性（分子量，粒子サイズなど）や生化学的特性（例えば，グリコシル化部位など）を示す。

ウイルスベクターのゲノムの性質については一本鎖，二本鎖，または自己相補性，DNAまたはRNA，および粒子あたりのゲノムのコピー数を記述する必要がある。

ウイルスベクターの構造的な特徴が遺伝子治療用製品の安全性に影響することが知られていることから，遺伝子配列の解析については慎重に評価を行う必要がある。ゲノム情報については，目的遺伝子の配列，フランキング領域（目的産物をコードする塩基配列の5'および3'両端に隣接する非コード領域）・プロモータ・エンハンサーの配列，ウイルスベクターの全塩基配列，制限酵素マップ，標的細胞での発現・持続性の評価，標的細胞以外での発現の有無を評価する。

②各種のバンクについて（セルバンク／ウイルスバンク）

ウイルスベクターの製造に用いる細胞基材（パッケージング細胞，ウイルスベクター産生細胞，フィーダー細胞等）およびプラスミド等の作製に用いる細胞基材，ならびにシードウイルスおよびヘルパーウイルスについては，最終製品の品質上の恒常性を確保するためにもバンクシステムを用いることが望ましい。バンクシステムの作製，特性解析，管理方法は，ICH Q5B[75]およびICH Q5D[76]のガイドラインを参考に実施する。またICH Q5A[77]ガイドラインに準じてウイルス安全性評価を実施する。

1）プラスミドベクター用セルバンク

　　プラスミドベクターを製造するためのセルバンク（例えば大腸菌など）に関しては，宿主細胞の確認，目的配列，制限酵素マップ，プラスミド配列，生菌数（生細胞数），無菌，純度試験を実施する。これらのセルバンクから得られたプラスミドベクターについては品質試験として目的配列の確認，エンドトキシン，バイオバーデン等を評価する。

2）ウイルスベクター製造用セルバンク
　　i）特性解析

　　　　Tumorigenic sequenceの有無，細胞の起源，同定，内在性ウイルス粒子および導入遺伝子があればその配列を確認する。レトロウイルス由来以外のウイルスベクターを製造する場合，マスターセルバンクまたはワーキングセルバンクについてレトロウイルスの混入の有無を逆転写酵素試験，電子顕微鏡観察等により確認する。

　　　　アデノウイルスベクターを含む一部のベクターの場合，大量の非ウイルスベクターDNA（例えば，プラスミドDNA，ヘルパーウイルス配列，宿主細胞由来DNA）をパッケージングすることからリスク評価の上で産生用細胞を選定し使用する。また複製能を持たないウイルスベクターでは，増殖可能なウイルス（RCV）が存在しないことを，必要に応じて最終製品で評価する。

　　ii）純度試験

　　　　無菌試験，マイコプラズマ否定試験，*in vitro*ウイルス否定試験などを実施する。

3）ウイルスバンク
　　i）純度試験

　　　　少なくとも無菌試験，マイコプラズマ否定試験，迷入ウイルスに対する試験，増殖性ウイルスの否定試験を実施する。その他，ウイルス安全性に係わるリスクを明らかにした上で，ウイルスバンクの管理において試験を実施する。

　　ii）ウイルス（否定）試験の項目の設定

　　　　レトロウイルス由来以外のウイルスベクターを製造する場合は，マスターウイルスバンクまたはワーキングウイルスバンクについてレトロウイルスの混入の有無を，逆転写酵素活性試験，電子顕微鏡観察等により確認する。

　　　　複製能を持たないウイルスベクターではRCVが存在しないことを確認する。また，バンクのウイルス力価を評価する。

　　iii）その他

　　　　必要に応じて抗ウイルス薬に対する感受性の確保も必要となる（例えば，単純ヘルペスウイルスに対するガンシクロビルの感受性等）。

③ウイルスベクターの製造に用いる原料等

　使用する培地については，培地成分および血清，成長因子，抗菌剤・抗真菌剤等の添加する原料等も含め，製造に用いるすべての原料および材料を明らかにする。また，それらの原料お

よび材料が，製造のどの工程で使用されるかを明らかにしておく。

ヒト・動物由来成分を含む原料等を使用する場合は，含まれるすべての生物由来成分に対し生物由来原料基準への適合性に問題がないことを明らかにする。生物由来原料等の例としては，FBSやブタトリプシン，ヒト血漿由来トランスフェリン，ヒトアルブミン，アフィニティークロマトグラフィー基材などがあげられる。表14-Ⅲ-10に代表的な生物由来原料等とその安全性評価の一例を示す。

表14-Ⅲ-10 代表的な生物由来原料等とその安全性評価の例

	安全性評価の一例
FBS	産地（ニュージーランド，オーストラリア等），ガンマ線照射，9 CFRに従ったウシウイルス試験
トリプシン	低pH処理，9 CFRに従ったブタウイルス試験，ブタサーコウイルス否定試験

（2） 感染性因子に対する試験

原料等，セルバンク，ウイルスバンクおよび未精製バルク，重要中間体および最終製品等に対し広範にリスク分析を行い，バンクシステム，工程内管理試験，重要中間体または最終製品の適切な段階で妥当な管理方法を設定する。

①未加工バルクにおける安全性

培養終了後のプールや未精製バルクについては，無菌性，マイコプラズマ否定試験，*in vitro* ウイルスアッセイ等を実施し，感染性因子に対する試験を実施する。ウイルス試験については，ヒト由来の細胞を用いてウイルスベクターを製造する場合には，特にヒトに対して感染性や病原性を示す可能性のあるウイルスに対する試験を実施する。たとえばAdVベクターをHEK293細胞で製造する場合は，AdV，AAV等，ヒトに対して感染性や病原性を示す可能性のあるウイルスの試験を追加する。

また複製能を持たないウイルスベクターの場合はRCV試験を実施する。

②精製バルクの安全性

精製バルク（あるいは原薬）においてはバイオバーデンやエンドトキシン試験を実施する。また複製能を持たないウイルスベクターの場合はRCV試験を実施する。

③工程のウイルスクリアランススタディ

精製工程では，ICH Q5Aを参考に，モデルウイルスを用いたウイルスクリアランス試験を実施し，工程のウイルスクリアランス能を評価する。

（3） 特性解析

各々のウイルスベクター製品の特徴に応じた特性解析を実施し，構造，物理的化学的性質，生物学的性質，純度，不純物等の特性を明らかにする。これらをもとに，求められる品質を確保するための規格及び試験方法を設定する。

①不純物の特定
1) 目的物質由来不純物
Non-functional forms of the vector, 空ウイルス粒子, 凝集体, RCV, different forms of plasmidなどを特定する。
2) 製造工程由来不純物
プラスミド由来DNA, 宿主細胞由来DNA, HCP, 原料または材料由来等の不純物を特定し, 工程でのクリアランスや原薬での残存量を規定する。特に腫瘍由来細胞, 腫瘍表現型細胞などでは, 特定の遺伝子配列の混入や長いDNA断片の混入を制御する必要がある。

②製品に対する特性解析
ウイルスベクターゲノム配列, 含量(ゲノムコピー数・感染価), 粒子数(感染／非感染)または粒子数(空の粒子／ゲノムを含む粒子), プラスミドベクターの場合は核酸量, 力価(*in vitro*での目的物質の発現, *in vivo*アッセイでの力価), 感染力価, RCV, その他製剤に関する評価(pH, 浸透圧, プラスミド由来DNA, 宿主由来DNA, HCP, 無菌, エンドトキシン)などを明確にする。

(4) 規格試験

①原薬の規格
特性解析の結果, 製品ごとに適切な項目を各々設定する。一例として以下のようなものがあげられる。

含量および定量法, 性状(外観, 乳白色), pH, 浸透圧, 確認試験(PCR), 純度試験(SDS-PAGE), 不完全性粒子, ウイルス粒子数, 比活性, 製造工程由来不純物, プラスミド由来DNA, 宿主細胞由来DNA(特に293T細胞ではアデノウイルスE1およびSV40 Large T抗原配列が重要である。またHela細胞ではE6／E7遺伝子配列の定量が求められる), HCP, RCV, 安全性(バイオバーデン, マイコプラズマ, 外来性感染性因子の否定等)。

②製剤の規格
原薬と同様に, 各々の製品ごとに適切な項目を設定する。一例として以下のようなものがあげられる。

性状(外観, opalescence), pH, 浸透圧, 確認試験(PCR), 純度試験(SDS-PAGE), 不完全性粒子, ウイルス粒子数, 比活性, エンドトキシン, 製造工程由来不純物, プラスミド由来DNA, 宿主細胞由来DNA, HCP, RCV, 無菌, 力価(*in vivo*, *in vitro*), 不溶性異物, 不溶性微粒子, 含量および定量法。

(5) ゾルゲンスマ®の例

脊髄性筋萎縮症(SMA)に対する遺伝子治療用製品として, 2020年2月にわが国で製造販売承認(同年5月に薬価収載)されたゾルゲンスマ®の審査報告書[42]や欧州でのゾルゲンスマ®のpublic-assessment-report[44]およびGMO Environment Risk Assessment[79]が公開されている。

これらに記載されている内容は特性解析・品質管理の手法を考察する上で理解の一助となるため，製造工程および品質管理等について以下に紹介したい。

①ゾルゲンスマ®の製造工程

ゾルゲンスマ®の製造工程は，審査報告書やPublic-assessment-report，GMO Environment Risk Assessmentにおいて公開された情報から図14-Ⅲ-21に示すようなフローであると考えら

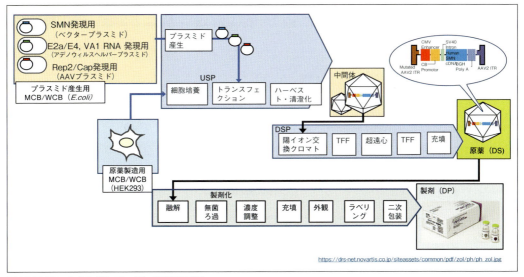

図14-Ⅲ-21　「ゾルゲンスマ®」の製造工程
https://drs-net.novartis.co.jp/siteassets/common/pdf/zol/ph/ph_zol.jpg
※公開されている審査報告書等から読み取れる（推測される）情報を転記

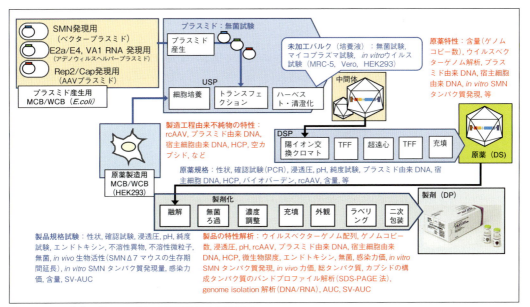

図14-Ⅲ-22　「ゾルゲンスマ®」の品質特性と規格試験
※公開されている審査報告書等から読み取れる（推測される）情報を転記

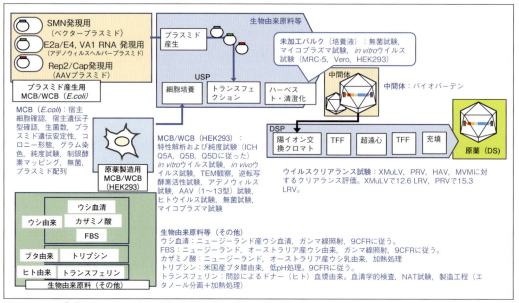

図14-Ⅲ-23 「ゾルゲンスマ®」の生物由来原料と外来性感染性因子への対応
※公開されている審査報告書等から読み取れる(推測される)情報を転記

れる。ゾルゲンスマ®は3種のプラスミドをHEK293にトランスフェクションし，AAV9カプシド(SMN遺伝子の遺伝子発現カセットを含む)を産生させる。産生されたウイルスカプシドは，クロマトグラフィー，タンジェンシャルフローろ過(TFF)，密度勾配超遠心などの精製工程を経て原薬が調製される。審査報告書から，ウイルスクリアランス能が評価された精製工程として3つの工程があげられているが，具体的な工程名は非公開とされた。

②特性解析および品質管理について

公開された情報から，特性解析と品質管理に関して**図14-Ⅲ-22**に，外来性感染性因子の管理について**図14-Ⅲ-23**にまとめた。品質管理については主に下記1)〜12)のポイントがあげられる。

1) プラスミドベクター産生用細胞基材(大腸菌)の構築と管理
2) プラスミドベクターの管理
3) 原薬製造用細胞基材(HEK293細胞)の構築と管理
4) 生物由来原料等の外来性感染性物質の安全性評価(FBS，ヒト血漿由来トランスフェリン，ブタ膵臓由来トリプシン，ウシ乳由来カザミノ酸)
5) 未加工バルク，上流工程終了後の中間体に関する外来性感染性物質の管理
6) 精製工程のモデルウイルス(XMuLV，PRV，HAV，MVM)を用いたウイルスクリアランス試験(XMuLVで12.61，PRVで15.31のLRVが確保，HAVとMVMでのLRVは1〜2程度)
7) 原薬に対する特性解析として，ゲノムコピー数，ウイルスベクターゲノム解析，プラスミド由来DNA，宿主由来DNA，*in vitro* SMNタンパク質発現等が実施されている。

8) 製品に対する特性解析として，ウイルスベクターゲノム配列，ゲノムコピー数，浸透圧，pH，rcAAV，プラスミド由来DNA，宿主細胞由来DNA，HCP，微生物限度，エンドトキシン，無菌，感染力価 in vitro SMNタンパク質発現，in vivo 力価，総タンパク質，カプシドの構成タンパク質のバンドプロファイル解析（SDS-PAGE），genome isolation 解析（DNA/RNA），Analytical Ultracentrifugation（AUC）が実施されている。なお，EMAのPublic-assessment-reportにおいて，カプシドの構成タンパク質のバンドプロファイルに対するさらなる解析が求められるとともに，それらの製造ロットごとでの一貫性，製法変更での同等性／同質性についてさらなる評価が必要とされた。また，凝集体形成についても今後定量的な試験方法を確立し安定性モニタリング項目に含めることが必要とされた。
9) 目的物質関連物質／目的物質由来不純物の設定
10) 製造工程由来不純物の設定
11) 原薬の規格及び試験方法（性状，確認試験，浸透圧，pH，純度試験，不純物[*1]，プラスミド由来DNA，宿主細胞由来DNA，HCP，微生物限度，rcAAV，含量）

　　[*1] 審査報告書において詳細は非公開とされている。

12) 製剤の規格及び試験方法[*2]（性状，確認試験，浸透圧，pH，純度試験，不純物[*3]，Sedimentation Velocity Analytical Ultracentrifugation（SV-AUC），エンドトキシン，不溶性微粒子，不溶性異物，無菌，in vivo 生物活性（SMNΔ7マウスの生存期間延長），in vitro SMNタンパク質発現，感染力価，含量）

　　[*2] 審査報告書においていくつかの項目が非公開とされている
　　[*3] 審査報告書において詳細は非公開とされている

③ QbDの適用

ゾルゲンスマ®の原薬および製品の開発にはQbDの手法が適用され，品質管理戦略が構築された。

- CQAの特定：目的物質関連物質，目的物質由来不純物，製造工程由来不純物，製品化に関する品質特性について，開発で得られた情報，関連する知識に基づきCQAが特定された。CQAは，含量，感染力価，不純物，in vivo 生物活性，in vitro 生物活性，プラスミドDNA，宿主細胞由来DNA，HCP，rcAAV，エンドトキシン，バイオバーデン，ウイルス安全性，マイコプラズマ，浸透圧，pH，不溶性微粒子，不溶性異物および無菌とされた。なお，審査報告書においては，この他に一部の項目が非開示とされた。
- 工程への特性解析：CQAへの影響に基づくリスクアセスメントにより，工程パラメータが分類され，各工程の特性解析が実施された。
- 管理方法の策定：工程の特性解析を含む知識に基づき，工程パラメータの管理，工程内管理，規格及び試験方法の組み合わせによって，品質特性の管理を適切に行うための品質管理戦略が構築された。

■参考文献

1) 遺伝子治療等臨床研究に関する指針（平成27年厚生労働省告示第344号（平成31年8月12日最終改正））
2) W.-W. Zhang, et al. The first approved gene therapy product for cancer Ad-p53(Gendicine)：12 years in the clinic. Hum Gene Ther 29：160-179, 2018. DOI：10.1089/hum.2017.218
3) S. Ries, W.M. Korn. ONYX-015：mechanisms of action and clinical potential of a replication-selective adenovirus. Br J Cancer 86：5-11, 2002. DOI：10.1038/sj/bjc/6600006
4) E.M. Gordon, F.L. Hall. The 'timely' development of Rexin-G：First targeted injectable gene vector (Review). Int J Oncol 35：229-239, 2009. DOI：10.3892/ijo_00000332
5) R.V. Deev, et al. pCMV-vegf165 intramuscular gene transfer is an effective method of treatment for patients with chronic lower limb ischemia. J Cardiovasc Pharmacol Ther 20：473-482, 2015. doi：10.1177/1074248415574336
6) 菅原敬信. ウイルスの人工合成 第4回 – 遺伝子治療用ウイルスベクター. Pharm Tech Japan 34(10) 2173-2177, 2018
7) Assessment report of Glybera (http://www.ema.europa.eu/docs/en_GB/document_library/EPAR_-_Public_assessment_report/human/002145/WC500135476.pdf)
8) Leila Dias：Planova in the manufacturing of a gene therapy vector. 18th Planova Workshop, Athens, October 22-23 2015
9) Wilhelmus Theodorus Johannes, Maria Christiaan Hermens, James Patrick Smith：Removal of contaminating viruses from AAV preparations. EP2744895B1
10) Masashi Urabe, Chuantian Ding, Robert M. Kotin：Insect cells as a factory to produce adeno-associated virus type 2 vectors. Human Gene Therapy, 13：1935-1943, 2002
11) John R Burnett, Amanda J Hooper：Alipogene tiparvovec, an adeno-associated virus encoding the Ser447X variant of the human lipoprotein lipase gene for the treatment of patients with lipoprotein lipase deficiency, Current Opinion in Molecular Therapeutics, 11：681-691 (2009)
12) Seppo Ylä-Herttuala：Glybera's Second Act：The Curtain Rises on the High Cost of Therapy. Molecular Therapy, 23：217-218, 2015
13) Melanie Senior. After Glybera's withdrawal, what's next for gene therapy? Nature Biotechnology 35：491-492, 2017
14) CMC review of Imlygic (http://www.fda.gov/downloads/BiologicsBloodVaccines/CellularGeneTherapyProducts/ApprovedProducts/UCM473185.pdf)
15) ICH Considerations, Oncolytic Virus, Sept. 17, 2009 (http://www.ich.org/fileadmin/Public_Web_Site/ICH_Products/Consideration_documents/GTDG_Considerations_Documents/ICH_Considerations_Oncolytic_Viruses_rev_Sep_17_09.pdf)
16) Michiko Tanaka., Hiroyuki Kagawa, Yuji Yamanashi, et al.：Construction of an excisable bacterial artificial chromosome containing a full-length infectious clone of herpes simplex virus type 1：Viruses reconstituted from the clone exhibit wild-type properties in vitro and *in vivo*. J. Virology, 77：1382-1391, 2003
17) Six E., Gandemer V., Magnani A., Nobles C., Everett, J., et al. (2017). LMO2 Associated Clonal T Cell Proliferation 15 Years After Gamma-Retrovirus Mediated Gene Therapy for SCIDX1. In 20th ASGCT Annual Meeting (Washington, DC).
18) Draft Guideline on safety and efficacy follow-up and risk management of advanced therapy medicinal products. EMEA/149995/2008 rev.1, 25 January 2018 (http://www.ema.europa.eu/docs/en_GB/document_library/Scientific_guideline/2018/02/WC500242959.pdf)
19) Heide Stirnadel-Farrant, Mahesh Kudari, Nadia Garman, Jessica Imrie, Bikramjit Chopra, et al. Gene therapy in rare diseases：the benefits and challenges of developing a patientcentric registry for Strimvelis in ADA-SCID. Orphanet J. Rare Dis. 13：49, 2018
20) Bruce L. Levine, James Miskin, Keith Wonnacott, and Christopher Keir. Global Manufacturing of CAR T Cell Therapy. Molecular Therapy Methods & Clinical Development 4：92-101, 2017
21) BLA Clinical Review Memorandum (https://www.fda.gov/downloads/BiologicsBloodVaccines/CellularGeneTherapyProducts/ApprovedProducts/UCM585388.pdf)
22) BLA Clinical Review Memorandum (https://www.fda.gov/downloads/BiologicsBloodVaccines/CellularGeneTherapyProducts/ApprovedProducts/UCM592766.pdf)
23) J. Fraser Wright, Jennifer Wellman and Katherine A. High. Manufacturing and Regulatory Strategies for Clinical AAV2-hRPE65. Curr. Gene Ther. 10：341-349, 201024) 医薬品，医療機器等の品質，有効性及び安全性の確保等に関する法律（昭和35年法律第145号（平成25年法律第84号・改称））
25) 「遺伝子治療用医薬品における確認申請制度の廃止について」（平成25年7月1日付け薬食発0701第13号厚生労働省医薬食品局長通知）
26) 「遺伝子治療用医薬品の品質及び安全性の確保について」（平成25年7月1日付け薬食審査発0701第4号厚生労働省医薬食品局審査管理課長通知）

27) 「遺伝子治療用製品等の品質及び安全性の確保について」（令和元年7月9日付け薬生機審発0709第2号厚生労働省医薬・生活衛生局医療機器審査管理課長通知）
28) CMC Information for Human Gene Therapy IND Applications, Guidance for Industry, FDA　CBER, January 2020
29) Guideline on the quality, non-clinical and clinical aspects of gene therapy medicinal products, EMA, 22 March 2018
30) 島田隆 医学と薬学　第76巻第8号2019年8月
31) R. Michael Blaese et al. T Lymphocyte-directed gene therapy for ADA-SCID：initial trial results after 4 years. Scinence 270(5235)：475-480, 1995.
32) Wilson J lesson learned　from the gene therapy trial for ornithine transcarbamylase deficiency. Mol Genet Metab 96(4)：151-157,2009.
33) Haceine-Bey-Abina S, von Kalle C, Schmidt M et al：A serious adverse event after successful gene therapy for X-linked severe combined immunodeficiency. N Engl J　Med 348(3)：255-256, 2003.
34) Key Considerations in Gene Therapy Manufacturing for Commercialization. 2018 The Cell Culture Dish, Inc.
35) Gene therapy Net.com
http://www.genetherapynet.com/viral-vectors.html
36) The New York Times "This New Treatment Could Save the Lives of Babies. But It Costs ＄2.1 Million" May 24, 2019
37) Novartis社資料 "Zolgensma® & Piqray® FDA approvals" May 27, 2019 https://www.novartis.com/sites/www.novartis.com/files/2019-05-novartis-presentation-zolgensma-piqray-fda-approval.pdf
38) "Spark Therapeutics Announces First-of-their-kind Programs to Improve Patient Access to LUXTURNA™(voretigene neparvovec-rzyl), a One-time Gene Therapy Treatment" Spark Therapeutics社ホームページより
39) "Spark Therapeutics Reports 2018 Financial Results and Recent Business Progress" Spark Therapeutics社ホームページより
40) Forbes "Non-Profit Says ＄850,000 Gene Therapy Is At Least Twice As Expensive As It Should Be" Jan 12, 2018
41) Packaging insert. https://www.fda.gov/media/109906/download
42) ゾルゲンスマ®点滴静注　審査結果報告書（令和2年2月26日）
43) J. Fraser Wright, Jennifer Wellman and Katherine A. High. Manufacturing and Regulatory Strategies for Clinical AAV2-hRPE65. Curr. Gene Ther. 10：341-349, 2010
44) EUROPEAN MEDICINE AGENCY Assessment report：Zolgensma®(Procedure No. EMEA/H/C/004750/0000, 26 March 2020) https://www.ema.europa.eu/en/documents/assessment-report/zolgensma-epar-public-assessment-report_en.pdf
45) current gene therapy 10(6)：423-36
46) Tomas HA, Rodrigues AF, Carrondo MJT, et al. LentiPro26：novel stablecell lines for constitutive lentiviral vector production. Sci Rep.2018；8：111.
47) Evolution of culture systems for viral vector production：advantages, challenges and cost considerations. Cell & Gene Therapy Insights 2020；6(1), 225-231
48) https://bioprocessintl.com/bioprocess-insider/facilities-capacity/novartis-opens-its-largest-gene-therapy-plant-to-support-zolgensma/
49) Recent advances in the purfication of adeno-associated virus. Cell GeneTherapy Insights, 2016. 2(3)： p. 287-297.
50) Manceur AP, Kim H, Misic V, et al. Scalable lentiviral vector production using stable HEK293SF producer cell lines. Hum Gene Ther Methods. 2017；28：330339.
51) Cornerstone technology for purification of clinical-quality AAV：BPI Cell and Gene Therapy Conference, Boston, September 10, 2019
52) Downstream Manufacturing of Gene Therapy Vectors. 2019 The Cell Culture Dish, Inc.
53) Evolution of culture systems for viral vector production：advantages, challenges and cost considerations. Cell & Gene Therapy Insights 2020；6(1), 225-231
54) Cornerstone technology for purification of clinical-quality AAV：BPI Cell and Gene Therapy Conference, Boston, September 10, 2019
55) Geraerts, M., et al., Upscaling of lentiviral vector production by tangential flow filtration. J Gene Med, 2005. 7(10)：p. 1299-310.
56) Merten, O.W., et al., Large-scale manufacture and characterization of a lentiviral vector produced for clinical *ex vivo* gene therapy application. Hum Gene Ther, 2011. 22(3)：p. 343-56.
57) Zhao, M., et al., Affinity chromatography for vaccines manufacturing：Finally ready for prime time? Vaccine, 2018.

58) Merten, O.W., M. Hebben, and C. Bovolenta, Production of lentiviral vectors. Mol Ther Methods Clin Dev, 2016. 3: p. 16017.
59) Sommer, J.M., et al., Quantification of adeno-associated virus particles and empty capsids by optical density measurement. Mol Ther, 2003. 7(1): p. 122-8.
60) J. Fraser Wright, Product-Related Impurities in Clinical-Grade Recombinant AAV Vectors: Characterization and Risk Assessment, Biomedicines 2014, 2, 80-97
61) Okada, T., et al., Scalable purification of adeno-associated virus serotype 1 (AAV1) and AAV8 vectors, using dual ion-exchange adsorptive membranes. Hum Gene Ther, 2009. 20(9): p. 1013-21.
62) Healthcare, G., AVB Sepharose™ High Performance. Data file 28-9207-54 AB.
63) Development of purification steps for several AAV serotypes using POROS™ CaptureSelect™ AAVX affinity chromatography. Cell Gene Therapy Insights 2018;4(7), 637-645.
64) Merten, O.W., AAV vector production: state of the art developments and remaining challenges. Cell GeneTherapy Insights, 2016. 2(5): p. 521-551.
65) Rodrigues, T., et al., Purification of retroviral vectors for clinical application: biological implications and technological challenges. J Biotechnol, 2007. 127(3): p. 520-41.
66) Transfiguracion, J., et al., Size-exclusion chromatography purification of high-titer vesicular stomatitis virus G glycoprotein-pseudotyped retrovectors for cell and gene therapy applications. Hum Gene Ther, 2003. 14(12): p. 1139-53.
67) Potter, M., et al., Streamlined large-scale production of recombinant adeno-associated virus (rAAV) vectors. Methods Enzymol, 2002. 346: p. 413-30
68) Leila Dias: Planova in the manufacturing of a gene therapy vector. 18th Planova Workshop, Athens, October 22-23 2015
69) Wilhelmus Theodorus Johannes, Maria Christiaan Hermens, James Patrick Smith: Removal of contaminating viruses from AAV preparations. EP2744895B1
70) Room for improvement: tackling suboptimal downstream process unit operations for viral vectors. Cell & Gene Therapy Insights 2019;5(S2), 165-176
71) Laboratory biosafety manual (3rd edition, World Health Organization, Geneva, 2004) (https://www.who.int/csr/resources/publications/biosafety/Biosafety3_j.pdf)
72) Biorisk management Laboratory biosecurity guidance (WHO/CDS/EPR/2006.6, September, 2006) (https://apps.who.int/iris/bitstream/handle/10665/69390/WHO_CDS_EPR_2006.6_jpn.pdf;jsessionid=3B2DC62F1125F3F31C48BCB84F16C840?sequence=2)
73) 遺伝子組換え生物等の第二種使用等のうち産業上の使用等に当たって執るべき拡散防止措置等を定める省令（平成16年財務・厚生労働・農林水産・経済産業・環境省令第1号）
74) 「遺伝子組換え微生物の使用等による医薬品等の製造における拡散防止措置等について」（平成16年2月19日付け厚生労働省医薬食品局長通知薬食発第0219011号厚生労働省医薬食品局長通知）
75) Silva, R., et al., Improving the downstream processing of vaccine and gene therapy vectors. Pharm. Bioprocess., 2015. 3(8): p. 489-505.
76) 「組換えDNA技術を応用したタンパク質生産に用いる細胞中の遺伝子発現構成体の分析」（平成10年1月6日付け医薬品第3号厚生省医薬安全局審査管理課長通知）
77) 「生物薬品（バイオテクノロジー応用医薬品／生物起源由来医薬品）製造用細胞基剤の由来，調製及び特性解析」（平成12年7月14日付け医薬審第873号厚生省医薬安全局審査管理課長通知）
78) 「ヒト又は動物細胞株を用いて製造されるバイオテクノロジー応用医薬品のウイルス安全性評価」（平成12年2月22日付け医薬審第329号厚生省医薬安全局審査管理課長通知）
79) AVXS-101 (onasemnogene abeparvovec) GMO Environmental Risk Assessment http://www.epa.ie/pubs/reports/gmo/gene%20therapy%20administration%20under%20managed%20access%20p/EU%20Environmental%20Risk%20Assessment%20AVXS-101.pdf

Ⅳ　規制制度

1.　遺伝子組換え生物等の使用等の規制による生物の多様性の確保に関する法律（カルタヘナ法）の概要

　いわゆる遺伝子組換え技術により異なる分類学上の種または属の核酸を有する遺伝子改変ウイルスを医薬品等として開発する場合，その研究，製造，治験の実施においては，遺伝子組換

え生物等の使用等の規制による生物の多様性の確保に関する法律(カルタヘナ法)への遵守が求められる。本項では，カルタヘナ法規制について概要を解説する。

(1) カルタヘナ法とは

地球上の生物の多様性の保全と持続可能な利用などを目的として制定・締結された「生物多様性条約」に基づき，遺伝子組換え生物(LMO)の国境を越える移動に関するルールを定めたカルタヘナ議定書が採択され，2003年に発効された(カルタヘナとは1999年に議定書の議論が行われたコロンビアの都市名である)。生物多様性条約の締結国または締結地域は，2018年12月現在，196の国または地域(米国は非締結)となっている(https://www.cbd.int/information/parties.shtml)。

このカルタヘナ議定書の設定を踏まえ，日本国内での円滑な運用を図ることを目的に，国内法として「遺伝子組換え生物等の使用等の規制による生物の多様性の確保に関する法律」(カルタヘナ法)が2004年(平成16年)2月に施行された[1]。このカルタヘナ法により，作出された遺伝子組換え生物等が生物多様性に影響を及ぼすおそれがあるかどうかについて事前に審査することや，それらの遺伝子組換え生物等の適切な使用規程を個々に定めること等に関する枠組みが定められるとともに，未承認の遺伝子組換え生物等の輸入の可否を検査する仕組みや輸出の際の相手国への情報提供の方法等についても定められた。カルタヘナ法規制の体系図について，図14-IV-1に示す。

なお，医薬品として承認されている遺伝子組換え生物等に対する生物多様性条約上の取扱いとして，国境を越える移動の際の事務手続きに関しては対象外とされている。これは，「国際間で流通する医薬品の品質に関する証明制度(WHO Certification Scheme on the Quality of

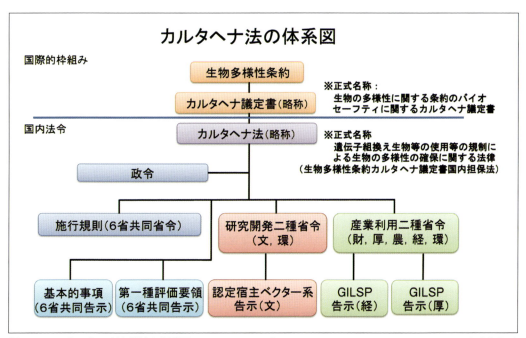

図14-IV-1　カルタヘナ法規制の体系図　　　(https://www.pmda.go.jp/files/000226414.pdfより改変引用)

Pharmaceutical Moving in International Commerce)」によりすでに同様の規定がされており，手続きの重複を避けるため生物多様性条約の対象外とされたことによるものである。一方で，海外で承認された医薬品であっても，日本国内においてはカルタヘナ法規制の対象となり，ヒトへの投与や国内での製造等における使用等については法規制を遵守した使用が求められる。この点は，制度が複雑であり誤解も多いところであるため特に注意したい点である。

(2) 遺伝子組換え生物等とは

　カルタヘナ法上における「生物」の定義は，通常の生物学で言うところ「生物」とは異なり核酸を移転しまたは複製する能力を有する細胞または細胞群，ウイルスおよびウイロイドとされている。さらに，この生物のうち，「遺伝子組換え生物等」は，細胞外において核酸を加工する技術や異なる分類学上の科に属する生物の細胞を融合する技術の利用により得られた核酸やその複製物を有する生物を指す。産業利用二種省令[2]においては遺伝子組換え生物等を，遺伝子組換え微生物（菌界に属する生物（きのこ類を除く），原生生物界に属する生物，原核生物界に属する生物，ウイルスおよびウイロイド），遺伝子組換え動物（動物界に属する生物）および遺伝子組換え植物等（植物界に属する生物，菌界生物（きのこ類に限る））として規定している。

　一方，遺伝子組換え技術の利用により得られた核酸を有する生物であっても，カルタヘナ法上の生物または遺伝子組換え生物等に該当しないものもある。これは，カルタヘナ法施行規則[3]において規定されており，「ヒトの細胞等」や「分化能を有する，又は分化した細胞等（個体及び配偶子を除く）であって，自然条件において個体に成育しないもの」は，カルタヘナ法上の生物の定義にある「細胞又は細胞群」には該当しない。また，遺伝子組換え技術においても，同一分類学上の種に属する生物の核酸を加工する場合や自然条件において生物の属する分類学上の種との間で核酸を交換する種に属する生物の核酸を加工する場合（ウイルスおよびウイロイドの場合も同様の取扱い）には，遺伝子組換え生物等を得るための技術を利用したことには該当せず，カルタヘナ法上の「遺伝子組換え生物等」に当たらない。これは，いわゆるセルフクローニングやナチュラルオカレンスと言われるものが，カルタヘナ法規制から除外される理由である。参考までに**表14-IV-1**にカルタヘナ法上の生物の該当性の例示をまとめた。

　また昨今のゲノム編集技術の利用により得られた生物のカルタヘナ法上の該当性については，関連する通知等[4~6]が発出されており，最終的に得られた生物に細胞外で加工した核酸が含まれていないものはカルタヘナ法の規制の対象外とされた。ただし，その該当性の判断の妥当性やその生物の特徴および生物多様性に影響が生じる可能性の考察結果等について使用等に先立ち主務官庁に情報提供することが求められており，確実に対応する必要がある。ゲノム編集技術については，技術の進歩に規制が十分に追いついていないのが現状である。しかしながら，新しい技術を社会に実装していくためにはハードな規制があれば十分というわけではない。ゲノム編集技術における懸念や課題などを整理して，適切な規制の制度設計や運用が早期に行われることを期待したい。

(3) 遺伝子組換え生物等の使用等の形態

　カルタヘナ法では，遺伝子組換え生物等の使用の仕方により二種類の規制が設けられている。

表14-IV-1　カルタヘナ法上の生物の該当性の例示

医薬品等の類別	生物の例	該当性
バイオ医薬品	遺伝子組換え大腸菌（ヒト遺伝子を導入）	○
	遺伝子組換え大腸菌（大腸菌由来の遺伝子を導入）	×
	遺伝子組換えニワトリ（ヒト遺伝子を導入）	○
	遺伝子組換えイネ（微生物由来の遺伝子を導入）	○
	遺伝子組換え昆虫（ヒト遺伝子を導入）	○
	遺伝子組換えCHO細胞株（特異的抗体をコードする遺伝子を導入）	×
ワクチン	弱毒化変異ウイルス株，ナチュラルオカレンス	×
再生医療等製品	遺伝子組換えウイルス（ヒト遺伝子の発現カセットを導入）	○
	遺伝子組換えウイルス（微生物由来の遺伝子の導入による特定遺伝子の欠損）	○
	遺伝子組換えウイルス（細胞外で加工した核酸を含まない遺伝子欠損株）	× （情報提供）
	腫瘍溶解性ウイルス（弱毒化変異ウイルス株）	×
	腫瘍溶解性ウイルス（ヒト遺伝子の発現カセットを導入）	○
	遺伝子組換え大腸菌（遺伝子組換えウイルス製造用のウイルス由来遺伝子）	○
	ex vivoで遺伝子組換えウイルスにより遺伝子導入（分類学上複数の種に由来する遺伝子からなる遺伝子発現カセット）した患者由来細胞	× （遺伝子導入された細胞） ○ （遺伝子導入された細胞のうち細胞表面や細胞外に遺伝子導入に使用した遺伝子組換えウイルスが残存する可能性があるもの）

すなわち，自然環境の中で拡散防止措置を講じることなく使用するもの（第一種使用等）と，施設の中で拡散防止措置を講じて使用するもの（第二種使用等）とがある。法律上は食用，飼料用その他の用に供するための使用，栽培その他の育成，加工，保管，運搬及び廃棄並びにこれらに付随する行為を「使用等」という。この二種類の使用等に対する規制上の要件は大きく異なっている。これはこの二種類の使用形態における生物多様性に影響するリスクに対し，より効果的に対応する枠組みといえる。以下にこれらの使用等の違いについて解説する。

①第一種使用等

　これは，施設等に対して行うような拡散防止措置を講じることなく環境中で使用を行う使用形態をいう。具体例として，遺伝子組換えウイルスを用いた遺伝子治療（これには，治療を目的とした使用の他，医療機関内での保管，運搬，廃棄やこれに付随する行為も含まれる）が該当する。その他，圃場での遺伝子組換え植物の栽培，遺伝子組換え動物の放牧等がある。

　なお，ex vivoで遺伝子組換え生物等により遺伝子導入したヒト細胞を患者に輸注する場合，その細胞はカルタヘナ法上の生物に該当はしないものの，患者に輸注する細胞表面またはその外液に遺伝子組換え生物等が残存する場合には第一種使用等の対象となる。この考え方は，平成25年の薬事・食品衛生審議会 生物由来技術部会で整理されたものである[7]。

第一種使用等の開始までの要件として，第一種使用等をする者は，事前に第一種使用規程を定めるとともに，遺伝子組換え生物等が生物多様性に影響を及ぼす影響を評価しまとめた「生物多様性影響評価書」を作成した上で，学識経験者も含めた審査を受け，主務大臣（遺伝子治療の場合は厚生労働大臣が該当）の承認を受けなければならない。in vivo遺伝子治療の場合には，審査の論点として，患者からの排出のプロファイルとそれによる環境影響に与える評価が重要となる。環境影響評価の対象には，影響を受ける可能性のある在来の野生動植物，微生物等のほか，医療従事者や投与を受けた患者と濃厚接触する可能性が高い家族を含むヒトへの感染のリスクも含まれる。これは，平成27年に発出されたICH見解[8]として示されたVirus and Vector Sheddingの概念であり，第一種使用等の審査においては，ICH見解の基本的な考え方も含めた対応が求められる。実際の対応としては，類似の遺伝子組換え生物等の論文等も参考にしつつ，その遺伝子組換え生物等の排出から第三者への伝播リスクを考察し，投与を受けた患者からの排出から排出される遺伝子組換え生物等に対してどのようなマネジメントを行うべきかを定め，第三者への伝播のリスクを低減化するための方策を第一種使用規程として規定する必要がある。また，生物多様性評価は，第一種使用規程書の各規定の土台となるものであるが，使用等する遺伝子組換え生物等の特有の性質の情報も含め，ヒトに対する伝播のリスクのアセスメントのみならず，影響を受ける可能性のある在来の野生動植物，微生物等への影響も広範に考察し，生物多様性への影響を総合的に行うものである。

②第二種使用等

　これは，施設等の外の水，大気，土壌の環境への拡散を防止しつつ行う使用等をいう。具体例として，医薬品や診断薬の生産工程中での遺伝子組換え微生物の使用（生産中の保管，運搬やこれに付随する行為も含まれる）が該当する。製造所での遺伝子組換え生物等の生産工程，CPF等での遺伝子組換え生物等を用いた患者細胞への遺伝子導入工程，実験動物施設での遺伝子組換え動物の繁殖・飼育，この他，特定の措置を講じている網室における遺伝子組換え植物の栽培等がある。

　生産工程中において執るべき拡散防止措置については，執るべき拡散防止措置が主務省令により定められていない場合には，その遺伝子組換え生物等に対する拡散防止措置の内容を，使用等する前にあらかじめ主務大臣からの確認を受けることが必要となる。大臣確認の手続きの考え方については，基本的事項（6省共同告示）に規定されている[9]。一方，GILSP遺伝子組換え微生物，保管と運搬に関しては，産業利用二種省令で執るべき拡散防止措置が定められているため事前に主務大臣からの確認を受ける必要はない。GILSP遺伝子組換え微生物の該当性の判断は以下にまとめた。

　また，産業利用上の遺伝子組換え微生物の生産工程中における使用等に当たって執るべき拡散防止措置の内容については，産業利用二種省令により遺伝子組換え生物等の区分に応じることとなっている。具体的な区分については，具体的な拡散防止措置および運営上の遵守事項等を定めた通知が発出されている[10]。宿主と供与核酸のリスク等の性質によりGILSP，カテゴリー1，カテゴリー2，カテゴリー3の区分が定められており，各区分により拡散防止措置が異なる。以下に各区分について概要をまとめた。なお，カテゴリーは遺伝子組換えにより生産

されるタンパク質等の用途によるものではなく，宿主の感染性等により決まるものであることに留意されたい。また，GILSPとカテゴリー1の拡散防止措置の内容については，産業利用二種省令 別表において具体的に規定されている。

1) GILSP（Good Industrial Large Scale Practice）遺伝子組換え微生物

特殊な培養条件下以外では増殖が制限されること，病原性がないこと等のため最小限の拡散防止措置を執ることにより使用等をすることができるものとして主務大臣が定めるものとされている。GILSP遺伝子組換え微生物の該当性については，GILSP告示[11]に従う。これは，いわゆるGILSP自動化リストと言われており，告示されている「宿主・ベクター」と「挿入DNA・由来生物等」の任意の組み合わせで構成された遺伝子組換え微生物がGILSP遺伝子組換え微生物に該当する。GILSP遺伝子組換え微生物に該当すれば，事前に主務大臣からの確認を受ける必要はないが，その性状がよく知られていてもリストに収載されていない場合はGILSP相当の遺伝子組換え微生物とされ，事前の大臣確認が必要となる。GILSP自動化リストは定期的に見直されており，申請者から収載希望等も考慮され更新されている。GILPS自動化リストには，厚生労働省告示と経済産業省告示[12]が定められているが，医薬品等であってもGILSP遺伝子組換え微生物の該当性の判断として経済産業省のGILSP自動化リストを参照することも可能である。

2) カテゴリー1遺伝子組換え微生物

遺伝子組換え微生物において，GILSP遺伝子組換え微生物に含まれず病原性がある可能性が低いものとされている。遺伝子治療用製品等で使用される遺伝子組換えウイルスの多くが，これに該当している。なお，医薬品等での利用においては，宿主の病原性，供与核酸における構成要素の由来や機能におけるヒトへの影響や有害性，遺伝子組換え微生物の増殖様式や増殖性，外界での生存性について慎重に評価され，本区分の該当性が判断される。

3) カテゴリー2遺伝子組換え微生物

遺伝子組換え微生物において，ヒトに感染性はあるものの発症の可能性は少なく，予防対策および有効な治療法があるものがこれに該当する。

4) カテゴリー3遺伝子組換え微生物

遺伝子組換え微生物において，ヒトに対し病原性があり，取扱う際にかなりの注意を必要とするもの。感染・発症してもその危険度は，比較的低く，予防対策および有効な治療法があるものがこれに該当する。

③第一種使用等または第二種使用等の手続き

医薬品等（治験での薬物等を含む）における使用等に関しては厚生労働省が主務省庁となる。その他の場合は**表14-IV-2～14-IV-4**が参考となる。また，次のULRに記載された関係官庁連絡先も参考となる（https://www.biodic.go.jp/bch/cartagena/s_06.html）。

遺伝子組換え生物等を用いた治験を行う場合には，医薬品医療機器法の治験の手続とは別に，カルタヘナ法に基づき大臣の承認・確認を受ける必要がある。その事前手続としてPMDAによる事前審査，厚生労働省薬事・食品衛生審議会 再生医療等製品生物由来技術部会での審議が必要とされていた。これについては，平成28年に薬事分科会における確認事項の改正が実施され，運用改善が図られている。現在においては，PMDAにおける審査実績および審査体制を踏まえ，再生医療等評価部会における審議を行わず，PMDAの専門協議を十分活用することとされた。これにより，再生医療等評価部会の審議を経ずに承認・確認が行われるようになり，審査手続きの簡素化，審査日程の短縮化が可能となった（**図14-IV-2**）（https://www8.cao.go.jp/kisei-kaikaku/suishin/meeting/wg/iryou/20180116/180116iryou06-2.pdf）。また，PMDAへの申請手続については，**表14-IV-4**に示したウェブサイトリンクが参考となる。

表14-IV-2　遺伝子組換え生物等の開放系での使用（第一種使用）における担当官庁

使用例	担当官庁	
遺伝子治療用のウイルス等	厚生労働省	環境省
研究のための野外実験等	文部科学省	
流通を目的とした農作物や動物用の生ワクチン等	農林水産省	
バイオメディエーションのための遺伝子組換え微生物等	経済産業省	

表14-IV-3　遺伝子組換え生物等の閉鎖系での使用（第二種使用）における担当官庁

使用例	担当官庁
医薬品の製造工程での使用等	厚生労働省
大学での遺伝子組換え実験での使用等	文部科学省
施設内での農作物品種改良，動物用生ワクチン開発等	農林水産省
工業用酵素の生産工程での使用等	経済産業省
酒類をつくるための酵母の使用等	国税庁

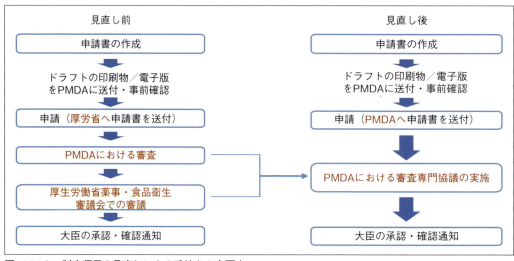

図14-IV-2　制度運用の見直しによる手続きの変更点

表14-IV-4　各担当官庁省の関連ウェブサイト（URL）および関連の参考情報

担当官庁省	カルタヘナ法関連ウェブサイトリンク
環境省	https://www.biodic.go.jp/bch/cartagena/index.html
バイオセーフティクリアリングハウス[※1]	http://www.biodic.go.jp/bch/lmo.html
厚生労働省（PMDA）	https://www.pmda.go.jp/review-services/drug-reviews/cartagena-act/0004.html
PMDA（申請手続き概要）	https://www.pmda.go.jp/review-services/drug-reviews/cartagena-act/0003.html
PMDA（第一種使用等に係る承認申請の手続き概要[※2]）	https://www.pmda.go.jp/review-services/drug-reviews/cartagena-act/0005.html
PMDA（第二種使用等に係る確認申請の手続き概要[※2]）	https://www.pmda.go.jp/review-services/drug-reviews/cartagena-act/0002.html
PMDA（申請等の事務手続等に関する質疑応答集）	https://www.pmda.go.jp/files/000206406.pdf
PMDA（カルタヘナ関連の相談）	https://www.pmda.go.jp/review-services/f2f-pre/cartagena/0001.html （https://www.pmda.go.jp/files/000230472.pdf）
文部科学省	https://www.lifescience.mext.go.jp/bioethics/anzen.html
文部科学省（研究開発利用の概要）	https://www.lifescience.mext.go.jp/files/pdf/n1766_01r2.pdf
農林水産省	https://www.maff.go.jp/j/syouan/nouan/carta/about/
経済産業省	https://www.meti.go.jp/policy/mono_info_service/mono/bio/cartagena/anzen-shinsa2.html#manual
財務省（国税庁）	https://www.nta.go.jp/taxes/sake/sonota/selfcloning/index.htm
バイオインダストリー協会（カルタヘナ法ガイドブック）	https://www.jba.or.jp/link_file/publication/H18_8_karutahena.pdf
申請書様式	http://www.biodic.go.jp/bch/bch_4.html
PMDA（第二種使用等確認申請書（遺伝子組換え微生物）のチェックリスト）	https://www.pmda.go.jp/files/000212997.pdf
経済産業省（第二種使用等に係る大臣確認手順及びチェックリスト）	https://www.meti.go.jp/policy/mono_info_service/mono/bio/cartagena/checklist_2_attach.pdf
AMED研究成果物（遺伝子治療におけるカルタヘナ法の第一種使用規程の考え方に関する研究）[※3]	http://nrichd.ncchd.go.jp/genetics/shiryou_koukai.html

[※1] 第一種使用規定書は承認後に告示され公開される。この他，本サイトより申請に関する情報が一部公開されている。
[※2] これらのフロー図に示されている行政側の標準的な事務処理期間については，本申請から確認・承認までの期間のみが提示されている。申請書ドラフト版の事前確認に係る事務処理時間は別途要することに留意されたい（個別の状況に応じて数ヶ月から1年程度と見込まれる。概して第一種使用等承認申請の事前確認により時間を要する傾向がある）。
[※3] 第一種使用規程承認申請書及び生物多様性評価書の作成にあたっては，国立成育医療研究センター 小野寺雅史氏らの研究班によるAMED研究「医薬品等規制調和・評価研究事業 遺伝子治療におけるカルタヘナ法の第一種使用規程の考え方に関する研究」の成果として「第一種使用規程承認申請書（アデノウイルス及びヘルペスウイルスベクター用，アデノ随伴ウイルスベクター用）」及び「生物多様性影響評価書」に対する作成ガイダンスが公開されている。

2. 遺伝子治療の長期追跡調査

　遺伝子治療は，長期にわたって患者体内に導入遺伝子の一部が残り続ける可能性があり，それが予期せぬ形で有害事象を引き起こすことも想定される。特に，ゲノム配列の改変を伴うような製品の場合は，一生涯にわたりそのリスクがあるため，通常の薬事規制制度として定められている投与後の確認期間を超えて長期追跡（Long Term Follow-up）を行う必要がある。これに関しては，2020年にFDAのガイダンス「Long Term Follow-Up After Administration of Human gene Therapy Product」が発出されている[13]。本項では，遺伝子治療用製品等※の特徴の違いごとに，ガイダンスの要求事項への対応を概説する（表14-IV-5）。

　長期追跡は，遺伝子治療用製品等の長期的な安全性を監視するために重要であり，製品が投与された被験者に長期的な有害事象発生のリスクをもたらすことが想定される場合には，長期間の監視計画を導入する必要がある。本ガイダンスでは，すべての遺伝子治療用製品等に長期追跡を求めるものではないが，長期にわたる遺伝学的影響をもたらす製品についての考え方が述べられている。また，製品に起因する要因に加え，標的細胞・組織・臓器，および患者集団（年齢，免疫状態，死亡リスク）や関連する病気の特徴等も考慮し長期観察が求められることもある。

　一方，上述のすべての種類の遺伝子治療用製品等に対し長期追跡が求められるわけではなく，長期間経過後の有害事象発生のリスクが低いと考えられる場合，臨床試験において長期追跡調査の実施が直ちに求められるわけではない。ただし，その場合であってもリスク評価は継続的に行われる必要があり，蓄積されたより多くのデータから被験者のリスクが再評価された段階において，長期追跡調査の実施の必要があると判断されれば，新たな長期追跡調査計画の立案やすでに実施中の長期追跡調査計画の見直し・修正が求められる場合もある。

※）本ガイダンスでは，CAR-T細胞のような遺伝子導入により製造される細胞加工製品も，遺伝子治療製品として分類している。

表14-IV-5　遺伝子治療用製品等の特徴ごとに想定される影響やリスク等[13]

製品の特徴	想定される影響・リスク等
ゲノムへの挿入活性がある	遺伝子発現ベクターが組み込まれたゲノム上の部位により，遺伝子の破壊やがん関連遺伝子の活性化などを引き起こす可能性がある。
ゲノム編集活性がある	オフターゲットによる想定外のゲノム改変が起こることで，細胞の腫瘍化，遺伝子機能障害などを引き起こす可能性がある。
遺伝子発現が長期間続く	成長因子や細胞分裂を促進するタンパク質への長期間の暴露は，細胞を制御不能な増殖や腫瘍化を引き起こす可能性がある。 免疫応答因子への長期間の暴露が，自己免疫疾患を引き起こす可能性がある。 サイトカイン等の免疫制御因子，microRNA等の転写制御因子が，想定されない影響を引き起こす可能性がある。
細胞内に潜伏する可能性がある	ヘルペスウイルスのような細胞内に潜伏するようなウイルスに由来する製品は，潜伏後の再活性化による日和見感染症をもたらすリスクがある。
体内で感染が持続することにより治療効果をもたらす	投与後の生体内で複製・増殖する細菌ベクター／ウイルスベクターは，免疫不全患者に重篤な感染症をもたらすリスクがある。

ガイドライン（文献13）より引用

以下，ガイダンスが求める製品のタイプごと長期追跡調査の要否について概説する（図14-IV-3）。まず，ゲノム編集技術を利用している場合には，長期追跡は必須とされている。ゲノム編集技術を利用せず，*in vivo*遺伝子導入を行うタイプの製品では，非臨床試験の結果から生体内での持続性を評価し，低リスクである（導入遺伝子が体内に長期間残存しない）場合には，長期追跡は必要ない場合もあるとされている。一方で，長期間にわたり製品が体内に残存することが想定される，もしくは体内での残存する期間が不明の場合には，長期追跡調査を計画する必要がある。さらに，残存のリスクが不明の場合には，適切な動物種を用いた非臨床試験を行い，体内での持続期間を評価することが推奨される。製品に由来する核酸配列の検出にはPCRのような高感度な検出方法が推奨されており，投与後の時間経過とともに製品に由来する核酸配列の検出レベルが減少傾向にあるか否かにより，残存のリスクを判断することが推奨されている。

ゲノム編集技術を利用せず，*ex vivo*での遺伝子導入にのみベクターを使用する場合で当該ベクターがゲノムに組み込まれるタイプの製品の場合（その細胞のゲノムがすでに遺伝子改変が行われている場合も含む）には，長期追跡調査は必須とされている。一方，*ex vivo*での遺伝子導入が行われる細胞であっても，当該細胞の遺伝子改変がなされない場合には，使用したベクターの潜伏リスクと再活性化のリスクに基づき，長期追跡調査の要否が判断される。細胞内への潜伏リスクがない場合には，将来的な有害事象のリスクは低く，長期追跡調査は求められない場合があるとされている。しかしながら，潜伏・再活性化が想定されるベクターを用いた場合には，長期追跡調査の実施は原則必要となる。

なお，本ガイダンスでは，長期追跡調査の期間として，ゲノム編集技術が使用された製品や

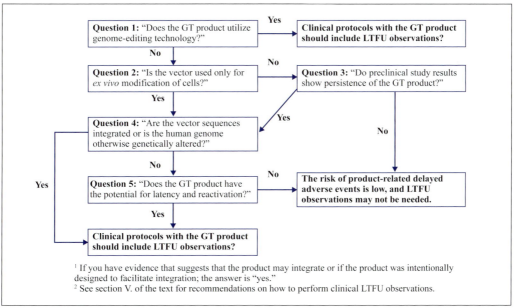

図14-IV-3　長期追跡調査の要否判断フロー
Figure 1. Framework to Assess the Risk of Gene Therapy-Related Delayed Adverse Events ガイドライン（文献13）を引用

ゲノムに組み込まれるタイプのウイルスベクターやトランスポゾンベクターなどに対して最長15年程度が求められている。AAVベクターに関しては，最長5年とされている。

3. TSE/BSE に関する規制

再生医療等製品においては，原料等においてヒト由来成分を含め極めて多様な生物由来原料等が使用される。特にヒトおよび反芻動物に由来する原料等においては，ウイルス安全性のほか，TSE/BSEに対するリスクについても考慮する必要がある。ここでは，TSE/BSEに関する規制の枠組みやその対応について留意すべき点を取り上げる。

神経変性疾患であるTSE（Transmissible Spongiform Encephalopathy：伝達性海綿状脳症）は，別名，プリオン病とも呼称され，正常型プリオンタンパク質が異常型プリオンタンパク質に変化することが原因であるといわれている。ヒトTSEとして，弧発性CJD（sCJD），変異型CJD（vCJD），ヒトの遺伝性TSE病，プロテアーゼ感受性プリオン病，医原性CJD，クールー病がある。その中でも，vCJD（variant Creutzfeldt-Jakob disease：変異型クロイツフェルト・ヤコブ病）は，異常プリオンタンパク質が蓄積されて発症するBSE（Bovine Spongiform Encephalopathy：牛海綿状脳症）との関連性が指摘されている。BSEは，狂牛病とも呼ばれ，牛に発生する病気と認識されていたが英国で1986年に初めの症例が発見された。1992年に37,280頭とピークとなり，その後，急速に減少し，2016年に0頭となった[14]。一方，英国において，vCJDの死亡患者が，1995年に初めて報告され，2000年に28人とピークとなり，その後，急速に減少し，2016年に1人報告され，その後，現在2020年3月に至るまで，死亡患者の報告はない[15]。現時点（2020年3月）で，vCJD患者の英国での発生総数は，178例，全世界では，230例と報告されている。

TSE／BSEに関する規制として，生物由来原料基準が厚生労働省から告示されている[16]。この中に反芻動物由来原料基準が規定されており，「反芻動物由来原料等の原産国は，国際獣疫事務局（OIE）において，当該国における牛海綿状脳症（BSE）の病原体の伝達のリスクが無視できることとされた国および次に掲げる国（注記：エルサルバトル等のリスト）でなければならない」と明記されている。したがって，医薬品等の製造工程において，ウシ由来原料等を使用する場合には，常にBSEの発生国に関する情報を得る必要があることに留意すべきである。

BSEに関する国別によるリスク評価はOIEにより報告[17]されており，農林水産省からも海外におけるBSE発生状況としてOIEの報告を踏まえ随時，情報発信されている[18]。日本は，2013年5月に開催されたOIE総会で，「無視できるBSEリスク」の国として認定された。国内におけるBSE発生のサーベイランス結果も，随時，報告されており[19]，2009年度以降2020年1月までBSE陽性頭数は0頭となっている。

vCJDの発症の潜伏期間に関しては，プリオンタンパク質遺伝子の遺伝子多型との関連が示唆されており，特に，コドン129の場合，メチオニン（M）とバリン（V）の多型があり，MM型，MV型またはVV型の遺伝子型が存在しており，このアミノ酸多型がvCJDの発症リスクに関係する可能性が示唆されている[20]。今まで英国で報告されているvCJD患者の遺伝子型は，ほとんどがMM型だが，クールー病の場合，MV型の場合は潜伏期間が長いとの報告を踏まえると，

vCJDの場合も，潜伏期間が長いと類推されるMV型やVV型の患者の発生も考えられ，今後とも，vCJD患者の発生観察を継続する必要があると考えられる。

おわりに

　本邦における再生医療分野の法整備は，2013年の再生医療推進法の公布から薬事法改正，再生医療等安全性確保法の施行と大きく進展した。2020年には再生医療等製品の承認品目も9品目となり，このうちここ2年以内の承認品目が5品目と半数を占めるに至っている。今般，さらに2019年の医薬品医療機器法の一部改正においては早期承認制度の制度化等も行われ，革新的な医薬品等はより迅速に実用化されることが期待される。いまだ欧米，諸外国における再生医療等製品の承認実績には遠く及ばないものの，開発の加速化，審査期間の大幅な短縮がなされつつあり，今後，治療方法がない疾患に対して有効な製品がより早く届くことが大いに期待されている。特に昨今，遺伝子治療用製品等の製品の開発が世界的に加速化しており，本章で紹介したとおり，ここ数年で関連ガイドラインが大幅に改正され国際的にも整合化が図られた。また，確認申請制度，カルタヘナ法の規制の運用の見直し等もなされ，急速に制度改善が進んでいる。しかしながら，現時点ではゲノム編集のような革新的な技術については規制が追いついておらず，より一層の制度改善が期待される。

　細胞加工製品の品質確保については，無菌性保証に関する指針やベリフィケーションの運用の考え方についての通知が発出はされているものの，実際の個別品目ごとでの運用についてはいまだ多くの課題があり，議論が残るところである。再生医療等製品は少なからず成熟しきれていないサイエンスに基づいた対応をせざるを得ない部分もあり，将来新たな知見が得られると大きく理解が変わる場合も想定される。最新の科学的知見をどのような形・枠組みで規制化し，実装していくべきかについても重要な視点である。

　このように，再生医療等製品の各製品の特徴やその多様性・複雑性の幅の広さ，懸念すべきリスクの違いなどを踏まえると，再生医療等製品に対し一律の規制ですべてを網羅できると考えるのは難しい。開発側に限らず規制当局においても，その製品特性の理解とリスクに応じた柔軟な対応を行うことが強く求められている。リスクに対する考え方は開発側と規制当局側で異なることは当然起こりうるが，過剰な対応あるいは不十分な対応とならないよう，特定の課題に対する規制の本質や求められる事項をお互いに十分にコミュニケーションすることが不可欠である。リスクコミュニケーションは今後より一層重要視されるものであり，承認審査，相談制度のなかでこの点に重きを置いて規制の運用がされることを期待したい。

■参考文献

1) 遺伝子組換え生物等の使用等の規制による生物の多様性の確保に関する法律（平成15年法律第97号）
2) 遺伝子組換え生物等の第二種使用等のうち産業上の使用等に当たって執るべき拡散防止措置等を定める省令（平成16年財務・厚生労働・農林水産・経済産業・環境省令第1号）
3) 遺伝子組換え生物等の使用等の規制による生物の多様性の確保に関する法律施行規則（平成15年財務省，文部科学省，厚生労働省，農林水産省，経済産業省，環境省令第1号）
4) 「ゲノム編集技術の利用により得られた生物であってカルタヘナ法に規定された「遺伝子組換え生物等」に

該当しない生物の取扱いについて」(平成31年2月8日付け環自野発第1902081号環境省自然環境局長通知)
5) 「ゲノム編集技術の利用により得られた生物であってカルタヘナ法に規定された「遺伝子組換え生物等」に該当しない生物の取扱いについて」(平成31年4月15日付け厚生労働省医薬・生活衛生局医薬品審査管理課・医療機器審査管理課連盟事務連絡)
6) 「医薬品等におけるゲノム編集技術の利用により得られた生物の取扱いについ」(令和2年3月23日付け薬生発0323第1号厚生労働省医薬・生活衛生局長通知)
7) 「遺伝子導入細胞の製造に用いられた非増殖性遺伝子組換えウイルスの残存に関する考え方について」(平成25年12月16日薬事・食品衛生審議会生物由来技術部会資料)
8) 「ICH見解「ウイルスとベクターの排出に関する基本的な考え方」について」(平成27年6月23日付け厚生労働省医薬食品局審査管理課・厚生労働省医薬食品局医療機器・再生医療等製品担当参事官室連盟事務連絡)
9) 遺伝子組換え生物等の使用等の規制による生物の多様性の確保に関する法律第三条の規定に基づく基本的事項(平成15年財務・文部科学・厚生労働・農林水産・経済産業・環境省告示第1号)
10) 「遺伝子組換え微生物の使用等による医薬品等の製造における拡散防止措置等について」(平成16年2月19日付け厚生労働省医薬食品局長通知薬食発第0219011号厚生労働省医薬食品局長通知)
11) 遺伝子組換え生物等の第二種使用等のうち産業上の使用等に当たって執るべき拡散防止措置等を定める省令別表第一号に基づき厚生労働大臣が定めるGILSP遺伝子組換え微生物(平成16年厚生労働省告示第27号, 最終改正平成27年厚生労働省告示第298号)
12) 遺伝子組換え生物等の第二種使用等のうち産業上の使用等に当たって執るべき拡散防止措置等を定める省令別表第一号の規定に基づき経済産業大臣が定めるGILSP遺伝子組換え微生物(平成16年経済産業省告示第13号(最終改正:令和元年経済産業省告示第99号))
13) Guidance for Industry: Long Term Follow-Up After Administration of Human gene Therapy Products (U.S. Department of Health and Human Services Food and Drug Administration, Center for Biologics Evaluation and Research, January 2020)
14) 国際獣疫事務局(OIE):https://www.oie.int/en/animal-health-in-the-world/bse-situation-in-the-world-and-annual-incidence-rate/number-of-cases-in-the-united-kingdom/
15) 英国Edinburgh大学報告:https://www.cjd.ed.ac.uk/sites/default/ files/figs.pdf
16) 生物由来原料基準(平成15年厚生労働省告示第210号(最終改正平成30年厚生労働省告示第37号))
17) https://www.oie.int/en/animal-health-in-the-world/official-disease-status/bse/list-of-bse-risk-status/
18) https://www.maff.go.jp/j/syouan/douei/bse/b_kaigai
19) https://www.maff.go.jp/j/syouan/douei/bse/b_sarvei/attach/pdf/index-14.pdf
20) EFSA journal. 2011:9(1) 1945.

再生医療関係の法律,政省令,通知,ガイドライン一覧

a)法律,政省令

法律	H25.5.10法律第13号	再生医療を国民が迅速かつ安全に受けられるようにするための施策の総合的な推進に関する法律
	H25.11.27法律第84号	薬事法等の一部を改正する法律
	H25.11.27法律第85号	再生医療等の安全性の確保等に関する法律
	H26.5.30法律第48号	健康・医療戦略推進法
	H26.11.25閣議決定	再生医療の迅速かつ安全な研究開発及び提供並びに普及の促進に関する基本的な方針
政令	H26.8.8政令第278号	再生医療等の安全性の確保等に関する法律施行令
	H26.7.30政令第269号	薬事法の一部を改正する法律の施行に伴う関係政令の整備等及び経過措置に関する政令
省令	H26.7.30厚生労働省令第87号	薬事法等の一部を改正する法律及び薬事法等の一部を改正する法律の施行に伴う関係政令の整備等及び経過措置に関する政令の施行に伴う関係省令の整備等に関する省令
	H26.7.30厚生労働省令第88号	再生医療等製品の安全性に関する非臨床試験の実施の基準に関する省令
	H26.7.30厚生労働省令第89号	再生医療等製品の臨床試験の実施の基準に関する省令
	H26.7.30厚生労働省令第90号	再生医療等製品の製造販売後の調査及び試験の実施の基準に関する省令
	H26.8.6厚生労働省令第93号	再生医療等製品の製造管理及び品質管理の基準に関する省令
	H26.8.6厚生労働省令第94号	医療機器又は体外診断用医薬品の製造管理又は品質管理に係る業務を行う体制の基準に関する省令
	H26.9.26厚生労働省令第110号	再生医療等の安全性の確保等に関する法律施行規則
	H30.11.30厚生労働省令第140号	再生医療等の安全性の確保等に関する法律施行規則及び臨床研究法施行規則の一部を改正する省令
	R2.4.30厚生労働省令第93号	再生医療等の安全性の確保等に関する法律施行規則及び臨床研究法施行規則の一部を改正する省令
	R2.5.15厚生労働省令第100号	再生医療等の安全性の確保等に関する法律施行規則等の一部を改正する省令
	R2.6.26厚生労働省令第131号	再生医療等の安全性の確保等に関する法律施行規則の一部を改正する省令

b)通知,ガイドライン

原料等の管理	H12.12.26医薬発第1314号	ヒト又は動物由来成分を原料として製造される医薬品等の品質及び安全性確保について
	H15.5.20厚生労働省告示第210号	生物由来原料基準
	H26.9.26厚生労働省告示第375号	生物由来原料基準(H15.5.20厚生労働省告示第210号)の一部改正
	H26.10.2薬食審査発1002第1号	生物由来原料基準の運用について
	H26.10.2薬食審査発1002第27号	生物由来原料基準の一部を改正する件について
	H27.6.30事務連絡	生物由来原料基準の運用に関する質疑応答集(Q&A)について
	H29.3	再生医療等製品の原材料としてのヒト多能性幹細胞の品質についての考え方(ワーキンググループ報告書)
	H30.2.28薬生発0228第3号	生物由来原料基準の一部を改正する件について
	H30.2.28薬生審発0228第3号,薬生機審発0228第3号	生物由来原料基準の一部を改正する件の施行について
製造管理・品質管理	H20.3.27薬食監麻発第0327025号	ヒト(自己)由来細胞・組織加工医薬品等の製造管理・品質管理の考え方
	H26.8.12薬食発0812第11号	再生医療等製品に係る「薬局等構造設備規則」,「再生医療等製品の製造管理及び品質管理の基準に関する省令」及び「医薬品,医薬部外品,化粧品及び医療等製品の品質管理の基準に関する省令」について
	H26.8.27薬食監麻発0827第4号	薬事法等の一部を改正する法律の施行に伴う医療機器及び体外診断用医薬品の製造管理及び品質管理の基準に関する省令の改正について

製造管理・品質管理	H26.10.9薬食監麻発1009第1号	再生医療等製品に係る「薬局等構造設備規則」,「再生医療等製品の製造管理及び品質管理の基準に関する省令」及び「医薬品,医薬部外品,化粧品及び再生医療等製品の品質管理の基準に関する省令」の取扱いについて
	H26.10.9薬食監麻発1009第4号	GCTP調査要領について
	H26.10.24薬食監麻発1024第10号	QMS調査要領の制定について
	H27.3.17薬食監麻発0317第1号	再生医療等製品の製造管理及び品質管理の基準等に関する質疑応答集（Q&A）について
	H27.7.28薬食監麻発0728第4号	再生医療等製品の製造管理及び品質管理の基準等に関する質疑応答集（Q&A）について（その2）
	H29.8.29パブリックコメント	ヒト細胞加工製品の未分化多能性幹細胞・形質転換細胞検出試験,造腫瘍性試験及び遺伝的安定性評価に関する留意点
	H29.6.29薬食監麻発0629第1号	再生医療等製品の製造管理及び品質管理の基準等に関する質疑応答集（Q&A）について（その3）
細胞・組織など由来別の品質・安全性確保	H20.2.8薬食発第0208003号	ヒト（自己）由来細胞や組織を加工した医薬品又は医療機器の品質及び安全性の確保について
	H20.3.12事務連絡	ヒト（自己）由来細胞・組織加工医薬品等の品質及び安全性の確保に関する指針に係るQ&Aについて
	H20.9.12薬食発第0912006号	ヒト（同種）由来細胞や組織を加工した医薬品又は医療機器の品質及び安全性の確保について
	H20.10.3事務連絡	ヒト（同種）由来細胞・組織加工医薬品等の品質及び安全性の確保に関する指針に係るQ&Aについて
	H24.9.7薬食発0907第2号	ヒト（自己）体性幹細胞加工医薬品等の品質及び安全性の確保について
	H24.9.7薬食発0907第3号	ヒト（同種）体性幹細胞加工医薬品等の品質及び安全性の確保について
	H24.9.7薬食発0907第4号	ヒト（自己）iPS（様）細胞加工医薬品等の品質及び安全性の確保について
	H24.9.7薬食発0907第5号	ヒト（同種）iPS（様）細胞加工医薬品等の品質及び安全性の確保について
	H24.9.7薬食発0907第6号	ヒトES細胞加工医薬品等の品質及び安全性の確保について
	H25.7.1薬食審査発0701第4号	遺伝子治療用医薬品の品質及び安全性の確保について
	H26.11.25医政研発1125第2号	「ヒトES細胞の樹立に関する指針」の告示について
	H28.6.13医政研発0613第1号	「異種移植の実施に伴う公衆衛生上の感染症問題に関する指針」の改定について
	H29.9パブリックコメント	遺伝子治療用製品の品質及び安全性の確保に関する指針（改正案）
	R2.5.15医政研発0515第1号	「「再生医療等の安全性の確保等に関する法律」,「再生医療等の安全性の確保等に関する法律施行令」及び「再生医療等の安全性の確保等に関する法律施行規則」の取扱いについて」等の一部改正について
	R2.4.30医政発0430第12号厚生労働省医政局長通知	再生医療等の安全性の確保等に関する法律施行規則及び臨床研究法施行規則の一部を改正する省令の施行について
	R2.4.30医政研発0430第2号厚生労働省医政局研究開発振興課長通知	再生医療等の安全性の確保等に関する法律施行規則及び臨床研究法施行規則の一部を改正する省令の施行における運用上の留意事項について
	R2.5.15医政発0515第9号厚生労働省医政局長通知	再生医療等の安全性の確保等に関する法律施行規則等の一部を改正する省令の施行について
	R2.6.26医政発0626第8号厚生労働省医政局長通知	再生医療等の安全性の確保等に関する法律施行規則の一部を改正する省令の施行について
	R1.10.16事務連絡	再生医療等の安全性の確保等に関する法律施行規則第1条第4号に規定する「相同利用」に係る注意喚起について
次世代医療機器・再生医療等製品評価指標	H22.1.18薬食機発0118第1号	次世代医療機器評価指標の公表について（別添3：重症心不全細胞治療用細胞シートに関する評価指標,別添4：角膜上皮細胞シートに関する評価指標）
	H22.5.28薬食機発0528第1号	次世代医療機器評価指標の公表について（別添1：角膜内皮細胞シートに関する評価指標）

再生医療等製品 第14章

次世代医療機器・再生医療等製品評価指標	H22.12.15薬食機発1215第1号	次世代医療機器評価指標の公表について（別添1：関節軟骨再生に関する評価指標）
	H23.12.7薬食機発1207第1号	次世代医療機器評価指標の公表について（別添1：歯周組織治療用細胞シートに関する評価指標）
	H25.5.29薬食機発0529第1号	次世代医療機器評価指標の公表について（別添1：自己iPS細胞由来網膜色素上皮細胞に関する評価指標）
	H26.9.12薬食機参発0912第2号	次世代医療機器・再生医療等製品評価指標の公表について（別紙1：同種iPS（様）細胞由来網膜色素上皮細胞に関する評価指標）
	策定中	同種iPS（様）細胞由来網膜色素上皮細胞に関する評価指標の補遺
	H27.9.25薬食機参発0925第1号	別紙1：鼻軟骨再生に関する評価指標
	H28.6.30薬生機審発0630第1号	別紙1：ヒト軟骨細胞又は体性幹細胞加工製品を用いた関節軟骨再生に関する評価指標 別紙2：ヒト（同種）iPS（様）細胞加工製品を用いた関節軟骨再生に関する評価指標
	H29.3.1薬生機審発0301第1号	経冠動脈的投与再生医療等製品（ヒト細胞加工製品）に関する評価指標
	策定中	尿素サイクル異常症を対象疾患とするヒトES細胞加工製品の評価指標
	策定中	iPS細胞由来血小板の品質評価ガイドライン
非臨床試験	H26.8.12薬食発0812第20号	再生医療等製品の安全性に関する非臨床試験の実施の基準に関する省令の施行について
	H26.11.21薬食審査発1121第9号 H26.11.21薬食機参発1121第13号	医薬品，医療機器及び再生医療等製品の製造販売承認申請等の際に添付すべき医薬品，医療機器及び再生医療等製品の安全性に関する非臨床試験に係る資料の取り扱いについて
	H29.5.22 H28.7.25	がん治療用ウイルス製造及び非臨床試験に関するガイドライン（ドラフト） 補遺①単純ヘルペスウイルス（HSV）編（ドラフト）
	H29.1.16	がん免疫療法開発のガイダンス2016−がん免疫療法に用いる細胞製品の品質，非臨床試験の考え方（検討委員会報告書）
	H28.12.26	がん免疫療法開発のガイダンス2016−がん治療用ワクチン・アジュバント非臨床試験ガイダンス（検討委員会報告書）
臨床研究・臨床試験	H25.9.30厚生労働省告示第317号	ヒト幹細胞を用いる臨床研究に関する指針（平成22年厚生労働省告示第380号の改正）
	H26.11.21医政発1121第3号	ヒト幹細胞を用いる臨床研究に関する指針の廃止について
	H26.8.12薬食発0812第26号	加工細胞等に係る治験の計画等の届出等について
	H26.8.12薬食機参発0812第1号	加工細胞等に係る治験の計画等の届出の取扱い等について
	H26.8.12薬食発0812第16号	再生医療等製品の臨床試験の実施の基準に関する省令の施行について
	H26.11.7薬機審マ発第1107004号	加工細胞等に係る治験不具合等報告に関する取扱いについて
	H26.11.21事務連絡	再生医療等提供計画等の記載要領等について
	H27.1.30	がん免疫療法開発のガイダンス2015−早期臨床試験の考え方
	H28.12.24	がん免疫療法開発のガイダンス2016−後期臨床試験の考え方
	H28.11.22薬生機審発1122第4号	脳梗塞の細胞治療製品の開発に関するガイドライン
	2017.3.7	急性期脊髄損傷における臨床評価に関するガイドライン（案）
製造販売承認申請	H26.8.12薬食発0812第30号	再生医療等製品の製造販売承認申請について
	H26.8.12薬食機参発0812第5号	再生医療等製品の製造販売承認申請に際し留意すべき事項について
	H26.11.21薬食機参発1121第10号	再生医療等製品の承認申請資料適合性書面調査の実施要領について
	H26.11.21薬食機参発1121第3号	再生医療等製品GCP実地調査の実施要領について
	H26.11.21薬機発第1121011号	再生医療等製品の条件及び期限付承認後の承認審査，再審査及び再評価申請資料の適合性書面調査及びGPSP実地調査の実施手続きについて
	H28.6.27事務連絡 （H28.6.14薬機発第0614043号）	再生医療等製品（ヒト細胞加工製品）の品質，非臨床試験及び臨床試験の実施に関する技術的ガイダンスについて
添付文書の記載要領	H26.10.2薬食発1002第12号	再生医療等製品の添付文書の記載要領について
	H26.10.2薬食発1002第13号	再生医療等製品の添付文書の記載要領（細則）について
	H26.10.2薬食発1002第9号	再生医療等製品の使用上の注意の記載要領について

副作用,感染症等の報告	H26.8.12薬食発0812第7号	再生医療等製品に関する感染症定期報告制度について
	H26.11.13薬食安発1113第4号	再生医療等製品の感染症定期報告に係る調査内容及び記載方法について
	H26.10.2薬食発1002第20号	医薬品等の副作用等の報告について
	H26.10.2薬食発1002第17号	再生医療等製品の不具合等報告に係る報告書の記載方法について
	H26.11.7薬食発1117第5号	医療機関等からの医薬品,医療機器又は再生医療等製品についての副作用,感染症及び不具合報告の実施要領の改訂について
製造販売後の調査及び試験の実施	H26.8.12薬食発0812第23号	再生医療等製品の製造販売後の調査及び試験の実施の基準に関する省令の施行について
	H26.11.21薬食機参発1121第7号	再生医療等製品のGPSP実地調査に係る実施要領について
製造販売後安全管理	H26.8.12薬食発0812第4号	医薬品,医薬部外品,化粧品,医療機器及び再生医療等製品の製造販売後安全管理の基準に関する省令等の施行について
指定再生医療等製品の指定	H26.11.5薬食審査発1105第1号 H26.11.5薬食機参発1105第2号	生物由来製品及び特定生物由来製品並びに指定再生医療等製品の指定に関する考え方について
販売業の許可	H26.11.21薬食機参発1121第1号	再生医療等製品の販売業の許可に関する取扱いについて
再生医療等の安全性の確保	H26.9.26医政発0926第1号	再生医療等の安全性の確保等に関する法律の施行等について
	H26.10.31医政研発1031第1号	「再生医療等の安全性の確保等に関する法律」,「再生医療等の安全性の確保等に関する法律施行令」及び「再生医療等の安全性の確保等に関する法律施行規則」の取扱いについて
	H26.11.21事務連絡	再生医療等の安全性の確保等に関する法律等に関するQ&Aについて
	H27.6.18事務連絡	再生医療等の安全性の確保等に関する法律等に関するQ&A(その2)について
	H28.4.4事務連絡	再生医療等の安全性の確保等に関する法律等に関するQ&A(その3)について
	H29.9.8医政研発0908第1号	再生医療等の安全性の確保等に関する法律に基づく手続の周知徹底について

(日本PDA製薬学会バイオウイルス委員会調べ,2018年8月20日現在)

関連法規
表1 カルタヘナ関連国内法規及びその概略
(https://www.lifescience.mext.go.jp/bioethics/kankeihourei.htmlより引用改変)

	第一種使用等関係	第二種使用等関係
法律	遺伝子組換え生物等の使用等の規制による生物の多様性の確保に関する法律(平成15年　法律第97号) ・目的，定義，規則の枠組み，命令，罰則等	
政令	遺伝子組換え生物等の使用等の規制による生物の多様性の確保に関する法律における主務大臣が定める政令(平成15年　政令第263号) ・各措置に関わる主務大臣の分担の考え方	
	遺伝子組換え生物等の使用等の規制による生物の多様性の確保に関する法律第二十四条第一項の規定により納付すべき手数料の額を定める政令(平成16年　政令第21号) ・生物検査の手数料	
省令	遺伝子組換え生物等の使用等の規制による生物の多様性の確保に関する法律施行規則(平成15年財務・文部科学・厚生労働・農林水産・経済産業・環境省令第1号) ・第一種使用等と第二種使用等の共通事項(生物及び遺伝子組換え技術の定義，情報提供や輸出に関する取扱いなど)	
		研究開発等に係る遺伝子組換え生物等の第二種使用等に当たって執るべき拡散防止措置等を定める省令(平成16年　文部科学省・環境省令第1号) ・執るべき拡散防止措置の内容，確認手続き
		遺伝子組換え生物等の第二種使用等のうち産業上の使用等に当たって執るべき拡散防止措置等を定める省令(平成16年財務・厚生労働・農林水産・経済産業・環境省令第1号) ・執るべき拡散防止措置の内容，確認手続き
告示	遺伝子組換え生物等の使用等の規制による生物の多様性の確保に関する法律第三条の規定に基づく基本的事項(平成15年　財務省・文部科学省・厚生労働省・農林水産省・環境省告示第1号) ・施策の実施に関する事項，使用者が配慮すべき事項等	
	遺伝子組換え生物等の第一種使用等による生物多様性影響評価実施要領(平成15年財務・文部科学・厚生労働・農林水産・経済産業・環境省告示第2号)	研究開発等に係る遺伝子組換え生物等の第二種使用等に当たって執るべき拡散防止措置等を定める省令の規定に基づき認定宿主ベクター系等を定める件(平成16年文部科学省告示第7号)
		遺伝子組換え生物等の第二種使用等のうち産業上の使用等に当たって執るべき拡散防止措置等を定める省令別表第一号に基づき厚生労働大臣が定めるGILSP遺伝子組換え微生物(平成16年厚生労働省告示第27号)
		遺伝子組換え生物等の第二種使用等のうち産業上の使用等に当たって執るべき拡散防止措置等を定める省令別表第一号の規定に基づき経済産業大臣が定めるGILSP遺伝子組換え微生物(平成16年経済産業省告示第13号)

第15章 核酸医薬

はじめに

　核酸医薬品とは一般に「核酸あるいは修飾核酸が十数～数十塩基連結したオリゴ核酸で構成され，タンパク質に翻訳されることなく直接生体に作用するもので，化学合成により製造される医薬品」を指す。アンチセンス（Gapmer, SSO：splice switching oligomer），siRNA（small interfering RNA），アプタマーなどがその代表例である（国立医薬品食品衛生研究所遺伝子医薬部第2室ホームページより引用）。1998年に世界で初めての核酸医薬品Vitravene®が米国で承認されて以降，2020年8月までに世界で11（国内は4）の核酸医薬品が承認されている（**表15-1**，**図15-1**）。また，さまざまな適応症をターゲットとしてさまざまな製剤が，さらにはマイクロRNAを標的としたものなど作用メカニズムの異なる製剤など約200品目が開発中（日経バイオ年鑑2020）であり，これらが次々に市場へ出てくると予想される。**表15-2**に臨床試験段階の開発品（一部）を記載した。

　本章では，これまで承認された核酸医薬品について，どのような効果を期待して開発されたのか，メカニズムの異なる核酸医薬品をピックアップして，その作用機序について概説する。また，核酸医薬品を開発していく上で必須となる品質試験について，審査報告書や業界から発行されている各種文書を基に，その考え方を紹介する。

1. 核酸医薬の作用メカニズム

　本項では，11製剤の中から，作用メカニズムが異なるTegsedi®（Gapmer），オンパットロ®（siRNA），ビルテプソ®（SSO）およびスピンラザ®（SSO）について概説する。アプタマーおよびCpGオリゴについては，優れた解説記事[1, 2]があるので，それらを参照いただきたい。

Tegsedi®

　Tegsedi®（一般名：inotersen）は，米国のIonis Pharmaceuticals, Inc.[注1]が開発したアンチセンス（Gapmer）製剤で，トランスサイレチン（TTR：transthyretin）型家族性アミロイドポリニューロパチー（FAP：familial amyloid polyneuropathy）[注2, 3, 4]を適応症として，欧州では2018年7月，米国では2018年10月に承認された。Tegsedi®は，その塩基配列がTTR mRNAのストップコドン下流のnon-coding region上の配列と相補の20 merの合成一本鎖オリゴヌクレオ

[注1] Ionis Pharmaceuticals, Inc.は，Tegsedi®のほか，同じGapmer製剤であるWaylivra®，およびSSO製剤のSpinraza®を開発した。その他，同社が開発したTominersen（ハンチントン病）やTofersen（家族性筋萎縮性側索硬化症）が開発段階の後期にある。

表15-1 世界で上市された核酸医薬品(2020年8月現在)

製品名	一般名	分類	塩基長	分子量	承認	標的	適応	用法および用量	薬価(剤形)
Vitravene®	fomivirsen	アンチセンス	21 mer	6,662.2 Da	US 1998 EU 1999*	CMV IE2 mRNA	CMV性網膜炎(AIDS患者)	硝子体内	－
マクジェン® Macugen®	ペガプタニブ pegaptanib	アプタマー	28 mer (PEG)	約50,000	US 2004 EU 2006 JP 2008**	VEGF165 (タンパク質)	中心窩下脈絡膜新生血管を伴う加齢黄斑変性症	硝子体内	111,439円／筒
Kynamro®	mipomersen	アンチセンス (Gapmer)	20 mer	7,594.9 Da	US 2013	ApoB-100 mRNA	ホモ接合型家族性高コレステロール血症	皮下, 200 mg/週	－ (200 mg/1 mL/syringe)
Exondys 51®	eteplirsen	アンチセンス (SSO)	30 mer	10,305.7 Da	US 2016	Dystrophin pre-mRNA	デュシェンヌ型筋ジストロフィー	静注, 30 mg/kg/週	(100 mg/2 mL/vial, 500 mg/10 mL/vial)
Vyondy 53®	golodirsen	アンチセンス (SSO)	25 mer	8,647.28 Da	US 2019	Dystrophin pre-mRNA	デュシェンヌ型筋ジストロフィー	静注, 30 mg/kg/週	－ (100 mg/2 mL/vial)
ビルテプソ® Viltepso®	ビルトラルセン viltolarsen	アンチセンス (SSO)	21 mer	6,924.82 Da	JP 2020 US 2020	Dystrophin pre-mRNA	デュシェンヌ型筋ジストロフィー	静注, 80 mg/kg/週	91,136円／瓶 (250 mg/5 mL/vial)
スピンラザ® Spinraza®	ヌシネルセン nusinersen	アンチセンス (SSO)	18 mer	7,500.89 Da	US 2016 EU 2017 JP 2017	SMN2 pre-mRNA	脊髄性筋萎縮症	髄腔内, 12 mg/4カ月, 6カ月***	9,493,024円／瓶 (12 mg/5 mL/vial)
Tegsedi®	inotersen	アンチセンス (Gapmer)	20 mer	7,600.8 Da	US 2018 EU 2018	TTR mRNA	TTR型家族性アミロイドポリニューロパチー	皮下, 284 mg/週	－ (284 mg/1.5 mL/syringe)
オンパットロ® Onpattro®	パチシラン patisiran	siRNA	21 mer, 二本鎖	14,303.58 Da	US 2018 EU 2018 JP 2019	TTR mRNA	TTR型家族性アミロイドポリニューロパチー	静注, 0.3 mg/kg/3週	1,004,358円／瓶 (10 mg/5 mL/vial)
Waylivra®	volanesorsen	アンチセンス (Gapmer)	20 mer	7,582.7 Da	EU 2019	apoC-III mRNA	家族性高カイロミクロン血症	皮下, 285 mg/2週	－ (285 mg/1.5 mL/syringe)
Givlaari®	givosiran	siRNA	21+23 mer, 二本鎖	16,300.34 Da	US 2019 EU 2020	ALAS1 mRNA	急性肝性ポルフィリン症	皮下, 2.5 mg/kg/月	－ (189 mg/1 mL/vial)

ALAS1:aminolevulinate synthase 1, CMV:cytomegalovirus, siRNA:small interfering RNA, SMN2:survival motor neuron 2, SSO:splice switching oligomer, TTR:transthyretin, VEGF:vascular endothelial growth factor
*2002.5.23ライセンス取り下げ,**2020.2販売中止,***添付文書参照
CpGオリゴをアジュバントとして含むB型肝炎ワクチン(Heplisav-B®)を核酸医薬品とする場合もある。

核酸医薬 第15章

図15-1　上市された核酸医薬品

表15-2　開発中の核酸医薬品(2020年8月現在)

一般名 (開発番号)	分類	塩基長	開発段階	標的	適応	note
casimersen	アンチセンス	–	2020.6 FDA申請	Dystrophin pre-mRNA	デュシェンヌ型筋ジストロフィー	Skip Exon 45
tominersen	アンチセンス	20 mer	Ph 3	HTT	ハンチントン病	N Engl J Med 2019； 380：2307-2316 DOI：10.1056/ NEJMoa1900907
(WVE-120101)	アンチセンス	–	Ph 1b/2a	Mutant HTT		
tofersen	アンチセンス	20 mer	Ph 3	SOD1 mRNA	筋萎縮性側索硬化症	N Engl J Med 2020； 383：109-19. DOI：10.1056/ NEJMoa2003715
(IONIS-C9$_{Rx}$)	アンチセンス	–	Ph 1/2	C9ORF72		
fitusiran	siRNA	–	Ph 3	Antithrombin mRNA	血友病A, B	
tivanisiran	siRNA	–	Ph 3	TRPV1	Dry eye	
lumasiran	siRNA	–	Ph 3	HAO1	原発性高シュウ酸尿症Ⅰ型	N-acetylgalactosamine conjugated
nedosiran	siRNA	–	Ph 1	LDHA	原発性高シュウ酸尿症	
inclisiran	siRNA	–	Ph 3	PCSK9	高コレステロール血症	N Engl J Med 2020； 382：1507-19. DOI： 10.1056/ NEJMoa1912387
(RG-012)	アンチセンス	–	Ph 2	miRNA	アルポート症候群	miR-12に相補的に結合しその機能を阻害
(RGLS4326)	アンチセンス	–	Ph 1	miRNA	常染色体優性多発性嚢胞腎	miR-17に相補的に結合しその機能を阻害
(SLN124)	siRNA	–	Ph 1	TMPRSS6	β-サラセミア	GalNAc conjugated

HAO1：hydroxyacid oxidase, HTT：Huntington gene, LDHA：lactate dehydrogenase A, SOD1：superoxide dismutase 1, TMPRSS6：transmembrane protease matriptase-2, TRPV1：transient receptor potential vanilloid-1

(出典：Nature Reviews Drug Discovery(2020). https://doi.org/10.1038/s41573-020-0075-7)

チドであり，両端の5塩基はmRNAとの結合を強める目的で糖の2'位修飾や架橋が導入されたRNA骨格，中間(ギャップ)の10塩基はDNA骨格でできている(この構造をGapmerという)。**図15-2**にTegsedi®の作用メカニズムを示した。皮下注射されたTegsedi®は，血流にのって標的臓器である肝臓に達し，肝細胞表面よりエンドサイトーシスにより細胞内に取り込まれ，細胞質内に放出される。細胞質に放出されたTegsedi®がTTR mRNAと対合すると，ここにRNase H(DNAと相補的に結合しているRNAを選択的に分解する細胞内の酵素)が結合してTTRのmRNAを切断する。切断されたmRNAは分解され，TTRの産生量は減少する。こうして血液中のTTR量が減少することで組織へのアミロイド沈着が抑制され，TTR型FAPに対する作用が発揮される。Tegsedi®は，変異型TTR(mtTTR)および正常なTTR(wtTTR)，両方

の産生を抑制する。

> (注2) FAP：可溶性であったタンパク質がさまざまな原因で不溶性となり，種々の組織や臓器に沈着することで機能障害を起こす疾患群をアミロイドーシスという。現在までにTTRを含めて36種以上のタンパク質がアミロイドーシスを起こすことが知られている。この中で，神経疾患を伴う全身性のアミロイドーシスをアミロイドポリニューロパチーと呼び，さらに原因が遺伝性の場合，これを家族性アミロイドポリニューロパチー（FAP）と呼ぶ[3]。
>
> (注3) TTR：肝臓，脳脈絡叢，眼網膜色素上皮細胞などで産生され，血中では127アミノ酸から成る単量体が4量体を形成し，甲状腺ホルモンやビタミンA結合タンパク質のキャリアとして機能している。第18番染色体上の*TTR*遺伝子（6.9 kb）にコードされており，翻訳後，シグナルペプチド20アミノ酸が切断されて127アミノ酸の成熟タンパク質となる。*TTR*遺伝子には140以上の変異が知られており（p.V30Mが最も高頻度），その多くがTTR型FAPの病原性変異として同定されている[4]。
>
> (注4) TTR型FAP：常染色体優性遺伝の形式をとり，患者のほとんどはヘテロ接合体（変異遺伝子と正常な遺伝子を1つずつ持つ）である。患者の血液中には変異型TTR（mtTTR）と正常なTTR（wtTTR）が混在しており，両者が混ざった状態の4量体を形成するが，wtTTRのみの組み合わせ以外は構造が不安定となって単量体化し，ミスフォールディング→アミロイド形成→組織への沈着，そして発症の経過をたどると考えられている。アミロイドの沈着とともに，末梢神経，自律神経，心臓，消化管，眼などの機能障害が徐々に進行し，未治療では発症後約10年で死に至る[4]。

オンパットロ®（Onpattro®）

　オンパットロ®（一般名：パチシラン，patisiran）は，米国のAlnylam Pharmaceuticals, Inc.が開発した世界初のsiRNA製剤で，TTR型FAPを適応症として，米国および欧州では2018年8月，わが国では2019年6月に承認された。オンパットロ®は21 merの合成二本鎖オリゴヌクレオチドで，TTRの主な産生臓器である肝細胞への薬剤送達を目的に脂質ナノ粒子（LNP：

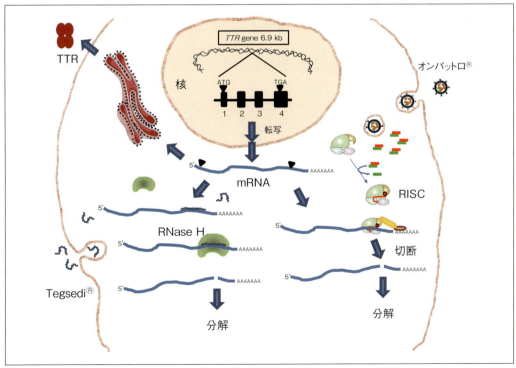

図15-2　Tegsedi®およびオンパットロ®の作用メカニズム

lipid nanoparticle）として製剤化されている。**図15-2**にオンパットロ®の作用メカニズムを示した。オンパットロ®は，生体に備わったRNA干渉（interfering）[注5]という仕組みを利用する。静注されたオンパットロ®は，肝細胞表面のApoE受容体を介したエンドサイトーシスにより細胞内に取り込まれ，細胞質内に放出される。細胞質内に放出されたオンパットロ®はAGO（argonaute）タンパク質複合体と共にRNA誘導サイレンシング複合体（RISC：RNA-induced silencing complex）[5]を形成するが，この過程で二本鎖の一方（パッセンジャー鎖）は解離して，ガイド鎖のみがRISCに残る。このガイド鎖の塩基配列は，TTR mRNAのストップコドン下流のnon-coding region上の配列と相補であり，ここにRISCが結合してTTRのmRNAを次々に切断する。こうして肝細胞でのTTRの合成量が低下することで血液中のTTR量も減少し，組織へのアミロイド沈着が抑制されTTR型FAPに対する作用を発揮する。オンパットロ®は，mtTTRおよびwtTTR，両方の産生を抑制する。

> [注5] RNA干渉：2本鎖RNAが，細胞質内のタンパク質（AGO）と複合体を作り，相同な塩基配列をもつmRNAと特異的に対合しこれを切断することで当該遺伝子の発現を抑える現象。1998年に，Andrew FireとCraig Melloによって，線虫を使った実験で証明された。2人はこの業績で，2006年のノーベル生理学・医学賞を受賞した[6]。

ビルテプソ®（Viltepso®）

ビルテプソ®（一般名：ビルトラルセン，viltolarsen）は，日本新薬株式会社が開発したアンチセンス（SSO）製剤で，デュシェンヌ型筋ジストロフィー（DMD：Duchenne muscular dystrophy）[注6]を適応症として，わが国では2020年3月に承認された（米国では2019年12月申請）。ビルテプソ®は21 merの合成一本鎖オリゴヌクレオチドで，塩基配列はDMD遺伝子のExon 53上の配列（c.7,947_7,967）と相補である。**図15-3**にビルテプソ®の作用メカニズムを示した。ビルテプソ®は，生体に備わったSplicingの仕組みを利用する。Exondys 51®およびVyondy 53®も同様である。静注されたビルテプソ®は，細胞表面よりエンドサイトーシスにより細胞内に取り込まれ，さらに核内へ移行する。核内ではDMD遺伝子が転写され，mRNA前駆体（pre-mRNA：遺伝子の配列がIntronも含めてRNAにそのまま転写されたもの）が合成されている。pre-mRNAは，スプライソソーム（Spliceosome）の働きでIntronが取り除かれて（Splicing）成熟したmRNAとなり，細胞質へ移行しタンパク合成（翻訳）が起こる。ビルテプソ®がこのpre-mRNAに対合するとSpliceosomeの働きが阻害されてExon 53のSplicingが起こ

> [注6] DMD：X染色体上にあるジストロフィン遺伝子（*DMD*）の変異によりジストロフィンタンパク質が欠損することで発症する劣性遺伝疾患。3〜5歳頃に転びやすいなどで気づかれ，自然歴では5歳頃が運動能力のピークで以後徐々に筋力が衰え，多くは10歳前後で歩行が困難となる。以降，呼吸不全や心筋症を認めるようになるが，発症時期や進行のスピードは個人差が大きい。*DMD*遺伝子は79個のExonよりなるヒトでは最長の遺伝子（2,220 kbp，3,681アミノ酸をコード）で，患者での変異は1ないし複数個のExonの欠失や重複が7割，残りがnonsense変異（アミノ酸をコードする塩基配列がストップコドンに変わる変異），splicing変異，1ないし数塩基の欠失・挿入などである。いずれもアミノ酸の読み枠がずれるout-of-frame変異であり下流にストップコドンが出現してジストロフィンタンパク質の合成が途中で止まってしまう。より軽症のベッカー型筋ジストロフィー（BMD：Becker muscular dystrophy）も同じ*DMD*遺伝子の変異が原因であるが，アミノ酸の読み枠がずれないin-frame変異であるため，途中でストップコドンが出現することはなく，正常よりも少し短いが機能を持ったジストロフィンタンパク質が合成される。

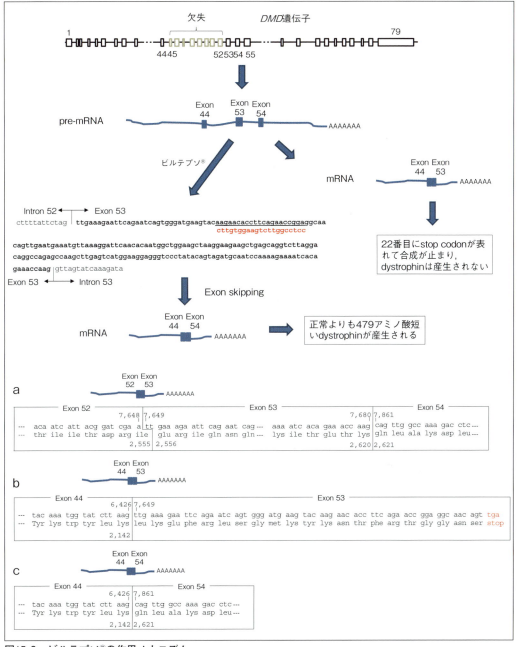

図15-3 ビルテプソ®の作用メカニズム

らず，同Exonを飛ばして（これをExon-skipping[注7]という）前後のExonが結合した成熟mRNAとなる．図15-3では，Exon 45から52までが欠失した変異を持つDMD患者の例を示した．この患者では，Exonが1---44-53-54---79とつらなったmRNAが作られている（b）．Exonが1---52-53-54---79とつらなる正常な遺伝子由来のmRNAでは（a），Exon 52の3'端のaとExon 53の5'端のttの3塩基（att）が2,555番目のイソロイシン（ile）をコードするが，この患者では読み枠が1塩基ずれるためにileがロイシン（leu）に変わり（b），さらに下流の22番目にはストップコドン（tga）が表れてタンパク合成が止まってしまう．これが同患者の発症の原因である．ビルテプソ®を用いてExon 53をスキップし，Exon 44と54を直接つなぐと読み枠が合い（c），2,143から2,620番目の479アミノ酸が欠損してはいるが，機能を持ったジストロフィンタンパク質が発現し，症状の改善が期待できる．

[注7] Exon skipping：遺伝子の転写過程では，RNA-タンパク質複合体であるSpliceosomeの働きで，遺伝子から転写されたpre-mRNAからIntronが取り除かれて，成熟mRNAが合成される．Exon skippingは，配列特異的に設計したアンチセンス人工核酸を用いて，Spliceosomeがpre-mRNAの特定領域を認識することを阻害してSplicingを調整し，特定のExonをスキップすることで読み枠をin-frame化し，産物の合成を回復させることを作用メカニズムとする．Exon skippingの治療対象となるDMD患者は，理論上8割と見積もられ，そのうちExon 51およびExon skippingでは13％および8％の患者が治療対象となる[7]．

スピンラザ®（Spinraza®）

スピンラザ®（一般名：ヌシネルセン，nusinersen）は，米国のIonis Pharmaceuticals, Inc.により創製され，同じく米国のBiogen社がこれを導入・開発したアンチセンス（SSO）製剤で，脊髄性筋萎縮症（SMA：spinal muscular atrophy）[注8]を適応症として，米国では2016年12月，欧州では2017年5月，わが国では2017年7月に承認された．スピンラザ®は18 merの合成一本鎖オリゴヌクレオチドで，塩基配列は*SMN2*遺伝子のIntron 7上の配列と相補である．**図15-4**にスピンラザ®の作用メカニズムを示した．スピンラザ®も生体に備わったSplicingの仕組みを利用するが，ビルテプソ®とは逆にskippingされているExonをmRNAに取り込んで正常な産物を発現させ薬効を発揮する．髄注されたスピンラザ®は，細胞表面よりエンドサイトーシスにより細胞内に取り込まれ，さらに核内へ移行する．核内では*SMN2*遺伝子が転写され，mRNA前駆体が合成されている．pre-mRNAは，スプライソソーム（Spliceosome）の働きでIntronが取り除かれて（Splicing）成熟したmRNAとなるが，*SMN2*遺伝子では同遺伝子上の変異が原因

[注8] SMA：第5染色体上にある*SMN1*遺伝子の変異によりsurvival motor neuron（SMN）タンパク質の産生が低下することで発症する劣性遺伝疾患．SMNタンパク質は，mRNAと結合する複数のタンパク質と協働してmRNAの軸索輸送に関わっている．SMNタンパク質の産生低下は，mRNAの軸索輸送低下→軸索先端の成長円錐のタンパク質合成低下→正常な神経筋接合の形成不全→運動ニューロンの変性・脱落→四肢および体幹の随意筋の萎縮へとつながる．乳児期発症・重症型のI型では，人工呼吸管理を行わない場合2歳までに呼吸不全で死亡する．*SMN*遺伝子には，SMAの原因遺伝子である*SMN1*とこれと相同の*SMN2*がある．*SMN2*は*SMN1*の847 kb上流にあり，282個のアミノ酸配列は100％相同，塩基配列はExon 1の5'側non-coding regionが147 b短い他，Exon 8の3'側non-coding regionで塩基が1つ異なるのみであるが，通常はExon 7のskippingのためSMNタンパク質をほとんど産生していない．*SMN2*では，Intron 6で1カ所，Intron 7で17カ所塩基配列が*SMN1*と異なっており，これが*SMN2*でExon 7のskippingが起こっている原因と考えられる．スピンラザ®が対合するのは，**図15-4**に示すIntron 7の下流領域であるが，この配列は500を超える候補ASOを用いたスクリーニングで選択された[8]．

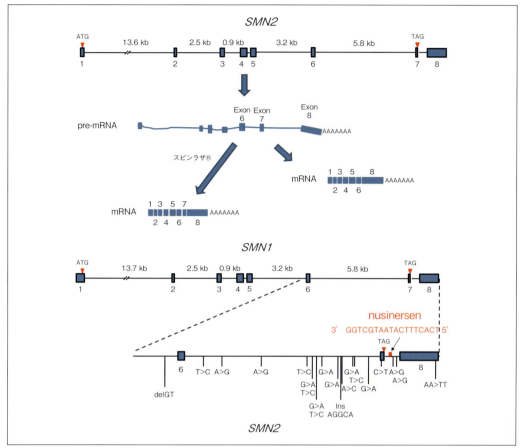

図15-4 スピンラザ®の作用メカニズム

でpre-mRNAの9割でExon 7がskippingされている。スピンラザ®がこのpre-mRNAに対合するとskippingが起こらず，Exon 7が取り込まれて（Exon-inclusion）正常な成熟mRNAとなり，SMNタンパク質が産生され薬効が発揮される。

2．核酸医薬の品質試験

　核酸医薬品が新規モダリティとして注目される中，核酸医薬品開発を始めようと思われる方は，その品質管理方法について，頭を悩ませているものであろう．現在，核酸医薬品の品質評価に特化したガイドラインはなく，業界団体が整理した品質確保の提案文書やホワイトペーパーを参考にしているものと思われる[9~11]．本項では国内で承認された核酸医薬品や，これら各文書を基に品質管理の考え方を整理し，紹介する．なお，本項ではプラスミドDNAのような遺伝子治療用製品については除外している．これら製品の管理に関しては，「遺伝子治療用製品等の品質及び安全性の確保に関する指針」を確認されたい[12]．

　品質管理戦略を考える上で，化学合成品やタンパク質医薬品はICHガイドラインを参考にしてきたが，オリゴヌクレオチドないしDNAを成分とする医薬品に関しては，品質管理および

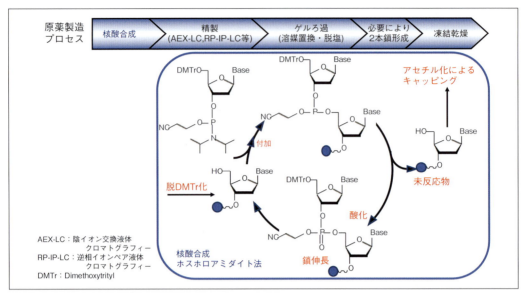

図15-5 核酸医薬の製造プロセス

試験方法について既存のICHガイドラインの対象外となっている。しかし，製造プロセスそのものは化学合成であることから，部分的にICHガイドラインを適用することは可能である。化学合成という製造プロセスでありながら，品質管理を困難としている要因としては，バイオ医薬品と同様に，不均一性や多様性という特徴が認められるためである。核酸医薬の製造プロセスを図15-5に示した。製造において，まずはホスホロアミダイト法と呼ばれる固相合成で鎖伸長（ガラスビーズやポリスチレン樹脂粒子上に配列の3'末端側から1塩基ずつ化学合成[注9]）を行うが，固相合成内には精製プロセスがなく，目的の長さまで合成した後に初めてクロマトグラフィーにより精製を行う。不均一および多様な分子種をクロマトグラフィーにより精製するステップはバイオ医薬品と類似している。

[注9] 核酸は左から右に5'側から3'側と表記する。DNAポリメラーゼ（DNA合成酵素）による鎖伸長は *in vivo* でも *in vitro* でも5'側から3'側に合成される。一方，DNA自動合成機による鎖伸長は3'側から5'側に一塩基ずつ合成される。

オリゴヌクレオチド

最も初期から開発が進められてきた経緯から，品質管理の考え方に対して，比較的さまざまな文書が発出されており，わが国でもすでに行政文書として「核酸医薬品の品質の担保と評価において考慮すべき事項について」が発出されている[13]。

どの医薬品であれ医薬品の品質管理の原則は，「有効性と安全性」である。極論的には，核酸医薬品であれ，有効成分と不純物を評価すれば目的は達成されていると思われる。オリゴヌクレオチドの有効性として，①組成および配列，②リン酸骨格，③カウンターイオン，④高次構造および複合体があげられる。

①オリゴヌクレオチドの配列は標的分子の認識そのものに係わっており，重要な因子である。
②天然型の核酸は，血中に多量に存在するDNA分解酵素により，速やかに分解される。例

えばラットでは血中半減期が7.6〜9.0分である[14]。安定性向上のため意図的に修飾した核酸を使用するが，この化学修飾が適切に導入されていることは重要な因子である。

③カウンターイオンの違いにより，有効成分の溶解性，薬剤安定性や溶解速度等の物理化学的性質が変化する。有効成分がカウンターイオンを伴っている場合，カウンターイオンの組成および量は重要な因子である（例：オリゴヌクレオチドと塩を形成しているナトリウムイオン）。

④オリゴヌクレオチドは塩濃度や温度条件により高次構造や複合体を形成する。二本鎖オリゴヌクレオチドが薬理作用に必要な場合，その構造は重要な因子である。

2012年に海外の産官学で核酸医薬品開発に精通した業界団体がオリゴヌクレオチド原薬の品質管理について提案を行っている（**表15-3**，以降はCapaldi Dらの提案表と記載）[9]。本提案において，一本鎖オリゴヌクレオチドの有効成分の評価法として，MSを利用した配列確認，ICPやイオンクロマトグラフィーを利用したカウンターイオンの評価，UVや液体クロマトグラフィーを使用した定量を提案している。また，二本鎖オリゴヌクレオチドにおいては，最終的な精製工程の後にアニーリングを行うことが多く，二本鎖にした後に精製する工程がないことから原薬の品質に与える影響が大きく適切な管理が必要である。本提案では一本鎖の段階で配列確認を行い，CDや微量熱量分析を利用した構造の確認を二本鎖で実施する方法を提案している（**図15-6**）。

例えば，18 merの一本鎖オリゴヌクレオチドであるスピンラザ®の審査報告書からは，原薬の試験項目として確認試験に3項目設定していることがわかる。分子量および配列に対しての確認試験と推察するが，標的分子への認識そのものが有効に作用するため，不均一性や多様性

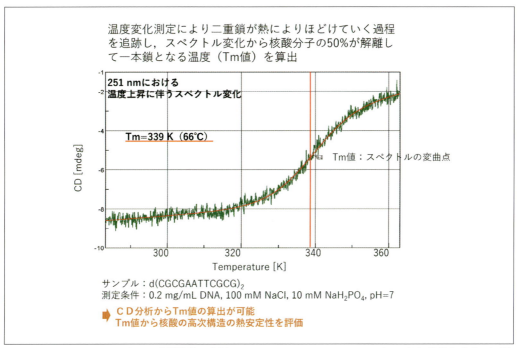

図15-6　CDスペクトルによる二本鎖核酸の分析　　　　　　　　　（TRCから許諾を受けて転載）

表15-3 オリゴ核酸試験および核酸医薬品試験法

	一本鎖オリゴヌクレオチド	二本鎖オリゴヌクレオチド		コンジュゲート核酸 (例：PEG結合核酸)	
		一本鎖内での評価	二本鎖内での評価	結合前	結合後
性状	外観	外観		外観	
確認試験（MS）	MS	MS		MS	
確認試験（配列）	タンデムMS Tm値 配列分析 合成機のリアルタイムモニタリング	タンデムMS Tm値 配列分析 合成機のリアルタイムモニタリング HPLC（Denatureさせて保持時間等で評価）		タンデムMS Tm値 配列分析 合成機のリアルタイムモニタリング HPLC（Denatureさせて保持時間等で評価）	
確認試験（構造）			Tm値 CD 微量熱量分析		Tm値 CD 微量熱量分析 NMR バイオアッセイ
確認試験（平均分子量）					サイズ排除クロマトグラフィー MS
分子量分散度（多分散指数）					サイズ排除クロマトグラフィー MALDI-MS
カウンターイオン	ICP-MS ICP-OES 原子吸光光度法 イオンクロマトグラフィー	ICP-MS ICP-OES 原子吸光光度法 イオンクロマトグラフィー		ICP-MS ICP-OES 原子吸光光度法 イオンクロマトグラフィー	
定量	UV HPLC HPLC-MS キャピラリー電気泳動 陰イオン交換クロマトグラフィー		UV サイズ排除クロマトグラフィー（Nondenature） HPLC（Nondenature） キャピラリー電気泳動（Nondenature） 陰イオン交換クロマトグラフィー（Nondenature）		UV HPLC キャピラリー電気泳動 陰イオン交換クロマトグラフィー
純度試験／不純物試験	HPLC HPLC-MS キャピラリー電気泳動 陰イオン交換クロマトグラフィー	HPLC HPLC-MS キャピラリー電気泳動	イオンクロマトグラフィー（Nondenature） サイズ排除クロマトグラフィー（Nondenature） HPLC（Nondenature） キャピラリー電気泳動（Nondenature） HPLC（Denature） キャピラリー電気泳動（Denature） 陰イオン交換クロマトグラフィー（Denature） HPLC-MS（Denature）	HPLC HPLC-MS キャピラリー電気泳動	HPLC キャピラリー電気泳動 陰イオン交換クロマトグラフィー

（次ページに続く）

	一本鎖オリゴヌクレオチド	二本鎖オリゴヌクレオチド		コンジュゲート核酸 (例：PEG結合核酸)	
		一本鎖内での評価	二本鎖内での評価	結合前	結合後
残留溶媒	GC		GC		GC
元素不純物	ICP-MS ICP-OES 原子吸光光度法		ICP-MS ICP-OES 原子吸光光度法		ICP-MS ICP-OES 原子吸光光度法
エンドトキシン	局方記載法		局方記載法		局方記載法
微生物限度試験	局方記載法		局方記載法		局方記載法

MS：Mass spectrometry
ICP：Inductively coupled plasma
OES：optical emission spectroscopy
MALDI：Matrix-assisted laser desorption ionization

を持った核酸医薬品を適切に評価したいという意思が見てとれる(**表15-4**)。

オリゴヌクレオチドの安全性として，①オリゴヌクレオチド類縁物質，②残留溶媒，③元素不純物があげられる。

①原薬または製剤中に含まれる有効成分以外のオリゴヌクレオチド。

②ホスホロアミダイト法は溶媒としてアセトニトリルを使用する。また，ピリジン，メタノール，エタノール等々も使用するため，ICHガイドラインQ3Cである残留溶媒ガイドラインの適用範囲となる。

③合成により製造されるオリゴヌクレオチドは，明確にICHガイドラインQ3Dである元素不純物ガイドラインの適用範囲となる。

オリゴヌクレオチド類縁物質の分析のためには，Capaldi Dらの提案表においても，複数の試験法で不純物を評価することを推奨している。さらに二本鎖オリゴヌクレオチドの場合は，変性状態または未変性状態で不純物を評価することが必要である。これら複雑なオリゴヌクレオチド類縁物質は核酸医薬品としての特徴でもある。

・ホスホジエステル結合の1つの酸素原子を硫黄原子や窒素原子に置き換えたホスホロチオアート修飾体やモルフォリノ核酸は核酸医薬品の安定性を向上させるが，構造上，リン原子が不斉中心となるため，立体異性体の混合物となってしまう(**図15-7**)。例えば，18 merの鎖長の場合には，理論上$21^8=262144$の混合体となる。立体構造が異なる場合，相補鎖に対する親和性や酵素耐性が変化することが知られている[15]。しかし，リン原子の立体化学に起因する異性体について，その分布を評価する必要があるが，いずれも有効成分と見なしてよい[16]。なお，有効成分の立体異性体の分布を評価することが技術的に困難である場合には，リン原子の立体化学に影響を与える製造工程やパラメータを明らかにした上で，当該製造工程およびパラメータを的確に規定し，有効成分の立体異性体分布の恒常性を説明すべきとされている[17]。

・ホスホロアミダイト法による合成において，付加反応が完結しないまま次の反応が進んでしまった短鎖副生成物(N-1，N-2等々)や，保護基が原料中また合成中に脱落したホスホロアミダイトが反応することで生じる長鎖副生成物(N+1，N+2等々)が生じる。現在の

表15-4 国内で承認された核酸医薬品の品質試験項目

	アンチセンスオリゴヌクレオチド		RNAアプタマー		siRNA	
販売名	スピンラザ髄注12mg		マクジェン硝子体内注射用キット 0.3mg		オンパットロ点滴静注2mg/mL	
一般名	ヌシネルセンナトリウム		ペガプタニブナトリウム		パチシランナトリウム	
剤形	液剤バイアル		プレフィルドシリンジ		液剤バイアル	
塩基数	18		28		RNA二重鎖40	
備考			安定化のためPEG結合		ドラッグデリバリーシステムとしてpH感受性カチオン性脂質使用（DLin-MC3-DMA）	
試験項目	原薬試験項目	製剤試験項目	原薬試験項目	製剤試験項目	原薬試験項目	製剤試験項目
性状	○	○	○	○	○	○
pH		○	○	○	○	○
確認試験	確認試験（最大強度質量 MS）確認試験（液体クロマトグラフィー）確認試験（マススペクトル LC-MS）	確認試験（最大強度質量 MS）確認試験（液体クロマトグラフィー）	確認試験（B法）	確認試験（B法）	確認試験（非変性条件 サイズ排除クロマトグラフィー）確認試験（変性条件 LC-MS）確認試験（Tm）	確認試験（非変性条件 LC-MS）確認試験（変性条件 陰イオン交換クロマトグラフィー）確認試験（脂質HPLC）
カウンターイオン	カウンターイオン（ICP-OES）					
定量	含量 定量法（LC-MS）	含量 定量法（LC-MS）	定量法（HPLC）	定量法（HPLC）	含量（UV）定量法（変性条件 陰イオン交換クロマトグラフィー）	含量（UV）定量法（変性条件 陰イオン交換クロマトグラフィー）
純度試験／不純物試験	純度試験（類縁物質 LC-MS）	純度試験（類縁物質 LC-MS）	類縁物質（1）(HPLC)類縁物質（2）(HPLC)純度試験（溶状）ヌクレオシドプロファイル（HPLC）	類縁物質（1）(HPLC)類縁物質（2）(HPLC)	純度試験（非変性条件 サイズ排除クロマトグラフィー）純度試験（変性条件 陰イオン交換クロマトグラフィー）	純度試験（非変性条件 HPLC）純度試験（変性条件 陰イオン交換クロマトグラフィー）
残留溶媒	残留溶媒（GC）		残留溶媒（GC）		残留溶媒（GC）	
元素不純物	元素不純物（ICP-MS）		重金属（■■■■分光分析法）		元素不純物（ICP-MS）	
エンドトキシン	○	○	○	○	○	○
微生物限度試験	微生物限度試験	無菌試験	微生物限度試験	無菌試験	微生物限度試験	無菌試験
注射剤試験		浸透圧 不溶性異物 不溶性微粒子 採取容量試験		浸透圧 不溶性異物 不溶性微粒子 採取容量試験 排出量均一性		浸透圧 不溶性異物 不溶性微粒子 採取容量試験
その他			水分 ■■■■（HPLC）■■■■（HPLC）ナトリウム（HPLC）	粘度 ■■■■（HPLC）■■■■（HPLC）	水分 ナトリウム含量（原子吸光光度法）	脂質含量（HPLC）封入率（蛍光光度法）粒子径

MS：Mass spectrometry　ICP：Inductively coupled plasma　OES：optical emission spectroscopy　MALDI：Matrix-assisted laser desorption ionization

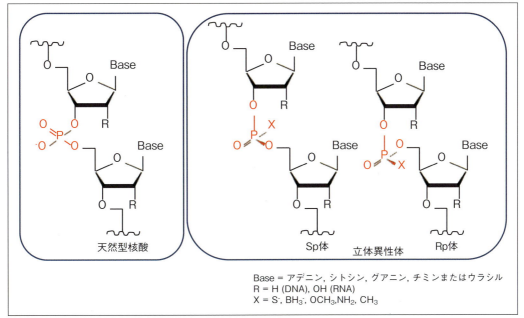

図15-7　核酸類縁体構造の複雑性

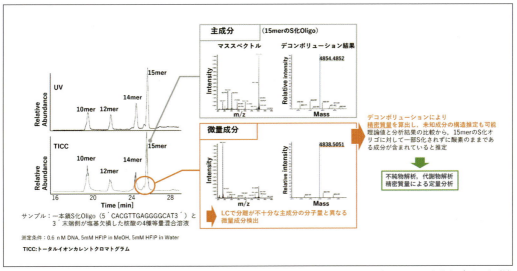

図15-8　オリゴヌクレオチド類縁物質群の分析　　　　　　　　　　（TRCから許諾を受けて転載）

　分析技術ではこれらオリゴヌクレオチド類縁物質を個別に定量管理することは困難であり，一群の類縁物質を1つの「オリゴヌクレオチド類縁物質群」として管理する考え方が提唱されている[18]。

　スピンラザ®髄注12 mgにおいては，LC-MSを使用した類縁物質の評価をしており，オリゴヌクレオチド類縁物質群として評価していると推察する（表15-4）。モデル核酸として10 mer，12 mer，14 merおよび15 merの一本鎖ホスホロチオアート修飾体オリゴヌクレオチドの4種混合溶液を分析した結果を示す（**図15-8**）。超高性能LC-MS（Orbitrap Fusion Lumos）により

4種等量混合液の鎖長の差異の分離や，15 merオリゴヌクレオチドにおける未ホスホロチオアート修飾体(酸素のままの成分)の検出も可能であるが，品質試験においては，量比も少なく，より複雑性が推測されるオリゴヌクレオチド類縁物質群の定量管理の難しさが容易に想像できるだろう。また，バイオ医薬品と同様に，オリゴヌクレオチドの不均一性や多様性から，理化学試験で有効性を十分に担保できない場合には，生物学的活性に関わる試験を設定すべきであろう。ただし，オリゴヌクレオチド類縁物質である長鎖・短鎖副生成物(N-1，N-2，N+1，N+2等々)の評価については，生物学的活性に関わる試験をもってしても困難である。

核酸アプタマー

オリゴヌクレオチドのように，その作用機序が配列によるものではなく，ターゲットのタンパク質に構造上結合し，効能を発揮する核酸アプタマーは，その特異的な立体構造が有効性としての重要な品質特性となる。アプタマーの利点としては，①標的タンパク質への結合性・特異性が高い，②免疫原性が低い，③化学合成可能で製造，保存が容易であることなどがあげられるが，細胞外でタンパク質と結合して機能を発揮するため，原理的に抗体医薬品と競合する。

2008年にわが国で承認されたマクジェン®硝子体内注射キット0.3 mg(一般名：ペガプタニブ)は，核酸モノマーに化学修飾を行うとともに，3'末端に逆向きにチミジン構造を結合させたキャップ構造であり，血中安定性を向上させるため，PEGを付加させている。本品は確認試験が1項目のみであり，配列の確認となっている。本品は，VEGFがVEGF受容体へ結合することを競合的に阻害するものであるが，阻害活性が塩基配列に特異的であることから確認試験として配列を確認することで適切に品質を管理している。核酸アプタマーという作用機序の観点から高次構造の確認や，生物学的活性による評価が有効性の確認として重要と考えられるが，審査報告書では，「二次構造が生理的条件下において，熱力学的に安定で頑健性を有すること，温度変化に可逆的であること，阻害活性は塩基配列特異的であることから塩基配列を確認してヌクレオチド含量を定量できれば生物活性を規定しなくても品質を管理できる」と記載されている。

siRNA

わが国で承認されているsiRNA核酸医薬品にはオンパットロ®がある。品質管理としては「オリゴヌクレオチド」の項にて記載した方法と同様である。同じオリゴヌクレオチドとしての管理ではあるものの，スピンラザ®と比較して，オンパットロ®は，純度試験において，非変性条件での確認と変性条件での確認を実施している。これはオンパットロ®が2本鎖の核酸医薬品のためである(表15-4)。

また本品は，ドラッグデリバリーシステムとしてpH感受性カチオン性脂質(DLin-MC3-DMA)を使用しており，リポソームとしての品質管理もなされている[19]。

安定性試験

核酸医薬品においても長期保存試験，加速試験，光安定性試験を実施する。これはICHガイドラインQ1を参考に実施する。ただし，保存中の品質特性の変化を十分に理解・評価できな

い場合には，加速条件の安定性データから長期条件の安定性を外挿することは適切ではなく，低分子医薬品の安定性試験との差異であろう．

おわりに

　簡単ながら，国内外の提案文書や行政文書と，わが国で承認された3品目の核酸医薬品を中心として概説した．品質管理の方向性は見えてきたものの，適切な規格値の設定等については本章では述べていない．例えばオリゴヌクレオチド類縁物質群に関しては，開発段階からの質的および量的な一貫性と十分な特性解析が必要であろう．また，現在AMED研究班が原薬に含まれるオリゴヌクレオチドに特有な不純物が生体に与える影響について解析を行っている．不純物として1.5％程度が原薬に混入しても，ハイブリダイゼーション依存的な遺伝子発現変動には影響を与えず，また強い毒性を誘発するオリゴヌクレオチドについて1.5％に相当する量をマウスに投与しても毒性が生じないとの予備的データが紹介されている[17, 20]．これらを参考に不純物の規格を評価する必要があるだろう．核酸医薬品は低分子医薬品と比較して，構造決定や不純物の分離分析が困難であるため，試験法の開発には相当の努力が必要となるが，開発初期から有効性および安定性を担保するための試験法設定を目指すべきである．

■参考文献

1) 阿部智行，宮川伸，中村義一．アプタマーの医薬品化．日薬理誌 147：362-367, 2016
2) 小檜山康司，石井健．CpGオリゴデオキシヌクレオチドの開発動向．実験医学 37：26-33, 2019
3) 安東由喜雄．アミロイドーシスと神経疾患：治す神経内科疾患の実践．臨床神経 55：797-803, 2015
4) 植田光晴，三隅洋平，増田曜章，津田幸元，井上泰輝，野村隼也，山下太郎，安東由喜雄．トランスサイレチンフラグメントのアミロイド形成および細胞毒性の解析．末梢神経 29：42-49, 2018
5) Nakanishi K. Anatomy of RISC：how do small RNAs and chaperones activate Argonaute proteins？ WIREs RNA 7：637-660, 2016. Doi：10.1002/wrna.1356.
6) Fire AZ. Gene silencing by double-stranded RNA (Nobel lecture). Angew Chem Int Ed 46：6966-6984, 2007. Doi：10.1002/anie.200701979.
7) Aartsma-Rus A, Fokkema I, Verschuuren J, et al. Theoretic applicability of antisense-mediated exon skipping for Duchenne muscular dystrophy mutations；Hum Mutat 30：293-299, 2009. Doi：10.1002/humu.20918.
8) 大村剛史，佐伯誠治，荻原一隆，飛田公理，Yan Ling，鳥居慎一．脊髄性筋萎縮症(SMA)治療薬ヌシネルセン(スピンラザ®)の薬理学的特徴と臨床試験成績．日薬理誌 152：147-159, 2018
9) Capaldi D, Ackley K, Brooks D, et al. Quality Aspects of Oligonucleotide Drug Development：Specifications for Active Pharmaceutical Ingredients. Drug Informa J 46：611-626, 2012. https://doi.org/10.1177/0092861512445311.
10) Capaldi D, Teasdale A, Henry S, et al. Impurities in Oligonucleotide Drug Substances and Drug Products. Nucleic Acid Ther 27：309-322, 2017. DOI：10.1089/nat.2017.0691.
11) 平成25年 規制動向調査報告書 核酸医薬品の開発の動向 HSレポートNo. 82 ヒューマンサイエンス振興財団
12) 遺伝子治療用製品等の品質及び安全性の確保について 薬生機審発0709 第2号 令和元年7月9日
13) 核酸医薬品の品質の担保と評価において考慮すべき事項について 薬生薬審発0927 第3号 平成30年9月27日
14) Reyderman L, Stavchansky S. Pharmacokinetics and biodistribution of a nucleotide-based thrombin inhibitor in rats. Pharm Res 15：904-910, 1998. doi：10.1023/a：1011980716659.
15) Lebedev AV, Wickstrom E. The chirality problem in P-substituted oligonucleotides. Perspect Drug Discov Design 4：17-40, 1996. https://doi.org/10.1007/BF02172106.
16) 井上貴雄．核酸医薬品の創出に向けた産官学の取り組み．第一回 核酸医薬品の開発動向と規制整備の現状．Pharm Tech Japan 35：2533-2545, 2019
17) 滝口直美，伊藤浩介，小林夏季，溝口潤一，南海浩一，廣瀬賢治，笛木 修，佐藤秀昭，吉田徳幸，小比賀

聡, 井上貴雄. 核酸医薬品の品質評価に関する考え方 ―仮想核酸医薬品をモデルとして―. 医薬品医療機器レギュラトリーサイエンス 51：145-153, 2020
18) 藤坂朱紀, 伊藤浩介, 小比賀 聡. 核酸医薬品の現状と品質管理に関わるレギュラトリーサイエンス上の課題. レギュラトリーサイエンス学会誌 7：113-120, 2017. https://doi.org/10.14982/rsmp.7.113.
19) リポソーム製剤の開発に関するガイドライン 薬生審査発0328 第19号 平成28年3月28日
20) 伊藤浩介. 核酸医薬品の創出に向けた産官学の取り組み（第10回）核酸医薬品の品質評価について. Pharm Tech Japan 36：1769-1774, 2020

第16章 トピックス —ウイルスの人工合成—

はじめに

　第14章で紹介したようにさまざまなウイルスをベクターとした遺伝子治療用製品が多数開発されている。また水疱性口内炎ウイルス（VSV：vesicular stomatitis virus）をベースとした世界初のエボラウイルスワクチンErvebo®が，2019年11月欧州，同年12月米国で承認され，アデノウイルスをベクターとしたSARS-CoV-2ワクチンも数品目が実用化目前である（第11章参照）。これらはいずれも人工合成されたウイルスである。
　本章では，これらウイルスの人工合成の技術的系譜について概説する。

1. ウイルスの人工合成 [1]

　表16-1にウイルスの人工合成の事例を示した。また，図16-1には，これらをウイルスのゲノムの大きさと報告年で時系列に整理した。図16-1には，遺伝子の合成事例や合成DNAを用いた微生物の作出事例なども付け加えた[2〜17]。
　遺伝子組換え技術の黎明期であった1970〜80年代には，＋鎖一本鎖RNA（＋ssRNA）ウイルスの合成（再生）事例が多い。＋ssRNAは，細胞の中でmRNAとしても働くことから，プラスミドにクローニングしたウイルスゲノムのcDNAをそのまま，あるいはこれを鋳型として*in vitro*で転写・調製したRNAゲノムを細胞にtransfectionする方法で，ウイルスの再生が行われている。
　1990年代になると，－鎖一本鎖RNA（-ssRNA）ウイルスの再生が可能になった。その最初の事例は，Schnellら[18]が1994年に報告した狂犬病ウイルス（Rabies virus）である。この頃になるとPCRやDNA合成用の試薬・機器，DNA配列の自動解析機（シーケンサー）が一般化し，"月"のオーダーを要していた実験が"日"のオーダーで可能となった。Schnellらは，過去にクローニングしていた複数のゲノムcDNAの断片を，T7プロモーターと同ターミネーターを持つプラスミドに挿入して，完全長の狂犬病ウイルスゲノムcDNAを持ったプラスミドpSAD L16を構築した。これをあらかじめヘルパーウイルスvTF7-3（T7 RNApolymerase遺伝子を組み込んだワクチニアウイルス）を感染させたBSR細胞に，N，PおよびLタンパク質用の発現プラスミドとともに導入する方法で感染性を有する狂犬病ウイルスを合成した。Nタンパク質は，ウイルスゲノムRNAと結合してらせん状のヌクレオキャプシドを形成する。Pタンパク質は，ヌクレオキャプシドとLタンパク質の結合を仲介する。Lタンパク質は，ウイルスゲノムRNAの複製を行うRNA依存性RNA合成酵素である。ちなみにvTF7-3は，1986年にFuerstら[19]が作製した組換えワクチニアウイルスで，相同組換えの手法を用いてワクチニアウイルスのチミジン

表16-1 人工合成されたウイルス

No.	Virus	Family	Genome	Genome Size	Reference	Note
1	Qβ phage	Leviviridae	+ssRNA	4.2 kb	Taniguchi T (1978)	プラスミドにクローニングしたcDNAを，大腸菌にtransfectionする方法で感染性ファージを回収
2	Polio virus type 1	Picornaviridae	+ssRNA	7.4 kb	Racaniello VR(1981)	プラスミドにクローニングしたcDNAを，細胞にtransfectionする方法で感染性ウイルスを回収。ただし効率は，in vitroで調製したRNAを細胞にtransfectionする方法よりも低い。
3	Coxsackie B3 virus(CVB3)	Picornaviridae	+ssRNA	7.4 kb	Kandolf R (1985)	プラスミドにクローニングしたcDNAを，細胞にtransfectionする方法で感染性ウイルスを回収
4	human Rhinovirus (HRV)	Picornaviridae	+ssRNA	7.2 kb	Mizutani S (1985)	cDNAより in vitro で調製したRNAを，細胞にtransfectionする方法で感染性ウイルスを回収
5	Tobacco mosaic virus(TMV)	Virgaviridae	+ssRNA	6.5 kb	Dawson WO (1986)	cDNAより in vitro で調製したRNAを，植物(タバコ)に接種する方法で感染性ウイルスを回収
6	Hepatitis A virus (HAV)	Picornaviridae	+ssRNA	7.5 kb	Cohen JI (1987)	cDNAより in vitro で調製したRNAを，細胞にtransfectionする方法で感染性ウイルスを回収
7	Hepatitis B virus (HBV)	Hepadnaviridae	dsDNA	3.2 kb	Sells MA (1987)	クローニングしたウイルスDNAを，tandemにつないで細胞にtransfectionする方法で感染性ウイルスを回収
8	Yellow fever virus(YFV)	Flaviviridae	+ssRNA	11.8 kb	Rice CM (1989)	全長のゲノムcDNAは大腸菌内で不安定性であることから，2分割でクローニング。これらを in vitro で結合後，in vitro で転写。生成したRNAを細胞にtransfectする方法で感染性ウイルスを回収
9	Foot-and-mouth disease virus (FMDV)	Picornaviridae	+ssRNA	8.3 kb	Zibert A (1990)	cDNAより in vitro で調製したRNAを，細胞にtransfectionする方法で感染性ウイルスを回収
2	Polio virus type 1	Picornaviridae	+ssRNA	7.4 kb	Molla A (1991)	cDNAより in vitro で調製したRNAを，Hela細胞より調製したcell-free系に投入して感染性ウイルスを回収
10	Dengue virus type 1	Flaviviridae	+ssRNA	10.6 kb	Lai C-J (1991)	cDNAより in vitro で調製したRNAを，細胞にtransfectionする方法で感染性ウイルスを回収。全長のゲノムcDNAは大腸菌内で不安定性
11	Rabies virus	Rhabdoviridae	-ssRNA	12 kb	Schnell MJ (1994)	プラスミドにクローニングしたcDNAを，ヘルパーウイルスvTF7-3(T7 RNA Polymerase遺伝子を組み込んだワクチニアウイルス)を感染させた細胞に導入する方法で感染性ウイルスを回収
12	Measles virus	Paramyxoviridae	-ssRNA	16 kb	Radecke F (1995)	プラスミドにクローニングしたcDNAを，N，PおよびT7 RNA Polymeraseを発現する293細胞に導入する方法で感染性ウイルスを回収
13	Sendai virus (SeV)	Paramyxoviridae	-ssRNA	15.4 kb	Garcin D (1995)	プラスミドにクローニングしたcDNAを，NP，PおよびL発現用プラスミドとともに，ヘルパーウイルスvTF7-3を感染させた細胞に導入する方法で感染性ウイルスを回収
14	vesicular stomatitis virus (VSV)	Rhabdoviridae	-ssRNA	11.2 kb	Lawson ND (1995), Whelan SPJ (1995)	
15	Bunyavirus	Bunyaviridae	-ssRNA 3 segments	12.3 kb	Bridgen A (1996)	プラスミドにクローニングした3セグメントのcDNAを，N/NSs，G1/G2/NSmおよびL発現用プラスミドとともに，ヘルパーウイルスvTF7-3を感染させた細胞にtransfectionする方法で感染性ウイルスを回収
16	infectious bursal disease virus (IBDV)	Birnaviridae	dsRNA 2 segments	6 kb	Mundt E (1996)	プラスミドにクローニングした2セグメントのcDNAより in vitro で調製したRNAを，細胞にtransfectionする方法で感染性ウイルスを回収

(次ページへ続く)

トピックス —ウイルスの人工合成— 第16章

No.	Virus	Family	Genome	Genome Size	Reference	Note
17	murine Cytomegalovirus (mCMV)	Herpesviridae	dsDNA	230 kb	Messerle M (1997)	BACプラスミドにクローニングしたウイルスDNAを，細胞にtransfectionする方法で感染性ウイルスを回収
18	Adeno-associated virus (AAV)	Parvoviridae	ssDNA	4.7 kb	Matsushita T (1998)	プラスミドにクローニングしたウイルスDNAを，E2A, E4およびVA発現用プラスミドとともに，293細胞にtransfectionする方法で感染性ウイルスを回収
19	Herpes simplex virus type 1 (HSV-1)	Herpesviridae	dsDNA	152 kb	Saeki Y (1998)	BACプラスミドにクローニングしたウイルスDNAを，細胞にtransfectionする方法で感染性ウイルスを回収
20	Bovine respiratory syncytial virus (BRSV)	Paramyxoviridae	-ssRNA	15.1 kb	Buchholz UJ (1999)	プラスミドにクローニングしたcDNAを，N, P, LおよびM2発現用プラスミドとともに，T7 RNA Polymeraseを発現するBHK細胞に導入する方法で感染性ウイルスを回収
21	Influenza A virus	Orthomyxoviridae	-ssRNA 8 segments	13.6 kb	Neumann G (1999), Fodor E (1999)	プラスミドにクローニングした8セグメントのcDNAを，NP, PB1, PB2およびPA発現用プラスミドとともに，細胞にtransfectionする方法で感染性ウイルスを回収
22	Newcastle disease virus (NDV)	Paramyxoviridae	-ssRNA	15.2 kb	Peeters BPH (1999)	プラスミドにクローニングしたcDNAを，NP, PおよびL発現用プラスミドとともに，ヘルパーウイルスFPV-T7(T7 RNA Polymerase遺伝子を組み込んだfowlpox virus)を感染させた細胞に導入する方法で感染性ウイルスを回収
23	Transmissible gastroenteritis virus (TGEV)	Coronaviridae	+ssRNA	28 kb	Almazan F (2000)	BACプラスミドにクローニングしたcDNAを，細胞にtransfectionする方法で感染性ウイルスを回収
24	Mumps virus	Paramyxoviridae	-ssRNA	15.4 kb	Clarke DK (2000)	プラスミドにクローニングしたcDNAを，NP, PおよびL発現用プラスミドとともに，ヘルパーウイルスMVA-T7(T7 RNA Polymerase遺伝子を組み込んだワクチニアウイルス)を感染させた細胞に導入する方法で感染性ウイルスを回収
25	Ebola virus (EBOV)	Filoviridae	-ssRNA	19.0 kb	Volchkov VE (2001)	cDNAを，NP, VP35, VP30およびL発現用プラスミドとともに，BSR T7/5細胞(T7 RNA Polymeraseを発現するBHK細胞)に導入する方法で感染性ウイルスを回収
14	vesicular stomatitis virus (VSV)	Rhabdoviridae	-ssRNA	11.2 kb	Harty RN (2001)	cDNAを，NP, PおよびL発現用プラスミドとともに，T7 RNA Polymeraseを発現する細胞に導入する方法で感染性ウイルスを回収
26	Thogoto virus	Orthomyxoviridae	-ssRNA 6 segments	10 kb	Wagner E (2001)	プラスミドにクローニングした6セグメントのcDNAを，NP, PB1, PB2, GP, MおよびPA発現用プラスミドとともに，ヘルパーウイルスMVA-T7を感染させた細胞に導入する方法で感染性ウイルスを回収
27	Influenza B virus	Orthomyxoviridae	-ssRNA 8 segments	13.5 kb	Jackson D (2002), Hoffmann E (2002)	プラスミドにクローニングした8セグメントのcDNAを，NP, PB1, PB2およびPA発現用プラスミドとともに，細胞にtransfectionする方法で感染性ウイルスを回収
2	Polio virus type 1	Picornaviridae	+ssRNA	7.6 kb	Cello J (2002)	化学合成したDNAより in vitro で調製したRNAを細胞にtransfectionする方法で感染性ウイルスを回収
28	Vaccinia virus	Poxviridae	dsDNA	200 kb	Domi A (2002)	BACプラスミドにクローニングしたウイルスDNAを，fowlpox virusを感染させた細胞にtransfectionする方法で感染性ウイルスを回収
29	West Nile virus (WNV)	Flaviviridae	+ssRNA	11 kb	Shi P-Y (2002)	cDNAより in vitro で調製したRNAを，細胞にtransfectionする方法で感染性ウイルスを回収

(次ページへ続く)

No.	Virus	Family	Genome	Genome Size	Reference	Note
18	Adeno-associated virus (AAV)	Parvoviridae	ssDNA	4.4 kb	Urabe M (2002)	AAVのゲノムDNAを組換えバキュロウイルスを，アデノウイルス由来のRep geneおよびVP geneを発現する組換えバキュロウイルスとともに，昆虫由来のSf9細胞に感染させる方法でAAVを回収
11	Rabies virus	Rhabdoviridae	-ssRNA	12 kb	Inoue K (2003)	cDNAを，N，PおよびL発現用プラスミドとともに細胞に導入する方法で感染性ウイルスを回収
8	Yellow fever virus (YFV)	Flaviviridae	+ssRNA	11.8 kb	Bredenbeek PJ (2003)	cDNAより in vitro で調製したRNAを，細胞にtransfectionする方法で感染性ウイルスを回収。Low-copyプラスミドの使用で，ゲノムcDNAの大腸菌内での不安定性を改善
30	Japanese encephalitis virus (JEV)	Flaviviridae	+ssRNA	10.9 kb	Yun S-I (2003)	
31	Borna disease virus (BDV)	Bornaviridae	-ssRNA	8.9 kb	Perez M (2003)	プラスミドにクローニングしたcDNAを，N，PおよびL発現用プラスミドとともにBHK細胞に導入する方法で感染性ウイルスを回収
32	ΦX174 bacteriophage	Microviridae	+ssDNA	5.4 kb	Smith HO (2003)	化学合成し環状化したDNAを，大腸菌にtransfectionする方法で感染性ファージを回収
33	human parvovirus B19	Parvoviridae	ssDNA	5.6 kb	Zhi N (2004)	プラスミドにクローニングしたcDNAを，UT7/Epo-S1細胞に導入する方法で感染性ウイルスを回収
34	human Meta-pneumovirus (hMPV)	Paramyxoviridae	-ssRNA	13.4 kb	Herfst S (2004)	cDNAを，N，P，M2.1およびL発現用プラスミドとともに，BSR-T7細胞に導入する方法で感染性ウイルスを回収
21	1918 Spanish influenza pandemic virus	Orthomyxoviridae	-ssRNA	13.6 kb	Tumpey TM (2005)	化学合成した8セグメントのDNAを，NP，PB1，PB2およびPA発現用プラスミドとともに，細胞にtransfectionする方法で感染性ウイルスを回収
35	Nipah virus (NiV)	Paramyxoviridae	-ssRNA	18.2 kb	Yoneda M (2006)	プラスミドにクローニングしたcDNAを，N，PおよびL発現用プラスミドとともに，ヘルパーウイルスMVAGKT7（T7 RNA Polymerase遺伝子を組み込んだワクチニアウイルス）を感染させたCV-1細胞に導入する方法で感染性ウイルスを回収
36	Porcine reproductive and respiratory syndrome virus (PRRSV)	Arteriviridae	+ssRNA	15 kb	Choi Y-J (2006)	cDNAより in vitro で調製したRNAを，細胞にtransfectionする方法で感染性ウイルスを回収
37	Lymphocytic choriomeningitis virus (LCMV)	Arenaviridae	-ssRNA 2 segments	7.6 kb	Flatz L (2006)	プラスミドにクローニングした2セグメントのcDNAを，NPおよびL発現用プラスミドとともに，細胞にtransfectionする方法で感染性ウイルスを回収
38	Marburg virus	Filoviridae	-ssRNA	19.1 kb	Enterlein S (2006)	cDNAを，NP，VP35，VP30およびL発現用プラスミドとともに，BSR T7/5細胞に導入する方法で感染性ウイルスを回収
39	human Coronavirus OC43	Coronaviridae	+ssRNA	31 kb	St-Jean JR (2006)	BACプラスミドにクローニングしたウイルスcDNAを，細胞にtransfectionする方法で感染性ウイルスを回収
40	SARS-CoV	Coronaviridae	+ssRNA	29.7 kb	DeDiego ML (2007)	
41	Influenza C virus	Orthomyxoviridae	-ssRNA 7 segments	10 kb	Crescenzo-Chaigne B (2007)	プラスミドにクローニングした7セグメントのcDNAを，PB1，PB2，P3およびNP発現用プラスミドとともに，細胞にtransfectionする方法で感染性ウイルスを回収

（次ページへ続く）

トピックス —ウイルスの人工合成— 第16章

No.	Virus	Family	Genome	Genome Size	Reference	Note
42	Reovirus	Reoviridae	dsRNA 10 segments	23.6 kb	Kobayashi T (2007)	プラスミドにクローニングした10セグメントのcDNAを，ヘルパーウイルスrDIs-T7（T7 RNA Polymerase遺伝子を組み込んだワクチニアウイルス）を感染させた細胞に導入する方法で感染性ウイルスを回収
43	Rift Valley fever virus	Bunyaviridae	-ssRNA 3 segments	11.0 kb	Habjan M (2008)	プラスミドにクローニングした3セグメントのcDNAを，BSR T7/5細胞にtransfectionする方法で感染性ウイルスを回収
44	Bovine viral diarrheal virus (BVDV)	Flaviviridae	+ssRNA	12.3 kb	Fan Z-C (2008)	BACプラスミドにクローニングしたウイルスcDNAを，細胞にtransfectionする方法で感染性ウイルスを回収
45	bat SARS-like coronavirus	Coronaviridae	+ssRNA	29.7 kb	Becker MM (2008)	化学合成したDNA断片を結合してプラスミドにクローニングし，これを細胞にtransfectionする方法で感染性ウイルスを回収
46	feline infectious Peritonitis virus (FIPV)	Coronaviridae	+ssRNA	29 kb	Balint A (2012)	BACプラスミドにクローニングしたウイルスcDNAを，細胞にtransfectionする方法で感染性ウイルスを回収
47	Chikungunya virus (CHIKV)	Togaviridae	+ssRNA	11.8 kb	Kummerer BM (2012)	cDNAより in vitro で調製したRNAを，細胞にtransfectionする方法で感染性ウイルスを回収
48	Respiratory syncytial virus (RSV)	Paramyxoviridae	-ssRNA	12.5 kb	Hotard AL (2012)	BACプラスミドにクローニングしたウイルスcDNAを，N，P，M2-1およびL発現用プラスミドとともに，BSR T7/5細胞に導入する方法で感染性ウイルスを回収
49	MERS-CoV	Coronaviridae	+ssRNA	30 kb	Almazan F (2013)	BACプラスミドにクローニングしたウイルスcDNAを，細胞に導入する方法で感染性ウイルスを回収
50	human Norovirus	Caliciviridae	+ssRNA	7.5 kb	Katayama K (2014)	ウイルスゲノムcDNAをEF-1αプロモーターの下流に配置し，これを細胞に導入する方法で感染性ウイルスを回収
51	Bluetongue virus (BTV)	Reoviridae	dsRNA 10 segments	19 kb	Pretorius JM (2015)	プラスミドにクローニングした10セグメントのcDNAを，BSR-T7細胞に導入する方法で感染性ウイルスを回収
52	infectious Salmon anemia virus (ISAV)	Orthomyxoviridae	-ssRNA 8 segments	13.2 kb	Toro-Ascuy D (2015)	プラスミドにクローニングした8セグメントのcDNAを，PB1, PB2, PAおよびNP発現用プラスミドとともに，細胞にtransfectionする方法で感染性ウイルスを回収
53	Zika virus (ZIKV)	Flaviviridae	+ssRNA	10.8 kb	Shan C (2016)	cDNAより in vitro で調製したRNAを，細胞にtransfectionする方法で感染性ウイルスを回収
54	Rotavirus	Reoviridae	dsRNA 11 segments	18.5 kb	Kanai Y (2017)	プラスミドにクローニングした11セグメントのcDNAを，D1R, D12LおよびFAST発現用プラスミドとともに，BHK-T7細胞（T7 RNA Polymeraseを発現するBHK細胞）にtransfectionする方法で感染性ウイルスを回収
55	Horsepox virus (HPXV)	Poxviridae	dsDNA	213 kb	Noyce RS (2018)	化学合成したDNAを，ヘルパーウイルス（Shope fibroma virus）を感染させた細胞にtransfectionする方法で感染性ウイルスを回収
24	Mumps virus	Paramyxoviridae	-ssRNA	15.4 kb	Zhou D (2019)	プラスミドにクローニングしたcDNAを，NP, PおよびL発現用プラスミドとともに，BHK-SR-19-T7細胞に導入する方法で感染性ウイルスを回収
56	SARS-CoV-2	Coronaviridae	+ssRNA	29.9 kb	Xie X (2020)	合成（F1, 4, 5, 6）またはPCR（F2, 3, 7）でゲノムを7つの断片に分けてプラスミドにクローニング（F1の上流にT7プロモーターを配置）。これらを結合後，in vitro でRNAを合成，これをVero細胞にtransfectionする方法で感染性ウイルスを回収

CoV：Coronavirus, MERS：Middle East respiratory syndrome, SARS：Severe Acute Respiratory Syndrome

キナーゼ遺伝子の領域にT7 RNA polymerase遺伝子を挿入したものである。

1990年代後半になると，セグメント化した-ssRNAをゲノムに持つウイルスの再生が可能になった。1996年，Bridgenら[20]は，Bunyavirus(-ssRNA, 3 segments)について，3セグメントのcDNAをN/NSs, G1/G2/NSmおよびL発現用プラスミドとともに，vTF7-3を感染させた細胞にtransfectionする方法で感染性ウイルスを合成した。そして1999年，Neumannら[21]およびFodorら[22]により，A型インフルエンザウイルス(-ssRNA, 8 segments)について，8セグメントのcDNAをNP, PB1, PB2およびPA発現用プラスミドとともに，細胞にtransfectionする方法で感染性ウイルスが合成された。両グループは，T7プロモーターに換えて，ゲノムRNAの転写にはhuman RNA polymerase Iプロモーター，ウイルスタンパク質の発現用にはchicken β-actinプロモーターやCMV由来のプロモーター，あるいはadenovirus major lateプロモーターなどを用いた。その結果，除去操作や混入否定のための追加データの取得が必要となるvTF7-3の使用が不要となり，実用的な方法となった。NeumannやFodorらの報告の中でも用いられているReverse genetics(RG)という用語は，この頃から汎用されるようになった。一般には，クローン化したゲノム(c)DNAよりウイルスを再生する方法の意で使われている。B型とC型インフルエンザウイルスについても，RG法が確立している[23〜25]。

1997年には，Messerleら[26]により，大きな二本鎖DNA(230 kbp, dsDNA)をゲノムにもつマウスサイトメガロウイルス(mCMV)の再生が報告された。それまで用いられていたプラスミドでは，このように大きな挿入DNAを大腸菌の中で安定に保つことが難しかったが，BAC(bacterial artificial chromosome)プラスミドを用いることで可能になった。BACプラスミドは，ヘルペスウイルスやワクチニアウイルス[27]など，ゲノムサイズが大きなウイルスのほか，フラビウイルスのようにゲノムcDNAが大腸菌の中で不安定なウイルスの再生でも用いられている。

1998年には，Matsushitaら[28]により，遺伝子治療用のベクターなどへの応用が進んでいるアデノ随伴ウイルス(AAV)の再生系が293細胞を用いて構築された。2002年には，Urabeら[29]によりバキュロウイルスと昆虫細胞(Sf9)を用いたAAVの再生系が開発された。AAVを遺伝子

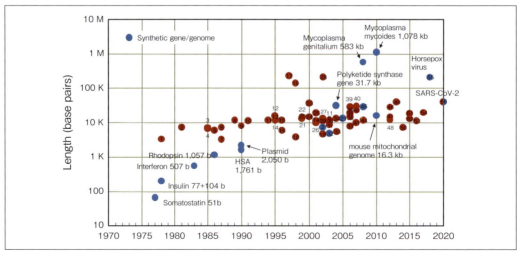

図16-1　ウイルス／ゲノムの人工合成

治療用のベクターとして開発する場合，実用化の過程(特に非臨床試験)で大量のウイルスを必要とするが，高感染価のウイルスを安価に調製する系としては，後者が優れている。2012年に欧州で承認されたリポタンパクリパーゼ欠損症を適用とする遺伝子治療用ウイルス製剤Glybera®の開発では，293細胞を用いた系で開発が開始されたが，途中でexpressSF＋®(第3章参照)を用いるバキュロウイルスの系に変更されている(第14章Ⅲ参照)。

2005年には，1918〜1919年に大きな災禍をもたらしたインフルエンザウイルス(1918 Spanish Flu)が人工合成され，病原性の強さが検証されると同時にその原因のいくつかが解明された[30, 31]。2018年には，ウイルスの中では最も大きなゲノムを持つウイルスの1つ，馬痘ウイルスが人工合成された[32, 33]。以下，いくつかの事例について紹介する。

2. ポリオウイルス

2002年，Celloら[34]により，ポリオウイルスが人工合成された。本研究は，合成DNAを用いて感染性のウイルスを合成した最初の事例であったことで注目されたが，技術的には先人たちの知見の上に成り立っている。ポリオウイルスのゲノムRNAが感染性を示す，すなわちポリオウイルスのゲノムRNAを細胞にtransfectionすると感染性のポリオウイルスが回収できることは，1958年にAlexanderら[35]により報告されている。当時は遺伝子組換え技術が未確立であり，これ以上研究が進むことはなかったが，20年後の1981年，pBR322にクローニングしたポリオウイルスのcDNAをCV-1細胞に導入する方法で，感染性のポリオウイルスを回収できることが，Racanielloら[36]により報告された。1986年には，T7プロモーターの下流にcDNAを配

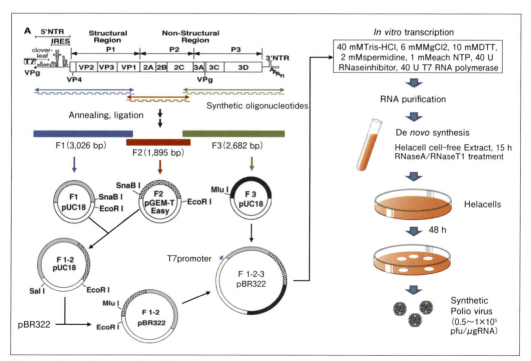

図16-2　ポリオウイルスの人工合成

置してT7 RNAポリメラーゼで転写させることで感染性のポリオウイルスRNAゲノムを効率よく調製できることが，Werfら[37]により報告されている。1991年には，Mollaら[38]により，cDNAより*in vitro*で調製したRNAを，Hela細胞より調製したcell-free系に投入して感染性ウイルスを回収できることが報告されている。ちなみにポリオウイルスのRNAゲノムは，*in vitro*だけではなく*in vivo*でも感染性を有するので，取り扱いには注意が必要である。

　Celloらの方法を図16-2に示す。全長7,558 bpのポリオウイルスゲノムと5'端に付加したT7プロモーター配列をカバーする平均長60bのオリゴヌクレオチドを，両端の15〜30bが互いに重なり合うように設計・合成し，これを3群に分けてアニーリング・T4リガーゼで結合した後，プラスミドpUC18にクローニングする。いくつかのクローンを選んで塩基配列を確認後，正しい配列のクローンを培養，プラスミドDNAを調製後，F2-pUC18よりF2断片を切り出し，制限酵素SnaB IとEcoR Iで消化したF1-pUC18のSnaB I-EcoR Iサイトに挿入，F1とF2を結合する。F1-2-pUC18を培養，プラスミドDNAを調製後，F1-F2断片を切り出し，プラスミドpBR322のSal I-EcoR Iサイトに挿入する（F1-2-pBR322）。F3-pUC18より切り出したF3断片を，Mlu IとEcoR Iで消化したF1-2-pBR322のMlu I-EcoR Iサイトに挿入してF1, F2, F3を結合する（F1-2-3-pBR322）。次いで，T7 RNAポリメラーゼとNTPを含む溶液にEcoR Iで消化して直鎖状としたF1-2-3-pBR322を加えて37℃で2時間インキュベートし，F1-2-3の転写産物，すなわちポリオウイルスのゲノムRNAを合成する。次に，フェノール-クロロホルム法で精製したゲノムRNAをHela細胞の抽出液に加えて34℃で15時間インキュベートし，翻訳（タンパク合成）とウイルス粒子の形成を行う。残存するRNAをRNase AとRNase T1の混液で分解後，反応液の一部をシャーレに培養したHela細胞に添加する。室温で1時間静置後洗浄し，ここにトラガカントゴム（Gum Tragacanth）溶液を重層して培養，出現したプラークより合成ポリオウイルスを回収した。

3. ΦX174 バクテリオファージ

　2003年，Smithら[39]により，ΦX174バクテリオファージが人工合成された（図16-3）。ΦX174バクテリオファージのゲノムは5,386bpの環状DNAで，制限酵素Pst I（認識配列：CTGCA▼G）の切断サイトを1ヵ所持つ。このGを1として，5'→3'方向へ平均長42bのオリゴヌクレオチド130本（1-130）を設計・合成する。相補鎖についても，オリゴヌクレオチド同士が10b程度ずれて重なり合うように129本（131-259）を設計・合成する。オリゴヌクレオチドは化学合成により作製するので，配列は正しいハズと考えがちであるが，当時の合成機の場合，〜50％は末端が一部欠失（truncated）しており，精製が必要であった。1-130と131-259，それぞれのプールをゲル電気泳動で精製後，オリゴヌクレオチドの5'端をT4 polynucleotide kinaseを用いてリン酸化する。次いで，Taq ligaseを用いてオリゴヌクレオチド同士を結合後，Deep VentR polymerase（N末端欠失変異型のTaqDNA polymeraseで，5'-exonuclease活性を欠き，3'-exonuclease proofreading活性を持つ）を用いたPCA（polymerase cycling assembly）反応を行って，オリゴヌクレオチドを完全長化する。次にオリゴヌクレオチド1と259をプライマーに用いてPCR反応を25cycle行った後，Pst Iで消化し，ゲル電気泳動で合成ゲノム（syn

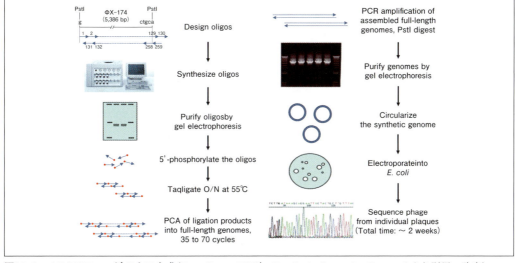

図16-3　ΦX174ファージの人工合成(Fact Sheet: JCVI's Synthetic Genomics Researchより引用・改変)

ΦX)を精製する。最後にT4 ligaseを用いてsynΦXを環状化後，Electroporationで大腸菌に導入し，合成ファージsynΦX phageを回収した。オリゴヌクレオチドの設計からsynΦX phageの回収，シーケンシングまでに要した期間は〜2週間であった。

　4つのプラークをシーケンシングした結果，設計通りの配列を持つものは1つであり，他の3つは，それぞれ1，3，5カ所に変異が入っていた。変異の頻度は1kb当たり〜2カ所であり，より大きなゲノムの合成に挑戦する場合，試薬類，反応条件の見直し，およびエラー修復の重要性が認識された。

4. コロナウイルス

　コロナウイルスの人工合成は，これまでにTGEV(transmissible gastroenteritis virus)[40]，HCoV-OC43[41]，SARS-CoV[42]，bat SARS-like coronavirus[43]，FIPV(feline infectious peritonitis virus)[44]，MERS-CoV[45]について報告されている。多くは，BACプラスミドにクローニングしたウイルスcDNAを細胞にtransfectionする方法で感染性ウイルスを回収しているが，bat SARS-like coronavirusについては，化学合成したDNA断片を結合して全長化し，これをプラスミドにクローニング後，細胞にtransfectionする方法で感染性ウイルスを回収している。SARS-CoV-2については，2報が報告されている。Xieら[46]は，化学合成(F1，4，5，6)またはPCR(F2，3，7)で取得した全長をカバーする7つの断片をプラスミドにクローニング，配列を確認後，制限酵素で切り出し，*in vitro* ligationを2度繰り返して全長化後，5'端に配置したT7プロモーターと3'端に配置したポリAシグナルを利用して*in vitro*でRNAを合成，これをVero細胞にelectroporation法でtransfectionし，感染性のSARS-CoV-2を取得した(図16-4)。Thaoら[47]は，化学合成した12本の断片をプラスミドベクターとともに同時に酵母菌にtransfectionして酵母菌の中で全長化後，取り出したプラスミドを用いて*in vitro*でRNAを合成，

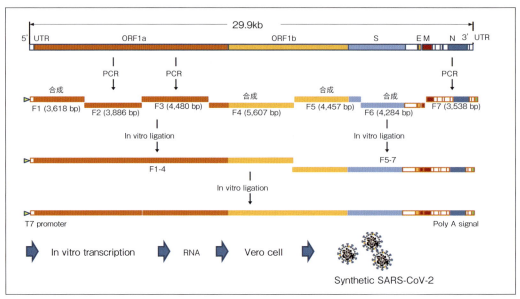

図16-4　SARS-CoV-2の人工合成

これをVero細胞にelectroporation法でtransfectionし感染性のSARS-CoV-2を取得した。12本の合成DNA断片を受け取ってから感染性のSARS-CoV-2を取得するまでの期間は1週間であったとしている。

おわりに

　以上，ウイルスの人工合成の技術的系譜について概説した。今やウイルス学や分子生物学などの基本的な知識と設備が整えば，ゲノム情報をもとにウイルスを再生することも，改変ウイルスを合成することも可能な時代となった。今後，ウイルスを用いた医薬品が次々に開発されると考えられるが，革新的な治療効果をもたらす可能性とともにわれわれがまだ知らないリスクが潜んでいるかもしれない。1つひとつ慎重に知見を積み重ねる必要がある。

■参考文献
1) 菅原敬信. ウイルスの人工合成（第2回）. Pharm Tech Japan 34(9)：119-128, 2018
2) Keiichi Itakura, Nobuya Katagiri, Saran A. Narang, Chander P. Bahl, Kenneth J. Marians, and Ray Wu. Chemical synthesis and sequence studies of deoxyribooligonucleotides which constitute the duplex sequence of the lactose operator of Escherichia coli. J. Biol. Chem. 250：4592-4600, 1975
3) Keiichi Itakura, Tadaaki Hirose, Roberto Crea, Arthur D. Riggs, Herbert L. Heyneker, et al. Expression in Escherichia coli of a chemically synthesized gene for the hormone somatostatin. Science 198： 1056-1063, 1977
4) Roberto Crea, Adam Kraszewski, Tadaaki Hirose, and Keiichi Itakura. Chemical synthesis of genes for human insulin. Proc. Natl. Acad. Sci. USA 75：5765-5769, 1978
5) M.D. Edge, A.R. Greene, G.R. Heathcliffe, V.E. Moore, N.J. Faulkner, et al. Chemical synthesis of a human interferon-α 2 gene and its expression in Escherichia coli. Nucleic Acids Res. 11：6419-6435, 1983
6) Luca Ferretti, Sadashiva S. Karnik, H. Gobind Khorana, Michael Nassal, and Daniel D. Oprian. Total synthesis of a gene for bovine rhodopsin. Proc. Natl. Acad. Sci. USA 83：599-603, 1986

7) Miklos Kalman, Imre Cserpan, Gyorgy Bajszar, Albert Dobi, Eva Horvath, et al. Synthesis of a gene for human serum albumin and its expression in Saccharomyces cerevisiae. Nucleic Acids Res. 18：6075-6081, 1990
8) Wlodek Mandecki, Mark A. Hayden, Mary Ann Shallcross and Elizabeth Stotland. A totally synthetic plasmid for general cloning, gene expression and mutagenesis in Escherichia coli. Gene 94：103-107, 1990
9) Sarah J. Kodumal, Kedar G. Patel, Ralph Reid, Hugo G. Menzella, Mark Welch, and Daniel V. Santi. Total synthesis of long DNA sequences：Synthesis of a contiguous 32-kb polyketide synthase gene cluster. Proc. Natl. Acad. Sci. USA 101：15573-15578, 2004
10) Daniel G. Gibson, Gwynedd A. Benders, Cynthia Andrews-Pfannkoch, Evgeniya A. Denisova, Holly Baden-Tillson, et al. Complete chemical synthesis, assembly, and cloning of a Mycoplasma genitalium genome. Science 319：1215-1220, 2008
11) Daniel G. Gibson, Hamilton O. Smith, Clyde A. Hutchison III, J. Craig Venter, & Chuck Merryman. Chemical synthesis of the mouse mitochondrial genome. Nature Meth. 7：901-903, 2010
12) Narayana Annaluru, Héloïse Muller, Leslie A. Mitchell, Sivaprakash Ramalingam, Giovanni Stracquadanio, et al. Total synthesis of a functional designer eukaryotic chromosome. Science 344：55-58, 2014
13) Weimin Zhang, Guanghou Zhao, Zhouqing Luo, Yicong Lin, Lihui Wang, Yakun Guo, et al. Engineering the ribosomal DNA in a megabase synthetic chromosome. Science 355：eaaf3981, 2017
14) Ze-Xiong Xie, Bing-Zhi Li, Leslie A. Mitchell, Yi Wu, Xin Qi, et al. " Perfect " designer chromosome V and behavior of a ring derivative. Science 355：eaaf4704, 2017
15) Yi Wu, Bing-Zhi Li, Meng Zhao, Leslie A. Mitchell, Ze-Xiong Xie, et al. Bug mapping and fitness testing of chemically synthesized chromosome X. Science 355：eaaf4706, 2017
16) Yue Shen, Yun Wang, Tai Chen, Feng Gao, Jianhui Gong, et al. Deep functional analysis of synII, a 770-kilobase synthetic yeast chromosome. Science 355：eaaf4791, 2017
17) Leslie A. Mitchell, Ann Wang, Giovanni Stracquadanio, Zheng Kuang, Xuya Wang, et al. Synthesis, debugging, and effects of synthetic chromosome consolidation：synVI and beyond. Science 355：eaaf4831, 2017
18) Matthias J. Schnell, Teshome Mebatsion and Karl-Klaus Conzelmann. Infectious rabies viruses cloned cDNA. EMBO J. 13：4195-4203, 1994
19) Thomas R. Fuerst, Edward G. Niles, F. William Studier, and Bernard Moss. Eukaryotic transientexpression system based on recombinant vaccinia virus that synthesizes bacteriophage T7 RNA polymerase. Proc. Natl. Acad. Sci. USA 83：8122-8126, 1986
20) Anne Bridgen and Richard M. Elliott. Rescue of a segmented negative-strand RNA virus entirely from cloned complementary DNAs. Proc. Natl. Acad. Sci. USA 93：15400-15404, 1996
21) Gabriele Neumann, Tokiko Watanabe, Hiroshi Ito, Shinji Watanabe, Hideo Goto, et al. Generation of influenza A viruses entirely from cloned cDNAs. Proc. Natl. Acad. Sci. USA 96：9345-9350, 1999
22) Ervin Fodor, Louise Devenish, Othmar G. Engelhardt, Peter Palese, George G. Brownlee, and Adolfo Garcia-Sastre. Rescue of influenza A virus from recombinant DNA. J. Virol. 73：9679-9682, 1999
23) David Jackson, Andrew Cadman, Thomas Zurcher, and Wendy S. Barclay. A Reverse genetics approach for recovery of recombinant influenza B viruses entirely from cDNA. J. Virol. 76：11744-11747, 2002
24) Erich Hoffmann, Kutubuddin Mahmood, Chin-Fen Yang, Robert G. Webster, Harry B. Greenberg, and George Kemble. Rescue of influenza B virus from eight plasmids. Proc. Natl. Acad. Sci. USA 99：11411-11416, 2002
25) Bernadette Crescenzo-Chaigne and Sylvie van der Werf. Rescue of influenza C virus from recombinant DNA. J. Virol. 81：11282-11289, 2007
26) Martin Messerle, Irena Crnkovic, Wolfgang Hammerschmidt, Heike Ziegler, and Ulrich H. Koszinowski. Cloning and mutagenesis of a herpesvirus genome as an infectious bacterial artificial chromosome. Proc. Natl. Acad. Sci. USA 94：14759-14763, 1997
27) Arban Domi and Bernard Moss. Cloning the vaccinia virus genome as a bacterial artificial chromosome in Escherichia coli and recovery of infectious virus in mammalian cells. Proc. Natl. Acad. Sci. USA 99：12415-12420, 2002
28) T Matsushita, S Elliger, C Elliger, G Podsakoff, L Villarreal, et al. Adeno-associated virus vectors can be efficiently produced without helper virus. Gene Therapy 5：938-45, 1998
29) Masashi Urabe, Chuantian Ding, and Robert M. Kotin. Insect cells as a factory to produce adenoassociated virus type 2 vectors. Hum. Gene Therapy 13：1935-1943, 2002
30) Terrence M. Tumpey, Christopher F. Basler, Patricia V. Aguilar, Hui Zeng, Alicia Solorzano, et al. Characterization of the reconstructed 1918 Spanish influenza pandemic virus. Science 310：77-80, 2005
31) 菅原敬信. ウイルスの人工合成（第3回）—インフルエンザウイルス. Pharm Tech Japan 34（10）：167-171, 2018
32) Ryan S. Noyce, Seth Lederman, David H. Evans. Construction of an infectious horsepox virus vaccine

from chemically synthesized DNA fragments. PLoS ONE 13：e0188453, 2018
33) 菅原敬信. ウイルスの人工合成（第1回）—馬痘ウイルス. Pharm Tech Japan 34(8)：63-69, 2018
34) Jeronimo Cello, Aniko V. Paul, Eckard Wimmer. Chemical synthesis of poliovirus cDNA： Generation of infectious virus in the absence of natural template. Science 297：1016-1018, 2002
35) Hattie E. Alexander, Gebhard Koch, Isabel Morgan Mountain, and Olga Van Damme. Infectivity of ribonucleic acid from poliovirus in human cell monolayers. J. Exp. Med. 108：493-506, 1958
36) Vincent R. Racaniello, David Baltimore. Cloned poliovirus complementary DNA is infectious in mammalian cells. Science 214：916-919, 1981
37) Sylvie van der Werf, Jonathan Bradley, Eckard Wimmer, F. William Studier, and John J. Dunn. Synthesis of infectious poliovirus RNA by purified T7 RNA polymerase. Proc. Natl. Acad. Sci. USA 83： 2330-2334, 1986
38) Akhteruzzaman Molla, Aniko V. Paul, EcKard Wimmer. Cell-free, de novo synthesis of poliovirus. Science 254：1647-1651, 1991
39) Hamilton O. Smith, Clyde A. Hutchison III, Cynthia Pfannkoch, and J. Craig Venter. Generating a synthetic genome by whole genome assembly： ΦX174 bacteriophage from synthetic oligonucleotides. Proc. Natl. Acad. Sci. USA 100：15440-15445, 2003
40) Fernando Almazan, Jose M. Gonzalez, Zoltan Penzes, Ander Izeta, Enrique Calvo, et al. Engineering the largest RNA virus genome as an infectious bacterial artificial chromosome. Proc. Natl. Acad. Sci. USA 97：5516-5521, 2000
41) Julien R. St-Jean, Marc Desforges, Fernando Almazan, Helene Jacomy, Luis Enjuanes, and Pierre J. Talbo. Recovery of a neurovirulent human coronavirus OC43 from an infectious cDNA clone. J. Virol. 80： 3670-3674, 2006
42) Marta L. DeDiego, Enrique Alvarez, Fernando Almazan, Maria Teresa Rejas, Elaine Lamirande, et al. A severe acute respiratory syndrome coronavirus that lacks the E gene is attenuated in vitro and in vivo. J. Virol. 81：1701-1713, 2007
43) Michelle M. Becker, Rachel L. Graham, Eric F. Donaldson, Barry Rockx, Amy C. Sims, et al. Synthetic recombinant bat SARS-like coronavirus is infectious in cultured cells and in mice. Proc. Natl. Acad. Sci. USA 105：19944-19949, 2008
44) Adam Balint, Attila Farsang, Zoltan Zadori, Akos Hornyak, Laszlo Dencso, et al. Molecular characterization of feline infectious peritonitis virus strain df-2 and studies of the role of orf3abc in viral cell tropism. J. Virol. 86：6258-6267, 2012
45) Fernando Almazan, Marta L. DeDiego, Isabel Sola, Sonia Zuniga, Jose L. Nieto-Torres, et al. Engineering a replication-competent, propagation-defective middle east respiratory syndrome coronavirus as a vaccine candidate. mBio 4：e00650-13, 2013
46) Xuping Xie, Antonio Muruato, Kumari G. Lokugamage, Krishna Narayanan, Xianwen Zhangm, Jing Zou, et al. An infectious cDNA clones of SARS-CoV-2. Cell Host Microbe 27：841-848, 2020
47) Tran Thi Nhu Thao, Fabien Labroussaa, Nadine Ebert, Philip V'kovski, Hanspeter Stalde, et al. Rapid reconstruction of SARS-CoV-2 using a synthetic genomics platform. Nature 582：561-565, 2020

日本PDA製薬学会バイオウイルス委員会実績一覧

【邦文】

1) ウイルスクリアランス試験の課題と事例検討－総ウイルスクリアランス指数(LRV)をどこまで追及するか－
   小田昌宏，寺野 剛，岡村元義，川俣 治，新井健史，小澤貞雄，小杉公彦，洪 苑起，高橋英晴，築山美奈，佐藤哲男，大場徹也
   PDA Journal of GMP and Validation in Japan 7：44-54(2005)

2) セル・バンクを更新あるいは変更する際の留意点 セル・バンクの更新・変更に伴う特性・純度試験項目設定および産物の同等性／同質性検証の考え方
   菅原敬信，重松弘樹，西田靖武，元木政道，熱海 甲，曲田純二，菅谷真二
   PHARM TECH JAPAN, 22：925-931(2006)

3) 生物由来製品の総ウイルスクリアランス指数(LRV)に関する考え方
   小田昌宏，寺野 剛，岡村元義，川俣 治，新井健史，小澤貞雄，小杉公彦，洪 苑起，高橋英晴，築山美奈，佐藤哲男，村井活史，大場徹也
   PHARM TECH JAPAN, 22：933-942(2006)

4) 申請のための具体的なウイルスクリアランス試験プロトコール
   村井活史，浦久保 知也，西田靖武，洪 苑起，菅原敬信，岡村元義，小田昌宏，川俣 治，小杉公彦，塩見哲次，高橋英晴，殿守俊介，林 秀樹，丸山裕一
   PDA Journal of GMP and Validation in Japan, 9：6-31(2007)

5) 生物製剤におけるプリオン対策の現状と課題
   荒木武義，大場徹也，金田伸一，重松弘樹，菅谷真二，曲田純二，宮田和正，元木政道，吉成 河法吏
   PDA Journal of GMP and Validation in Japan, 9：32-41(2007)

6) 生物製剤におけるプリオン対策の現状と課題
   荒木武義，大場徹也，金田伸一，重松弘樹，菅谷真二，曲田純二，宮田和正，元木政道，吉成 河法吏
   PHARM TECH JAPAN, 24：929-936(2008)

7) ウイルスクリアランス試験担当者のための具体的なウイルスクリアランス試験プロトコール
   村井活史，浦久保 知也，西田靖武，洪 苑起，菅原敬信，岡村元義，小田昌宏，川俣 治，小杉公彦，塩見哲次，高橋英晴，殿守俊介，林 秀樹，丸山裕一
   PHARM TECH JAPAN, 24：937-945(2008)

8) バイオ医薬品の品質リスクマネジメント
   浦久保 知也，大場徹也，岡村元義，金田伸一，川俣 治，塩見哲次，重松弘樹，菅谷真二，菅原敬信，曲田純二，丸山裕一，元木政道
   PDA Journal of GMP and Validation in Japan, 10：23-36(2008)

9) 第12章 バイオ医薬品のリスクマネジメントとクリアランス試験の進め方 ①バイオ医薬品の品質リスクマネジメント
   浦久保 知也，大場徹也，岡村元義，金田伸一，川俣 治，塩見哲次，重松弘樹，菅谷真二，

菅原敬信，曲田純二，丸山裕一，元木政道
PHARM TECH JAPAN, 25：1007-1017(2009)

10) 第12章　バイオ医薬品のリスクマネジメントとクリアランス試験の進め方　②効率的なバイオ医薬品のウイルスクリアランス試験の進め方－治験申請から製造承認申請まで－
荒木武義，大和田 尚，小田昌宏，洪 苑起，小杉公彦，鈴木義紀，高橋英晴，殿守俊介，林 秀樹，宮田和正，吉成 河法吏
PHARM TECH JAPAN, 25：1019-1027(2009)

11) 第13章　座談会 これからの品質保証とICH Qトリオ
(出席者) 猪熊随文氏，今村雅志氏，奥川隆政氏，片山博仁氏，上久木田務氏，小山靖人氏，菅谷真二氏，橋本葭人氏，村上大吉郎，原芳明氏
PHARM TECH JAPAN, 25：1029-1044(2009)

12) 日本PDA製薬学会第16回年会の開催に向けて
今村雅志，奥川隆政，片山博仁，上久木田務，小山靖人，佐々木淳子，菅谷真二，村上大吉郎，齋藤 泉
PHARM TECH JAPAN, 25：2255-2261(2009)

13) 生物薬品(Biologics)の製造と品質管理(開発から上市まで)を学ぶ　第1回「生物薬品(Biologics)の概要について：バイオ医薬品，ワクチン，血漿分画製剤の開発史，及び関連法規」
岡村義元，菅谷真二
PHARM TECH JAPAN, 26：637-641(2010)

14) シングルユースバッグの評価と導入
丸山裕一，浦久保 知也，大場徹也，塩見哲次，重松弘樹
PHARM TECH JAPAN, 26：769-775(2010)

15) バイオ医薬品のQuality by Design(QbD)
岡村元義，金田伸一，洪 苑起，菅谷真二，菅原敬信，元木政道
PHARM TECH JAPAN, 26：757-767(2010)

16) ウイルスクリアランス試験に使用するスパイクウイルスの調製
川俣 治，荒木武義，大和田 尚，小田昌宏，嘉悦 洋，北野 誠，小杉公彦，鈴木義紀，瀬川昌也，築山美奈，宮田和正，吉成 河法吏
PHARM TECH JAPAN, 26：925-935(2010)

17) 生物薬品(Biologics)の製造と品質管理(開発から上市まで)を学ぶ　第2回「セル・バンクの品質・安全性確保」
菅原敬信，浦久保知也
PHARM TECH JAPAN, 26：983-991(2010)

18) 生物薬品(Biologics)の製造と品質管理(開発から上市まで)を学ぶ　第3回「バイオ医薬品の製造設備・方法（培養，精製，ウイルス除去，製剤など)：前編」
小杉公彦，鈴木義紀，岡村元義
PHARM TECH JAPAN, 26：1195-1198(2010)

19) 生物薬品(Biologics)の製造と品質管理(開発から上市まで)を学ぶ　第4回「バイオ医薬品の製造設備・方法（培養，精製，ウイルス除去，製剤など)：後編」
小杉公彦，鈴木義紀，岡村元義

PHARM TECH JAPAN, 26：1533-1536(2010)

20) 生物薬品(Biologics)の製造と品質管理(開発から上市まで)を学ぶ　第5回「バイオ医薬品の品質管理概論」
荒木武義, 重松弘樹
PHARM TECH JAPAN, 26：1747-1751(2010)

21) 生物薬品(Biologics)の製造と品質管理(開発から上市まで)を学ぶ　第6回「バイオ医薬品の特性解析と分析技術」
金田伸一, 岡野 清, 川俣 治, 瀬川昌也, 元木政道
PHARM TECH JAPAN, 26：1965-1972(2010)

22) 生物薬品(Biologics)の製造と品質管理(開発から上市まで)を学ぶ　第7回「ウイルスクリアランス試験(目的, 評価方法及び委託機関利用)」
築山美奈, 北野 誠
PHARM TECH JAPAN, 26：2361-2368(2010)

23) 生物薬品(Biologics)の製造と品質管理(開発から上市まで)を学ぶ－第8回「ウイルス・マイコプラズマ否定試験(前編)」
川俣 治, 瀬川昌也, 築山美奈, 北野 誠
PHARM TECH JAPAN, 26：2593-2602(2010)

24) 生物薬品(Biologics)の製造と品質管理(開発から上市まで)を学ぶ　第9回「ウイルス・マイコプラズマ否定試験(後編)」
川俣 治, 瀬川昌也, 築山美奈, 北野 誠
PHARM TECH JAPAN, 26：161-165(2011)

25) 生物薬品(Biologics)の製造と品質管理(開発から上市まで)を学ぶ－第10回「血液製剤～輸血用血液製剤～」
大和田 尚, 嘉悦 洋, 洪 苑起
PHARM TECH JAPAN, 26：343-348(2011)

26) 生物薬品(Biologics)の製造と品質管理(開発から上市まで)を学ぶ　第11回「血液製剤～血漿分画製剤」
洪 苑起, 嘉悦 洋
PHARM TECH JAPAN, 26：547-554(2011)

27) 生物薬品(Biologics)の製造と品質管理(開発から上市まで)を学ぶ　第12回「ワクチンの製造と品質管理－インフルエンザワクチンを例に－」
丸山裕一, 菅原敬信, 高橋克仁, 山村倫子
PHARM TECH JAPAN, 27：767-776(2011)

28) 生物薬品(Biologics)の製造と品質管理(開発から上市まで)を学ぶ　第13回「ワクチンの製造と品質管理－次世代のワクチン－」
菅原敬信, 丸山裕一, 高橋克仁, 山村倫子
PHARM TECH JAPAN, 27：1105-1111(2011)

29) 生物薬品(Biologics)の製造と品質管理(開発から上市まで)を学ぶ　第14回「シングルユース技術(前編)」
小田昌宏, 五十嵐 聡, 塩見哲次, 曲田純二, 金田伸一
PHARM TECH JAPAN, 27：1657-1664(2011)

30) 生物薬品（Biologics）の製造と品質管理（開発から上市まで）を学ぶ　第15回「シングルユース技術（後編）」
　　小田昌宏，五十嵐 聡，塩見哲次，曲田純二，金田伸一
　　PHARM TECH JAPAN, 27：1881-1887（2011）

31) 生物薬品（Biologics）の製造と品質管理（開発から上市まで）を学ぶ　第16回「生物薬品におけるTSE対策の現状と課題（前編）」
　　築山美奈，金田伸一，村井活史，川俣 治
　　PHARM TECH JAPAN, 27：2089-2094（2011）

32) 生物薬品（Biologics）の製造と品質管理（開発から上市まで）を学ぶ　第17回「生物薬品におけるTSE対策の現状と課題（後編）」
　　村井活史，川俣 治，金田伸一，築山美奈
　　PHARM TECH JAPAN, 27：2279-2285（2011）

33) バイオ医薬の品質向上に向けての取り組み　1. 工程変更に伴うウイルスクリアランス性能再評価の課題とその解決策
　　嘉悦 洋，荒木武義，大和田 尚，小田昌宏，川俣 治，北野 誠，洪 苑起，小杉公彦，末永正人，瀬川昌也，築山美奈，村井活史，吉成 河法吏，菅谷真二
　　PHARM TECH JAPAN, 27：879-885（2011）

34) バイオ医薬の品質向上に向けての取り組み　2. バイオ医薬品のQuality by Design（QbD）－"A-Mab：a Case Study in Bioprocess Development"の紹介も含めて－
　　金田伸一，五十嵐 聡，浦久保知也，大場徹也，岡野 清，岡村元義，塩見哲次，重松弘樹，菅谷真二，菅原敬信，鈴木義紀，高橋克仁，曲田純二，丸山裕一，元木政道，山村倫子
　　PHARM TECH JAPAN, 27：887-904（2011）

35) バイオ医薬品のウイルス安全性評価に関する研究
　　新見 伸吾，井上雅晴，大和田 尚，岡野 清，小田昌宏，亀井 慎太郎，川俣 治，北野 誠，洪 苑起，小杉公彦，塩見哲次，末永正人，菅谷真二，菅原敬信，龍田祐治，築山美奈，松野哲巌，丸山裕一，村井活史
　　医薬品・医療機器等レギュラトリーサイエンス総合研究事業「ウイルス等感染性因子安全性評価に関する研究」平成25年度報告書：67-74（2013）

36) 生物薬品の品質，安全性の向上に関する検討　1. 過去の事例に学ぶウイルス汚染の防止対策～血漿分画製剤の感染事例とその対策～
　　亀井 慎太郎，井上雅晴，大和田 尚，岡野 清，小田昌宏，川俣 治，北野 誠，洪 苑起，小杉公彦，塩見哲次，末永正人，菅谷真二，菅原敬信，龍田祐治，築山美奈，松野哲巌，丸山裕一，村井活史，新見伸吾
　　PHARM TECH JAPAN, 29：1257-1262（2013）

37) 生物薬品の品質，安全性の向上に関する検討　2. バイオ医薬品のQbD－pCQA選定のための新規リスクアセスメントツールの提案および実践－
　　粟津洋寿，五十嵐 聡，浦久保 知也，岡村元義，金田真一，菅谷真二，竹田浩三，長谷川孝夫，曲田純二，元木政道，吉成 河法吏
　　PHARM TECH JAPAN, 29：1263-1272（2013）

38) バイオ医薬品のウイルス安全性評価に関する研究
　　新見 伸吾，岡野 清，川俣 治，左海 順，菅原敬信，殿守俊介，藤元江里

医薬品・医療機器等レギュラトリーサイエンス総合研究事業「ウイルス等感染性因子安全性評価に関する研究」平成26年度報告書：79-84（2014）

39）バイオ医薬品の安全性確保　1．ウイルスクリアランス試験の現状と実施における留意点
井上雅晴，伊藤隆夫，小田昌宏，亀井慎太郎，大和田尚，北野誠，塩見哲次，末永正人，龍田祐治，松野哲厳，丸山裕一，村井活史
PHARM TECH JAPAN, 30：821-827（2014）

40）バイオ医薬品の安全性確保　2．ウイルス迷入の安全性評価
岡野清，川俣治，北野誠，左海順，菅原敬信，殿守俊介，新見伸吾，藤元江里
PHARM TECH JAPAN, 30：829-836（2014）

41）バイオ医薬品の製造及び微生物管理
菅谷真二
医薬品医療機器レギュラトリーサイエンス，45：980-987（2014）

42）バイオ医薬品QbDと再生医療　1．バイオ医薬品のQbD －凝集体およびHCPの最新分析法とリスク管理－
佐藤昌紀，粟津洋寿，浦久保知也，岡野清，岡村元義，菅谷真二，竹田浩三，元木政道
PHARM TECH JAPAN, 31：1280-1289（2015）

43）バイオ医薬品QbDと再生医療　2．再生医療の最近の話題と規制動向
佐藤謙一，荒木辰也，飯島正也，伊藤隆夫，井上雅晴，大下昌利，小田昌宏，北野誠，左海順，菅原敬信，鈴木義紀，龍田雄治，塚本洋子，殿守俊介，松野哲厳，丸山裕一，水沼恒英，村井活史，吉成河法吏，新見伸吾
PHARM TECH JAPAN, 31：1290-1301（2015）

44）再生医療等製品の承認の現状とシングルユースシステムの技術課題と対応策　1．国内外における再生医療等製品の承認の現状～審査報告書から見た再生医療等製品に求められる品質，有効性，安全性の確保～
木島研一，飯嶋正也，卯月左江子，大下昌利，小川伸哉，小田昌宏，北野誠，左海順，佐藤謙一，菅原敬信，鈴木義紀，塚本洋子，殿守俊介，水沼恒英，村井活史，山浦一朗，吉成河法吏，新見伸吾
PHARM TECH JAPAN, 32：768-789（2016）

45）再生医療等製品の承認の現状とシングルユースシステムの技術課題と対応策　2．シングルユースシステム－その技術概要，課題と対応策－
竹田浩三，粟津洋寿，五十嵐聡，伊藤隆夫，井上雅晴，岡野清，岡村元義，河野栄樹，北野誠，末永正人，菅谷真二，松野哲厳，丸山裕一，山本秀樹
PHARM TECH JAPAN, 32：791-800（2016）

46）バイオテクノロジー応用医薬品製造工程上流の原材料による外来性ウイルス汚染リスクの軽減【前編】
新見伸吾
医薬品医療機器レギュラトリーサイエンス 49：31-41, 2018

47）バイオテクノロジー応用医薬品製造工程上流の原材料による外来性ウイルス汚染リスクの軽減【後編】
新見伸吾
医薬品医療機器レギュラトリーサイエンス 49：112-122, 2018

48）次世代シーケンシングによるバイオ医薬品のウイルス安全性評価 第1回 次世代シーケンシングとは
　　平澤竜太郎，飯嶋正也，井上雅晴，大下昌利，小田昌宏，菅原敬信，時枝養之，丸山裕一，水沼恒英，村井活史
　　PHARM TECH JAPAN, 34：491-497（2018）

49）次世代シーケンシングによるバイオ医薬品のウイルス安全性評価 第2回 国内外の動向と標準化に向けた活動
　　平澤竜太郎，飯嶋正也，井上雅晴，大下昌利，小田昌宏，菅原敬信，時枝養之，丸山裕一，水沼恒英，村井活史
　　PHARM TECH JAPAN, 34：839-845（2018）

50）バイオ医薬品の連続生産　①バイオ医薬品 連続生産における現状と課題
　　時枝養之，粟津洋寿，伊藤隆夫，岡野 清，小川伸哉，河野栄樹，左海 順，菅谷真二，新見伸吾，松野哲巌，山本耕一，山本秀樹，吉村卓也
　　PHARM TECH JAPAN, 34：1184-1192（2018）

51）バイオ医薬品の連続生産　②バイオ医薬品の連続製造におけるウイルスクリアランス試験
　　針金谷 尚人，井上雅晴，氏家成隆，鈴木義紀，宮崎弘樹，李 仁義，吉成 河法吏
　　PHARM TECH JAPAN, 34：1193-1201（2018）

52）バイオ医薬品の連続生産　③NGSとウイルス安全性
　　平澤竜太郎，菅原敬信，飯嶋正也，井上雅晴，大下昌利，小田昌宏，時枝養之，丸山裕一，水沼恒英，村井活史
　　PHARM TECH JAPAN, 34：1202-1212（2018）

53）ウイルス由来核酸の検出に用いる理化学機器
　　平澤竜太郎
　　PHARM TECH JAPAN, 34：2091-2096（2018）

53）ウイルス由来核酸の検出に用いる理化学機器
　　平澤竜太郎
　　PHARM TECH JAPAN, 34：2091-2096（2018）

54）次世代シーケンシングによるバイオ医薬品のウイルス安全性評価 第8回 サンプリングおよびライブラリ調製の考え方〜AVSTIG's Current Perspectives〜
　　平澤竜太郎
　　PHARM TECH JAPAN, 35：603-610（2019）

55）次世代シーケンシングによるバイオ医薬品のウイルス安全性評価 番外編1 第19回医薬品等ウイルス安全性シンポジウム参加報告
　　平澤竜太郎
　　PHARM TECH JAPAN, 35：903-906（2019）

56）バイオ医薬品の製造・品質管理での気になる課題　①バイオ医薬品の製造プロセスにおけるウイルスクリアランス試験〜現状と課題〜
　　渡辺直人，針金谷尚人，氏家成隆，鈴木義紀，宮崎弘樹，李 仁義，吉成河法吏
　　PHARM TECH JAPAN, 35：1243-1250（2019）

57）バイオ医薬品の製造・品質管理での気になる課題　②バイオ医薬品製造コストに関する考察

粟津洋寿，伊藤隆夫，岡田真樹，小川伸哉，河野栄樹，左海 順，菅谷真二，辻 伸次，時枝養之，新見伸吾，山本秀樹，山本耕一，吉村卓也
PHARM TECH JAPAN, 35：1251-1257(2019)

58) 次世代シーケンシングによるバイオ医薬品のウイルス安全性評価 第9回 ウイルス検出のデータ解析パイプラインについての検討〜AVSTIG's considerations〜
平澤竜太郎
PHARM TECH JAPAN, 35：1757-1770(2019)

59) セルバンクの"clonality"について考える第1回
菅原敬信
PHARM TECH JAPAN, 36：281-296(2020)

60) セルバンクの"clonality"について考える第2回
菅原敬信
PHARM TECH JAPAN, 36：651-654(2020)

61) 次世代シーケンシングによるバイオ医薬品のウイルス安全性評価 番外編3 AVDTIG Face to Faceミーティング参加報告
平澤竜太郎
PHARM TECH JAPAN, 36：669-674(2020)

62) 次世代シーケンシングによるバイオ医薬品のウイルス安全性評価 第10回 核酸の混入がNGS解析に与える影響
菅原敬信
PHARM TECH JAPAN, 36：851-859(2020)

63) バイオ医薬品等のウイルス安全性を考える ①バイオテクノロジー応用医薬品の製造工程におけるウイルスの混入または迷入時の安全性評価のデシジョンツリー
井上雅晴，川俣 治，築山美奈，針金谷尚人，本郷智子，村井活史，森ゆうこ，吉成河法吏，李 仁義，渡辺直人
PHARM TECH JAPAN, 36：981-987(2020)

64) バイオ医薬品等のウイルス安全性を考える ②NGSによるウイルス安全性評価〜産官学連携による国際活動の現況〜
井上隆昌，飯嶋正也，上村泰央，岡野 清，小田昌宏，川俣 治，菅原敬信，平澤竜太郎，丸山裕一
PHARM TECH JAPAN, 36：989-996(2020)

65) 次世代シーケンシングによるバイオ医薬品のウイルス安全性評価 番外編4 IABSシンポジウム参加報告
平澤竜太郎
PHARM TECH JAPAN, 36：1165-1176(2020)

66) 次世代シーケンシングによるバイオ医薬品のウイルス安全性評価 番外編5 NGS受託試験企業PathoQuest社訪問記
平澤竜太郎
PHARM TECH JAPAN, 36：1575-1579(2020)

67) 新型コロナウイルス(SARS-CoV-2)第1回コロナウイルス概説
菅原敬信

PHARM TECH JAPAN, 36：2363-2372（2020）
68）次世代シーケンシングによるバイオ医薬品のウイルス安全性評価 第11回感染リスクのあるウイルスの選択的な検出
　　　平澤竜太郎
　　　PHARM TECH JAPAN, 36：2391-2401（2020）

[書籍]
1) バイオ医薬品ハンドブック，株式会社じほう（東京）2012
2) バイオ医薬品ハンドブック（第2版），株式会社じほう（東京）2016
3) バイオ医薬品ハンドブック（第3版），株式会社じほう（東京）2018

[学会発表]
1) 日本PDA製薬学会第11回年会, 2004年10月28-29日，東京
2) 日本PDA製薬学会第13回年会, 2006年11月7-8日，東京
3) 日本PDA製薬学会第14回年会, 2007年11月13-14日，東京
　・生物製剤におけるプリオン対策の現状と課題
　・申請のための具体的なウイルスクリアランスプロトコール
4) 日本PDA製薬学会第15回年会, 2008年11月12, 13日，東京
　・バイオ医薬品の品質リスクマネジメント
　・効率的なバイオ医薬品ウイルスクリアランス試験の進め方〜治験申請から製造承認申請まで〜
5) 日本PDA製薬学会第17回年会, 2010年11月9, 10日，東京
　・工程変更に伴うウイルスクリアランス〜性能再評価の課題とその解決策〜
　・バイオ医薬品におけるQbD〜"A-Mab：a Case Study in Bioprocess Development"の紹介も含めて〜
6) 日本PDA製薬学会第19回年会, 2012年12月12, 13日，東京
　・過去の事例に学ぶウイルス汚染の防止対策〜バイオ医薬品における事例検討〜
　・過去の事例に学ぶウイルス汚染の防止対策〜血漿分画製剤の感染事例とその対策〜
7) 日本PDA製薬学会第20回年会, 2013年12月3, 4日，東京
　・バイオ医薬品の安全性確保〜ウイルス迷入の安全性評価〜
　・バイオ医薬品の安全性確保〜ウイルスクリアランス試験の現状と実施における留意点〜
8) 日本PDA製薬学会第21回年会, 2014年12月2, 3日，東京
　・バイオ医薬品のQbD〜凝集体およびHCPの最新分析法とリスク管理〜
　・再生医療の最近の話題と規制動向
9) 日本PDA製薬学会第22回年会, 2015年12月1, 2日，東京
　・国内外における再生医療等製品の承認の現状〜審査報告書から見た再生医療等製品に求められる品質，有効性，安全性の確保〜
　・シングルユースシステム〜その技術概要，課題と対応策〜
10) 日本PDA 製薬学会第24回年会, 2017年11月28, 29日，神戸
　・バイオ医薬品 連続生産における現状と課題
　・バイオ医薬品の連続プロセス製造におけるウイルスクリアランス試験

・NGSとウイルス安全性
11) 日本PDA製薬学会第25回年会, 2018年11月27, 28日, 東京
    ・バイオ医薬品の製造プロセスにおけるウイルスクリアランス試験～現状と課題
    ・バイオ医薬品製造のコストに関する考察
12) 日本PDA製薬学会第26回年会, 2019年12月3, 4日, 東京
    ・バイオ医薬品製造工程におけるウイルスの混入または迷入時の安全性評価のデシジョンツリー
    ・次世代シーケンシング（NGS）によるウイルス安全性評価～産学官連携による国際活動の現況～

[講演・シンポジウム]
1)「バイオ医薬品ハンドブック～Biologicsの製造から品質管理まで～」出版記念シンポジウム
   日本PDA製薬学会バイオウイルス委員会主催, 2012年2月1日, 東京
2)「平成25年度バイオ医薬品製造及び品質管理技術支援研修会」
   富山県主催, 2013年10月8日, 富山
   日本PDA製薬学会バイオウイルス委員会より講師4名派遣（竹田浩三, 丸山裕一, 川俣 治, 菅谷真二）
3)「バイオ医薬品ハンドブック～Biologicsの製造から品質管理まで～」出版記念シンポジウム
   日本PDA製薬学会バイオウイルス委員会主催, 2016年11月18日, 東京

[企画・編集]
1) 次世代シーケンシングによるバイオ医薬品のウイルス安全性評価 第3回 ウイルス検出のためのNGS解析のデザインと運用
   中村昇太
   PHARM TECH JAPAN, 34：1539-1545（2018）
2) 次世代シーケンシングによるバイオ医薬品のウイルス安全性評価 第4回 NGSデータ解析の基礎とウイルス検出への応用
   上村泰央
   PHARM TECH JAPAN, 34：1887-1895（2018）
3) 次世代シーケンシングによるバイオ医薬品のウイルス安全性評価 第5回 次世代シーケンシングを用いた血液製剤安全性評価の試み
   古田理佳
   PHARM TECH JAPAN, 34：2156-2162（2018）
4) 次世代シーケンシングによるバイオ医薬品のウイルス安全性評価 第6回 受託試験機関PathoQuestについて
   築山美奈
   PHARM TECH JAPAN, 34：2759-2765（2018）
4) 次世代シーケンシングによるバイオ医薬品のウイルス安全性評価 第6回 受託試験機関PathoQuestについて
   築山美奈
   PHARM TECH JAPAN, 34：2759-2765（2018）

5) 次世代シーケンシングによるバイオ医薬品のウイルス安全性評価 第7回 次世代シーケンスを使用したウイルス関連解析
   木本 舞
   PHARM TECH JAPAN, 35：97-104(2019)
6) 次世代シーケンシングによるバイオ医薬品のウイルス安全性評価 番外編2 2019 PDA Virus Safety Forum参加報告
   河野 健
   PHARM TECH JAPAN, 35：2087-2092(2019)

略語表

略語		
AAV	adeno-associated virus	アデノ随伴ウイルス
ADA	anti-drug antibody	抗薬物抗体
ADA-SCID	adenosine deaminase – severe combined immunodeficiency	アデノシン・デアミナーゼ欠損による重症免疫不全症
ADC	antibody drug conjugate	抗体薬物複合体
ADCC	antibody-dependent cellular cytotoxicity	抗体依存性細胞障害
ADEM	acute disseminated encephalomyelitis	急性散在性脳脊髄炎
AdV	adenovirus	アデノウイルス
ASME	American Society of Mechanical Engineers	米国機械学会
ATMP	Advanced Therapy Medicinal Product	先端医療医薬品
AUC	Analytical Ultracentrifugation	超遠心分析法
BCG	Bacille de Calmette et Guérin	カルメット・ゲラン桿菌
BDD	B-domain deleted	Bドメイン欠失
BSE	Bovine Spongiform Encephalopathy	牛海綿状脳症
CAL	Cells At the Limit	医薬品製造のために in vitro 細胞齢の上限にまで培養された細胞
CAR	Chimeric antigen receptor	キメラ抗原受容体
CCU	Color-Changing Unit	色調変化単位
CDC	Complement-Dependent Cytotoxicity	補体依存性細胞傷害活性
CDMO	Contract Development and Manufacturing Organization	受託開発製造会社
CDR	Complementarity Determining Region	相補性決定領域
CDX	Cell line-derived xenograft	細胞株由来異種移植
CFU	Colony forming unit	コロニー形成単位
CHO	Chinese Hamster Ovary	チャイニーズハムスター卵巣細胞株
CIP	Cleaning In Place	定置洗浄
CJD	Creutzfeldt-Jakob disease	クロイツフェルト・ヤコブ病
CLEIA	Chemiluminescent Enzyme Immunoassay	化学発光免疫測定法
CMO	Contract Manufacturing Organization	受託製造会社
COA	Certificate of Analysis	試験成績書
CPE	cytopathic effect	細胞変性効果
CPF	Cell Processing Facility	細胞加工施設
CPP	Critical Process Parameter	重要工程パラメータ
CQA	Critical quality attributes	重要品質特性
DOE	Design of Experiment	実験計画法
DPT	Diphtheria, Pertussis, Tetanus	ジフテリア・百日咳・破傷風混合
DS	Design Space	デザインスペース
EDQM	European Directorate for the Quality of Medicines	欧州薬局方委員会

略語		
ELISA	Enzyme Linked Immunosorbent Assay	酵素結合免疫吸着法
EMA	European Medicines Agency	欧州医薬品庁
ER	endoplasmic reticulam	小胞体
FFP	Fresh Frozen Plasma	新鮮凍結血漿
GCTP	Good Gene, Cellular, and Tissue-based Products Manufacturing Practice	再生医療等製品の製造管理及び品質管理の基準に関する省令
GILSP	Good Industrial Large-Scale Practice	優良工業製造規範
GVHD	Graft-Versus-Host Disease	移植片対宿主病
HA	hemagglutinin/hemagglutination	ヘマグルチニン／血球凝集反応
HAD	hemadsorption	血球吸着反応
HBV	hepatitis B virus	B型肝炎ウイルス
HCP	Host Cell Protein	宿主細胞由来のタンパク質
HCV	hepatitis C virus	C型肝炎ウイルス
Hib	Haemophilus influenza type b	ヘモフィルスインフルエンザ菌b型
HPAEC-PAD	High Performance Anion Exchange Chromatography-Pulsed Amperometric Detection	高速陰イオン交換クロマトグラフィーパルス式電気化学検出法
HPAI	Highly Pathogenic Avian Influenza	高病原性トリインフルエンザ
HPV	Human Papilloma Virus	ヒトパピローマウイルス
HTLV	Human T-cell leukemia virus	ヒトT細胞白血病ウイルス
ICH	nternational Council for Harmonisation of Technical Requirements for Pharmaceuticals for Human Use	医薬品規制調和国際会議
IEC	Ion-Exchange Chromatography	イオン交換クロマトグラフィー
IEF	Isoelectric Focusing	等電点電気泳動
IPV	Inactivated polio vaccine	不活化ポリオワクチン
LCMV	Lymphocytic Chiorome-ningitis virus	リンパ球性脈絡髄膜炎ウイルス
LER	Low endotoxin recovery	低エンドトキシン回収
LMO	Liviing Modified Organism	遺伝子組換え生物等
LR	Leukocyte Reduction	白血球除去
LRV	Log Reduction Value	ウイルスクリアランス指数
MAP	Mouse Antibody Production Test	マウス抗体産生試験
MCB	masater cell bank	マスターセルバンク
MERS	Middle East Respiratory Syndrome	中東呼吸器症候群
MoA	Mode/Mechanism of Action	作用機序
MS	Mass Spectrum	質量分析
MS/MS	Tandem mass spectrometer	タンデム質量分析計
MSPC	Multivariate Statistical Process Control	多変量統計プロセス制御
MuLV	Murine Leukemia Virus	マウス白血病ウイルス
MVM	Minute Virus of Mice	マウス微小ウイルス
NAT	nucleic acid amplification test	核酸増幅検査
NFF	Normal Flow Filtration	ノーマルフローフィルトレーション
NGS	Next-Generation Sequencing	次世代シーケンシング

略語表

略語		
NIR	Near Infrared Spectorscopy	近赤外分光分析法
NMR	Neclear Magnetic Resonance	核磁気共鳴
OIE	Office International des Epizooties	国際獣疫事務局
PAT	Process Analytical Technology	プロセス分析技術
pCQA	potential Critical Quality Attribute	重要品質特性
PCR	Polymerase Chain Reaction	ポリメラーゼ連鎖反応
PD	pharmacodynamic	薬力学
PK	Pharmacokinetics	薬物動態
PMDA	Pharmaceuticals and Medical Devices Agency	医薬品医療機器総合機構
QbD	Quality by Design	クオリティ・バイ・デザイン
RAP	Rat Antibody Production Test	ラット抗体産生試験
RAT-SPOC法	Risk Assessment Tool for Selecting Potential Critical Quality Attribute	リスクアセスメント手法
RCV	Replication Competent Virus	増殖性ウイルス
rcAAV	Replication-Competent AAV	増殖性アデノ随伴ウイルス
SARS	Severe acute respiratory syndrome	重症急性呼吸器症候群
SEC	Size Exclusion Chromatography	サイズ排除クロマトグラフィー
SIP	Sterilization in Place	定置滅菌
SPF	Specific pathogen free	特定の病原体フリー
SPR	Surface Plasmon Resonance	表面プラズモン共鳴
SV-AUC	Sedimentation Velocity Analytical ultracentrifugation	超遠心分析速度法
TCID法	Tissue culture infectious dose	組織培養感染性試験
TEM	Transmission Electron Microscopy	透過型電子顕微鏡
TFF	Tangential Flow Filtration	タンジェンシャルフローフィルトレーション
TOF-MS	Time-of-Flight Mass Spectrometer	飛行時間型質量分析計
TPP	Target Product Profile	標的製品プロファイル
TSE	Transmissible Spongiform Encephalopathy	伝達性海綿状脳症
UHPLC	Ultra High Performance Liquid Chromatography	超高速液体クロマトグラフィー
VLP	Virus-like Particle	ウイルス様粒子
WCB	Working cell bank	ワーキングセルバンク

索　引

A

A-Mab Case Study　57, 76
ADA（anti-drug antibody）　157
ADC　12, 156, 308, 310
ADCC　153, 304
Antibody Drug　299
ATF　62
AVDTIG　217, 218

B

BHK 細胞　17
Box in Box　72
BSE　126, 430

C

C127 細胞　17
CAL　27
CAR-T　391, 397, 428
CCID 法　179
CDC　153, 304
CDMO　3, 80, 81, 98
CHO 細胞　17, 24, 188
CMA　75
CMC　3, 7, 9, 11, 14, 120
CNC　48
COA　129
CPE　179, 201
CPP　57, 75
CQA　58, 75, 130
Critical Process Parameter　75
Critical Quality Attribute　58
CRO　3, 80, 81, 98
CTD　9, 10, 14
Cytotoxicity　179

C 末端アミノ酸　143
C 末端プロリン　161
C 末端リシン　161

D

DAR　156
Design Space　57, 58
DMD　444
DOE　57, 58
DS　57
DSP　47
Dynamic Perfusion　62

E

EB66 細胞　7, 295
EC　10
eCTD　14
EHDV　184, 185
ELISA　50, 140, 152
Exon skipping　446
Extractables　107, 115, 118, 119

F

Fab　300
FAP　443
Fc 領域融合タンパク質　313
Fed-Batch 培養　70
Fed-Perfusion 培養　61, 68, 70
FMEA 分析　14
F-PERT 法　206

G

GCTP　338
GILSP　425

GL-37 細胞　17
GMP　47, 81, 344, 408
GMP 審査　13
GMP 適合性調査　13
GQP　339
GVHD　235
GVP　247

H

HAD　201
HAP 試験　29, 207
HBV　264
HCP　46, 155
HCV　234, 240
HIV　240
HT-1080 細胞　17
HTS　219

I

IB　30
ICH　14
ICH M4　14
ICH Q12　9
ICH Q2A/B　131, 132
ICH Q5A　155, 171, 207, 208, 218, 219
ICH Q5B　11, 411
ICH Q5D　11, 411
ICH Q6B　137
ICH Q7　27, 70
ICH Q8　56, 75
ICH Q9　75
Identity ELISA　132
IEC　139
IgG　127, 300
IMPD　8
In vitro 試験　29, 200, 221
In vivo 試験　29, 200, 221
IND　8

Interference　179
IQ　47

L

LAMP 法　209
Leachables　107, 115, 118, 119
LER　155
LRV　175

M

MAP 試験　207
MCB　27
MDCK 細胞　17, 283, 295
MPS　219
MRC-5 細胞　201
MSPC　57
MTX　24, 28
MuLV　174, 175, 176
Mus dunni 細胞　201
MVM　53, 171, 178, 185, 187

N

NAT　155, 208, 209, 212, 236, 245
NGS　198, 218, 219, 222
NMR　145
NS0 細胞　17
N 末端アミノ酸　143
N 末端ピログルタミン酸　160

O

OQ　47

P

PAT　60, 74
PCR　200, 206, 208
PCV-1　171, 189, 217
PD-1　305
PD-L1　305

Perfusion 培養　68，70
PERT 法　206
PK　138，160
PQ　47
PV　47

Q

QbD　47，56，57，417
QOL　255
Quality by Design　56

R

RAP 試験　29，207
RNA 干渉　444
RS 戦略相談制度　340
RTD　73

S

S/D 処理　177，240
S⁺L⁻ フォーカス試験　200，207
SARS-CoV-2　236
SDS-PAGE　132
SEC　139
Sf9 細胞　24
SIP　105
siRNA　454
SMA　446
SP2/0 細胞　17
SPF　29，268
Spike Recovery　179

T

TCID　179
TEM　182
TFF　51，62
TOF-MS　151
TPP　57
Triton X　173

TSE　430
TTR　443

U

USP　47

V

vCJD　247
VEGF　303
Vero 細胞　17，283，295
VLP　182
VWD　255
VWF　244

W

WCB　27，108

X

XC プラークアッセイ　207

ア

アイソフォーム　139
アウトソーシング　80，98
アデノウイルス　400
アフィニティークロマトグラフィー　51，52
アプタマー　439
アミノ酸組成分析　142
アミロイドーシス　443
アルブミン製剤　241
アンチセンス　439
安定性試験　134

イ

移植片対宿主病　235，377
異性化　164
遺伝子組換え生物等　422
遺伝子組換え微生物　425
遺伝子治療　382，397

索引

遺伝子治療用製品等　2, 428
医薬品医療機器法　336, 337, 345
インフルエンザウイルス　270, 282
インフルエンザワクチン　270, 279, 284

ウ

ウィンドウピリオド　236
ウイルス　130, 171, 199, 245
ウイルス汚染　177, 184, 193
ウイルス核酸検出試験　208
ウイルスクリアランス　48, 174, 175, 246
ウイルス製剤　2
ウイルスセグリゲーション　47
ウイルスバンク　411
ウイルス否定試験　199, 200, 221
ウイルスフィルター　54
ウイルス不活化　64, 172, 173, 181, 246
ウイルスベクター　400, 402, 411
ウイルス力価測定　180
ウイルスろ過　53, 175
ウェスタンブロット　28
牛海綿状脳症　126

エ

エスタブリッシュトコンディション　10
エンドトキシン　128, 130, 155
円偏光2色性　145

オ

汚染防止　47
おたふくかぜ　263
オリゴヌクレオチド　448

カ

核酸アプタマー　454
核酸医薬品　2, 5, 439
核酸増幅試験　208
確認申請　336

カルタヘナ法　420
還元　166
感染性因子　129
ガンマ線滅菌　109

キ

規格及び試験法　131
キメラ抗体　301
キャプチャークロマトグラフィー　63
凝集体　65, 126, 134

ク

クオリティ・バイ・デザイン　47
クオリフィケーション　47
クローズトプロセス　71, 111, 112
クロマトグラフィー　52, 63

ケ

血小板　235
血漿分画製剤　238, 244
血液凝固因子製剤　243
血液製剤　1, 4
血友病　240, 248
限外ろ過　65

コ

合成医薬品　59, 125
抗体依存性細胞傷害活性　153
抗体医薬　5, 45, 299, 300, 303
抗体産生試験　207
抗体薬物複合体　12, 156, 308
コスト　66, 67, 68
コモン・テクニカル・ドキュメント　9
コロナウイルス　465
コンジュゲーション　312
昆虫細胞　24, 403
コンティグ　221
混入汚染物質　126, 130, 155

サ

再生医療　5
再生医療推進法　336, 337
再生医療等安全性確保法　336, 345
再生医療等製品　2, 335
サイトカイン　352, 401
細胞基材　3, 17, 24, 25
先駆け審査指定制度　199, 216, 219
サプライチェーン　117
サンガー法　219

シ

次世代シーケンサー　198, 216, 219, 222
次世代シーケンシング　199, 216, 219
実験計画法　57
シードセル　31
シードロットシステム　25
重要工程パラメーター　75
重要品質特性　58, 75
宿主細胞由来DNA　46
宿主細胞由来タンパク質　155
受託開発製造会社　81
受託試験機関　81, 182
受託製造会社　81
腫瘍溶解性ウイルス　388
純度　132
純度試験　28, 34
条件及び期限付承認　337, 339
シングルユース技術　3, 71, 101, 102, 112, 113
シングルユースシステム　98, 102, 110, 111
シングルユース製品　102
シングルユース・センサー　108, 109
シングルユースバッグ　102, 103, 105, 108
新興再興感染症　237, 247
申請戦略　12
迅速開発　13

ス

ステンレスシステム　98
スパイク試験（テスト）　179, 180, 183

セ

精製　44, 51, 63, 408
製造工程由来不純物　154
生物学的製剤　1, 244
生物学的製剤基準　210, 274
生物活性　139
生物薬品　1
生物由来原料基準　17
生物由来製品　1
接着細胞培養法　404
セルバンク　25, 26, 27, 31, 32, 283, 411
セルバンクシステム　25

ソ

ゾーニング　47, 48, 50

タ

滞留時間分布　73
多変量統計プロセス制御　57
単回使用　102
タンジェンシャルフロー・フィルトレーション　51

チ

治験薬　8
治験薬GMP　113
抽出物　118
チューブウェルダー　104
チューブシーラー　104

テ

デザインスペース　58, 74
データインテグリティ　226
デプスフィルター　51

索引

ト
糖鎖　146
糖組成分析　147
同等性／同質性　308
動物培養細胞　26
動物ワクチン　290
特異的モデルウイルス　176
特性解析　27, 33, 128
特定生物由来製品　1
トランスジェニックニワトリ　17

ナ
生ワクチン　266

ニ
日本脳炎ウイルス　282
日本脳炎ワクチン　277, 284, 292
日本薬局方　144, 146, 152, 210, 211

ハ
バイオ医薬品　1, 43, 125
バイオ原薬　48
バイオ後続品　2, 302, 323
バイオシミラー　323
バイオリアクター　62, 106, 112
バイスペシフィック抗体　317
ハイブリドーマ　301
培養　44, 50, 61
培養基材　295
バキュロウイルス　404
バクテリオファージ　464
バッチ　70
バッファー　49
ハーベスト　62, 406
パンデミック　284, 285, 286

ヒ
微生物　30, 130
微生物管理　47
ヒト化抗体　301
ヒト抗体　140, 301
ヒトパルボウイルスB19　241
人免疫グロブリン製剤　242
表面プラズモン共鳴　152
品質管理　306, 312, 347, 416

フ
風しん　266, 268
封入体　30
フェッドバッチ培養　51
不活化ワクチン　266
不純物　46, 126, 130, 132, 140, 154
浮遊細胞培養法　404
プラスミド　34
プリオン　126, 247
フロースルークロマトグラフィー　64
プロセス解析工学　60, 74
プロセスバリデーション　47, 74, 350

ヘ
ペプチドマップ　144
ベリフィケーション　335, 350, 351
ペリプラズム　30, 31
変更申請　10

ホ
補体依存性細胞傷害活性　153
ポリオウイルス　463
ボールルーム　72
翻訳後修飾　160

マ
マイコプラズマ　29, 211
マイコプラズマ否定試験　210, 212
マウス抗体　301
マスターセルバンク　27

マッピングパターン　227

ミ
ミサイル療法　303

ム
無菌サンプリング　107
無菌製造法　355
無菌接続　104，105
無菌接続コネクター　104
無菌ディスコネクター　104

メ
免疫グロブリン　300
免疫原性　140
免疫チェックポイント　305

モ
目的抗体　46
目的物質　126
目的物質関連物質　126，154
目的物質由来不純物　126，154
モジュラーデザイン　72
モノクローナル抗体　164，299，301

ヤ
薬害　240
薬物抗体比　156
薬物動態　138

ユ
輸血　233，234

ヨ
溶出物　118

リ
力価　139
リーク試験装置　110
リスクアセスメント　58，114
リスク管理　129
リスク評価　113
リスクベース　57
リフォールディング　30
リンカー　156，308
臨床試験　8

レ
レトロウイルス　29，204，205，206
連続生産　2，59，60，61，65

ロ
ろ過滅菌　56
ロット　70

ワ
ワーキングセル　32
ワーキングセルバンク　27，189
ワクチン　1，4，189，261，262，271，275

バイオ医薬品ハンドブック　第4版
Biologicsの製造から品質管理まで

定価　本体9,500円（税別）

2012年 1 月25日　初版発行
2016年10月25日　第 2 版発行
2018年11月 5 日　第 3 版発行
2020年11月10日　第 4 版発行

編　集　日本PDA製薬学会 バイオウイルス委員会
発行人　武田　正一郎
発行所　株式会社　じほう
　　　　101-8421　東京都千代田区神田猿楽町1-5-15（猿楽町SSビル）
　　　　電話　編集　03-3233-6361　販売　03-3233-6333
　　　　振替　00190-0-900481
　　　　＜大阪支局＞
　　　　541-0044　大阪市中央区伏見町2-1-1（三井住友銀行高麗橋ビル）
　　　　電話　06-6231-7061

©2020　　　　　　　　　　　組版　レトラス　　印刷　シナノ印刷(株)
Printed in Japan

本書の複写にかかる複製，上映，譲渡，公衆送信（送信可能化を含む）の各権利は
株式会社じほうが管理の委託を受けています。

JCOPY ＜出版者著作権管理機構　委託出版物＞
本書の無断複製は著作権法上での例外を除き禁じられています。
複製される場合は，そのつど事前に，出版者著作権管理機構（電話 03-5244-5088,
FAX 03-5244-5089, e-mail：info@jcopy.or.jp）の許諾を得てください。

万一落丁，乱丁の場合は，お取替えいたします。
ISBN 978-4-8407-5317-3